AF218742

ACCESO GRATIS a la Lectura en la Nube

Para visualizar el libro electrónico en la nube de lectura envíe junto a su nombre y apellidos una fotografía del código de barras situado en la contraportada del libro y otra del ticket de compra a la dirección:

ebooktirant@tirant.com

En un máximo de 72 horas laborales le enviaremos el código de acceso con sus instrucciones.

LAS CLÁUSULAS ESPECÍFICAS DEL REGLAMENTO GENERAL DE PROTECCIÓN DE DATOS EN EL ORDENAMIENTO JURÍDICO ESPAÑOL

Cuestiones clave de orden nacional y europeo

LAS CLÁUSULAS ESPECÍFICAS DEL REGLAMENTO GENERAL DE PROTECCIÓN DE DATOS EN EL ORDENAMIENTO JURÍDICO ESPAÑOL

Cuestiones clave de orden nacional y europeo

BEATRIZ TOMÁS MALLÉN
ROSARIO GARCÍA MAHAMUT
CRISTINA PAUNER CHULVI
Editoras

JORGE AGUSTÍN VIGURI CORDERO
Coordinador

tirant lo blanch
Valencia, 2021

© Beatriz Tomás Mallén
Rosario García Mahamut
Cristina Pauner Chulvi

© TIRANT LO BLANCH
EDITA: TIRANT LO BLANCH
C/ Artes Gráficas, 14 - 46010 - Valencia
TELFS.: 96/361 00 48 - 50
FAX: 96/369 41 51
Email:tlb@tirant.com
www.tirant.com
Librería virtual: www.tirant.es
DEPÓSITO LEGAL: V-3434-2021
ISBN: 978-84-1397-351-7
MAQUETA: Disset Ediciones

Si tiene alguna queja o sugerencia, envíenos un mail a: atencioncliente@tirant.com. En caso de no ser atendida su sugerencia, por favor, lea en *www.tirant.net/index.php/empresa/politicas-de-empresa* nuestro procedimiento de quejas.

Responsabilidad Social Corporativa: http://www.tirant.net/Docs/RSCTirant.pdf

ÍNDICE

RGPD Y AUTORIDADES DE PROTECCION DE DATOS:
UN ANTES Y UN DESPUÉS
MÓNICA ARENAS RAMIRO

MENORES, CENTROS DOCENTES Y DATOS: DECISIONES
CONFLICTIVAS
MÒNICA VILASAU SOLANA

LOS PODERES DE LAS AUTORIDADES DE CONTROL EN MATERIA
DE PROTECCIÓN DE DATOS FRENTE AL DEBER DE SECRETO
PROFESIONAL
CRISTINA PAUNER CHULVI

EUROPRISE, EL ESQUEMA NACIONAL DE SEGURIDAD Y OTRAS
INICIATIVAS IMPULSADAS POR DISTINTAS AGENCIAS DE
PROTECCIÓN DE DATOS EUROPEAS

JORGE AGUSTÍN VIGURI CORDERO

EL IMPACTO DE LAS CLÁUSULAS ABIERTAS EN LA ADMINISTRACIÓN
TRIBUTARIA

BERNARDO D. OLIVARES OLIVARES

VIRTUALIDAD Y EFICACIA DEL DERECHO A LA DESCONEXIÓN DIGITAL: LAGUNAS, IMPRECISIONES Y PRÁCTICAS PARA SU INTEGRACIÓN
GUILLERMO GARCÍA GONZÁLEZ

DECISIONES AUTOMATIZADAS BASADAS EN ALGORITMOS Y PROTECCIÓN DE DATOS PERSONALES
ANA GARRIGA DOMÍNGUEZ

LA POSICIÓN DEL TRIBUNAL DE JUSTICIA DE LA UNIÓN EUROPEA ANTE LA ANONIMIZACIÓN DE DATOS PERSONALES EN EL ÁMBITO JUDICIAL
BEATRIZ TOMÁS MALLÉN

EL TRIBUNAL EUROPEO DE DERECHOS HUMANOS ANTE LA ANONIMIZACIÓN DE DATOS PERSONALES EN EL ÁMBITO JUDICIAL
LUIS JIMENA QUESADA

APUNTES SOBRE LA DETERMINACIÓN DE LA COMPETENCIA JUDICIAL INTERNACIONAL EN SUPUESTOS INTERNACIONALES DE INFRACCIÓN DE DATOS PERSONALES. EL BINOMIO LEGAL ENTRE EL REGLAMENTO EUROPEO Y LA LEY ORGÁNICA ESPAÑOLA
LERDYS SARAY HEREDIA SÁNCHEZ

PRESENTACIÓN

Desde la efectiva aplicación del Reglamento (UE) 2016/679 del Parlamento Europeo y del Consejo, de 27 de abril de 2016, relativo a la protección de las personas físicas en lo que respecta al tratamiento de sus datos personales y a la libre circulación de estos datos (RGPD) el 25 de mayo de 2018, los Estados miembros han aprobado sus respectivas legislaciones de protección de datos implementando, entre otras cuestiones, las cláusulas de especificación previstas en el RGPD. Estas proveen del margen de maniobra necesario para dotar del dinamismo que exige esta normativa, que evoluciona a un ritmo imparable y, consecuentemente, requiere de constantes modificaciones, adaptaciones y concreciones en sede nacional.

Por lo que se refiere al ordenamiento jurídico español, la aprobación de la Ley Orgánica 3/2018, de 5 de abril, de Protección de Datos y de garantía de los derechos digitales recoge, entre otras cuestiones, destacadas cláusulas de especificación. Una aplicación diferenciada de la norma europea de referencia sobre cuestiones tasadas, algunas de ellas objeto de análisis pormenorizado en la presente obra.

Más ampliamente, este libro es uno de los resultados alcanzados en el marco de sendos proyectos de investigación sobre la implementación del RGPD en España y el impacto de las cláusulas abiertas en la nueva LOPD, normativa de desarrollo y legislación sectorial, uno de la Conselleria de Innovación, Universidades, Ciencia e Innovación Digital de la Generalitat Valenciana (AICO/2019/205), del que Beatriz Tomás Mallén ha sido investigadora principal y otro del Ministerio de Ciencia, Innovación y Universidades (RTI2018-095367-B-I00), con las profesoras Rosario García Mahamut y Cristina Pauner Chulvi como investigadoras principales.

Las tres tenemos el honor de dirigir, con la coordinación del profesor Jorge Viguri Cordero, esta obra colectiva que supone la culminación de la investigación que ha desarrollado el equipo de investigación que formamos parte del proyecto durante los años 2019 a 2021, constituyendo así uno de sus principales resultados. Desde luego, se han alcanzado otros muchos, entre los que querríamos destacar ahora, como mérito en clave de transferencia, la elaboración de un exhaustivo Documento para Consulta Pública, durante el trámite de audiencia e información pública, sobre la Carta de Derechos Digitales. En este se incluyeron comentarios sobre el texto de la citada Carta, la equivalencia, en su caso, con el texto de la LOPDGDD y propuestas concretas (de adición, supresión o modificación) que sirvieron para orientar la labor tanto del Gobierno como del Legislador.

Volviendo al libro que el lector tiene en sus manos, se centra en el nivel de concreción de la legislación española de protección de datos sobre cuestiones de innegable importancia y actualidad. Lo prologa Juan Fernando López Aguilar, Catedrático de Derecho Constitucional de la Universidad de Las Palmas y Presidente de Presidente de la Comisión de Libertades, Justicia e Interior del Parlamento Europeo. Nuestro agradecimiento por brindarnos su generosa participación no solo en este libro sino en el mencionado congreso internacional. Pocas personas reúnen como él los conocimientos teóricos y prácticos sobre las cuestiones que aborda pues la Comisión LIBE, que preside, resulta ser una atalaya privilegiada desde la que fijar el rumbo de la Unión Europea y de los Estados que la integran en relación con la protección de datos. Por poner un ejemplo de sus últimos y relevantes desempeños en este ámbito, ha defendido como ponente ante el pleno del PE, el 25 de marzo de 2021, un Implementation Report sobre el RGPD, transcurridos dos años de su plena vigencia y en un momento especialmente delicado de lucha contra la covid-19. En su prólogo, Juan Fernando López Aguilar valora positivamente el resultado de aquella implementación pero señala problemas y retos pendientes para la UE, especialmente en un contexto de limitación de derechos por la pandemia y su impacto tanto en el derecho a la protección de datos (con el estándar más elevado del mundo) y otros derechos tan identificables con la Unión como la libertad de circulación o la igualdad. El primero de los capítulos realiza, a modo introductorio, un análisis del derecho a la protección de datos en España, en tiempos de pandemia y de limitación de derechos, en el ámbito de la salud, la investigación con Big Data o el historial clínico. Seguidamente, se analizan las cláusulas abiertas o de especificación en las transferencias internacionales de datos personales UE-EE.UU., su alcance en el derecho a la limitación del tratamiento, en el papel que llevan a cabo las autoridades de control y en relación con sus poderes frente al deber de secreto profesional. Por su parte, también se abordan las citadas cláusulas del tratamiento de datos en ámbitos tan diversos como los menores de edad en el entorno educativo, las certificaciones, la administración tributaria, la desconexión digital o en las decisiones automatizadas basadas en algoritmos. Finalmente, se examina la anonimización de datos personales en el ámbito judicial, concretamente, en la posición adoptada por el Tribunal de Justicia de la Unión Europea (TJUE) y el Tribunal Europeo de Derechos Humanos (TEDH), concluyendo con unos apuntes sobre la determinación de la competencia judicial internacional en supuestos internacionales de infracción de datos personales.

Quisiéramos terminar esta breve presentación agradeciendo muy especialmente el enorme esfuerzo realizado por los autores en estos tiempos de pandemia en los que abordar las cotidianas tareas del profesor universitario (docencia, investigación, gestión, transferencia, ...) ha supuesto, y sigue suponiendo, como en otros ámbitos, un desafío diario. Que hayan seguido cumpliendo los compromisos investigadores adquiridos, sin desfallecer, a pesar de las circunstancias adversas, es verdaderamente meritorio y nos llena de orgullo y agradecimiento haber podido contar con sus valiosas contribuciones.

Beatriz Tomás Mallén
Profesora Titular de Derecho Constitucional
Universitat Jaume I

Rosario García Mahamut
Catedrática de Derecho Constitucional
Universitat Jaume I

Cristina Pauner Chulvi
Profesora Titular de Derecho Constitucional
Universitat Jaume I

Prólogo
LA PROTECCIÓN DE DATOS VUELVE AL DEBATE EUROPEO. INFORME DE IMPLEMENTACIÓN DEL GDPR EN EL PARLAMENTO EUROPEO Y APROBACIÓN DEL CERTIFICADO VERDE DIGITAL: LOS "PASAPORTES COVID" Y LOS DERECHOS DE CIUDADANÍA EUROPEA

Juan F. López Aguilar
Catedrático de Derecho Constitucional
Universidad de las Palmas de Gran Canaria
Presidente de la Comisión de Libertades, Justicia e Interior del PE

Durante la Legislatura 2009//2014, primera de la plena vigencia del Tratado de Lisboa (TL) y la Carta de Derechos Fundamentales de la UE (CDFUE), la Comisión de Libertades, Justicia e Interior (LIBE) del Parlamento Europeo (PE) consumió muchas energías y tiempo de duro trabajo en adoptar el Data Protection Package (DPP). El resultado fue el Paquete de Protección de Datos (PD) actualmente en vigor, compuesto por un Reglamento (GDPR, ley europea directamente vinculante para los Estados miembros/EE.MM.) y una Directiva dirigida a las autoridades de Policía, Fiscalía y Justicia en la investigación de los delitos (PD, Police Directive).

He resaltado muchas veces cómo la entrada en vigor del TL y la CDFUE constituyó un paso de gigante para el PE como legislador de los derechos fundamentales. El arduo trabajo legislativo del DPP fue llevado con el asesoramiento y los dictámenes del Supervisor Europeo de Datos Personales de la UE (EDPS). Por lo demás, la aprobación definitiva del GDPR y de la PD comportó la derogación de la hasta entonces vigente Directiva PD 95/46 (y el reemplazo del experimentado Working Party de su art. 29 por el actualmente operativo European

Data Protection Board, EDPB). Pero desplazó también las leyes nacionales hasta entonces vigentes (efectos de primacía y eficacia directa); entre ellas, la española LO 15/99, LOPD, luego sustituida por la actual LO 3/18.

De modo que, tras muchas vicisitudes (y resistencias por parte de los gigantes en la red: Facebook, Google, Twitter, Amazon...), el DPP fue finalmente adoptado por el PE y por el Consejo en abril de 2016 (GDPR 679/2016 y PD 680/2016), aunque la plena vigencia de su régimen vinculante tuvo lugar dos años después, en 2018. En su articulado (art. 66), se mandataba al PE a elaborar, transcurridos otros dos años (cumplidos en 2020), un Implementation Report para evaluar su impacto y adoptar medidas oportunas.

Como Presidente de la Comisión LIBE, he tenido el honor de ser su Ponente y defenderlo ante el Pleno del PE (25 de marzo de 2021). El contexto en que ha tenido lugar este debate constituye un desafío sin igual. Por un lado, se debate en el PE el "Paquete Digital" (Digital Agenda) impulsado por la Comisión 2019/2024 (Vicepresidente Vestager y Comisario Breton): Digital Services Act, Digital Markets Act y Digital Governance Act. Por otro, se debate la regulación de la Inteligencia Artificial (AI) en que la UE manifiesta su determinación de ser pionera. En ambos frentes, la prioridad de la Comisión LIBE (y, por ende, del PE) es la de su coherencia jurídica con el DPP y con el estándar europeo de protección de la privacidad (el más alto del mundo). Resaltando, por encima de todo, la primacía del consentimiento (libre, expreso, informado) para el tratamiento de datos, que solo podrá ceder ante consideraciones de seguridad pública (que, en tiempos de pandemia, incluye la Salud Pública). Pero en ningún caso se justifica la exención de la regla (Special Derogation) para las PYME: está en vigor para todos los sujetos, personas físicas y jurídicas, públicas y privadas, grandes empresas y pequeñas, y medianas también.

Resulta crucial este contexto, toda vez que, además, este debate tiene lugar (todavía) en la lucha contra la covid-19 y la consiguiente crisis que ha dado lugar a una plétora de medidas de emergencia en que se hace imperioso velar por la PD y por los derechos de la ciudadanía al menos en tres planos: a)= PD y control de la pandemia; b)= PD e investigación médica; c)= PD y "Vaccine Passports" (el Reglamento europeo del originariamente llamado EU Digital Green

Certificate, luego llamado EU Covid 19 Certificate, tramitado por el procedimiento de urgencia del art. 163 de las Rules of Procedures). Está claro –una vez más– que garantizar en todos los casos los derechos de ciudadanía y la prohibición de discriminación (arts. 7, 8, 20 y 21 CDFUE) constituye distintivamente una prioridad de LIBE.

El Informe de Implementación contiene una Resolución extensa. En ella, junto a las habituales invocaciones de las bases jurídicas pertinentes y el historial de legislación europea, doctrina jurisprudencial del TEDH y del TJUE e historial de Resoluciones anteriores dignas de colación, se reafirman las premisas para el tratamiento de datos en el estándar europeo –insisto, el más alto del mundo– y los derechos de los ciudadanos/as europeos/as en cuanto titulares de datos ("data subjects"). Varios de sus parágrafos dispositivos más relevantes se concentran en la problemática planteada por las Small Business and Organisations (PYME), preludio de sus disposiciones sobre el state of the play del DP en cuanto a su Enforcement (esto es, el nivel de su ejecución). Se consideran así los aspectos relativos a la cooperación internormativa (UE/EE.MM.) y a la coherencia en la legislación de transposición adoptada por los EE.MM. así como una inevitable crítica a la "fragmentación" del paisaje de su implementación. Se abordan los problemas específicos de las EDPB Guidelines y la complementaria e-Privacy Regulation, así como las deficiencias detectadas y las perspectivas de desarrollo y evolución de la legislación europea sobre PD.

A partir de estas premisas, las conclusiones de mi Informe de Implementación son claras. Primera, su aplicación ha sido, por lo general, un éxito. Desmintiendo resistencias y alarmismos. Todos los EE.MM. (salvo Eslovenia) han procedido además a su transposición al Derecho interno. No es necesaria, pues, su revisión a la baja. Esta valoración positiva se extiende al ámbito objetivo más protestado por sus especialidades: el de las PYME. Se decía que "no podrían adaptarse a las nuevas exigencias" (el requerimiento legal de incorporar los respectivos "responsables de gestión de datos"), pero lo han conseguido. Lo que no quiere decir que mi Informe no urja a la Comisión a mantener las líneas para su ayuda, asistencia técnica y apoyo especializadas (mediante el Programa COSME, entre otras herramientas).

Pero esa valoración globalmente positiva no impide señalar problemas pendientes y otros tantos retos de implementación; empezando por fomentar e incrementar la conciencia de la ciudadanía europea (raising awareness) respecto de la titularidad de sus derechos protegidos por la CDFUE y la legislación europea, así como asegurar un adecuado DP assessment del International Data Flow, aun cuando ello comporte un incremento de las quejas interpuestas.

Tres problemas reclaman una singular atención: a) las indeseables restricciones de derechos (libertad de expresión y comunicación; libertades sindicales) que han podido producirse con ocasión o a rebufo de las leyes nacionales; b) las preocupantes violaciones del principio general del consentimiento (Platforms of *Online* Advertising, Data Tracking, Dark Patterns... haciéndose necesarias las actuaciones correctoras de las EDPB Guidelines; c) y, por supuesto, en el trasfondo, las llamativas discrepancias en los modelos nacionales de desarrollo normativo del DPP (que se consideran contrarias a las exigencias del art. 7 GDPR).

Aún persiste otro reto, que exige un punto y aparte: se trata de la necesidad de dotar de suficiente financiación presupuestaria y de recursos humanos (staff), materiales y tecnológicos a las Autoridades Nacionales de los EE.MM. (DPA). En nuestra Resolución se contiene una crítica expresa a las DPA de Irlanda y Luxemburgo, EE.MM. en que los gigantes de la red practican Forum Shopping y Dumping fiscal en la UE (Agressive Tax Planning), sin que sus agencias parezcan capaces de embridar los incumplimientos de la normativa europea. Y, finalmente, un aspecto: el impacto del DPP y del estándar europeo en el tráfico de datos en la Relación Transatlántica con los EE.UU. En dos ocasiones reseñables, el TJUE ha declarado que el modelo de EE.UU. no garantiza el derecho a la tutela judicial ni su acceso a los/as ciudadanos/as europeos/as en condiciones de reciprocidad respecto de las salvaguardias que protegen a los/as ciudadanos/as de EE.UU. ante la UE. En 2015, el TJUE declaró ilegal (por contrario al TL y la CDFUE) el llamado Safe Harbour (Caso Schrems I); y en 2020 volvió a sentar jurisprudencia con el Privacy Shield (Caso Schrems II): en ambos casos, no por casualidad, el litigio se origina en Irlanda. Y en ambos supuestos se pone de manifiesto que, aun cuando las Standard Commercial Clauses con los EE.UU. no deban estimarse en sí contrarias al Derecho europeo, sí lo son las Adequacy Decisions adoptadas en falso por la Comisión Europea a la luz de las limitaciones a la privacidad, confidencialidad de los datos y garantía del consentimiento ("libre, informado, expreso, inequívoco") de los/as ciudadanos/as europeos/as impuestas unilateralmente por las exigencias securitarias de la NSA y por la FISA Act de EE.UU.

¡Mucho por hacer, sin duda! Y todavía algo que contar en el plano del análisis.

Así, complementariamente, el PE ha dado trámite en la Legislatura 2019/2024 a nuevas iniciativas de la Comisión VDL orientadas a dar cuenta de desarrollos tecnológicos de última generación con el alegado objetivo de situar a la UE a la vanguardia del Derecho de la Artificial Intelligence (AI) y sus aplicaciones en la transformación del modelo productivo y de la gestión económica y financiera de la UE y sus EE.MM.

Por sus implicaciones, destaca en este apartado la Data Governance Act (DGA) en el marco del llamado Digital Package (compuesto además por dos extensos y complejos Actos Legislativos complementarios entre sí: Digital Market Act/DMA y la Digital Services Act/DSA). La DGA fija en concreto su objetivo normativo en el establecimiento de un sistema europeo de gobernanza de los datos personales que favorezca su reutilización por parte del sector público, en los casos que sean objeto de excepciones específicas (Propiedad Industrial), aspirando a "reforzar la confianza en el intercambio de datos", "poner a disposición datos del sector público para su reutilización para el bien común", y superar obstáculos técnicos mejorando la calidad, la fidelidad y la interoperabilidad de los datos entre sectores y países.

Objetivos éstos a cumplir en cuatro áreas de intervención: a) mecanismos para mejorar la reutilización de datos del sector público; b) marco de certificación y etiquetado para intermediarios de datos (esto es, los Service Providers); c) medidas que faciliten el "altruismo" de los datos (puesta a disposición voluntaria de los datos personales); d) coordinación y dirección de los aspectos horizontales de la gobernanza (European Data Innovation Board).

En su conjunto, el aspecto más preocupante de la dinámica descrita por esta secuencia normativa es el que se desprende de la sofisticación cada vez más espesa de su arquitectura, en modo que se perfila la "huida" del exigente estándar del Reglamento general (GDPR) hacia una "pléyade" de sobrevenidas e interpuestas lex specialis, nuevas disposiciones y actos legislativos que van creando excepciones y nuevos órganos que eluden las garantías delineadas por las dos instituciones claramente descritas en el régimen general: el European Data Protection Supervisor (EDPS, en la jerga) y el European Data Protection Board, EDPB en la jerga, sustituto del antiguo art. 29 Working Party de la derogada Directiva 95/46.

Los cometidos garantes, consultivos y orientadores (Guidelines) asignados a estas piezas de la arquitectura europea de datos arriesgan así adentrarse en una deriva de erosión o desdibujamiento. En el ámbito de la e-Privacy se reproduce esta tendencia, habilitando a los EE.MM. a encomendar su supervisión a un órgano específico en lugar de confiarlo a la contrastada competencia de las DPA nacionales (Autoridades de Protección de Datos). Y este es el camino en que incursiona de nuevo la DGA con la figura del Innovation Board, órgano de nuevo cuño que tendría las características de un "comité de expertos" en vez de la de una genuina autoridad europea como el EDPB o el mismo EDPS.

En este punto es reseñable el debate suscitado en el marco del "diálogo estructurado" entre la Comisión Europea y el PE (Comisión LIBE) acerca del impacto y consecuencias de la reciente jurisprudencia del TJUE (a partir de 2020) en materia de "retención de datos" y "retention of electronic communications": destacan en este plano los casos C-623/17, Privacy International; Joined Cases C-511/18, La Quadrature du Net & Others; C-512/18, French-Data Network & Others; y C-520/18, Ordre des Barreaux Francophones & Others, por sus implicaciones sobre el Derecho europeo y el futuro de la EU Policy en materia de Data Retention.

Pero, sentado todo lo hasta aquí examinado, aún nos restaría por efectuar una referencia obligada al impacto que la estrategia europea de lucha contra la pandemia ha irrogado en el Derecho europeo de Protección de Datos.

Específicamente, merece la pena detenerse en el apremio impuesto a la tramitación legislativa en el PE del Green Certificate/Covid 19 EU Certificate, en un denodado esfuerzo para compatibilizar el alcance y contenido del instrumento propuesto con los derechos fundamentales de la ciudadanía europea, con el estándar europeo de protección de su privacidad, con el principio irrenunciable de la igualdad ante la Ley y con la prohibición de toda discriminación, incluida la económica, basada en los costes de las pruebas y de su certificación.

Es por eso que me permito aquí, por tanto, adjuntar una reflexión complementaria sobre los trabajos del PE para la aprobación, por vía de urgencia, de la iniciativa adoptada por la Comisión Von der Leyen (VDL) de un Reglamento UE de Certificación Vacunal e Inmunológica (Certificado Verde Digital) con caracteres comunes y contenidos homogéneos con validez en todos los EE.MM. como una herramienta orientada a estimular e incentivar la recuperación de la libre circulación de personas en ese espacio sin fronteras interiores que conocemos como Schengen. Libre circulación que constituye, además, la base jurídica del instrumento legislativo propuesto por la Comisión (arts. 21 y 45 TFUE, y art. 45 CDFUE), además de ser, sin duda, el activo más preciado de la construcción europea y el derecho fundamental más distintivo del estatuto jurídico de la ciudadanía europea.

Y es oportuno recordar que esta concreta iniciativa ha venido a encuadrarse en una situación de emergencia sanitaria, la pandemia de la covid-19, y la crisis económica y social aparejada –que ha sometido al conjunto de la UE a un desafío sin precedentes cuando, precisamente, se cumplían 70 años del Tratado de Paris de 18 de abril de 1951 en el que todo empezó–. Porque ese es, en la interpretación generalmente aceptada, el primer punto de partida de esa "historia de un éxito" con la que a menudo se explica la experiencia de superación a escala continental de los devastadores conflictos de la primera mitad del siglo XX tal como hizo Tony Judt. En efecto, la CECA (MontanUnion, como se le conoce en la jerga del núcleo fundador franco-alemán), aunque oficialmente caducada en 2002, fue en su día el embrión de la integración supranacional luego jalonada en los Tratados de Roma de 25 de marzo de 1957 (TCEE y Tratado de EURATOM), y sus sucesivas revisiones (Acta Única, Maastricht, Ámsterdam, Niza, Lisboa...). Se trata, a lo que se ve, de una construcción siempre abierta e imperfecta que, como un Work in Progress, se encuentra desde entonces incursa en una permanente "crisis de crecimiento", en modo que pareciera que "Europa" es una idea aún hoy pendiente de "una reforma (más) de los Tratados".

Coincidiendo con este señalado aniversario, ha sido, además, finalmente lanzada la esperada Conferencia sobre el Futuro de Europa (CFE) comprometida por la Comisión Von der Leyen en la investidura de su Presidenta ante el Pleno del PE. Y se ha dispuesto para ello una plataforma digital cuyo diseño responde a la ambición de convocar al conjunto de la ciudadanía europea (ONG, activistas, universidades, Think Tanks...) a una conversación abierta y multifactorial.

Y aunque el objeto de la CFE no incluye expresamente el de la reforma de los Tratados (antes bien, explicita su ausencia de encuadre en lo previsto en el art. 48 TUE que regula la reforma y revisión del TL), resulta seguramente inevitable que la expectativa generada por esta convocatoria desemboque en propuestas de reformas institucionales pensadas en mejorar el actual Decision Making (esto es, los cuellos de botella al proceso de decisión de la respuesta europea a las situaciones de crisis, notoriamente ejemplificados por la tantas veces invocada necesidad de superar la regla de la unanimidad o la de reforzar la dimensión exterior de la UE para afianzar su vocación globalmente relevante).

De modo que, cuando la UE se enfrenta así a este enésimo reto de madurez y voluntad, puede afirmarse que si hay un ámbito en que su proclamada vocación de relevancia global se pone realmente a prueba, ese es el desafío impuesto por la pandemia, crucial punto de inflexión que marca un antes y un después en la historia de las crisis que han sacudido al proceso de integración europea, incluso en la contemplación de la secuencia de episodios críticos acumulados a lo largo de la década en la que han estado en vigor el TL y la CDFUE (desde la Gran Recesión a la llamada crisis de la Deuda Soberana; desde la mal llamada Crisis de los Refugiados al desencadenamiento del Brexit; desde la emergencia de los autodenominados regímenes iliberales a la crisis del EU Rule of Law... y, como corolario, la covid-19 y el zafarrancho de medidas de emergencia contrarias al Código Schengen abruptamente adoptadas por los EE.MM).

En este contexto surcado de gruesas dificultades, hemos glosado muchas veces el significado político del aumento formidable de la potencia de fuego del Marco Financiero Plurianual (MFF) 2021/2027, junto al NextGeneration EU (750.000 M€ de endeudamiento común (el Plan de Recuperación y Resiliencia de cuyos Fondos pende tanto

en España y en sus CC.AA.), junto con el Reglamento de Condiciona-
lidad al Estado de Derecho. Este arsenal ha conformado un paquete
de respuesta no solo inédito hasta ahora, sino distinto (y mejor) al
arbitrado en su día ante la Gran Recesión en 2010 mediante la tan
criticada Austerity-Only Policy que tanto daño causó a la ciudadanía
europea y a la entera causa de esta UE cuyo proyecto se remonta a
aquel Tratado de París de 1951.

Ahora, el reto mayor es cómo implementar a tiempo –y con éxito–
la estrategia diseñada en su momento por la Comisión VDL para la
negociación con las grandes farmacéuticas y la firma de contratos de
producción y distribución de vacunas, a las que hemos fiado la esperanza de dejar esta pesadilla atrás.

El malestar espoleado por los sucesivos retrasos y gruesos incumplimientos de los calendarios pactados suscitaría inevitablemente dos
líneas de crítica de las que se hace eco el PE, y que desde luego hago
mías como Presidente de la Comisión LIBE (competente sobre Schengen y derechos fundamentales) y Ponente del llamado Certificado Verde. De un lado, la falta de transparencia ha multiplicado las teorías
conspirativas que ven en los extraordinarios beneficios (e incremento
del valor bursátil) de las grandes farmacéuticas una difusa sospecha
de causalidad de la prolongación (si es que no del "origen") de la crisis de la covid como seísmo económico y social cuyos estragos están
todavía por cuantificar. De otro, crecen las voces –entre las que me
cuento – que apelan a los mecanismos de emergencia e intervención
coercitiva de la UE y sus Estados miembros para facilitar la licencia
obligatoria del Derecho de Propiedad Intelectual e Industrial de las
patentes de vacuna y multiplicar así la inicial lentitud de su ritmo de
producción y distribución, muy por debajo del contratado y publici-
tado, para decepción o exasperación de millones de europeos/as que
ven así retrasarse la tan ansiada (y postergada) luz al final de túnel.

En un esfuerzo de respuesta ante esta perturbadora mescolanza de
fatiga de pandemia y hartazgo generalizado de las medidas unilateralmente impuestas por los EE.MM. para restringir la más preciada
libertad de la ciudadanía europea –la libre circulación, derecho fundamental (art. 45 de la CDFUE)–, en los meses de marzo y abril de 2021
arrancaba finalmente en el Pleno del PE el debate legislativo sobre
el Certificado Verde Digital (Green Certificate), conocido en algunos

medios como Pasaporte Covid con una terminología tan inapropiada como equívoca.

No es tal cosa (un "pasaporte", esto es, un título de viaje) el inicialmente llamado Green Certificate: con un objeto acotado por sus limitaciones de concepto y de diseño, consiste más bien sencillamente en una herramienta provista de datos y alcance homogéneos en todos los EE.MM. que aspira a estimular la recuperación de confianza –en la actualidad tan maltrecha, tanto entre los EE.MM. como en su ciudadanía– a la hora de "atreverse" al emprendimiento, intentar "moverse", esto es, viajar de nuevo dentro del Espacio de Libre Circulación (arts. 21, 45 y 67 a 89, Espacio de Libertad, Seguridad y Justicia, ELSJ, del TFUE).

Porque esa premisa de confianza –que afecta decisivamente en primerísimo término, a cientos de miles de trabajadores transfronterizos en todo lo ancho de la UE, pero también, en su derivada, a los/as millones y millones de viajeros/as anuales que tan vitales resultan para las economías altamente dependientes del turismo y, por tanto, de la libre circulación– es el sustrato inexorable de la restauración de Schengen y, consiguientemente, de ese Free Movement que tanto echamos de menos (con insufrible intensidad desde que lo hemos perdido) desde nuestra convicción como legisladores de que sin ella no habrá recuperación económica ni reparación de las desigualdades sociales exasperadas por la pandemia.

Este acervo europeo que conocemos como Schengen ha sufrido una erosión tan grave como preocupante durante la crisis de la covid: ha llegado a estar en juego (at stake), seriamente amenazado por su mal estado de salud. Quienes trabajamos de oficio en asuntos europeos debemos ser muy conscientes de que Schengen es uno de esos palabros de la jerga habituada en las instituciones que han adquirido cuerpo sólido en la ciudadanía: esa ciudad de Luxemburgo en la que arrancó hace más de 35 años el primer acuerdo para garantizar la plena efectividad de la libre circulación de personas en un espacio europeo sin fronteras interiores identifica a estas alturas el mayor activo de la construcción europea.

Pues bien, hay que subrayar como nunca en estos 35 años que el Código de Fronteras Schengen (Schengen Borders Code) es Derecho europeo legislado: un acto legislativo que, por su carácter de Reglamento, vincula directamente a los EE.MM. y su observancia es invocable ante sus tribunales de Justicia y ante el máximo garante del "respeto del Derecho" que es el TJUE (art. 19 TUE). Este Código garantiza las condiciones exigibles a los EE.MM. para preservar la libre circulación de personas sin restricciones ni discriminación (arts. 21, 45, y 67 a 89 TFUE, fundamentos estos últimos del ELSJ, y art. 45 CDFUE). En contradicción palmaria con estas disposiciones, hemos visto amontonarse las sumas de restricciones a la libre circulación dictadas en las medidas de emergencia (cada vez más persistentes) invocando una extensiva interpretación de la cláusula de la "seguridad pública" contemplada en el Código. Pero su resultado ha sido una crisis sin precedentes de este preciado acervo, tal como, gráficamente, lo han expresado esas largas colas y sobrecarga policial en las fronteras interiores, así como los obstáculos sin precedentes al suministro de bienes esenciales o al tránsito transfronterizo de los seasonal workers (trabajadores estacionales o temporeros).

Y se han acumulado también preguntas inevitables. Cómo superar gradualmente y de manera coordinada las restricciones impuestas. Cómo asegurar que los controles respeten el Código Schengen. Y cómo, en definitiva, pensar en la restauración de un Schengen plenamente operativo (fully operational Schengen). Qué reformas habrá que promover para que los controles que puedan exceptuar la regla sean limitados en el tiempo y, en todo caso, excepcionales; qué cambios o medidas prácticas pueden ser acordadas para asegurar su necesaria coordinación –esto es, respuestas coordinadas en el Espacio Schengen–, máxime ante retos comunes. Cómo incorporar de una vez las candidaturas pendientes de varios EE.MM. en el Espacio Schengen (Rumanía, Croacia y Bulgaria). Cómo cumplir la ley con información periodizada respecto de la adecuación de las medidas adoptadas al menos cada seis meses, sin margen de improvisación ni para la acumulación tendencialmente indefinida de medidas unilaterales y/o discriminatorias entre los/as europeos/as, ni para la exposición a la lesiva dinámica de acción/reacción de decisiones restrictivas de derechos en los EE.MM., ni menos aún retaliation (esto es, represalias cruzadas entre los EE.MM.): confianza mutua, coordinación y respeto por el Derecho y la salud del Schengen Scrutiny Group. Esperanza en un futuro común, desde el entendimiento de que las fronteras interiores son un obstáculo objetivo a la integración en la UE. Recovery Plan for

Schengen, solidaridad, confianza mutua (principio fundante del ELSJ, arts. 67 a 89 TFUE) y no discriminación (arts. 20 y 21 CDFUE) son, pues, prioridades mayúsculas para el PE que representa a la ciudadanía y legisla sobre sus derechos.

Del mismo modo en que en la lucha contra el racismo, en EE.UU. y en todo el mundo, ha resonado el eco de su lema inapelable –Black Lives Matter!–, podemos parafrasear aquí que, para el sostenimiento y futuro de la UE en cuanto integración de alcance supranacional regida por el Derecho, Schengen matters! Schengen matters against Covid! Schengen matters in times of crisis, as Law matters in time of crisis! Sí, el Derecho y los derechos importan, no solamente es que importen "incluso en tiempos de crisis", sino que sucede que importan especialmente en las crisis.

Pues bien, con todas estas coordenadas en mente, y apuntando a coadyuvar en la restauración de Schengen, una amplia mayoría del PE votó favorablemente –Pleno de marzo de 2021, Bruselas– la tramitación de la iniciativa de la Comisión Europea de Reglamento de Certificado Verde Digital conforme al procedimiento legislativo especialmente acelerado por la llamada vía de urgencia (solicitada, por cierto, por la Comisión VDL) prevista en el art. 163 de las Rules of Procedure: interposición de enmiendas por la Comisión LIBE en abril de 2021, aprobación de las llamadas enmiendas de compromiso en el Pleno del mismo mes (Bruselas). Sobre esas enmiendas aprobadas en el Pleno se definió en esa votación el contenido del mandato de negociación del PE con el Consejo (que actúa como colegislador) para entablar sin dilación la Negociación Interinstitucional (los denominados "trílogos"), con paso asimismo apretado. Y todo ello con vistas a la aprobación del resultado de esos trílogos: primero, en la Comisión LIBE durante el mes de mayo de 2021, posibilitando así su aprobación consecutiva, y definitiva, en el trámite de su primera lectura en el Pleno de junio de 2021, asimismo en Bruselas). Todo pensado, pues, para abrir paso a una propuesta favorecedora de Schengen –pese al carácter limitado y temporalmente acotado del instrumento elegido– antes del período vacacional de verano de 2021, incentivando en lo posible la recuperación de confianza para la reactivación de la circulación de personas en tanto la ciencia y la medicina afrontan las incertidumbres epidemiológicas que escapan al radio de acción del PE como legislador.

Pero, en esa votación, el PE definió también, con los trabajos del equipo negociador del que me cupo el honor de actuar como Ponente en calidad de Presidente, sus enmiendas a la iniciativa, de las que haré mención solo a las más relevantes: a) aseguramiento del principio de minimalización de datos necesarios para la validez del instrumento (Data Minimalization) y de su no almacenamiento por ninguna base centralizada por la UE; b) utilización de Fondos europeos (NextGeneration EU) para la digitalización y las infraestructuras críticas que se estimen oportunas para soportar la financiación pública de su gestión y expedición, para eliminar el riesgo de su costo discriminatorio (por desigualitario) de su cargo a los bolsillos de la ciudadanía; c) garantía de los derechos de la privacidad y de protección de datos con limitación del propósito (Purpose Limitation Clause) en la utilización de esos datos de vacunación o inmunidad; d)- Eficacia del instrumento a la hora de evitar la imposición por los EE.MM. de restricciones adicionales a la libre circulación (como cuarentenas obligatorias o períodos de aislamiento); y e) establecimiento de un marco temporalmente limitado (Sunset Clause) para la fijación de la validez temporal del instrumento europeo (a expensas, entre otras razones, de los eventuales desarrollos científicos y experiencias contrastadas de su práctica médica), con un mandato normativo para su revisión periodizada por parte de la Comisión Europea a la vista de la evolución de sus resultados.

En relación con la cuestión de la cobertura de sus costos, añado una consideración adicional, todavía, por ser importante para el PE. Resulta simplemente intolerable que, en medio de los estragos producidos por esta crisis, prospere irrefrenablemente el volumen de negocio de las grandes farmacéuticas y laboratorios privados que practican pruebas de covid: los test que son obligatorios no son, sin embargo, gratuitos, de modo que el efecto disuasorio o paralizante que tienen sobre la iniciativa de transitar entre las fronteras interiores de la UE se ha hecho incrementalmente cada vez más discriminatorio a medida que se ha prolongado la situación, toda vez que solo pueden emprender la aventura de ejercitar de nuevo la movilidad entre fronteras interiores de la UE aquellos que pueden permitirse los costes escandalosamente prohibitivos de los PCR. ¿Acaso tiene sentido, por poner solo un ejemplo, que en la actualidad sea más caro el test negativo de covid –que, no se olvide, es obligatorio– que un billete de ida y vuelta Canarias-Madrid con descuento de residentes? ¿Es eso aceptable, o justo? Si la respuesta es "NO", está claro que ante este problema la UE debería intervenir legislativamente, proporcionando en su caso los créditos presupuestarios para remover barreras estrictamente económicas de discriminación por causa de poder de pago.

El crédito de la UE se juega mucho en este envite, el de la envergadura y calidad de su respuesta. Desde luego, se juega su crédito exterior, su credibilidad como un actor capaz de ejercitar con influencia y músculo diplomático su vocación de relevancia en la arena de la globalización; pero también se juega, ahí es nada, su legitimidad interna ante la ciudadanía, y la del entero proceso de la integración europea.

EL DERECHO A LA PROTECCIÓN DE DATOS EN ESPAÑA EN TIEMPOS DE PANDEMIA Y DE LIMITACIÓN DE DERECHOS: ESPECIAL REFERENCIA A LA ACCIÓN DE LA AEPD

Rosario García Mahamut
Catedrática de Derecho Constitucional,
Universitat Jaume I

I. INTRODUCCIÓN

Abordar cualquier análisis jurídico que tenga que ver con la protección de datos no puede abstraerse del contexto de emergencia sanitaria provocada por una pandemia que, según datos oficiales actuales, se ha cobrado la vida de casi 2 millones y medio de personas en todo el mundo y donde se han contagiado más de 109 millones y medio de personas.

En España, como en tantos otros países, la lucha contra la Covid-19 nos lanzó de golpe del mundo presencial al mundo del ciberespacio afectando a todos los órdenes de la vida, incluido un drástico confinamiento domiciliario repleto de dolor y desesperanza.

La tecnología al servicio de la lucha contra la terrible crisis sanitaria se ha erigido en herramienta clave. El uso de la misma no ha afectado exclusivamente al flujo y tratamiento de los datos de salud (incluida la investigación científica) constreñida al ámbito sanitario. A más, ha trascendido e impactado en todos los ámbitos de la vida de las personas y el de sus relaciones tanto en el entorno público como privado (ámbito laboral, educativo, económico, etc.).

En este contexto, hoy más que nunca, la exposición de nuestros datos personales en una realidad absolutamente digitalizada nos muestra con inusitada fuerza la doble cara de la moneda de una imparable tecnología que puede coadyuvar en algo tan decisivo como la lucha contra la pandemia a la vez que se puede convertir en la amenaza más contundente, no solo para la privacidad de las personas, sino para los principios y valores en los que se sustenta nuestro Estado.

Riesgos y amenazas versus oportunidades es la característica más definidora del avance tecnológico que parte del uso y de la sistematización de los datos personales.

Avance tecnológico y amenazas constituyen realidades inescindibles. Solamente ciñéndonos a estos últimos meses recordemos los problemas que se han derivado de los usos y/o tratamientos de datos obtenidos a través de las distintas técnicas de reconocimiento facial cuando, por ejemplo, se determinó la migración de todas las actividades docentes en entornos *online*, geolocalizaciones en redes sociales, cámara de infrarrojos, apps de seguimiento, toma de temperatura indiscriminada sin anonimizar y sin supervisión de las autoridades sanitarias, usos de drones, etc., etc., etc. Todo ello acompañado de las oportunas brechas de seguridad mientras el flujo y transferencias de datos circulan allende de cualquier frontera física.

Qué duda cabe que la tecnología y los datos digitales, como bien ha puesto de relieve la Comisión Europea,[1] tienen una valiosísima función que desempeñar en la lucha sanitaria contra la pandemia. Pero incluso en tal situación, como ha subrayado el Comité Europeo de Protección de Datos (CEPD), "los principios generales de eficacia, necesidad y proporcionalidad deben dirigir cualquier medida adoptada por los Estados miembros o las instituciones de la UE que implique el tratamiento de datos personales para combatir la Covid-19"[2].

Dicho lo anterior, cabe celebrar que el RGPD se base en principios y que esté diseñado para cubrir nuevas tecnologías a medida que estás vayan desarrollándose, como en tantas ocasiones se ha puesto en valor. No obstante, el propio RGPD ha dejado un cierto margen a la legislación nacional de los Estados miembros (en adelante, EEMM)

---

[1]   Comisión Europea, Comunicación de la Comisión al Parlamento Europeo y al Consejo, La protección de datos como pilar del empoderamiento de los ciudadanos y del enfoque de la UE para la transición digital: dos años de aplicación del Reglamento General de Protección de Datos COM(2020) 264 final, 24 de junio de 2020.

[2]   Comité Europeo de Protección de Datos, Directrices 04/2020, sobre el uso de datos de localización y herramientas de rastreo de contactos en el contexto de la pandemia de COVID-19, 21 de abril de 2020.

para implementar, desarrollar o establecer excepciones sobre determinados aspectos. He aquí que, en plena crisis sanitaria sin parangón, los datos de salud, la investigación científica y el desarrollo de instrumentos tecnológicos a través de los cuales se tratan datos especialmente protegidos para luchar contra la expansión del virus se topa, precisamente, con el hecho contrastado de que "la legislación de los Estados miembros sigue planteamientos diferentes a la hora de aplicar excepciones a la prohibición general de tratamiento de categorías especiales de datos personales en lo que se refiere al nivel de especificación y salvaguardias, incluidas las relativas a la salud y a la investigación"[3].

No en vano, la Comisión Europea —como primer paso— comenzó por examinar los diferentes enfoques de los EEMM, con el objeto de contribuir a un enfoque más coherente que facilite el tratamiento fronterizo de datos personales.

En este trabajo abordaremos, al objeto de ofrecer una visión global sobre el derecho a la protección de datos durante la pandemia, los problemas más acuciantes que se han planteado en materia de ejercicio y garantía del derecho en nuestro ordenamiento. Ello exige, por un lado, encuadrar jurídicamente las limitaciones y restricciones de derechos fundamentales que se han producido desde la declaración del primer estado de alarma, el 14 de marzo de 2020, hasta la actualidad. Y, por otro lado, abordar las acciones de la Agencia Española de Protección de Datos (AEPD) y la implementación que en el ordenamiento español se ha realizado en relación con los datos de salud en el margen nacional. Ello exige tener presente las acciones que desde la UE se está llevando acabo clarificando algunos de los aspectos más controvertidos, así como algunas de las acciones entorno a la pasarela de interoperabilidad para las aplicaciones de rastreo de contactos y alertas.

---

3   Comisión Europea, COM(2020) 264 final, *ob. cit.*

II. UNA SINÓPTICA CRONOLOGÍA DE LOS ESTADOS DE ALARMA DECRETADOS DURANTE LA COVID-19

España decretó el primer estado de alarma el día 14 de marzo (Real Decreto 463/2020, de 14 de marzo)[4] con el fin de afrontar la situación de emergencia sanitaria provocada por la COVID-19 y se prorrogó a propuesta del Gobierno, con la preceptiva autorización del Congreso de los Diputados, en seis ocasiones[5]. La vigencia del estado de alarma de esta primera fase finalizó el día 21 de junio de 2020 cuando concluyó la vigencia de la prórroga prevista en el RD 555/2020, de 5 de junio.

Cada prórroga se realizó por espacio de 15 días y las tres últimas se enmarcaron en un proceso de desescalada[6]. El art. 4, b) de la Ley Orgánica 4/1981 de los estados de alarma, excepción y sitio (LOAES) habilita al Gobierno para en el ejercicio de las facultades que le atribuye el art. 116. 2 CE, declarar el estado de alarma, en todo o en parte del territorio nacional, cuando se produzcan crisis sanitarias tales como epidemias que supongan alteraciones graves de la normalidad.

El estado de alarma afectó a todo el territorio nacional (art. 2 RD 463/2020), la autoridad competente era el Gobierno de la Nación bajo la superior dirección del Presidente del Gobierno (*ex* art. 4). Para el ejercicio de las funciones a las que hacía referencia el Real Decreto, se disponía que las autoridades competentes delegadas en sus respectivas áreas de responsabilidad eran: la Ministra de Defensa, el Ministro de Interior, el de Transporte, Movilidad y Agenda Urbana y el Ministro de Sanidad. A más, se especificaba que en las áreas de responsabilidad que no recayera en las competencias de los tres primeros Ministros, la autoridad competente sería el Ministro de Sanidad.

---

[4]   Por la fecha de entrega de este trabajo, no ha podido incluirse referencia alguna a la Sentencia 148/2021, de 14 de julio de 2021, del Pleno del Tribunal Constitucional que declara la inconstitucionalidad de los apartados 1, 3 y 5 del artículo 7 del Real Decreto 463/2020, de 14 de marzo, por el que se declara el estado de alarma para la gestión de la situación de crisis sanitaria ocasionada por el COVID-19 (BOE de 31 de julio de 2021).

[5]   Real Decreto 476/2020, de 27 de marzo; Real Decreto 487/2020, de 10 de abril; Real decreto de 492/2020, de 24 de abril; Real Decreto 514/2020, de 8 de mayo y Real Decreto 537/2020, de 22 de mayo; Real Decreto 555/2020, de 5 de junio.

[6]   https://www.boe.es/diario_boe/txt.php?id=BOE-A-2020-5767

No obstante, durante la prórroga del estado de alarma del 7 de junio hasta el 21 de junio de 2020 las autoridades competentes delegadas sería el Ministro de Sanidad, "bajo la superior dirección del Presidente del Gobierno, con arreglo al principio de cooperación con las comunidades autónomas, y quien ostente la Presidencia de la comunidad autónoma, según establece el art. 6.1 del RD 555/2020, de 5 de junio".

Si entre las medidas que habilita la LOAES figura "la de limitar la circulación o permanencia de personas o vehículos en horas y lugares determinados, o condicionarlas al cumplimiento de ciertos requisitos" conforme al art. 11, a); lo cierto es que el art. 7 del RD 463/2020 impuso una limitación absolutamente drástica del derecho a la circulación de las personas, permitiéndose únicamente un elenco reducido de actividades realmente básicas como la de adquirir alimentos y productos de primera necesidad, asistencia a centros sanitarios o desplazamientos al trabajo –también limitados–, entre unas pocas actividades. Amén de una variedad de medidas de contención en distintos ámbitos (educativo y de la formación, de la actividad comercial, equipamientos culturales, establecimientos y actividades recreativas, actividades de hostelería y restauración, o los lugares de culto y las ceremonias civiles y religiosas).

Recordemos que la duración de estas medidas absolutamente restrictivas se produjo durante 7 semanas. El 28 de abril el Consejo de Ministros aprobó el Plan para la transición hacia una nueva normalidad[7]. Plan en el que se preveía un proceso de desescalada gradual, asimétrico, coordinado con las Comunidades Autónomas y adaptable a los cambios de orientación necesarios en función de la evolución de los datos epidemiológicos y del impacto de las medidas adoptadas. Un proceso integrado por cuatro fases diferenciadas en función de las actividades permitidas en cada una de ellas y adaptable en función de la evolución de los datos epidemiológicos.

Efectivamente, el RD 514/2020 habilitó al Ministro de Sanidad, para poder acordar, en el ámbito de su competencia y a propuesta, en su caso, de las comunidades autónomas y de las ciudades de Ceuta

---

[7]   https://www.lamoncloa.gob.es/consejodeministros/resumenes/Documents/2020/PlanTransicionNuevaNormalidad.pdf

y Melilla la progresión de las medidas aplicables en un determinado ámbito territorial, a la vista de la evolución de los indicadores sanitarios, epidemiológicos, sociales, económicos y de movilidad establecidos en el Plan.

Finalizada y superada la última fase (en el respectivo ámbito territorial) se levantarían las restricciones sociales y económicas y quedarán sin efecto las medidas derivadas de la declaración del estado de alarma.

Si bien, la vigencia del primer estado de alarma, finalizó cuando concluyó la duración de la prórroga del día 5 de junio prevista en el RD 555/2020, esto es, el día 21 de junio. Sin embargo, ante la necesidad de adoptar medidas urgentes de prevención, contención y coordinación, que permitieran seguir haciendo frente y controlando la pandemia, una vez expirada la vigencia del estado de alarma –y, en consecuencia, decayeran las medidas derivadas de su adopción– se aprobó el Real Decreto-ley 21/2020, de 9 de junio, de medidas urgentes de prevención, contención y coordinación para hacer frente a la crisis sanitaria ocasionada por el COVID-19. Medidas dirigidas, entre otras, a garantizar el derecho a la vida y a la protección de salud mientras perdurase la crisis sanitaria ocasionada por el COVID-19. Sobre este Real Decreto volveremos más adelante.

Sin duda, como también he subrayado en otro lugar[8], el escenario jurídico resultante fue –y sigue siendo– extraordinariamente complejo. Se produjo de forma constante cambios sustantivos a nivel normativo. Las diversas rectificaciones gubernativas[9] y el ecosistema jurídico a través del cual se ha regulado y reformado los más variados aspectos de la realidad social afectados en la lucha contra la evolución y desarrollo de la pandemia –así como las distintas medidas para su contención y prevención–, a mi juicio, no han garantizado certeza ni seguridad jurídica. Como también he afirmado, centenares de dis-

---

[8]   García Mahamut, R., "Covid-19, estado de alarma de 25 de octubre de 2020 y derechos en juego: Especial referencia al derecho de protección de los datos personales", *Pandemia y Derecho. Una visión multidisciplinar* (Dirs, M. LL. Sánchez Arjona y M.A. Martínez-Gijón Machuca. Ediciones Laborum, Murcia, 2020, pp. 30 y 31.

[9]   El primer RD 463/2020, de 14 de marzo, por el que se declaraba el estado de alarma se modificó apenas tres días más tarde (RD 465/2020, de 17 de marzo).

posiciones normativas se han aprobado afectando a la más variada legislación que se ha sistematizado, incluso, en función de colectivos o sectores[10]. A lo que debemos añadir que en esta primera fase se decretó la suspensión e interrupción de los plazos previstos en las leyes procesales para todos los órdenes jurisdiccionales –con excepciones, por ejemplo, en el habeas corpus– y la suspensión de plazos administrativos. Con todo lo que ello acarrea para el ejercicio y garantías de otros derechos. Sin soslayar, dada su especial relevancia, la suspensión de términos y la interrupción de plazos aplicado a todo el sector público de la Ley 39/2015 del Procedimiento Administrativo Común de las Administraciones Públicas, exceptuándose tal interrupción para algunos procedimientos administrativos. No obstante, para la gestión de la crisis sanitaria en los supuestos considerados urgentes o esenciales no se suspendieron.

Adentrándonos ahora en el segundo estado de alarma, recordemos que el 25 de octubre, a través del Real Decreto 926/2020, de 25 de octubre, el Gobierno de España declaraba el estado de alarma para contener la propagación de infecciones causadas por el SARS-CoV-2, en todo el territorio nacional[11] y fijó su vigencia hasta el 9 de noviembre de 2020 (15 días).

---

[10]   Véase la colección de «Códigos electrónicos» del BOE relativo al COVID-19 relativos y actualizados constantemente de: Medidas tributarias; Trabajadores autónomos; Colectivos Vulnerables; Arrendamiento de viviendas y locales comerciales; Derecho Europeo y Estatal y Derecho Autonómico.

[11]   No cabe obviar el Real Decreto 900/2020, de 9 de octubre, por el que se declara el estado de alarma para responder ante situaciones de especial riesgo por transmisión no controlada de infecciones causadas por el SARSCoV-2. Su ámbito de aplicación territorial exclusivamente era de aplicación a los siguientes municipios de la Comunidad de Madrid: a) Alcobendas. b) Alcorcón. c) Fuenlabrada. d) Getafe. e) Leganés. f) Madrid. g) Móstoles. h) Parla. i) Torrejón de Ardoz (art.2). Para limitar, básicamente la entrada y salida de las personas en los territorios afectos, dado que "La Comunidad de Madrid es la única comunidad autónoma que, encontrándose algunos de sus municipios en las circunstancias previstas en la Declaración de Actuaciones Coordinadas de 30 de septiembre de 2020, no ha visto ratificada judicialmente la medida de restricción en relación con la entrada y salida de los municipios afectados prevista en la Orden que aprobó en el ejercicio de las competencias que le son propias (Orden 1273/2020, de 1 de octubre, de la Consejería de Sanidad, por la que se establecen medidas preventivas en determinados municipios de la Comunidad de Madrid en ejecución de la

Las medidas previstas en el Real Decreto actualizado 926/2020 se encuadran, según tenor literal, en "las medidas en la acción decidida del Gobierno para proteger la salud y seguridad de los ciudadanos, contener la progresión de la enfermedad y reforzar los sistemas sanitarios y socio sanitarios".

Mediante el Real decreto 956/2020, de 3 de noviembre, se prorrogó el estado de alarma, previo acuerdo de la autorización del Pleno del Congreso de los Diputados[12], que se extendería desde las 00.00 horas del día 9 de noviembre de 2020 hasta las 00.00 horas del día 9 de mayo de 2021 y se modifican algunos preceptos del RD 926/2020.

Obsérvese que el RD 926/2020 fijó su vigencia hasta el 9 de noviembre de 2020 (15 días), sin embargo, tras duras y arduas negociaciones del Gobierno y las distintas fuerzas con representación parlamentaria el RD 956/2020, de 3 noviembre, [13] no solo modificó algunos preceptos del RD 926/2020, también extendió la vigencia del estado de alarma del 9 de noviembre al 9 de mayo de 2021. Nada más y nada menos que 6 meses[14]. No obstante, el RD 956/2020 ahora añade al art. 14 del RD 926/2020 que: Uno. El Presidente del Gobierno solicitará su comparecencia cada dos meses al Pleno del Congreso

---

Orden del Ministro de Sanidad, de 30 de septiembre de 2020, por la que se aprueban actuaciones coordinadas en salud pública).

Teniendo en cuenta que en relación con dicha Orden de la Comunidad de Madrid, la autoridad judicial no ha ratificado la medida referida a la limitación de la entrada y salida de personas de los municipios afectados, única medida contemplada en Orden 1273/2020, de 1 de octubre, de la Consejería de Sanidad susceptible de ratificación o autorización judicial por limitar o restringir derechos fundamentales, resulta necesario ofrecer una cobertura jurídica puntual e inmediata que resulte suficiente para continuar con la aplicación de esta medida, ante la grave situación epidemiológica existente en los municipios afectados y con el fin de evitar el riesgo que se ocasionaría en caso de no ser posible continuar con su aplicación." (Exp. Motivos IV del RD 900/2020, de 9 de octubre).

12   Resolución de 29 de octubre de 2020.

13   Previo acuerdo de la autorización del Pleno del Congreso de los Diputados (Resolución de 29 de octubre de 2020).

14   La prórroga de 6 meses del estado de alarma vigente, a mi juicio, planta más que serias dudas de constitucionalidad en sí mismo y en relación con la habilitación para dictar, dentro del marco general de limitaciones a derechos fundamentales, ordenes, resoluciones a la presidencia de las comunidades autónomas y ciudades autónomas como autoridad delegada de la autoridad competente, tal y como expresamente recoge el art. 2 del RD 926/2020.

para dar cuenta de los datos y gestiones del Gobierno sobre la aplicación del estado de alarma. Dos. Que transcurrido cuatro meses de vigencia de la prórroga «la conferencia de presidentes autonómicos podrá formular al Gobierno una propuesta de levantamiento del estado de alarma, previo acuerdo favorable del Consejo Interterritorial del Sistema Nacional de Salud a la vista de la evolución de los indicadores, sanitarios epidemiológicos, sociales y económicos».

En el estado de alarma decretado en esta segunda fase, a pesar de que la autoridad competente sea el Gobierno de la Nación, en cada comunidad autónoma y ciudad autónoma con Estatuto de Autonomía, la autoridad competente delegada será quien ostente la presidencia y son los habilitados para dictar por delegación del Gobierno de la Nación las órdenes, resoluciones y disposiciones para la aplicación de los arts. 5 a 11 del RD 926/2020, de 25 de octubre, añadiendo, por lo demás, que tales dictados no precisa la tramitación de procedimiento administrativo alguno (art. 2.3 RD 926/2020). Delegación, a mi juicio, que plantea serias dudas de constitucionalidad como también he argumentado en trabajos anteriores[15].

Si en el primer estado de alarma asistimos a un drástico confinamiento domiciliario en la segunda fase se han impuesto restricciones que a la postre han acarreado una absoluta fragmentación normativa por delegación en todo el territorio nacional de medidas restrictivas de derechos fundamentales amparadas bajo difusos criterios para ser

---

[15]   Hecho que también ha sido puesto de relieve por algún sector de la doctrina. De hecho, comparto, amén de con Ruíz Robledo, con Aragón Reyes que el RD 926/2020, lo que hace básicamente es delegar en las CCAA el dictado efectivo de las medidas a adoptar. Ello, no solo genera un conjunto de medidas territorialmente desconectadas, como precisa Aragón Reyes (El País, 28 de octubre de 2020), sino que, por lo demás, genera una desigualdad difícilmente comprensible para los ciudadanos. Como ya he manifestado anteriormente, a mi juicio, si la actual declaración del estado de alarma afecta, como señala el art. 3 del RD 926/2020 a todo el territorio nacional y son las y los Presidentes autonómicos los habilitados para dictar sin necesidad de tramitación de procedimiento alguno las órdenes, resoluciones, etc., para decidir aplicar las medidas restrictivas que contiene el decreto a modo de marco, con oportunas horquillas, a lo que debemos sumar seis meses de prórroga del estado de alarma como vigencia máxima, el resultado no es otro que la vigencia efectiva de 19 Estados de alarma diversos que abarca el conjunto del territorio nacional (17 comunidades autónomas y a las dos ciudades autónomas).

adoptados por los respectivos Presidentes de cada Comunidades autónomas (CCAA) como son "indicadores sanitarios, sanitarios, epidemiológicos sociales, económicos o de movilidad", y, a mi juicio, se han limitado y sacrificado el ejercicio de derechos fundamentales, amén de vulnerarse, entre otros, el principio constitucional de seguridad jurídica y de certeza en el derecho.

Someramente cabe resaltar que –con las incorporaciones y modificaciones que se efectúan en el RD 926 a través del RD 956 y que afectan, por lo que a las modificaciones se refieren, expresamente a los arts. 9, 10 y 14– las limitaciones de derechos son las que a continuación se relacionan, y a las que ya me he referido en el trabajo anteriormente citado[16]:

- Limitación de la libertad de circulación de las personas en horario nocturno (entre las 23:00 y las 6:00) las personas pueden circular por las vías o espacios públicos para la realización únicamente de una serie de actividades tasadas (véase art. 5.1), dejando un margen de aplicación entre las 22:00 y las 00 horas y su finalización entre las 5:00 y las 7:00 de la mañana (art. 5.2).

- Limitación de la entrada y salida en las comunidades autónomas y ciudades autónomas, salvo para aquellos desplazamientos, adecuadamente justificados que se produzcan por una serie de motivos expresamente tasados (véase art. 6.1). Habilitando además a los presidentes y presidentas autonómicos a limitar la entrada y salida de personas en ámbitos territoriales de carácter geográficamente inferior a la comunidad o ciudad autónoma con las excepciones tasadas a las que nos hemos referido (art.6.2).

- Limitación de la permanencia de grupos de personas en espacios públicos y privados: "La permanencia de grupos de personas en espacios de uso público, tanto cerrados como al aire libre, quedará condicionada a que no se supere el número máximo de seis personas, salvo que se trate de convivientes y sin perjuicio de las excepciones que se establezcan en relación a dependencias, instalaciones y establecimientos abiertos al pú-

---

16   García Mahamut, R., *ob.cit.*, pp. 35 a 37.

blico. La permanencia de grupos de personas en espacios de uso privado quedará condicionada a que no se supere el número máximo de seis personas, salvo que se trate de convivientes (art.7)

En el caso de las agrupaciones en que se incluyan tanto personas convivientes como personas no convivientes, el número máximo a que se refiere el párrafo anterior será de seis personas" (art. 7.1 RD). No obstante se habilita a la autoridad delegada a que el número máximo sea inferior a 6 personas, salvo que se trate de convivientes. Decisión que se condiciona a la vista de la evolución de los indicadores sanitarios, epidemiológicos, sociales, económicos y de movilidad y previa comunicación al Ministerio de Sanidad. Debe destacarse que se excluyen de las limitaciones del art. 7, a las que nos hemos referido: "las actividades laborales e institucionales ni aquellas para las que se establezcan medidas específicas en la normativa aplicable".

- Limitación a la permanencia de personas en lugares de culto: "Se limita la permanencia de personas en lugares de culto mediante la fijación, por parte de la autoridad competente delegada correspondiente, de aforos para las reuniones, celebraciones y encuentros religiosos, atendiendo al riesgo de transmisión que pudiera resultar de los encuentros colectivos. Dicha limitación no podrá afectar en ningún caso al ejercicio privado e individual de la libertad religiosa." (art.8).

Las medidas previstas en los artículos 5, 6, 7 y 8 serán eficaces en el territorio de cada comunidad, como señala el art. 9, a la vista de la evolución de los indicadores sanitarios, epidemiológicos, sociales, económicos y de movilidad, previa comunicación al Ministerio de Sanidad.

En la actualidad, el resultado no ha sido otro que una profunda fragmentación jurídica de la restricción de todo orden en la movilidad en las distintas CCAA y en los distintos territorios dentro de los mismos. La excepcionalidad es la regla vigente y el principio de una cierta certeza jurídica brilla por su total ausencia.

III. EL DERECHO A LA PROTECCIÓN DE DATOS (ESPECIALMENTE DE SALUD) Y LA IMPLEMENTACIÓN NACIONAL DEL RGPD EN LA LUCHA CONTRA LA PANDEMIA

Como reiteradamente ha subrayado el CEPD, la protección de datos no dificulta la lucha contra la pandemia de la COVID-19: "El RGPD sigue siendo aplicable y permite responder con eficacia a la pandemia, al tiempo que protege los derechos y las libertades fundamentales. La legislación en materia de protección de datos, incluida la legislación nacional pertinente, ya permite las operaciones de tratamiento de datos necesarias para contribuir a la lucha contra la propagación de una pandemia como la de COVID-19"[17].

El artículo 9.4 RGPD permite a los EEMM mantener o introducir condiciones adicionales, inclusive limitaciones, con respecto al tratamiento de datos genéticos, datos biométricos o datos relativos a la salud.

Conviene en este punto tener presente la afirmación taxativa del CEPD de que: "El artículo 23 del RGPD permite, en condiciones específicas, que un legislador nacional limite, a través de medidas legislativas, el alcance de las obligaciones y de los derechos establecidos en los artículos 12 a 22 y el artículo 34, así como en el artículo 5 en la medida en que sus disposiciones se correspondan con los derechos y obligaciones contemplados en los artículos 12 a 22, cuando tal limitación respete en lo esencial los derechos y libertades fundamentales y sea una medida necesaria y proporcionada en una sociedad democrática para salvaguardar, entre otras cosas, objetivos importantes de interés público general de la Unión o de un Estado miembro, en particular la sanidad pública"[18].

Sin duda, el RGPD ha dejado un cierto margen a la legislación nacional de los EEMM para implementar, desarrollar o establecer

---

[17]   Comité Europeo de Protección de Datos, Declaración sobre las restricciones de los derechos de los sujetos de datos en el marco del estado de alarma en los Estados miembros, 2 de junio de 2020, p. 2. Disponible: https://edpb.europa.eu/sites/edpb/files/files/file1/edpb_statement_art_23gdpr_20200602_es_2.pdf

[18]   Comité Europeo de Protección de Datos. Declaración sobre las restricciones de los derechos ..., *ob. cit.*, p. 2.

excepciones sobre determinados aspectos. Y he aquí que, en plena pandemia, los datos de salud, la investigación científica y el desarrollo de instrumentos tecnológicos a través de los cuales se tratan los datos especialmente protegidos para luchar contra la expansión del virus[19] y la protección de la salud se ha topado, precisamente, con el hecho contrastado de que "la legislación de los Estados miembros sigue planteamientos diferentes a la hora de aplicar excepciones a la prohibición general de tratamiento de categorías especiales de datos personales en lo que se refiere al nivel de especificación y salvaguardias, incluidas las relativas a la salud y a la investigación".

De hecho, la LOPDGDD en su art. 9.2 concreta: que los tratamientos de datos de las letras g, h, e, i del art. 9.2 del RGPD fundados en el derecho español deberán estar amparados en una norma de rango de ley, que podrá establecer requisitos adicionales relativos a su seguridad y confidencialidad.

Y subraya, en particular, que dicha norma podrá amparar el tratamiento de datos en el ámbito de la salud cuando así lo exija la gestión de los sistemas y servicios de asistencia sanitaria y social, pública y privada.

Por su parte, la Disp. adicional decimoséptima (tratamientos de datos de salud) en su primer apartado precisa que se encuentran amparados en las letras g, h, i, j del RGPD los tratamientos de datos relacionados con la salud y datos genéticos regulados en una serie de leyes de la que nos interesa destacar: la Ley 14/1986, de 25 de abril, General de Sanidad; la Ley 41/2002, de 14 de noviembre, básica reguladora de la autonomía del paciente y de derechos y obligaciones en materia de información y documentación clínica; la Ley 16/2003, de 28 de mayo, de cohesión y calidad del Sistema Nacional de Salud o la Ley 33/2011, de 4 de octubre, General de Salud Pública.

Además, en esta disposición se establecen una serie de criterios por el que se tiene que regir los tratamientos de datos en la investigación de la salud. En esta línea, conviene tener presente, como se señala en las Directrices 3/2020 que: «cuando se habla del "tratamiento de datos sanitarios con fines de investigación científica", se hace referencia a dos tipos de utilización de datos: 1. La investigación

---

[19]　CEPD, Directrices 3/2020 sobre el tratamiento..., *ob. cit.*, p. 5.

sobre datos (sanitarios) personales consistente en el uso de los datos recogidos directamente para estudios científicos ("uso primario"). 2. La investigación sobre datos (sanitarios) personales consistente en el tratamiento ulterior de los datos recogidos inicialmente con otro fin ("uso secundario")».

Por su parte, la Disp. final quinta de la LOPDGDD modifica la Ley General de Sanidad (14/1986) añadiendo al Título VI un Capítulo II Rubricado Tratamiento de datos de la investigación en salud y en cuyo nuevo art. 105 bis se dispone que «El tratamiento de datos personales en la investigación en salud se regirá por lo dispuesto en la Disposición adicional decimoséptima de la Ley Orgánica de Protección de Datos Personales y Garantía de los Derechos Digitales».

Como claramente se ha venido reconociendo de las disposiciones dimanantes del RGPD y de la interpretación sistemática del mismo: cada Estado miembro puede adoptar disposiciones legislativas específicas con arreglo al artículo 9, apartado 2, letras i) o j), del RGPD con el fin de proporcionar una base jurídica para el tratamiento de datos sanitarios con fines de investigación científica.

Llegados a este punto conviene volver a traer a colación el Real Decreto-ley 21/2020, de 9 de junio, de medidas urgentes de prevención, contención y coordinación para hacer frente a la crisis sanitaria ocasionada por el COVID-19[20], porque, en materia de protección de datos, resulta absolutamente relevante lo que dispone el Cap. V. Detección precoz, control de fuentes de infección y vigilancia epidemiológica (arts. 22 a 27 del RD 21/2020) y muy especialmente los arts. 26 y 27 y que, por su interés, conviene reproducir su tenor literal.

Por lo que afecta al primero, "Los establecimientos, medios de transporte o cualquier otro lugar, centro o entidad pública o privada en los que las autoridades sanitarias identifiquen la necesidad de realizar trazabilidad de contactos, tendrán la obligación de facilitar a las autoridades sanitarias la información de la que dispongan o que les sea solicitada relativa a la identificación y datos de contacto de las personas potencialmente afectadas" (art. 26).

---

[20]   Medidas, no se olvide, dirigidas, entre otras, a garantizar el derecho a la vida y a la protección de salud mientras perdurase la crisis sanitaria ocasionada por el COVID-19.

Por su parte, el art. 27 relativo a la Protección de datos de carácter personal, dispone que:

"1. El tratamiento de la información de carácter personal que se realice como consecuencia del desarrollo y aplicación del presente real decreto-ley se hará de acuerdo a lo dispuesto en el Reglamento (UE) 2016/679 del Parlamento Europeo y del Consejo, de 27 de abril de 2016, relativo a la protección de las personas físicas en lo que respecta al tratamiento de datos personales y a la libre circulación de estos datos y por el que se deroga la Directiva 95/46/CE, en la Ley Orgánica 3/2018, de 5 de diciembre, de Protección de Datos Personales y garantía de los derechos digitales, y en lo establecido en los artículos ocho.1 y veintitrés de la Ley 14/1986, de 25 de abril, General de Sanidad. En particular, las obligaciones de información a los interesados relativas a los datos obtenidos por los sujetos incluidos en el ámbito de aplicación del presente real decreto-ley se ajustarán a lo dispuesto en el artículo 14 del Reglamento (UE) 2016/679 del Parlamento Europeo y del Consejo, de 27 de abril de 2016, teniendo en cuenta las excepciones y obligaciones previstas en su apartado 5.

2. El tratamiento tendrá por finalidad el seguimiento y vigilancia epidemiológica del COVID-19 para prevenir y evitar situaciones excepcionales de especial gravedad, atendiendo a razones de interés público esencial en el ámbito específico de la salud pública, y para la protección de intereses vitales de los afectados y de otras personas físicas al amparo de lo establecido en el Reglamento (UE) 2016/679 del Parlamento Europeo y del Consejo, de 27 de abril de 2016. Los datos recabados serán utilizados exclusivamente con esta finalidad.

3. Los responsables del tratamiento serán las comunidades autónomas, las ciudades de Ceuta y Melilla y el Ministerio de Sanidad, en el ámbito de sus respectivas competencias, que garantizarán la aplicación de las medidas de seguridad preceptivas que resulten del correspondiente análisis de riesgos, teniendo en cuenta que los tratamientos afectan a categorías especiales de datos y que dichos tratamientos serán realizados por administraciones públicas obligadas al cumplimiento del Esquema Nacional de Seguridad.

4. El intercambio de datos con otros países se regirá por el Reglamento (UE) 2016/679 del Parlamento Europeo y del Consejo, de 27 de abril de 2016, teniendo en cuenta la Decisión n.º 1082/2013/UE del Parlamento Europeo y del Consejo, de 22 de octubre de 2013, sobre las amenazas transfronterizas graves para la salud y el Reglamento Sanitario Internacional (2005) revisado, adoptado por la 58.ª Asamblea Mundial de la Salud celebrada en Ginebra el 23 de mayo de 2005."

Cabe inmediatamente destacar que, a diferencia de lo que ha ocurrido con algún EEMM, el derecho a la protección de datos no se ha visto suspendido o limitado a través de ninguna ley. Cuestión distinta es que se hayan producido situaciones de hecho que han afectado al derecho a la protección de datos durante la pandemia en los estados de alarma. Derecho que obviamente no tiene carácter absoluto y que en el contexto de los estados excepcionales pudieran ser modulados.

En este ámbito, resulta obligado recordar que el CEPD ha afirmado en su declaración del 2 de junio, sobre las restricciones de los derechos de los sujetos de datos en el marco del estado de alarma en los EEMM que: El estado de alarma, adoptado en un contexto de pandemia, es una condición jurídica que puede legitimar las restricciones de los derechos de las personas interesadas, siempre que estas restricciones no rebasen los límites de lo necesario y proporcionado con el fin salvaguardar el objetivo de salud pública

A estos efectos resulta de enorme interés la "Declaración del CEPD sobre las restricciones de los derechos de los sujetos de datos en el marco del estado de alarma en los Estados miembros" (adoptada el 2 de junio). Una declaración basada en la adopción del Gobierno húngaro del decreto 179/2020, de 4 de mayo de 2020 sobre las excepciones a determinadas disposiciones sobre protección de datos y acceso a la información durante el estado de alarma.

Decreto que directamente en su art. 1, en lo que respecta al tratamiento de los datos personales con la finalidad de prevenir, detectar la enfermedad e impedir su propagación, suspende todas las medidas de solicitud de los sujetos de datos sobre la base de los artículos 15 a 22 del RGPD hasta el final del estado de alarma.

En resumidas cuentas, el CEPD considera que las restricciones adoptadas en el contexto de un estado de alarma que suspendan o retrasen la aplicación de los derechos de las personas interesadas y las obligaciones que incumben a los responsables y encargados del tratamiento de datos, sin limitaciones temporales claras, equivaldrían a una suspensión general de facto de esos derechos y no serían compatibles con la esencia de los derechos y libertades fundamentales. Por otra parte, la tramitación de una solicitud de ejercicio de los derechos de los sujetos de datos, por ejemplo, en relación con el derecho de oposición con arreglo al artículo 21 del RGPD, debe efectuarse oportunamente para que sea significativa y efectiva. Por consiguiente, en este contexto, el aplazamiento o la suspensión (sin límite de tiempo específico) de la tramitación, por parte del responsable del tratamiento, de las solicitudes de los sujetos de datos constituiría un obstáculo completo para el ejercicio de los derechos por sí mismos.

IV. LA PROTECCIÓN DE DATOS PERSONALES Y LA ACCIÓN DE LA AGENCIA ESPAÑOLA DE PROTECCIÓN DE DATOS

La emergencia sanitaria y el drástico confinamiento domiciliario de las personas, así como la necesidad de establecer medidas que permitieran contener y prevenir el contagio de la enfermedad han activado la creación, proliferación y propuesta de aplicación de todo un conjunto de herramientas tecnológicas que, tal y como he defendido en diversas ocasiones, no han pasado el mínimo test cuando se ha tratado de ponderar los derechos aparentemente en conflicto, sacrificándose sin demasiada oposición ni suficientes garantías ni controles el derecho a la protección de los datos personales, ya sea por acción o por omisión.

El derecho a la protección de datos desde la perspectiva estricta del ordenamiento constitucional español, es un derecho que, a diferencia de otros, no puede ser suspendido ni siquiera si se declarase el estado de excepción o de sitio, tal y como prevé expresamente el art. 55.1 de la CE.

Como ya he señalado en otro lugar,[21] sin lugar a dudas, lo más sorprendente y llamativo es el papel muy poco incisivo que ha desempeñado la Agencia Española de Protección de Datos.

Especialmente, si tenemos presente que la LOPDGDD aporta un haz de luz en el tratamiento de los datos de salud –también con fines de investigación científica, epicentro de muchos de los debates y herramientas que se utilizan y se prevén utilizar para la protección de la salud y la prevención de los contagios, como hemos tenido la ocasión de analizar en páginas anteriores.

---

[21] García Mahamut, R., "Covid-19, estado de alarma de 25 de octubre de 2020 y derechos en juego: Especial referencia al derecho de protección de los datos personales", *op.cit.*, p.40.

De hecho, en un primer momento, a través de la Orden SND/297/2020, de 27 de marzo, Sanidad encomendó a la Secretaría de Estado de Digitalización e Inteligencia Artificial el desarrollo de soluciones tecnológicas y aplicaciones móviles para la recopilación de datos con el fin de mejorar la eficiencia operativa de los servicios sanitarios y un estudio de movilidad de las personas los días previos y durante el confinamiento a través del cruce de datos de los operadores móviles, de forma agregada y anonimizada. Precisando, eso sí, que se velaría por el cumplimiento del RGPD y de la LOPDGDD, y sin perjuicio de la aplicación de los mismos.

En la lucha contra la Covid-19 se ha propuesto la utilización de tecnología que parecía erigirse en instrumentos cruciales en la lucha contra la pandemia argumentándose que aportaban –supuestamente– grandes beneficios en relación con los costes en materia de privacidad de las personas.

En este ámbito resulta de especial interés el estudio realizado por la AEPD "El uso de las tecnologías en la lucha contra el Covid19. Un análisis de costes y beneficios"[22] cuyo objeto se centraba, básicamente, en el análisis de los sistemas de geolocalización de los móviles recogida por los operadores de telecomunicaciones; de geolocalización en redes sociales; apps, webs y chatbots para auto-test o cita previa; apps de información voluntaria de contagio; apps de seguimiento de contactos por Bluetooth; pasaportes de inmunidad[23] y cámaras infrarrojas.

Frente a los problemas que se fueron planteando durante la primera fase del estado de alarma, la AEPD elaboró distintos recursos[24], entre ellos, recordemos el Informe 0017/2020 en relación con los tratamientos de datos resultantes de la situación derivada de la extensión del virus Covid-19[25].

Asimismo, respondía a una consulta sobre cuestiones relativas al uso de técnicas de reconocimiento facial en la realización de pruebas

---

[22]   https://www.aepd.es/sites/default/files/2020-05/analisis-tecnologias-COVID19.pdf
[23]   Remitimos, especialmente, por su interés en el debate actual sobre la propuesta de la Comisión europea para crear un pasaporte europeo de vacunación digital, a la propia reflexión de la AEPD de mayo de 2020.
[24]   https://www.aepd.es/es/areas-de-actuacion/proteccion-datos-y-coronavirus
[25]   https://www.aepd.es/es/documento/2020-0017.pdf

de evaluación *online*, dado que el RD 463/2020 determinó la migración de todas las actividades docentes a entornos *online*. También a otra en relación a la monitorización remota de datos fuentes en ensayos clínicos, de 27 de mayo de 2020.

Emitió dos comunicados, uno en relación con webs y apps que ofrecen autoevaluación y consejos sobre el coronavirus y otro en relación con la toma de temperatura por parte de comercios, centros de trabajo y otros establecimientos. De hecho, esta cuestión sigue planteando grandes interrogantes: desde el punto de la legislación de riesgos laborales estas actuaciones encuentran, con matices, cobertura legal que legitima el tratamiento de estos datos de salud por parte de los empleadores; sin embargo, su aplicación en centros y establecimientos privados, cuando los datos no son anonimizados y no cumplen los principios generales en el tratamiento de los datos, pueden vulnerar el derecho a la protección de los datos personales, especialmente cuando no hay una cobertura legal para ello.

Así, la AEPD expresaba su preocupación dado que este tipo de actuaciones suponen, efectivamente, una injerencia intensa en los derechos de los afectados realizándose sin el criterio previo y necesario de las autoridades sanitarias.

Cabe destacar la publicación por la AEPD de una serie de recomendaciones para proteger los datos personales en situaciones de movilidad y teletrabajo. Y, también, a través de una serie de FAQ fue dando respuestas a las preguntas más frecuentes planteadas por ciudadanos y empresas. Amén de mantener un blog en el que se ha publicado, entre otras, unas notas sobre tratamientos de datos personales en situación de emergencias; una notificación sobre brechas de seguridad de los datos personales durante el estado de alarma y campañas de phishing sobre la COVID-19.

No quisiera dejar al margen (por emitirse casi al finalizar el primer estado de alarma) el comunicado de la AEPD, de 18 de junio de 2020, sobre la información acerca de tener anticuerpos de la Covid-19 para la oferta y búsqueda de empleo[26]; las Recomendaciones para el despliegue de aplicaciones móviles en el acceso a espacios públicos (junio

---

[26]   https://www.aepd.es/es/prensa-y-comunicacion/notas-de-prensa/comunicado-AEPD-covid-19-oferta-busqueda-empleo

de 2020)[27], así como el comunicado sobre la recogida de datos personales de los establecimientos, de 31 de julio de 2020[28].

V. EL USO DE DATOS DE LOCALIZACIÓN Y HERRAMIENTAS DE RASTREO DE CONTACTOS EN EL ÁMBITO COMUNITARIO

En el actual contexto, no debe en modo alguno soslayarse el uso de datos de localización y herramientas de rastreo de contacto en el contexto de la pandemia, que ha concitado distintos debates, estudios y recomendaciones en el seno de la Comisión Europea, CEPD, Supervisor Europeo o acciones conjuntas de los EEMM de la UE.

Quisiera, aunque no sea de forma estrictamente lineal, dejar constancia de algunas de las decisiones, recomendaciones o comunicaciones que en el ámbito comunitario han venido jalonando la lucha contra la pandemia a la vez que tratando de ponderar una adecuada defensa del derecho a la protección de datos. Y quizás convenga, precisamente, aludir a la Declaración adoptada por el CEPD, de 19 de marzo de 2020, sobre el tratamiento de datos personales en el contexto del brote de la Covid-19 para enmarcar algunas de las recomendaciones, declaraciones y directrices, especialmente de la Comisión Europea.

En esta línea recordemos que, el 8 de abril de 2020, la Comisión adoptó la "Recomendación 2020/518 relativa a un conjunto de instrumentos comunes de la Unión para la utilización de la tecnología y los datos a fin de combatir y superar la crisis de la COVID-19, en particular por lo que respecta a las aplicaciones móviles y a la utilización de datos de movilidad anonimizados"[29].

Lo que se pretende con esa Recomendación, entre otras cosas, es desarrollar un enfoque paneuropeo común (el «conjunto de instrumentos») para el uso de aplicaciones móviles, coordinado a nivel de

---

[27]   https://www.aepd.es/sites/default/files/2020-06/recomendaciones-apps-espacios-publicos.pdf

[28]   https://www.aepd.es/es/prensa-y-comunicacion/notas-de-prensa/comunicado-sobre-la-recogida-de-datos-personales-por-parte-de-los-establecimientos

[29]   https://eur-lex.europa.eu/eli/reco/2020/518/oj

la Unión, con el fin de capacitar a los ciudadanos para adoptar medidas de distanciamiento social eficaces, así como con el fin de alertar, prevenir y rastrear contactos con miras a limitar la propagación de la enfermedad de la Covid-19.

La Recomendación establece los principios generales que deberían guiar el desarrollo de ese conjunto de instrumentos e indica que la Comisión va a publicar orientaciones adicionales, especialmente en lo referente a las consecuencias del uso de las aplicaciones en este ámbito para la intimidad y la protección de los datos personales.

Obsérvese que, tal y como consta en los Objetivos de la Recomendación, el conjunto de instrumentos consistirá en medidas prácticas para hacer un uso eficaz de las tecnologías y de los datos, centrando la atención en dos aspectos en particular:

> "1) un enfoque paneuropeo para el uso de aplicaciones móviles, coordinado a nivel de la Unión, con el fin de capacitar a los ciudadanos para adoptar medidas de distanciamiento social eficaces y más específicas, así como con el fin de alertar, prevenir y hacer un seguimiento de contactos con miras a limitar la propagación de la enfermedad Covid19; implicará una metodología para el seguimiento y el intercambio de valoraciones respecto de la eficacia de estas aplicaciones, su interoperabilidad y sus implicaciones transfronterizas, así como en relación con el respeto de la seguridad, la intimidad y la protección de datos, y

> 2) un plan común para el uso de datos anonimizados y agregados sobre la movilidad de la población a fin de i) modelizar y predecir la evolución de la enfermedad, ii) controlar la eficacia de la toma de decisiones de las autoridades de los Estados miembros en lo referente a medidas como el distanciamiento social y el confinamiento, y iii) obtener información de cara a una estrategia coordinada para la salida de la crisis de la COVID-19."

Y precisa en el apartado 2 que: "Los Estados miembros deben adoptar estas medidas urgentemente y en estrecha coordinación entre sí, con la Comisión y con otras partes interesadas, y sin perjuicio de las competencias de los Estados miembros en el ámbito de la salud pública. Han de garantizar que toda medida adoptada sea conforme con el Derecho de la Unión, en particular el Derecho en materia de productos sanitarios y de protección de datos personales, así como los demás derechos y libertades consagrados en la Carta de los Derechos Fundamentales de la Unión. El conjunto de instrumentos se complementará con orientaciones de la Comisión, especialmente en lo referente a las implicaciones en materia de protección de datos y de la intimidad que tiene el uso de aplicaciones móviles de alerta y prevención".

El 17 de abril de 2020 la Comisión europea publicaba una Comunicación relativa a orientaciones sobre las aplicaciones móviles de apoyo a la lucha contra la pandemia de covid-19 en lo referente a la protección de datos (2020/C 124 I/01) y en la que se tuvo en cuenta la contribución del Comité Europeo de Protección de Datos (CEPD) y los debates en el seno de la red de sanidad electrónica (eHealth)[30].

Que las autoridades sanitarias traten los datos sobre la base de la legislación, tal y como se señala en la Comunicación, no cambia el hecho de que las personas siguen siendo libres para decidir si instalan la aplicación y si comparten sus datos con estas autoridades. Por lo tanto, cuando quiera que se desinstale la aplicación, no debería haber ninguna consecuencia negativa para el usuario.

El Comité Europeo de Protección de Datos, el 21 de abril, publicaba las Directrices 04/2020 sobre el uso de datos de localización y herramientas de rastreo de contacto en el contexto de la pandemia de Covid-19.

En ella se destaca que: "La base jurídica o medida legislativa que proporcione la base legítima para el uso de aplicaciones de rastreo de contactos debe incorporar salvaguardias significativas, incluida una referencia al carácter voluntario de la aplicación. Procede incluir una especificación clara de la finalidad y limitaciones explícitas respecto a la utilización ulterior de datos personales, y debe identificarse con claridad al responsable o los responsables del tratamiento. También deben definirse las categorías de datos y las entidades a las que pueden transmitirse los datos personales, y para qué fines. En función del nivel de interferencia, conviene incorporar salvaguardias adicionales, teniendo en cuenta la naturaleza, el alcance y los fines del tratamiento. Por último, el CEPD recomienda que, en la medida de lo posible, se incluyan los criterios que determinen cuándo se desmantelará la apli-

---

[30]   Resulta del máximo interés consultar los documentos de interoperabilidad que se contiene en su red en https://ec.europa.eu/health/ehealth/key_documents_en#anchor0

cación y qué entidad será responsable de esa determinación y rendirá cuentas al respecto".

El 13 de mayo de 2020 la Comisión europea publicaba "Coronavirus: Un enfoque común para unas aplicaciones móviles de rastreo seguras y eficientes en toda la UE"[31], que aborda una serie de preguntas con sus respuestas[32].

Este tipo de aplicación sirve para advertir a los usuarios en caso de que, durante cierto tiempo, hayan estado cerca de una persona que haya notificado haber dado positivo en una prueba de detección de la COVID-19. En caso de alerta, la aplicación puede proporcionar información útil de las autoridades sanitaria (su objeto junto con las pruebas de detección del virus y el aislamiento, constituye un elemento para controlar la pandemia).

Las aplicaciones de rastreo han de ser voluntarias, transparentes, seguras e interoperables, y deben respetar la privacidad de las personas. Emplearán identificadores arbitrarios, y no se utilizarán ni la geolocalización ni datos relativos a los movimientos. Todas las aplicaciones serán temporales, de tal modo que deberán desmantelarse en cuanto acabe la pandemia. Además, deberán funcionar en el conjunto de la UE, a través de las fronteras y entre sistemas operativos. La interoperabilidad es esencial para que la utilización voluntaria a gran escala de aplicaciones de rastreo nacionales pueda respaldar la flexibilización de las medidas de confinamiento y la supresión de las restricciones a la libertad de circulación en toda la UE.

Como respuesta a la pregunta "¿Cómo funciona en la práctica una aplicación de rastreo? " la Comisión afirmaba que: "En ningún momento se revelarán su identidad ni el lugar y el momento exacto del contacto. Lo mismo ocurrirá si uno de sus contactos recibe un diagnóstico positivo: usted recibirá una notificación para que tanto usted como las personas de su entorno puedan protegerse. El uso de

---

[31]   https://ec.europa.eu/commission/presscorner/detail/es/qanda_20_869
[32]   Resulta muy ilustrativo el artículo de L. Luca Ferretti, Chris Wymant, Michelle Kendall, Lele Zhao, Anel Nurtay, Lucie Abeler-Dörner, Michael Parker, David Bonsall y Christophe Frase, "Quantifying SARS-CoV-2 transmission suggests epidemic control with digital contact tracing", *Science* 368, eabb6936 (2020), pp. 4 y 5.

la aplicación es voluntario. La aplicación se desactivará automáticamente al final de la pandemia, y usted podrá desinstalarla en cualquier momento"[33].

La Comisión trabajaba con los Estados miembros en un protocolo de interoperabilidad que preserva la privacidad. Cuando la aplicación de un Estado miembro tuviera que funcionar en otro Estado miembro, algunos datos encriptados se compartirán con el servidor que trate los datos recogidos por la aplicación en ese Estado miembro. Esos servidores debían estar sujetos al control de la autoridad nacional competente. Todas las aplicaciones, como subraya la Comisión, han de ajustarse plenamente a las normas de la UE en materia de protección de datos y privacidad, y deben respetar las orientaciones de la Comisión.

El 16 de junio los EEMM acordaron una solución de interoperabilidad para las aplicaciones de rastreo de contactos y alertas con el apoyo de la Comisión[34].

Los Estados acordaron un conjunto de especificaciones técnicas para garantizar un intercambio de información seguro entre las aplicaciones nacionales de rastreo de contactos con una arquitectura descentralizada. "Esto afecta a la inmensa mayoría de las aplicaciones de rastreo que ya se han puesto en marcha en la UE o que están a punto de ponerse. Una vez que se despliegue la solución técnica, estas aplicaciones nacionales funcionarán sin interrupción cuando los usuarios viajen a otro país de la UE que también siga el enfoque descentralizado"[35].

"La información de proximidad compartida entre las aplicaciones se intercambiará de manera cifrada para impedir la identificación de cualquier individuo, en consonancia con las estrictas directrices de la UE sobre la protección de datos en las aplicaciones; no se utilizarán datos de geolocalización. Para seguir apoyando la racionalización del sistema, la Comisión está dispuesta a crear un servicio de pasarela, una interfaz para recibir y transmitir de manera eficiente la información pertinente de los servidores y las aplicaciones nacionales de

---

[33] *Ibidem.*
[34] https://ec.europa.eu/commission/presscorner/detail/es/ip_20_1043
[35] *Ibidem.*

rastreo de contactos. Esto minimizará el volumen de datos intercambiados y, por lo tanto, reducirá el consumo de datos por los usuarios".

Tal y como consta en la comunicación las especificaciones técnicas acordadas se basan en las directrices de interoperabilidad aprobadas en mayo[36].

A la vez, el 16 de junio de 2020, el CEPD adoptó la Declaración sobre el tratamiento de datos personales en el contexto de la reapertura de las fronteras tras el brote del Covid ante la invitación de la Comisión a los Estados para que levantaran sus controles interiores (a más tardar el 15 de junio).

Obsérvese que la apertura de las fronteras se plantea, entre otras, por la posibilidad de realizar, tratamiento de diferentes tipos de datos personales en las fronteras con la finalidad del prevenir y controlar la pandemia, así como mitigar los factores de riesgo mediante la adopción de determinadas medidas. Medidas previstas o que ya aplicaban los EEMM (pruebas para la Covid, aplicación voluntaria de rastreo de contactos, etc).

Las categorías de datos recopilados podían incluir datos de contacto, datos sanitarios y datos de localización.

De especial relevancia resulta la declaración que realiza el CEPD, –a pesar, recordemos, de sus Directrices 4/2020– sobre el impacto en la protección de datos de la interoperabilidad de las aplicaciones de rastreo de contactos (adoptada el 16 de junio de 2020):

1. Dado el posible aumento del riesgo de protección de los datos derivado de la interoperabilidad, que se aborda más adelante, los responsables del tratamiento de datos también deberían sopesar otras alternativas.

2. Esas soluciones tendrían que formar parte de una estrategia integral de salud pública para luchar contra la pandemia que incluyera, entre otras medidas, la realización de pruebas y la posterior localización manual de los contactos con el fin de mejorar la eficacia de las medidas aplicadas.

---

[36] https://ec.europa.eu/health/sites/health/files/ehealth/docs/contacttracing_mobileapps_guidelines_en.pdf

3. El CEPD es consciente de que las aplicaciones de rastreo de
contactos en los distintos Estados miembros adoptan enfoques
subyacentes diferentes y reconoce que garantizar la interoperabilidad de las distintas implementaciones constituye un reto
técnico y puede requerir un esfuerzo financiero y de ingeniería
considerable. De cara a garantizar el intercambio y el tratamiento mínimos de datos, como exige el RGPD, los desarrolla-
dores de aplicaciones de rastreo de contactos tendrán que acordar un protocolo común y estructuras de datos compatibles.
Así pues, en el caso de las aplicaciones que ya comparten un
marco común o al menos la misma base tecnológica, el objetivo
de la interoperabilidad puede ser más fácil de alcanzar que en el
caso de las que no lo hacen. De hecho, debido a las diferencias
entre los enfoques, en la práctica puede resultar inviable aplicar
la interoperabilidad sin concesiones desproporcionadas.

La Comisión empezó, según comunicado del 14 de septiembre de
2020, a probar la pasarela de interoperabilidad para las aplicaciones
nacionales de rastreo de contactos y alerta:[37]. "La pasarela, una infraestructura digital que comunica información entre los servidores
de las aplicaciones nacionales, garantizará que estas funcionen también sin fisuras a través de las fronteras. Por lo tanto, los usuarios solo
tendrán que instalar una aplicación y podrán notificar una infección o
recibir una alerta, incluso si viajan al extranjero.

La pasarela recibirá y transmitirá eficazmente identificadores arbitrarios entre aplicaciones nacionales para minimizar la cantidad de
datos intercambiados y reducir así el consumo de datos por parte de
los usuarios. La pasarela no tratará más información que las claves
arbitrarias generadas por las aplicaciones nacionales. La información
intercambiada se seudonimiza, se encripta, se reduce al mínimo y solo
se almacena el tiempo necesario para rastrear las infecciones. No permite la identificación de personas individuales"[38].

En fin, en esta prueba de servicio de pasarela no nos consta que
participara España, como tantos otros países. Pasarela de interope-

---

[37] https://ec.europa.eu/commission/presscorner/detail/es/IP_20_1606
[38] *Ibidem.*

rabilidad de la UE, conexión al sistema de las primeras aplicaciones de rastreo de contactos y alerta, que entra en funcionamiento el 19 de octubre de 2020 con la primera serie de aplicaciones nacionales conectadas de Corona-Warn-App (Alemania), Covid tracker (Irlanda) e Inmuni (Italia)[39].

A estos efectos, resulta de enorme interés consultar el portal de interoperabilidad de la UE para las aplicaciones de rastreo de contactos y alertas: preguntas y respuestas[40].

En fin, comparto la conclusión del CEPD reflejada en su decisión de 16 de junio: "Las aplicaciones de rastreo de contactos solo pueden constituir una solución temporal como parte de una estrategia integral de salud pública para luchar contra la actual pandemia. Respecto de cada medida introducida, es necesario evaluar si una alternativa menos intrusiva puede lograr el mismo propósito y asegurarse de que cualquier medida aplicada sea eficaz y proporcionada".

Y es que, como señala el Informe de la Unidad de Tecnología y Privacidad del Supervisor Europeo de Protección de Datos: "El rastreo de proximidad digital plantea nuevos riesgos de protección de datos, ya que permite el registro preventivo de contactos de un gran número de la población en espacios públicos y privados utilizando señales de ondas de radio invisibles a los ojos humanos". Porque como nos recuerda Thomas ZerdicK en su blog (Director de tecnología y privacidad. Supervisor europeo de protección de datos) la gran mayoría de las aplicaciones de rastreo de contactos implementadas a nivel de país en la UE optaron por el modelo descentralizado. Casi todos decidieron confiar en un marco proporcionado por los principales proveedores de sistemas operativos móviles, Google y Apple[41].

---

[39]   Comisión Europea. Coronavirus: entra en funcionamiento la pasarela de interoperabilidad de la UE, conexión al sistema de las primeras aplicaciones de rastreo de contactos y alerta. Bruselas, 19 de octubre de 2020. https://ec.europa.eu/commission/presscorner/detail/en/qanda_20_1905

[40]   https://ec.europa.eu/commission/presscorner/detail/en/qanda_20_1905

[41]   https://edps.europa.eu/press-publications/press-news/blog/what-does-covid-19-reveal-about-our-privacy-engineering_en

VI. A MODO DE CONCLUSIÓN

No puedo estar más de acuerdo con la llamada a la cautela sobre el carácter irreversible de ciertas medidas que, en todo caso, deben ser necesarias, limitadas en el tiempo y de alcance mínimo. De ahí que también haga mía la afirmación del CEPD de que "nadie debe verse obligado a elegir entre una respuesta eficaz a la crisis y la protección de nuestros derechos fundamentales" porque, efectivamente, "la legislación europea en materia de protección de datos permite el uso responsable de datos personales para fines de gestión sanitaria, al tiempo que garantiza que en ese proceso no se erosionen los derechos y libertades individuales" (Directrices 04/2020, de 21 de abril).

Sin embargo, no puedo menos que reivindicar el principio de transparencia como eje vertebral de la defensa y garantía del derecho, incluso en situación de emergencia sanitaria. Solo en materia de interoperabilidad, tal y como se ha abordado aquí, cobra un valor intrínseco de enorme magnitud porque, entre otras muchas razones, la ciudadanía debe entender con claridad el uso, por ejemplo, de la aplicación en materia de rastreo, así como mantener el control de sus datos. Datos que, obviamente, deben ser tratados con licitud, lealtad, transparencia, limitación de la finalidad, exactitud y minimización de los datos. Una tecnología que jamás debe dar la espalda a los principios generales de eficacia, necesidad, proporcionalidad y temporalidad.

Pero además, el impacto de la tecnología utilizada debe ser constantemente evaluada, seguida y revisada tanto por las autoridades nacionales como comunitarias. Los ciudadanos tienen derecho a saber cuáles han sido las posiciones mantenidas por las autoridades de sus respectivos Estados miembros en los ámbitos en los que estos actúan y que no llegan a transparentarse para que puedan ser objeto de los oportunos controles por parte de la ciudadanía sobre la acción que cada Estado miembro, a través de los distintos canales de actuación, está conformando una decisión de conjunto que afecta a los ciudadanos europeos en su respectivo Estado nacional. Las autoridades de control nacionales deben transparentar en sus propias páginas webs la posición defendida ante las distintas opciones que se barajan en el seno de la Unión.

Por descontado que una mayor armonización en las legislaciones de los EEMM y un refuerzo en los mecanismos de cooperación y coherencia se impone. Esta crisis sanitaria viene a transparentar una vez más esta exigencia. De hecho, el 12 de febrero de 2021 la Comisión ha publicado un estudio sobre la evaluación de las normas de los EEMM de la UE sobre datos sanitarios a la luz de RGPD. En este estudio se aprecia que, si bien el RGPD establece normas horizontales directamente aplicables en todos los Estados miembros, siguen produciéndose diferencias en el ámbito de la legislación nacional vinculada a la implementación en el área de la salud. Lo que permite constatar que se ha llevado a cabo un enfoque fragmentado en la forma en que se realiza el procesamiento de datos sanitarios para la salud y la investigación. Esto puede afectar negativamente, como pone de relieve el estudio, a la cooperación transfronteriza para la prestación de cuidados, la administración del sistema sanitario, la salud pública o la investigación. Cabe destacar que, entre las posibles actuaciones futuras para la UE, se ha identificado la necesidad de una nueva legislación a nivel de la UE dirigida y específica del sector.

Actualmente nos hallamos ante otro gran reto y decisión: la propuesta de Reglamento por parte de la Comisión Europea sobre certificados de interoperabilidad, vacunación, pruebas y recuperación (Certificado Verde Digital) para facilitar la libre circulación dentro de la UE durante la pandemia[42], de 17 de marzo de 2021. Debe observarse que uno de los elementos fundamentales del Reglamento es que la Comisión creará una pasarela digital y apoyará a los Estados miembros en la creación de programas informáticos que puedan utilizar las autoridades para verificar todas las firmas de los certificados en toda la UE: "Ningún dato personal de los titulares del certificado atravesará la pasarela o será conservado por el Estado miembro verificador"[43]. Parece que estos certificados solo van a incluir información esencial y datos personales seguros: "Los certificados incluirán un conjunto limitado de información, como nombre, fecha de nacimiento, número de identidad, fecha de expedición, información pertinente sobre la vacuna/análisis/recuperación y un identificador único del certificado.

---

[42] https://ec.europa.eu/info/sites/info/files/en_green_certif_just_reg130_final.pdf.
[43] https://ec.europa.eu/commission/presscorner/detail/es/ip_21_1181

Estos datos solo podrán comprobarse para confirmar y verificar la autenticidad y validez de los certificados". Por ahora, aunque veremos qué ocurre en la práctica, se prevé que el sistema de certificado digital verde sea una medida temporal: "Se suspenderá una vez que la Organización Mundial de la Salud (OMS) declare el fin de la emergencia de salud pública internacional por la COVID-19".

LA PROTECCIÓN DE LOS DATOS PERSONALES EN LA HISTORIA CLÍNICA

Susana Álvarez González
Profesora Contratada Doctora de Filosofía del Derecho
Universidade de Vigo

I. LOS DATOS ESPECIALMENTE PROTEGIDOS COMO DATOS SENSIBLES

Existen determinadas informaciones susceptibles de una reconsideración respecto a la categoría general de protección de datos por sus especiales peculiaridades y características, como son los denominados datos sensibles[44] o "datos especialmente protegidos" siguiendo los términos utilizados por el Reglamento (UE) 2016/679 del Parlamento Europeo y del Consejo, de 27 de abril de 2016, relativo a la protección de las personas físicas en lo que respecta al tratamiento de datos personales y a la libre circulación de estos datos y por el que se deroga la Directiva 95/46/CE (RGPD)[45].

Si bien parece existir un acuerdo doctrinal cuasi unánime en la necesidad de otorgar una mayor tutela a determinadas categorías especiales de datos personales y así lo ha reflejado la vigente normativa de protección de datos, este consenso no se produce acerca de qué es o qué debe entenderse por dato sensible[46]. El disenso se observa especialmente en la determinación de las peculiaridades que han de poseer los datos para ser incluidos en esta especial categoría. Así, Pérez

---

[44] Sánchez Bravo, A.A., *La protección del derecho a la libertad informática en la Unión Europea*, Universidad de Sevilla, 1998, p. 100.

[45] Sobre el impacto de esta norma en las bases legales del modelo europeo de protección de datos, Vid. García Mahamut, R., "El derecho fundamental a la protección de datos: el Reglamento (UE) 2016/679 como elemento definidor del contenido esencial del artículo 18.4 de la Constitución", Corts: Anuario de derecho parlamentario, 2018, no 31, pp. 59-80

[46] Sánchez Bravo, A.A., "La Regulación de los Datos Sensibles en la LORTAD", *Informática y Derecho* 5-6, 1994, p. 120.

Luño o Toniatti definen los datos sensibles como aquellos que tienen una especial incidencia en la vida privada, en el ejercicio de las libertades o riesgo de prácticas discriminatorias[47]. Otros autores, como Lucas Murillo de la Cueva o Garriga Domínguez, coinciden en señalar como datos sensibles aquellas informaciones relativas a cuestiones extraordinariamente delicadas, íntimamente unidas al núcleo de la personalidad y de la dignidad humana[48]. No se trata de definiciones enfrentadas sino complementarias pues todas ellas tienen un *"engarce directo con la noción de dignidad humana"*[49], otorgando prioridad a su necesaria existencia, especial tutela, protección y garantías.

Al margen de los datos especialmente protegidos en función de su "calidad", la doctrina ha debatido, también desde hace tiempo, la posibilidad de determinar la sensibilidad de la información atendiendo a su tratamiento y utilización, esto es, según el contexto en el que se utilicen los datos de carácter personal[50] y sus formas de procesamiento. Al respecto, se ha constatado tanto la dificultad de establecer un catálogo cerrado de datos sensibles, como la realidad de que cualquier información puede convertirse en sensible atendiendo a su uso. En este sentido, señalaba Denninger la relevancia de la utilidad de la información y de sus posibilidades de aplicación, frente a otras cuestiones como la relativa a si un dato es por naturaleza secreto o si pertenece

---

[47] Pérez Luño, A.E., "La libertad informática. Nueva frontera de los derechos fundamentales"en Losano, M.G; Pérez Luño, A.E. y Guerrero Mateus, M.F., *Libertad informática y leyes de protección de datos*, Centro de Estudios Constitucionales, Madrid, 1990, p. 152.

[48] Lucas Murillo De La Cueva, P., *Informática y protección de datos personales*, Centro de Estudios Constitucionales, Madrid, 1993, p. 69.

[49] Garriga Domínguez, A., *La protección de datos personales en el Derecho español*, Universidad Carlos III de Madrid-Dykinson, Madrid, 1999, p. 189.

[50] Heredero Higueras, M, *La Ley Orgánica 5/1992, de Regulación del Tratamiento Automatizado de los datos de carácter personal*, Tecnos, Madrid, 1996, p. 98. Las divergentes posturas doctrinales sobre los datos sensibles tuvieron su reflejo en el Convenio 108 del Consejo de Europa que si bien adoptó una postura favorable al concepto de dato sensible por su propia naturaleza, en su memoria explicativa aclara lo siguiente: *"si bien el riego que para las personas representa el tratamiento de los datos depende, en principio, no tanto del contenido de los datos en sí mismos, como del contexto en el cual se utilizan, existen casos excepcionales en los que el tratamiento de determinados datos puede, como tal, causar perjuicio a los derechos e intereses de los individuos"*.

al ámbito íntimo del sujeto[51]. Se trataría, en última instancia, sin prescindir por razones de seguridad jurídica de fijar un mínimo de datos sensibles por su propia naturaleza, de reconocer también la sensibilidad de ciertos datos atendiendo a su utilización, es decir, de datos que a priori son irrelevantes desde el punto de vista de su calidad, pero que interrelacionados pueden dar lugar a un perfil de la personalidad del individuo[52], *"para hacer completamente diáfana y transparente la personalidad de los ciudadanos"*[53].

Dentro de las categorías especiales de datos se encuentran los datos relativos a la salud, siendo múltiples los usos que pueden tener los mismos entre los que destacan por razones obvias la asistencia sanitaria y la investigación científica. No obstante, hay otros sectores especialmente interesados en estos datos como el ámbito laboral o asegurador. Si bien no es objeto de este estudio, cabe destacar en los últimos tiempos el incremento de su uso por razones de salud pública que plantea importantes incógnitas para el derecho a la protección de datos y la privacidad[54].

---

[51]   Denninger, E., *"El derecho a la autodeterminación informativa"*, traducción de Antonio-Enrique Pérez Luño, en Pérez Luño, A.E. (dir.),*Problemas actuales de la documentación y la informática jurídica*, Actas del Coloquio Internacional celebrado en la Universidad de Sevilla, 5 y 6 de marzo de 1986, Tecnos, Madrid, 1987, p. 273.

[52]   Los perfiles de datos, *"oscuras réplicas personales"*, pueden llegar a eclipsar, de distintas maneras, aunque de forma significativa, la personalidad del ciudadano. WHITAKER, R., *El fin de la privacidad. Cómo la vigilancia total se está convirtiendo en realidad*, Paidós, Barcelona-Buenos Aires-México, 1999, p. 167. Sobre la utilización de datos en la era del Big Data y de la computación ubicua, Vid. Garriga Domínguez, A., *Nuevos retos para la protección de datos personales. En la era del Big Data y de la computación utbicua*, Dykinson, 2015.

[53]   Sánchez Bravo, A.A., *La protección del derecho a la libertad informática en la Unión Europea*, cit., p. 102.

[54]   Domínguez Álvarez, J.L., "La necesaria protección de las categorías especiales de datos personales. Una reflexión sobre los datos relativos a la salud como axioma imprescindible para alcanzar el anhelado desarrollo tecnológico frente al COVID-19", *Revista de comunicación y salud*, 10.

II. EL DATO RELATIVO A LA SALUD COMO INFORMACIÓN ESPECIALMENTE PROTEGIDA

1. Análisis conceptual y naturaleza

El RGPD define en su artículo 4 los datos relativos a la salud como aquellos "relativos a la salud física o mental de una persona física, incluida la prestación de servicios de atención sanitaria, que revelen información sobre su estado de salud". La aclaración de la amplitud del concepto viene dada por los considerandos 35 y 45 de la propia norma. El primero de ellos señala específicamente que entre éstos "se deben incluir todos los datos relativos al estado de salud del interesado que dan información sobre su estado de salud física o mental pasado, presente o futuro. Se incluye la información sobre la persona física recogida con ocasión de su inscripción a efectos de asistencia sanitaria o con ocasión de la prestación de tal asistencia, de conformidad con la Directiva 2011/24/UE del Parlamento Europeo y del Consejo, relativa a la aplicación de los derechos de los pacientes en la asistencia sanitaria transfronteriza (tol2.060.204) esto es, "todo número, símbolo o dato asignado a una persona física que la identifique de manera unívoca a efectos sanitarios; la información obtenida de pruebas o exámenes de una parte del cuerpo o de una sustancia corporal, incluida la procedente de datos genéticos y muestras biológicas, y cualquier información relativa, a título de ejemplo, a una enfermedad, una discapacidad, el riesgo de padecer enfermedades, el historial médico, el tratamiento clínico o el estado fisiológico o biomédico del interesado, independientemente de su fuente, por ejemplo un médico u otro profesional sanitario, un hospital, un dispositivo médico, o una prueba diagnóstica in vitro".

La utilización de una definición amplia[55] de dato relativo a la salud ya estaba prevista en la memoria explicativa del Convenio núm. 108 del Consejo de Europa, en su punto 45, para la Protección de Personas con respecto al Tratamiento Automatizado de Datos de Carácter Personal, hecho en Estrasburgo el 28 de enero de 1981 que señalaba

---

[55] Sobre la amplitud del alcance de la definición, Vid. STJUE, de 6 de noviembre de 2003, asunto "Lindqvist" (tol 317.269)

la indiferencia de que el dato sea de buena o mala salud o incluso de una persona fallecida. Además, ya se apuntaba a la incluía, dentro de la categoría de dato relativo a la salud el abuso de alcohol y el consumo de drogas.

En estrecha relación con los datos relativos a la salud se pueden mencionar los datos genéticos[56]; en concreto, con la denominada "salud genética". Sin embargo, cabe advertir que los datos genéticos tienen características singulares y distintas a las de los datos relativos a la salud[57]. De hecho, el propio RGPD los ha incluido como unos datos distintos y diferenciados de los datos médicos por lo que sus condiciones de tratamiento se verán sometidas a disposiciones específicas.

2. *Tratamiento jurídico en el ámbito del RGPD y de la LOPDGDD*

Como se ha señalado en el apartado anterior, los datos personales relativos al estado de salud se consideran especialmente sensibles o protegidos. Su regulación, dentro del marco general de protección de datos, se encuentra en el artículo 9 RGPD y en el homónimo de la Ley Orgánica 3/2018, de 5 de diciembre, de Protección de Datos Personales y garantía de los derechos digitales –tol5.933.570- (LOPDGDD). El citado precepto del RGPD, en su apartado primero, prohíbe, como regla general, su tratamiento en los siguientes términos: "Quedan prohibidos el tratamiento de datos personales que revelen el origen étnico o racial, las opiniones políticas, las convicciones religiosas o filosóficas, o la afiliación sindical, y el tratamiento de datos genéticos, datos

---

[56]   En este sentido Seoane Rodríguez señala que los datos genéticos forman parte de un conjunto más amplio: *"como éstos, son 1) datos de carácter personal y 2) datos especialmente protegidos o datos sensibles, en concreto 3) datos de salud, con características y un régimen de protección específicos. Con todo, 4) la información genética presenta unos rasgos que hacen de ella un tipo singular dentro de los datos de salud".* Seoane Rodríguez, J.A.: *"De la intimidad genética al derecho a la protección de datos genéticos. La protección iusfundamental de los datos genéticos en las SSTC 290/2000 y 292/2000, de 30 de noviembre) (Parte II),* Revista de Derecho y Genoma Humano núm. 17, 2002, pp. 136-137.

[57]   Vid. Álvarez González, S., *Derechos fundamentales y protección de datos genéticos,* Dykinson, 2007.

biométricos dirigidos a identificar de manera unívoca a una persona física, datos relativos a la salud o datos relativos a la vida sexual o las orientación sexuales de una persona física".

No obstante, tras la solemne proclamación, excepciona su aplicación en los supuestos del apartado segundo del artículo 9 RGPD:

"a) el interesado dio su consentimiento explícito para el tratamiento de dichos datos personales con uno o más de los fines especificados, excepto cuando el Derecho de la Unión o de los Estados miembros establezca que la prohibición mencionada en el apartado 1 no puede ser levantada por el interesado;

b) el tratamiento es necesario para el cumplimiento de obligaciones y el ejercicio de derechos específicos del responsable del tratamiento o del interesado en el ámbito del Derecho laboral y de la seguridad y protección social, en la medida en que así lo autorice el Derecho de la Unión de los Estados miembros o un convenio colectivo con arreglo al Derecho de los Estados miembros que establezca garantías adecuadas del respeto de los derechos fundamentales y de los intereses del interesado;

c) el tratamiento es necesario para proteger intereses vitales del interesado o de otra persona física, en el supuesto de que el interesado no esté capacitado, física o jurídicamente, para dar su consentimiento;

d) el tratamiento es efectuado, en el ámbito de sus actividades legítimas y con las debidas garantías, por una fundación, una asociación o cualquier otro organismo sin ánimo de lucro, cuya finalidad sea política, filosófica, religiosa o sindical, siempre que el tratamiento se refiera exclusivamente a los miembros actuales o antiguos de tales organismos o a personas que mantengan contactos regulares con ellos en relación con sus fines y siempre que los datos personales no se comuniquen fuera de ellos sin el consentimiento de los interesados;

e) el tratamiento se refiere a datos personales que el interesado ha hecho manifiestamente públicos;

f) el tratamiento es necesario para la formulación, el ejercicio o la defensa de reclamaciones o cuando los tribunales actúen en ejercicio de su función judicial;

g) el tratamiento es necesario por razones de un interés público esencial, sobre la base del Derecho de la Unión o de los Estados miembros, que debe ser proporcional al objetivo perseguido, respetar en lo esencial el derecho a la protección de datos y establecer medidas adecuadas y específicas para proteger los intereses y derechos fundamentales del interesado;

h) el tratamiento es necesario para fines de medicina preventiva o laboral, evaluación de la capacidad laboral del trabajador, diagnóstico médico, prestación de asistencia o tratamiento de tipo sanitario o social, o gestión de los sistemas y servicios de asistencia sanitaria y social, sobre la base del Derecho de la Unión o de los Estados miembros en virtud de un contrato con un profesional sanitario y sin perjuicio de las condiciones y garantías contempladas en el apartado 3;

i) el tratamiento es necesario por razones de interés público en el ámbito de la salud pública, como la protección frente a amenazas transfronterizas graves para la salud, o para garantizar elevados niveles de calidad y de seguridad de la asistencia sanitaria y de los medicamentos o productos sanitarios, sobre la base del Derecho de la Unión o de los Estados miembros que establezca medidas adecuadas y específicas para proteger los derechos y libertades del interesado, en particular el secreto profesional,

j) el tratamiento es necesario con fines de archivo en interés público, fines de investigación científica o histórica o fines estadísticos, de conformidad con el artículo 89, apartado 1, sobre la base del Derecho de la Unión o de los Estados miembros, que debe ser proporcional al objetivo perseguido, respetar en lo esencial el derecho a la protección de datos y establecer medidas adecuadas y específicas para proteger los intereses y derechos fundamentales del interesado".

El tratamiento de datos relativos a la salud con fines de asistencia sanitaria, entendida en sentido amplio, quedaría amparado por el artículo 9.2, apartado h), RGPD, sometiéndose, según lo previsto en el apartado el punto 3, al requisito de que éste se realice "por un profesional sujeto a la obligación de secreto profesional, o bajo su responsabilidad, de acuerdo con el Derecho de la Unión o de los Estados miembros o con las normas establecidas por los organismos nacionales competentes, o por cualquier otra persona sujeta también a la obligación de secreto de acuerdo con el Derecho de la Unión o de los Estados miembros o de las normas establecidas por los organismos nacionales competentes"[58].

No obstante, al margen de esta finalidad, las causas previstas por el RGPD podrían constituir la base de legitimación para el tratamiento de datos relativos a la salud.

El artículo 9 LOPDGDD reitera lo dispuesto en el citado artículo del RGPD, con la salvedad de que "a fin de evitar situaciones discriminatorias, el solo consentimiento del afectado no bastará para levantar

---

[58] Sobre la legitimación para el tratamiento de datos relativos a la salud, Álvarez Hernando, J., *Protección de datos 2021*, Thomson Reuters, 2021, p.1498.

la prohibición del tratamiento de datos cuya finalidad principal sea identificar su ideología, afiliación sindical, religión, orientación sexual, creencias u origen racial o étnico". En este sentido, deja sin operatividad el consentimiento como base de legitimación en la mayoría de datos especialmente protegidos, pero no así, en los datos relativos a la salud y en los datos genéticos y biométricos. Respecto a estas dos últimas categorías, esta previsión resulta más cuestionable.

Sobre esta cuestión, algunos autores han apuntado que en la nueva legislación el consentimiento quedaría respecto al uso de los datos relativos a la salud con ciertas finalidades como una "opción residual" cediendo ante otros intereses públicos de relevancia social[59]. La valoración, sin embargo, sobre este particular ha de realizarse teniendo en cuenta, de forma escrupulosa, el necesario respeto a los principios de protección de datos.

Respecto al tratamiento de datos relativos a la salud con los fines previstos en las letras g), h) e i) –interés público esencial, fines de medicina preventiva, diagnóstico médico…e interés público en el ámbito de la salud pública[60]-, la norma señala que deberán estar amparados en una norma con rango de ley, que podrá establecer requisitos adicionales relativos a su seguridad y confidencialidad. En particular, dicha norma podrá amparar el tratamiento de datos en el ámbito de la salud cuando así lo exija la gestión de los sistemas y servicios de asistencia sanitaria y social, pública y privada, o la ejecución de un contrato de seguro del que el afectado sea parte –articulo 9.2 LOPDGDD-.

En particular, la disposición adicional decimoséptima, sobre tratamiento de datos de salud, recoge respecto a estos fines, al que suma el interés científico, las leyes que lo amparan[61]:

---

[59]   Vid. Ausín, T., Andreu Martínez, M.B, Valero Torrijos, J., Cayón De Las Cuevas, J., "Diez consideraciones ético-jurídicas en la relación con la reutilización y big data en el ámbito sanitario", *ILEMATA* 34, pp. 134-145.

[60]   Por su especial transcendencia en el contexto histórico actual de pandemia, Vid. Informe 0017/2020 de la Agencia Española de Protección de datos sobre los tratamientos de datos en relación con el COVID-19. https://www.aepd.es/es/documento/2020-0017.pdf. Consultado 18/03/2021.

[61]   Cabe señalar, si bien no es objeto de este estudio, el punto segundo de este artículo recoge las pautas para el tratamiento de datos en la investigación en salud.

a) La Ley 14/1986, de 25 de abril, General de Sanidad.

b) La Ley 31/1995, de 8 de noviembre, de Prevención de Riesgos Laborales.

c) La Ley 41/2002, de 14 de noviembre, básica reguladora de la autonomía del paciente y de derechos y obligaciones en materia de información y documentación clínica.

d) La Ley 16/2003, de 28 de mayo, de cohesión y calidad del Sistema Nacional de Salud.

e) La Ley 44/2003, de 21 de noviembre, de ordenación de las profesiones sanitarias.

f) La Ley 14/2007, de 3 de julio, de Investigación biomédica.

g) La Ley 33/2011, de 4 de octubre, General de Salud Pública.

h) La Ley 20/2015, de 14 de julio, de ordenación, supervisión y solvencia de las entidades aseguradoras y reaseguradoras.

i) El texto refundido de la Ley de garantías y uso racional de los 105 medicamentos y productos sanitarios, aprobado por Real Decreto Legislativo 1/2015, de 24 de julio.

j) El texto refundido de la Ley General de derechos de las personas con discapacidad y de su inclusión social, aprobado por Real Decreto Legislativo 1/2013 de 29 de noviembre.

III. EL TRATAMIENTO DE LOS DATOS MÉDICOS EN LA HISTORIA CLÍNICA: LA ASISTENCIA SANITARIA COMO FINALIDAD

1. Concepto y contenido de la historia clínica

La cuestión relativa al archivo y tratamiento de la información clínica en el ámbito sanitario, tanto en los centros privados como públicos, se encuentra regulada, de manera prioritaria, por la Ley 41/2002 básica reguladora de la autonomía del paciente y de derechos y obligaciones en materia de información y documentación clínica (tol215.624). Siguiendo lo señalado en el artículo 3 de la Ley 41/2002, se puede definir la historia clínica como *"el conjunto de documentos que contienen los datos, valoraciones e informaciones de cualquier índole sobre la situación y la evolución clínica de un paciente a lo largo del proceso asistencial"*[62]. Se completa esta definición con la relativa a la documentación clínica contenida en el mismo precepto, entendiéndose por tal el soporte, independientemente de su tipo o clase, que contenga un conjunto de datos e informaciones de carácter asistencial.

La historia clínica, por tanto, puede considerarse como el soporte, informatizado o no, que contiene la información clínica del sujeto. A diferencia de otro tipo de ficheros, la Ley 41/2002 recoge la creación y la existencia de la historia clínica como un derecho del paciente y como un deber por parte del centro o institución sanitaria. En este sentido, el artículo 15 del texto legal dispone que todo usuario o paciente[63]

---

[62]   Entre las definiciones doctrinales de historia clínica, cabe citar la elaborada por Laín Entralgo que la definió como un relato patográfico sobre un período de la vida de una persona que contiene los datos relativos a un *"proceso morboso"*. Laín Estralgo, P., *La historia clínica. Historia y Teoría del Relato Patográfico*, Salvat Editores, Barcelona, 1961, pp. 638 y ss. Otros autores como Luna y Osuna otorgan prioridad en la elaboración del concepto de historia clínica a la información que en ésta se recoge, definiéndola como el documento en el que se archivan los datos que proporciona el paciente al médico, los datos procedentes de las exploraciones o exámenes clínicos y el diagnóstico, tratamiento y evolución del paciente. Luna, A. Y Osuna, E., "Problemas procesales de la utilización de la Historia Clínica", *Revista de Medicina Clínica*, vol. 87, 1986. En el mismo sentido, Sánchez-Caro y Abellán definen la historia clínica como el documento médico-legal en donde queda registrada la relación del personal sanitario con el paciente, los actos y actividades médicos realizados y los datos relativos a su salud, *"que se elabora con la finalidad de facilitar la asistencia"*. Sánchez-Caro, J. Y Abellán, F., *Derechos y deberes de los pacientes. La Ley 41/2002, de 14 de noviembre: consentimiento informado, historia clínica, intimidad e instrucciones previas*, Comares, Granada, 2003, p. 66. Asimismo, sobre los distintos conceptos de historia clínica, Codón Guerra, A., "La historia clínica: concepto, normativa, titularidad y jurisprudencia", en González Salinas, P. y Lizarraga Bonelli, E. (Coords.), *Autonomía del Paciente, Información e historia clínica (Estudios sobre la Ley 41/2002, de 14 de noviembre)*, Civitas, Madrid, 2004, pp.137-144.

[63]   Se trata de dos figuras distintas definidas en el artículo 3 de la Ley 41/2002. Se entiende por paciente, toda persona que requiera los cuidados sanitarios de un profesional, bien para el mantenimiento de su salud, bien para su recuperación. Para tener la condición de usuario no es necesario, sin embargo, requerir esa atención sanitaria, puesto que posee tal carácter cualquier persona que utilice los servicios sanitarios de educación y promoción de la salud, de prevención de enfermedades y de información sanitaria.

tiene derecho a que quede constancia, por escrito o en el soporte más adecuado, de la información obtenida en todos sus procesos asistenciales realizados por el servicio de salud. La finalidad de este deber se encuentra en la protección del derecho a la salud del individuo[64], a través de una adecuada asistencia sanitaria, que constituye el objetivo principal de la historia clínica[65].

El concepto de historia clínica se encuentra duplicado en la Ley 41/2002, que vuelve a definir la misma en su artículo 14, relativo a la "Definición y archivo de la historia clínica" en los siguientes términos: *"La historia clínica comprende el conjunto de los documentos relativos a los procesos asistenciales de cada paciente, con la identificación de los médicos y de los demás profesionales que han intervenido en ellos, con objeto de obtener la máxima integración posible de la documentación clínica de cada paciente, al menos, en el ámbito de cada centro"*. Constituye esta inclusión un error sistemático, teniendo en cuenta que divide la definición de una *"pieza clave del seguimiento y documentación del proceso asistencial"* en dos preceptos inconexos. Asimismo, existen partes contenidas en el artículo 14 de la Ley 41/2002 que no pueden considerarse integrantes del concepto de historia clínica[66]. El intento clarificador del concepto de historia clínica pretendido por la norma se convierte en dificultad, resultando necesaria una integración de ambos preceptos, de tal forma que ha de entenderse que si bien el concepto de historia clínica se encuentra recogido en el artículo 3 de la Ley, éste ha de completarse con lo dispuesto en el artículo 14[67].

El contenido de la historia clínica está recogido en el artículo 15 de la Ley 41/2002: *"la historia clínica incorporará la información que*

---

[64]   Sobre la problemática de la justificación, normatividad y configuración jurídica del derecho a la salud y su exigibilidad. Vid. Martínez de Pisón, J., "El derecho a la salud: un derecho social esencial", *Derechos y Libertades*, núm. 14, época II, enero, 2006, pp. 129 y ss.

[65]   Artículo 15, apartado segundo, y artículo 16, apartado primero, de la Ley 41/2002.

[66]   Atela Bilbao, A. y Garay Isasi, J., "La Ley 41/2002 de derechos del paciente. Avances, deficiencias y problemática", en González Salinas, P. y Lizarraga Bonelli, E (Coords.), *Autonomía del Paciente, Información e historia clínica (Estudios sobre la Ley 41/2002, de 14 de noviembre)*, Thomson-Paraninfo, 2004, p. 46.

[67]   Ibidem.

se considere trascendental para el conocimiento veraz y actualizado del estado de salud del paciente (...)"[68]*,* que tendrá como fin principal facilitar la asistencia sanitaria, dejando constancia de todos los datos que permitan conocer, el estado de salud de una persona. En estos términos peculiares se recoge la aplicación de los principios de calidad de los datos a la recogida y tratamiento de información en el ámbito sanitario. Se trata de una especificación de los principios de licitud, finalidad, veracidad y exactitud aplicados a la recogida de la información contenida en la historia clínica[69], de tal forma que los datos que en ella figuren han de ser los adecuados e imprescindibles para la finalidad principal perseguida por la norma: facilitar la asistencia sanitaria en cada ámbito concreto y determinado. Se trata de elementos imprescindibles no sólo para dar cumplimiento a las exigencias impuestas por el derecho a la autodeterminación informativa, sino también para una protección efectiva de la salud de la persona. En este sentido, como ha señalado Lucas Murillo de la Cueva, en relación con el tratamiento jurídico de los documentos y registros sanitarios, será necesario volver en todas las ocasiones que sea preciso a los principios del derecho a la protección de datos, *"y en particular a sus reglas básicas"*[70].

2. La titularidad de los datos médicos contenidos en la historia clínica

Numerosos han sido los estudios realizados hasta el momento sobre la naturaleza jurídica de la historia clínica[71]. Sin embargo, si bien

---

[68]   Al mismo tiempo, existe un deber del paciente o usuario de facilitar los datos sobre su estado físico o de salud que vayan a ser incorporados a la historia clínica, de manera leal y verdadera, así como el deber de colaborar en su obtención. Artículo 2, apartado quinto, de la Ley 41/2002.

[69]   Principios que deben complementarse con el denominado principio de responsabilidad activa conforme al artículo 5.2 RGPD que llevará aparejada toda una serie de medidas para su cumplimiento.

[70]   Murillo de la Cueva, P., "El tratamiento jurídico de los documentos y registros sanitarios informatizados y no informatizados", en *Información y Documentación Clínica,* Vol. II, p. 589.

[71]   Existen diversas posiciones doctrinales en torno a la naturaleza de la historia clínica, si bien éstas pueden agruparse en cuatro grandes grupos: tesis de la propiedad material del paciente, que otorga prioridad a los datos del paciente,

esta cuestión ha sido objeto de notables disensiones doctrinales, el discurso de los derechos fundamentales y su protección en el ámbito sanitario, especialmente el derecho a la intimidad y a la autodeterminación informativa, exige abandonar las posturas centradas en el dominio de la documentación para centrar el problema en la titularidad de los derechos. En este sentido, lo importante, como señala Seoane Rodríguez, no es tanto el documento "*o conjunto de documentos sino lo que se documenta*"[72].

Desde este punto de vista, la mayor parte del contenido de la historia clínica está formado por los datos del paciente, tal y como se deduce de su definición legal contenida en la Ley 41/2002. En ésta se documentan los datos e informaciones del paciente a lo largo de su proceso asistencial. El titular de esta información es el paciente, habida cuenta que existe una correlación entre la persona física identificada y la información que en la historia clínica se recoge. Éste como persona física, titular de sus datos médicos, será el titular del derecho a la autodeterminación informativa, que permitirá el control sobre sus informaciones médicas y que actuará, al mismo tiempo, como mecanismo de protección de los demás derechos fundamentales, en especial, en este ámbito, del derecho a la intimidad. En este sentido, negar al paciente la titularidad de los datos relativos a su salud incluidos en la historia clínica "*equivale a negarle un derecho fundamental*

---

referidos a su intimidad y personalidad, frente a otras cuestiones; tesis de la propiedad intelectual del médico, con fundamento en la creación intelectual y científica del facultativo; tesis de la propiedad del centro sanitario, basada en la ubicación de la historia clínica y en el hecho de que el soporte en el que ésta se encuentra sea propiedad del centro sanitario; tesis integradora o ecléctica, que trata de conciliar las versiones anteriores, "*a cuyo tenor la historia clínica contiene componentes heterogéneos desde el punto de vista jurídico*". De Lorenzo y Montero, R.: "Propiedad y destino de los resultados de las investigaciones médicas. Cuestiones referentes a la historia clínica",en MARTÍNEZ MORÁN, N. (Coord.), *Biotecnología, Derecho y Dignidad,* Biblioteca de derecho y ciencias de la vida, Comares, 2003, pp. 298-301.

[72] Señala el autor que debatir la propiedad de la historia clínica "*conduce a desenfocar el problema. En su lugar parece más adecuado cuestionarse qué derechos están en juego y cómo puede armonizarse su ejercicio*". Seoane Rodríguez, J. A., "¿A quién pertenece la historia clínica? Una propuesta armonizadora desde el lenguaje de los derechos", *Derecho y Salud*, Vol. 10, núm. 2, julio-diciembre, 2002, p. 249.

*de nuevo cuño, pero de fundamento ya antiguo: el derecho a la pro-
tección de datos"*[73].

3. Usos de los datos médicos contenidos en la historia clínica

La historia clínica tiene como finalidad principal la de recoger y
archivar los datos del paciente necesarios para llevar a buen término
la asistencia sanitaria[74], de tal forma que en ella quede constancia de
toda la información sobre el paciente, tanto para el cuidado de su
salud en el presente como en el futuro. Consecuentemente, todos los
datos que consten en la misma deberán ir encaminados a esta finalidad. Para ésta, la historia clínica se presenta como el instrumento o
medio más idóneo[75]. Esta función o uso de la historia clínica ha sido
recogida por el artículo 16, apartado primero, de la Ley 41/2002, que
señala: *"la historia clínica es un instrumento destinado fundamentalmente a garantizar la asistencia adecuada al paciente"*[76].

Para dar cumplimiento a este propósito relaciona el texto legal
una serie de personas que tendrán acceso a la información contenida
en la historia clínica, esto es, conocimiento de una serie de informaciones sanitarias con el objetivo de realizar una adecuada asistencia
sanitaria. Los facultados por la Ley 41/2002 para acceder a las informaciones relativas a la salud de las personas con este propósito son

---

73   Ibídem, p. 251.
74   Aspecto señalado, entre otros, por, Criado del Río, M. T., *Aspectos médico-
legales de la historia clínica,* cit., p. 26, Sánchez-Caro, J y Abelán, F., *Derechos y
deberes de los pacientes. La Ley 41/2002 de 14 de noviembre: consentimiento,
historia clínica, intimidad e instrucciones previas,* cit., p. 66, o Moreno Vernis,
M., "Documentación clínica: organización, custodia y acceso", en Fernández
Hierro, J. M. (Coord.), *La historia clínica,* Biblioteca de Derecho y Ciencias de la
Vida, núm. 11, Comares, Granada, 2002, p. 6.
75   Ibídem.
76   Esta finalidad principal recogida en el vigente texto legal, fue señalada previamente en el Documento Final, de 26 de noviembre de 1997, elaborado por el
Grupo de Expertos en Información y Documentación Clínica, creado en virtud
de un convenio de colaboración entre el Consejo General del Poder Judicial y el
Ministerio de Sanidad y Consumo con el objetivo de elaborar unas directrices
para el desarrollo legislativo de la materia (Exposición de motivos de la Ley
41/2002), en los siguientes términos: *"el acceso a la información clínica de una
persona debe justificarse por motivos de la asistencia sanitaria del titular de la
misma"*.

los profesionales asistenciales del centro que realizan el diagnóstico y el tratamiento del paciente, el personal de administración y servicios y el personal sanitario debidamente acreditado con funciones de inspección, evaluación, acreditación y planificación. No obstante, no se trata de un derecho genérico a conocer todos los datos contenidos en la historia clínica, sino que este conocimiento estará determinado por la finalidad de sus funciones, de tal forma que sea posible en todo momento determinar qué datos están siendo utilizados, por quién y para qué función. Así, si bien los profesionales sanitarios implicados en la prevención, diagnóstico y tratamiento de enfermedades necesitarán con carácter general conocer todos los datos, lo más detalladamente posible, para proteger de manera efectiva la salud del paciente y prestar, por tanto, la asistencia sanitaria en los términos más adecuados, el conocimiento por parte del personal de administración y gestión de los centros sanitarios y el personal sanitario con funciones de inspección, evaluación, etc., se limitará a aquellos datos de la historia clínica relacionados con sus propias funciones[77]. De nuevo, los principios de protección de datos se presentan como elemento esencial a tener en cuenta en el uso de la información sanitaria. Además, recoge la Ley 41/2002 una exigencia inexorable para todo el personal que tenga conocimiento de los datos contenidos en la historia clínica: la obligación de secreto profesional[78].

Se pueden señalar otros usos de la historia clínica[79], si bien, como indica Seoane Rodríguez, éstos quedarán subordinados a la finalidad asistencial[80], de tal forma que el acceso a los datos contenidos en la historia clínica con un motivo distinto a la asistencia sanitaria deberá tener un carácter excepcional y restringido, así como estar

---

[77]   Las limitaciones que afectan al conocimiento por este personal se encuentran señaladas en los apartados cuarto y quinto del artículo 16 de la Ley 41/2002.

[78]   Al respecto, Vid.Plan de Inspección de oficio en el ámbito de la atención sociosanitaria en España de la AEPD, publicado en junio 2020.

[79]   Se trata de los denominados usos secundarios de los expedientes médicos. Czecowski Bruce, J. A., *Privacy and Confidentiality of HealthCareInformation*, American Hospital Publishing, 1998, p. 9.

[80]   Seoane Rodríguez, J.A., "¿A quién pertenece la Historia Clínica? Una propuesta armonizadora desde el lenguaje de los derechos", cit., p. 249.

suficientemente motivado por un interés legítimo cuya protección se presente como necesaria[81].

La Ley Orgánica 3/2018, de 5 de diciembre, de Protección de Datos Personales y garantía de los derechos digitales, modifica el apartado 3 del artículo 16 en los siguientes términos: "El acceso a la historia clínica con fines judiciales, epidemiológicos, de salud pública, de investigación o de docencia, se rige por lo dispuesto en la legislación vigente en materia de protección de datos personales, y en la Ley 14/1986, de 25 de abril , General de Sanidad , y demás normas de aplicación en cada caso. El acceso a la historia clínica con estos fines obliga a preservar los datos de identificación personal del paciente, separados de los de carácter clinicoasistencial, de manera que, como regla general, quede asegurado el anonimato, salvo que el propio paciente haya dado su consentimiento para no separarlos.

Se exceptúan los supuestos de investigación previstos en el apartado 2 de la Disposición adicional decimoséptima de la Ley Orgánica de Protección de Datos Personales y Garantía de los Derechos Digitales.

Asimismo, se exceptúan los supuestos de investigación de la autoridad judicial en los que se considere imprescindible la unificación de los datos identificativos con los clinicoasistenciales, en los cuales se estará a lo que dispongan los jueces y tribunales en el proceso correspondiente. El acceso a los datos y documentos de la historia clínica queda limitado estrictamente a los fines específicos de cada caso.

Cuando ello sea necesario para la prevención de un riesgo o peligro grave para la salud de la población, las Administraciones sanitarias a las que se refiere la Ley 33/2011, de 4 de octubre, General de Salud Pública, podrán acceder a los datos identificativos de los pacientes por razones epidemiológicas o de protección de la salud pública. El acceso habrá de realizarse, en todo caso, por un profesional sanitario sujeto al secreto profesional o por otra persona sujeta, asimismo, a una obligación equivalente de secreto, previa motivación por parte de la Administración que solicitase el acceso a los datos"

---

[81]   Documento Final, de 26 de noviembre de 1997, elaborado por el Grupo de Expertos en Información y Documentación Clínica, Actualidad de Derecho Sanitario, núm. 34, 1997, pp. 667 y ss.

Al margen de la asistencia sanitaria, de los supuestos de investigación previstos en la disposición adicional decimoséptima de la LOPDGDD y de la matización contenida en el último párrafo del punto tercero del citado precepto, la nueva redacción del apartado tercero del artículo 16 la Ley 41/2002 mantiene la utilización de datos contenidos en la historia clínica para alguna de estas finalidades: judiciales, de salud pública, de investigación, de docencia y epidemiológicas. En orden a fijar los requisitos que han de presidir la utilización de datos con estas finalidades, la norma se remite a la normativa de protección de datos, a la Ley 41/1986 General de Sanidad y demás normas de aplicación al caso y conserva la necesidad de preservación de la identidad del sujeto mediante la separación de los datos de identificación de las informaciones de carácter clínico-asistencial, con la finalidad de garantizar el anonimato[82]. Se exceptúan de este requisito, además de los mencionados anteriormente, los supuestos en los que la persona haya otorgado su consentimiento para que las informaciones señaladas permanezcan unidas y los supuestos de investigación por parte de la autoridad judicial en los que sea preciso la relación entre la identidad del sujeto y los datos relativos a su salud[83]. Sobre estos usos secundarios, cabe recordar

---

[82]   La finalidad última de esta separación es la no identificación del sujeto, de tal forma que esta exigencia legal no debe entenderse referida únicamente a la separación entre el nombre del paciente y los datos clínicos de éste, sino a la separación de estos últimos de cualquier otro dato que pueda permitir la identificación del sujeto, esto es, de toda información que lo convierta en identificable. Esta necesidad de anonimato del paciente cuando se utilicen los datos personales para finalidades distintas de la asistencia sanitaria recogida en la actualidad por la Ley 41/2002, fue reivindicada previamente por autores como Romeo Casabona en relación con la legislación anterior, entendiendo además que si bien *"auque no se deduce del texto legal* (Ley General de Sanidad), *sería conveniente que ni el investigador ni el estadístico tuvieran acceso a estos datos del paciente, lo que debería ser tenido presente por los poderes públicos, cuando de acuerdo con el imperativo legal, adopten medidas que garanticen sus derechos"*. Romeo Casabona, C.M.,"La intimidad del paciente desde la perspectiva del secreto médico y acceso a la historia clínica", *Derecho y Salud*, Vol. 1, num.1, julio-diciembre, 1993.p. 16.

[83]   En este sentido, cabe advertir que, si bien en múltiples supuestos los jueces necesitarán la información clínica unida a la identificación del paciente, el proceso judicial determinará la cantidad y calidad de la información que éste pueda necesitar, que no será siempre la misma. "La información clínica y el grupo de

que la utilización de datos médicos para finalidades ajenas a la asistencia sanitaria implica un mayor peligro para la libertad, la igualdad y la intimidad del individuo. En estos supuestos, deberá primar en todo caso el respeto a los derechos fundamentales del individuo, y, en particular, la protección de la autodeterminación informativa del paciente.

IV. EL HABEAS DATA BIOSANITARIO

El Profesor Pérez Luño utiliza este término para referirse a las facultades de información, acceso y control por parte del ciudadano sobre su historial clínico[84]. El derecho a la información de la persona sobre el tratamiento de sus datos de carácter personal constituye uno de los elementos, señalados tanto por la doctrina como por la jurisprudencia, que forman parte del contenido positivo del derecho a la autodeterminación informativa[85]. Vinculado en la actualidad en el RGPD al principio de transparencia, el derecho a la información sido calificado por ciertos autores como "un derecho raíz"[86], cuyo incumplimiento puede condicionar el ejercicio de los demás derechos que constituyen el habeas data y, por tanto, el ejercicio del derecho fundamental a la autodeterminación informativa. En este sentido, como ha señalado CAVOUKIAN, el derecho a saber siempre ha sido una premisa fundamental en la legislación de protección de datos de carácter personal[87]. Al respecto, cuanto más sensibles sean los datos

---

expertos del Ministerio de Sanidad y Consumo: conclusiones", en *IV Congreso Nacional de Derecho Sanitario*, cit., p. 118.

[84] Pérez Luño, A.E., "El derecho a la intimidad en el ámbito de la biomedicina", en Martínez Morán, N. (Coord.): *Biotecnología, Derecho y dignidad humana*, cit., p. 267.

[85] En la actualidad previsto en el artículo 13 y 14 RGPD.

[86] Sánchez Carazo, C., "*Confidencialidad de datos clínicos y aseguramiento sanitario: derechos y deberes de los asegurados*", en VII Congreso Nacional de Derecho Sanitario,Fundación Mapfre Medicina, Madrid, 2001, p. 284.

[87] Cavokian, A., "La confidencialidad en la genética: la necesidad del derecho a la intimidad y el derecho <no saber>", *Revista de Derecho y Genoma Humano*, núm., 2, 1995, p. 63.

o el conjunto de operaciones al que se someta, "más exigente debiera ser el cumplimiento del principio de transparencia"[88].

La transparencia en la información adquiere una especial relevancia en el ámbito sanitario, ya que, a través de la transmisión de los datos de salud al sujeto, éste podrá conocer qué tipo de información se ha obtenido de las diferentes pruebas y exploraciones, con qué finalidad, quién tiene conocimiento de la misma y en dónde queda registrada. En este sentido, si bien el derecho a la información sanitaria se recoge en la legislación sanitaria, de forma prioritaria, con el objetivo de posibilitar la autodeterminación decisoria del sujeto sobre las cuestiones que afectan directamente a su salud, es decir, con la finalidad de permitir al sujeto tomar decisiones de acuerdo con su propia y libre voluntad, éste también cumple un papel esencial en relación con la protección de la autodeterminación informativa del sujeto, puesto que sólo en la medida en que éste conozca la información que le concierne podrá ejercitar un derecho de control sobre la misma.

El derecho de información sanitaria se encuentra regulado en los artículos 4 y 5 de la Ley 41/2002. De manera genérica señala el artículo 4, apartado primero, de la Ley: los pacientes *"tienen derecho a conocer, con motivo de cualquier actuación en el ámbito de su salud, toda la información disponible sobre la misma"*. En estos términos, la Ley reconoce el derecho del paciente a que se le informe sobre cualquier dato relativo a su salud que se obtenga en el ámbito sanitario, independientemente de la forma de obtención. La referencia a *"cualquier actuación en el ámbito de la salud"* contenida en la norma impide limitar el derecho en función de la relevancia de la intervención sanitaria[89]. Con esta previsión se evitan problemas

---

[88]   Garriga Domínguez, A., *Nuevos retos para la protección de datos personales. En la Era del Big Data y de la computación ubicua*, cit., p. 248.

[89]   Esta previsión da respuesta a ciertos problemas relativos al conocimiento de los datos médicos. Al respecto Buquicchio ha señalado como problema importante en el tratamiento de datos médicos el consistente en conocer en qué medida el principio general que enuncia que toda persona tiene derecho a conocer las informaciones registradas que le conciernen se aplica igualmente en el ámbito médico, habida cuenta de ciertos obstáculos que pueden dificultar la aplicación de tal principio en este sector, como pueden ser el carácter perjudicial de su conocimiento para la salud del enfermo o la dificultad de comprensión del paciente de este tipo de información. Buquiccio, G., "Informática y Libertades. Balance

interpretativos derivados de la utilización de otras expresiones que puedan entenderse de forma más restrictiva, tal y como sucedía con el término "tratamiento" en la Ley General de Sanidad[90].

De forma paralela al reconocimiento del derecho a la información sobre los datos sanitarios, la Ley 41/2002 regula la forma y el contenido de este derecho. Así, la información se proporcionará al paciente de forma verbal y abarcará, como regla general, los siguientes datos: la finalidad y la naturaleza de cada intervención, sus riesgos y sus consecuencias. Sin embargo, la comunicación verbal no es óbice para que la información se incluya en la historia clínica con el objetivo de que quede constancia de la misma[91].

No obstante, para que el derecho del paciente a la información sobre los datos relativos a su salud se realice de la forma legalmente prevista, no es suficiente con la mera comunicación verbal de los aspectos señalados, sino que la información ha de trasmitirse de conformidad con lo establecido en el artículo 4, apartado segundo, de la Ley 41/2002, cumpliendo los siguientes requisitos:

- Veracidad de la información[92]. Los datos han de ser comunicados al paciente de forma veraz, de manera que no cabe la comunicación de informaciones que no tengan tal carácter y que impliquen un engaño al paciente sobre su salud[93].

---

de quince años de actividad del Consejo de Europa", traducción de Isabel Hernando, en *Jornadas Internacionales sobre Informática y Administración Pública*, Instituto Vasco de Administración Pública, Bilbao, 1986, pp. 103-104.

Al margen de las limitaciones y restricciones justificadas a las que el derecho a conocer pueda verse sometido, la regla general será el conocimiento de la información por parte del paciente de sus datos médicos, que confirma la consolidación del derecho a la autodeterminación informativa también en relación con la información sanitaria.

[90]   Al respecto, artículos 10, apartado quinto, y 61 de la Ley General de Sanidad, derogados por la disposición derogatoria única de la Ley 41/2002.

[91]   Artículo 4, apartado primero, de la Ley 41/2002.

[92]   Se trata de un requisito relativamente novedoso que acompaña a la información. De hecho, los códigos de ética médica tradicionales han ignorado las obligaciones y virtudes de veracidad, de tal forma que ni el Juramento Hipocrático la recomienda. Beauchamp, T.L. y Childress, J.F., *Principios de Ética Biomédica*,Masson, Barcelona, 2002,p. 379.

[93]   Desde el punto de vista de la ética biomédica, Beauchamp y Childress han señalado tres argumentos que contribuyen a justificar la obligación de veracidad.

- Comunicación de los datos al paciente de forma comprensible. Este requisito se presenta como esencial para dar cumplimiento adecuado al derecho a la información. Si la información se comunica al paciente de manera que no pueda comprenderla, se produciría una comunicación de facto, pero que jurídicamente, en los términos señalados por la Ley, no podría considerarse válida.

- Adecuación entre la información transmitida y las necesidades del paciente, para ayudarle a tomar decisiones de manera libre y voluntaria. Si bien puede considerarse que este requisito tiene como objetivo posibilitar que el sujeto adopte libremente decisiones sobre su salud, cuando la Ley establece que la información será *"adecuada a sus necesidades"*, se entiende del paciente, parece limitar el derecho a la información recogido en el apartado primero del precepto, y que abarca, en los términos señalados, *"toda la información"* disponible sobre la salud del paciente. Al respecto, ha surgido el debate sobre qué cantidad de información debe proporcionarse al paciente y si la matización recogida por la norma constituye un límite a su derecho de información. El debate se dirime entre aquellos autores que consideran que la información que ha de proporcionarse al paciente ha de ser completa y aquellos que señalan que un nivel de información tan alto sería *"inútil para el paciente, eventualmente dañina y, en cualquier caso, impracticable"*[94]. En este último sentido, el Informe Explicativo del Convenio relativo a los Derechos Humanos y Biomedicina, 4 de abril de 1997 (tol314.066) señala que la información que se aporte al paciente estará constituida por los datos relevantes[95]. El problema reside en determinar

---

Estos son: *"el deber de veracidad está basado en el respeto debido a los demás, el consentimiento no puede expresar autonomía si no es informado"*, *"la obligación de veracidad tiene una conexión íntima con las obligaciones de fidelidad y de mantenimiento de promesas"* y *"las relaciones de confianza entre las personas son necesarias para una interacción y cooperación fructífera"*, de tal forma que éstas se basan en la confianza y la creencia de que otros sean veraces. Ibídem, p. 380.

[94]   De Sola, C., "El Convenio de Bioética entra en vigor en España", *Diario Médico*, 3 de enero de 2000.

[95]   Punto 35 del Informe Explicativo.

cuál es la información que debe considerarse relevante. Al respecto, cabe argumentar que, si bien resulta impracticable proporcionar al paciente toda la información existente sobre su proceso asistencial, esta previsión normativa no puede ser considerada en ningún caso como un límite al derecho a la información del paciente, basado en un criterio paternalista presente hasta épocas muy recientes en la profesión médica. El término adecuado ha de ser entendido en sentido amplio, de tal forma que permita al paciente, en la medida de lo posible y exigible, el conocimiento de la información de la que, por otra parte, es titular. No se trata de proporcionar al paciente de manera exhaustiva todos y cada uno de los datos que sobre éste se poseen sino todos aquellos que le permitan conocer, de forma comprensible, qué datos sanitarios se poseen sobre él y quién los conoce[96]. Lo que resulta claro, de conformidad con la normativa, es que en ningún caso puede ser el médico el que delimite "qué se debe informar" y hasta dónde alcanza su deber de información, sino que será el paciente, como sujeto jurídico autónomo quien posee un derecho a ser informado conforme a un estándar legal y quien, a través de éste, podrá tomar decisiones que afecten a su salud[97]. El derecho a la información, con los requisitos señalados por la Ley, constituye un presupuesto necesario para que el paciente pueda ejercitar el derecho de control sobre sus propios datos personales. Sólo en la medida en que éste conozca cuáles son los datos que sobre su salud se poseen y en dónde se recogen, ya que la Ley exige quede constancia de los mismos en la historia clínica,

---

[96]   En este sentido, parece discutible limitar el derecho a la información en base al argumento de que la misma puede resultar *"eventualmente dañina"* (De Sola, C.,"*El Convenio de Bioética entra en vigor en España*", cit.), pues supone dejar en manos del profesional sanitario la decisión sobre el tipo de información y la cantidad que debe transmitirse y, por tanto, el contenido del derecho. Al respecto, cabe advertir que la propia Ley establece un límite al derecho de información cuando su conocimiento puede perjudicar gravemente la salud del enfermo. Sostener lo contrario, supondría convertir en regla general la excepción recogida por la Ley.

[97]   Abel Lluch, X. (Dir.), *El juez civil ante la investigación biomédica*, Cuadernos de Derecho Judicial, Madrid, 2005, p. 80.

podrá el paciente ejercitar su derecho a la autodeterminación informativa.

Las facultades de acceso, rectificación y cancelación completan el habeas data biosanitario. El derecho de acceso, tal y como se ha señalado, constituye una de las facultades que forman parte del elemento positivo del derecho a la autodeterminación informativa. De forma sesgada se encuentra recogido en el artículo 105, apartado b, del texto constitucional español, al señalar que la Ley regulará el acceso de los ciudadanos a los archivos y registros administrativos[98]. La facultad de acceso por parte del interesado a sus datos de carácter personal se encuentra regulada en el artículo 15 RGPD de forma general y en el artículo 18 de la Ley 41/2002 en relación con la documentación clínica. Se trata de la regulación de una auténtica facultad atribuida al paciente en relación con los datos sanitarios que a éste le conciernen. Este último precepto, en su apartado primero, dispone lo siguiente: *"el paciente tiene el derecho de acceso, con las reservas señalada en el apartado 3 de este artículo, a la documentación de la historia clínica y a obtener copia de los datos que figuran en ella (...)"*. En este sentido, se atribuye al paciente el derecho a solicitar y conocer toda la documentación que figure en la historia clínica. El derecho de acceso, tal y como aparece recogido en el apartado primero del artículo 18, se configura como una facultad del paciente titular de los datos[99].

Si bien la Ley 41/2002 no recoge las formas específicas para su ejercicio, sí contiene una previsión relevante: el derecho del paciente a obtener una copia de los datos que figuren en su historia clínica. Se zanja, en este sentido, la polémica existente sobre la obligatoriedad o no de facilitar al paciente sus datos personales de forma escrita, siempre y cuando éste lo requiera. Frente a la nueva previsión contenida en la Ley 41/2002, algún autor ha señalado que dicha obligación puede suponer un cambio en la forma de elaborarla. Al respecto, señala

---

[98]   En los casos en que la medicina se ejerza en centros públicos, la historia clínica tendrá carácter de expediente administrativo. De Miguel Sánchez, N., *Secreto médico, confidencialidad e información sanitaria*, Marcial Pons, Madrid, 2002, p. 144.

[99]   Troncoso Reigada, A., "La protección de los datos de salud y la historia clínica", *X Congreso Nacional de Derecho Sanitario*, Fundación Mapfre Medicina, Madrid, 2003, pp. 298 y ss.

Criado del Río indica: *"De hecho el derecho al acceso del paciente a la historia clínica ya ha tenido como consecuencia que algunos médicos hayan optado por llevar dos historias clínicas paralelas, una escueta con los datos objetivos del diagnóstico y tratamiento, y otra persona, en la que exponen todos los comentarios que creen oportunos y que son propiedad intelectual del médico y no tienen por qué ser entregados al paciente"*[100].Desde el punto de vista del derecho a la autodeterminación informativa y la protección de datos de carácter personal, dichas prácticas deben ser rechazadas, ya que se trata de un fichero que contiene datos de carácter personal de un paciente sobre los cuales éste no posee ningún tipo de conocimiento o control, vetando el ejercicio del derecho fundamental.

En relación con los datos contenidos en la historia clínica, el derecho de acceso encuentra su límite en los supuestos recogidos en el apartado tercero del artículo 18 de la Ley 41/2002[101]:

- Los datos de terceros que constan en la historia clínica y que han sido recogidos en interés terapéutico del paciente. El fin último de dicha limitación radica en la protección del derecho a la intimidad de terceros que puede verse afectada por el derecho de acceso del paciente.

- Las anotaciones subjetivas de los profesionales que participan en la elaboración de la historia clínica. Algunos autores justifican la reserva de las anotaciones subjetivas en el derecho a la intimidad del médico[102]. Otros justifican tal excepción en el

---

[100] Criado del Río, M.T., *Aspectos médico-legales de la historia clínica*, cit., p. 84.

[101] Algún autor ha señalado que junto a las dos limitaciones expresamente recogidas en el artículo 18 de la Ley 41/2002 debe mencionarse igualmente el denominado "interés terapéutico" del paciente. De Lorenzo y Montero, R., *Análisis de la Ley 41/2002, de 14 de noviembre, básica reguladora de autonomía de los pacientes y de los derechos de información y documentación clínica*, cit., p. 119. Al respecto, cabe advertir que dicha excepción no se encuentra recogida en la Ley 41/2002 en relación con la facultad de acceso sino como límite al derecho de información en casos particulares en los cuales pueda justificarse tal restricción objetivamente. En este sentido, sólo en estos supuestos dicha restricción se encuentra amparada por la Ley y puede sostenerse su aplicación.

[102] Sánchez-Caro, J. y Abellán, F., *Derechos y deberes de los pacientes. La Ley 41/2002, de 14 de noviembre: consentimiento informado, historia clínica, intimidad e instrucciones previas*, cit., p. 77.

hecho de que las anotaciones personales no constituyen juicios clínicos propiamente dichos y, por tanto, no formarían parte de la historia clínica, de tal forma que no serían objeto del derecho de acceso[103]. El problema radica, sin embargo, en determinar qué ha de entenderse por anotación subjetiva que, en determinadas especialidades, será difícil deslindar del resto de información recogida en la historia clínica[104]. En todo caso, se trata de anotaciones puntuales que no pueden implicar en ningún supuesto la ocultación de la historia clínica al paciente[105].

El derecho de rectificación en el ámbito sanitario ha de ser entendido como facultad del interesado para modificar o corregir los datos relativos a su salud inexactos o incompletos. No aparece recogido, sin embargo, en la Ley 41/2002 como un derecho del individuo destinado a la corrección de datos que figuren en su historia clínica. La ausencia del reconocimiento expreso de un derecho de rectificación de los datos ha llevado a algún autor a afirmar que la naturaleza de éstos hace que el derecho resulte improcedente al considerar

---

Al respecto, señalan Romeo Casabona y Castellano Arroyo: para dar satisfacción al acceso del paciente a la historia clínica *"deberá aportársele una copia de la que hayan eliminado únicamente las referidas apreciaciones subjetivas del médico. Con el fin de proteger también su propia intimidad, salvo que consienta expresamente en su entrega"*. Romeo Casabona, C.M. y Castellano Arroyo, M., "La intimidad del paciente desde la perspectiva del secreto médico y del acceso a la historia clínica", *Derecho y Salud*, Vol. 1, num.1, julio-diciembre, 1993., p. 16.

[103] Troncoso Reigada, A., "La protección de los datos de salud y la historia clínica", cit., p. 298.

[104] Un ejemplo de esta problemática, lo constituye la especialidad de psiquiatría, en la cual el juicio diagnóstico y el tratamiento dependen en gran medida de la apreciación de cada facultativo; *"casi todo es subjetivo ahí"*. Atela Bilbao, A y Garay Isasi, J., "La Ley 41/2002 de derechos del paciente. Avances, deficiencias y problemática", cit. p. 50.

[105] Sobre la forma de encontrar el equilibrio justo entre distintos intereses en juego en el derecho de acceso, puede traerse a colación, si bien centrado el estudio del equilibrio justo entre interés público e interés individual, el caso Gaskin, resuelto por el Tribunal Europeo de Derechos Humanos, el 23 de febrero de 1989. Boletín de Jurisprudencia Constitucional, núm. 131, 1992. En los mismos términos se pronuncia el Tribunal en el caso M.G contra Reino Unido, Sentencia del Tribunal Europeo de Derechos Humanos, 50/2002, de 24 de septiembre.

que los datos inexactos *"pueden tener cierta utilidad médica"*[106]. Tal argumento, sin embargo, puede entrar en contradicción con los principios de protección de datos. Si bien puede afirmarse que el derecho de rectificación puede encontrar limitaciones en la protección de bienes y derechos jurídicamente atendibles, estas excepciones tienen que estar reconocidas en una norma con rango de legal. Además, la existencia de una limitación del derecho de rectificación no puede implicar la ausencia de respeto a los demás principios de protección de datos personales. En este sentido, la afirmación de que el derecho de rectificación resulta inoperante en relación con los datos médicos con fundamento en una posible utilidad futura no puede sostenerse aplicando los principios esenciales de protección de datos. Por su parte, el derecho de cancelación también presenta algunas particularidades en el ámbito sanitario. Si bien el derecho a la cancelación de los datos personales forma parte del denominado habeas data, en el ámbito sanitario, como señala Troncoso Reigada su ejercicio resulta enormemente dificultoso[107]. El motivo de esta dificultad reside en que el derecho de cancelación de los datos sanitarios puede entrar en contracción con la necesaria eficacia de la gestión sanitaria y la necesidad de mantener completo el contenido de la historia clínica, con el objetivo de evitar *"error en las valoraciones y repetición de las pruebas diagnósticas"*[108].De manera consecuente con esta necesidad, el artículo 17 de la Ley 41/2002 impone a los centros sanitarios la obligación de conservar la documentación clínica con el objetivo de realizar la asistencia sanitaria durante el tiempo necesario en cada caso y, como mínimo durante cinco años.

De conformidad con estas disposiciones, el titular de los datos podrá solicitar la cancelación de los datos médicos en dos supuestos: cuando los datos hayan sido tratados de forma ilícita y, por tanto, no pueda mantenerse este tratamiento y cuando haya finalizado el período determinado en la Ley. Según la Ley 41/2002 el plazo gene-

---

[106]   Ripoll Carulla, S., "La protección de los datos médicos y genéticos en la normativa del Consejo de Europa (Parte II)", *Revista de Derecho y Genoma Humano*, núm. 6, 1997, p. 124.

[107]   Troncoso Reigada, A.,"La protección de los datos de salud y la historia clínica", cit., p. 287.

[108]   Ibídem.

ral de conservación de los datos médicos estará determinado por la necesidad de los mismos para la adecuada asistencia sanitaria, de tal forma que la norma no establece un período concreto y determinado, sino determinable en función de la protección de la salud del titular de los mismos; fin último y fundamento principal del archivo de los datos relativos a la salud en el ámbito sanitario.

"SCHREMS II" Y LAS TRANSFERENCIAS INTERNACIONALES DE DATOS PERSONALES UE-EE.UU.

Alfonso Ortega Giménez
Profesor Titular de Derecho Internacional Privado
Universidad Miguel Hernández de Elche

I. PLANTEAMIENTO

La Sentencia del Tribunal de Justicia de la Unión Europea, en lo sucesivo, TJUE de 16 de julio de 2020, dictada en el Asunto C-311/18, (en adelante, Sentencia "Schrems II") constituye un hito esencial en una sucesión de hechos relacionados con una de las cuestiones que mayor debate ha generado en los últimos años en materia de protección de datos, como es la transferencia de datos personales protegidos por el Derecho de la Unión a terceros países extracomunitarios, especialmente, a los Estados Unidos de América.

Se trata de una cuestión cuya suma importancia resulta comprensible en un mundo en el que la globalización alcanza su máximo exponente en el campo de los datos personales protegidos; principalmente, debido a la existencia de redes sociales u otras plataformas digitales que operan a nivel mundial tratando datos personales protegidos de sus usuarios que, en muchos casos, se refieren a la esfera más íntima de su privacidad.[109]

---

[109] Vid., en sentido amplio, ORTEGA GIMÉNEZ, Alfonso (Dir.); HEREDIA SÁNCHEZ, Lerdys; y LORENTE MARTÍNEZ, Isabel (Coords.), Problemas que el COVID-19 plantea en el trinomio protección de datos, transferencia y movilidad. Aportación de soluciones prácticas desde la ciencia jurídica, Editorial Thomson Reuters Aranzadi, Cizur Menor (Navarra), abril 2021; ORTEGA GIMÉNEZ, Alfonso, Transferencias Internacionales de Datos de Carácter Personal Ilícitas, Thomson Reuters Aranzadi, Cizur Menor (Navarra), 2017; y ORTEGA GIMÉNEZ, Alfonso y MARZO PORTERA, Ana, Empresa y transferencia internacional de datos personales, Instituto Español de Comercio Exterior (ICEX), Madrid, 2013.

Esta situación es de enorme importancia por cuanto que, de no establecerse los adecuados criterios de control del respeto a la normativa comunitaria en materia de protección de datos de carácter personal, en este tipo de transferencias a terceros países extracomunitarios, nos encontraríamos con que la protección de datos de carácter personal quedarían limitados a un ámbito territorial relativamente reducido, con lo que los ciudadanos de la Unión Europea (en adelante, UE) estarían desprotegidos en multitud de ocasiones en los que sus datos personales serán tratados en países ajenos al territorio comunitario.

Es por ello por lo que la normativa comunitaria de protección de datos de carácter personal, representada en la actualidad por el Reglamento (UE) 2016/679, del Parlamento Europeo y del Consejo de 27 de abril de 2016, relativo a la protección de las personas físicas en lo que respecta al tratamiento de datos personales y a la libre circulación de estos datos, que sustituyó a la Directiva 95/46/CE –en adelante, RGPD- [110], establece unos criterios reguladores de dichas transferencias a países extracomunitarios,[111] con la evidente finalidad de mantener, aún en estos casos, el debido nivel de protección de los datos de carácter personal de los ciudadanos de la UE.

De esta forma, a grandes rasgos, el RGPD establece un mecanismo de protección que se configura en tres niveles, debiendo considerarse, en primer lugar, lo establecido en su artículo 45[112], que regula la emi-

---

[110]   Reglamento (UE) 2016/679 del Parlamento Europeo y del Consejo, de 27 de abril de 2016, relativo a la protección de las personas físicas en lo que respecta al tratamiento de datos personales y a la libre circulación de estos datos y por el que se deroga la Directiva 95/46/CE (Reglamento general de protección de datos), disponible en: https://eur-lex.europa.eu/legal-content/ES/TXT/PDF/?uri=CELEX:32016R0679&qid=1601305740744&from=ES.

[111]   Vid., en sentido amplio, ORTEGA GIMÉNEZ, Alfonso, "El impacto del Reglamento General de Protección de Datos de la Unión Europea y de la LOPDGDD en el régimen jurídico de las transferencias internacionales de datos de carácter personal", en GARCÍA MAHAMUT, Rosario y TOMÁS MALLÉN, Beatriz, El Reglamento General de Protección de Datos. Un enfoque nacional y comparado. Especial referencia a la LO 3/2018 de Protección de datos y garantía de los derechos digitales, Editorial Tirant lo Blanch, Valencia 2019, pp. 393-417.

[112]   Artículo 45 del RGPD: "Transferencias basadas en una decisión de adecuación. 1. Podrá realizarse una transferencia de datos personales a un tercer país u organización internacional cuando la Comisión haya decidido que el tercer país, un territorio o uno o varios sectores específicos de ese tercer país, o la organización

internacional de que se trate garantizan un nivel de protección adecuado. Dicha transferencia no requerirá ninguna autorización específica. 2. Al evaluar la adecuación del nivel de protección, la Comisión tendrá en cuenta, en particular, los siguientes elementos: a) el Estado de Derecho, el respeto de los derechos humanos y las libertades fundamentales, la legislación pertinente, tanto general como sectorial, incluida la relativa a la seguridad pública, la defensa, la seguridad nacional y la legislación penal, y el acceso de las autoridades públicas a los datos personales, así como la aplicación de dicha legislación, las normas de protección de datos, las normas profesionales y las medidas de seguridad, incluidas las normas sobre transferencias ulteriores de datos personales a otro tercer país u organización internacional observadas en ese país u organización internacional, la jurisprudencia, así como el reconocimiento a los interesados cuyos datos personales estén siendo transferidos de derechos efectivos y exigibles y de recursos administrativos y acciones judiciales que sean efectivos; b) la existencia y el funcionamiento efectivo de una o varias autoridades de control independientes en el tercer país o a las cuales esté sujeta una organización internacional, con la responsabilidad de garantizar y hacer cumplir las normas en materia de protección de datos, incluidos poderes de ejecución adecuados, de asistir y asesorar a los interesados en el ejercicio de sus derechos, y de cooperar con las autoridades de control de la Unión y de los Estados miembros, y c) los compromisos internacionales asumidos por el tercer país u organización internacional de que se trate, u otras obligaciones derivadas de acuerdos o instrumentos jurídicamente vinculantes, así como de su participación en sistemas multilaterales o regionales, en particular en relación con la protección de los datos personales. 3. La Comisión, tras haber evaluado la adecuación del nivel de protección, podrá decidir, mediante un acto de ejecución, que un tercer país, un territorio o uno o varios sectores específicos de un tercer país, o una organización internacional garantizan un nivel de protección adecuado a tenor de lo dispuesto en el apartado 2 del presente artículo. El acto de ejecución establecerá un mecanismo de revisión periódica, al menos cada cuatro años, que tenga en cuenta todos los acontecimientos relevantes en el tercer país o en la organización internacional. El acto de ejecución especificará su ámbito de aplicación territorial y sectorial, y, en su caso, determinará la autoridad o autoridades de control a que se refiere el apartado 2, letra b), del presente artículo. El acto de ejecución se adoptará con arreglo al procedimiento de examen a que se refiere el artículo 93, apartado 2. 4. La Comisión supervisará de manera continuada los acontecimientos en países terceros y organizaciones internacionales que puedan afectar a la efectiva aplicación de las decisiones adoptadas con arreglo al apartado 3 del presente artículo y de las decisiones adoptadas sobre la base del artículo 25, apartado 6, de la Directiva 95/46/CE. 5. Cuando la información disponible, en particular tras la revisión a que se refiere el apartado 3 del presente artículo, muestre que un tercer país, un territorio o un sector específico de ese tercer país, o una organización internacional ya no garantiza un nivel de protección adecuado a tenor del apartado 2 del presente artículo, la Comisión, mediante actos de ejecución, derogará, modificará o suspenderá, en la medida necesaria y sin efecto retroactivo, la decisión a que

sión de Decisiones de Adecuación por parte de la Comisión; en segundo lugar, lo dispuesto por su artículo 46, que establece un sistema de garantías sostenido, principalmente, por las normas corporativas vinculantes y las cláusulas tipo de protección de datos. Por último, lo dispuesto en su artículo 49 que, en defecto de los mecanismos dispuestos en los anteriores preceptos, establece una serie de supuestos relacionados taxativamente, en los que pueden realizarse transferencias de datos a terceros países comunitarios, que descansan, en general, en el expreso consentimiento del interesado, previa advertencia de los riesgos de la transferencia de sus datos, así como en razones de interés general que, en cualquier caso, deberán respetar las garantías del Derecho de la UE.

Teniendo en cuenta lo anterior, la Sentencia "Schrems II" es de enorme importancia por cuanto que, a pesar de referirse a las transferencias de datos personales protegidos a los Estados Unidos, establece con nitidez los parámetros que deberán ser tenidos en cuenta para las transferencias de datos a terceros países extracomunitarios, definiendo con claridad conceptos esenciales como es el nivel de protección adecuado de los datos personales que ha de ser tomado en consideración, o las obligaciones y facultades, tanto de las autoridades públicas de control, como de todos los sujetos implicados en la transferencia

---

se refiere el apartado 3 del presente artículo. Dichos actos de ejecución se adoptarán de acuerdo con el procedimiento de examen a que se refiere el artículo 93, apartado 2. Por razones imperiosas de urgencia debidamente justificadas, la Comisión adoptará actos de ejecución inmediatamente aplicables de conformidad con el procedimiento a que se refiere el artículo 93, apartado 3. 6 La Comisión entablará consultas con el tercer país u organización internacional con vistas a poner remedio a la situación que dé lugar a la decisión adoptada de conformidad con el apartado 5. 7. Toda decisión de conformidad con el apartado 5 del presente artículo se entenderá sin perjuicio de las transferencias de datos personales al tercer país, a un territorio o uno o varios sectores específicos de ese tercer país, o a la organización internacional de que se trate en virtud de los artículos 46 a 49. 8. La Comisión publicará en el Diario Oficial de la Unión Europea y en su página web una lista de terceros países, territorios y sectores específicos en un tercer país, y organizaciones internacionales respecto de los cuales haya decidido que se garantiza, o ya no, un nivel de protección adecuado. 9. Las decisiones adoptadas por la Comisión en virtud del artículo 25, apartado 6, de la Directiva 95/46/CE permanecerán en vigor hasta que sean modificadas, sustituidas o derogadas por una decisión de la Comisión adoptada de conformidad con los apartados 3 o 5 del presente artículo."

y tratamiento de datos personales protegidos con destino a terceros países extracomunitarios.[113]

Por esta razón, a pesar de que el objeto y alcance de la Sentencia "Schrems II" puede parecer limitado al caso de los Estados Unidos, lo cierto es que la misma ha marcado un antes y un después en las transferencias extracomunitarias de datos de carácter personal al definir elementos esenciales para garantizar que los derechos de los ciudadanos de la Unión Europea, afectados por estas transferencias, no quedan desprotegidos.

Estamos ante una cuestión enormemente importante, que hará correr ríos de tinta, por lo que, es evidente que, no llegaremos a alcanzar en el presente trabajo todas las implicaciones y matices que tiene la Sentencia. Sin perjuicio de ello, no cabe duda del interés jurídico del presente estudio, en el que se partirá de un breve relato de los antecedentes que nos han conducido a este hito, concretando el objeto de la cuestión prejudicial planteada, para llegar al concreto análisis de la decisión que, el TJUE, ha alcanzado con respecto a cada una de estas cuestiones controvertidas.

II. ANTECEDENTES: "SCHREMS I"

En cuanto a los pronunciamientos contenidos en la Sentencia "Schrems II" resulta pertinente la realización de un breve análisis de los antecedentes fácticos y jurídicos que nos llevan a la Sentencia objeto de estudio, constituyendo el punto de partida la reclamación que

---

[113] Vid., en particular, ORTEGA GIMÉNEZ, Alfonso y GARCÍA ESCOBAR, Encarnación, "Réquiem por el Escudo de Privacidad (tras la Sentencia del Tribunal de Justicia de la Unión Europea, de 16 de julio de 2020 "Schrems II")", en Revista Aranzadi Unión Europea, número 11, Editorial Aranzadi, S.A.U., Cizur Menor (Navarra), 02 de marzo de 2021; ORTEGA GIMÉNEZ, Alfonso y GARCÍA ESCOBAR, Encarnación, "Transferencias internacionales de datos personales UE-EE.UU. tras la STJUE "SCHREMS II", en Revista Lex Mercatoria, volumen 16, artículo 2, Universidad Miguel Hernández de Elche, Elche, 2020, pp. 9-15; y ORTEGA GIMÉNEZ, Alfonso y GARCÍA ESCOBAR, Encarnación, "Comentario a la Sentencia del Tribunal de Justicia de la Unión Europea, de 16 de julio de 2020 ("Schrems II")", en LA LEY Privacidad, número 6, Editorial Wolters Kluwer, Madrid, octubre-diciembre 2020, pp. 1-22.

el Sr. Schrems presentó, en fecha 25 de junio de 2013, ante el Comisario, en la que le solicitaba, en esencia, que prohibiera a Facebook Ireland transferir sus datos personales a los Estados Unidos, alegando el reclamante que el Derecho y las prácticas en vigor en dicho país no garantizaban una protección suficiente de los datos personales conservados en su territorio frente a las actividades de vigilancia llevadas a cabo, en dicho país, por las autoridades públicas. Esta reclamación fue desestimada basándose en que, en particular, la Comisión había declarado, en su Decisión 2000/520/CE de "Puerto Seguro"[114], que los Estados Unidos ofrecían un nivel adecuado de protección.

La High Court (Tribunal Superior, Irlanda), ante la que el Sr. Schrems había interpuesto un recurso contra la desestimación de su reclamación, planteó al TJUE una petición de decisión prejudicial relativa a la interpretación y a la validez de la Decisión 2000/520/CE, que dio lugar a la Sentencia de 6 de octubre de 2015, que se denominará como "Schrems I", en la que el TJUE declaró inválida la referida Decisión[115].Como consecuencia de dicha Sentencia, el órgano jurisdiccional remitente anuló la desestimación de la reclamación del Sr. Schrems, devolviendo la misma al Comisario.

Cabe señalar que, en el marco de la investigación abierta por este último, Facebook Ireland alegó que una gran parte de los datos personales se transfería a Facebook Inc. basándose en cláusulas tipo de protección de datos recogidas en el anexo de la Decisión 2010/87/UE[116], por lo que, teniendo en cuenta todos estos elementos, el Comisario instó al Sr. Schrems a modificar su reclamación.

Atendiendo el requerimiento del Comisario, el Sr. Schrems presentó, el 1 de diciembre de 2015, su reclamación modificada en base a la nuevas circunstancias acaecidas (Sentencia "Schrems I" y alegaciones

---

[114]   Decisión de la Comisión, de 26 de julio, con arreglo a la Directiva 95/46/CE del Parlamento Europeo y del Consejo sobre la adecuación de la protección conferida por los principios de puerto seguro para la protección de la vida privada y las correspondientes preguntas más frecuentes publicadas por el Departamento de Comercio de los Estados Unidos de América (DO 2000, L 215, p. 7)

[115]   Sentencia del Tribunal de Justicia de 6 de octubre de 2015, Schrems, C-362/14.

[116]   2010/87/UE: Decisión de la Comisión, de 5 de febrero de 2010, relativa a las cláusulas contractuales tipo para la transferencia de datos personales a los encargados del tratamiento establecidos en terceros países, de conformidad con la Directiva 95/46/CE del Parlamento Europeo y del Consejo.

de Facebook Inc. ante la Comisión, acerca de su actuación conforme a la Decisión 2010/87/UE), alegando, principalmente, que el Derecho estadounidense obliga a Facebook Inc. a poner los datos personales que se le transfieren a disposición de las autoridades estadounidenses, como la National Security Agency (NSA) y la Federal Bureau of Investigation (FBI). La reclamación modificada afirmaba, además, que, al utilizarse esos datos en el marco de diferentes programas de vigilancia, de una manera incompatible con los artículos 7, 8 y 47 de la Carta[117] (que reconocen, respectivamente, el derecho a la vida privada y familiar, el derecho a la protección de datos de carácter personal y el derecho a la tutela judicial efectiva, y a un juez imparcial para la obtención de la tutela de los derechos y libertades reconocidos en el marco de la Unión Europea), la Decisión 2010/87/UE no puede justificar la transferencia de esos datos a los Estados Unidos en base a las cláusulas tipo de protección de datos que se recogen en la misma. Teniendo en cuenta estos argumentos, el Sr. Schrems solicitó al Comisario que prohibiese o suspendiese la transferencia de sus datos personales a Facebook Inc.

Con posterioridad a la presentación de la reclamación modificada por el Sr. Schrems, el 24 de mayo de 2016, el Comisario publicó un "proyecto de decisión" en el que se resumían las conclusiones provisionales de su

---

[117]   Carta de los Derechos Fundamentales de la Unión Europea. Artículo 7: "Respeto de la vida privada y familiar. Toda persona tiene derecho al respeto de su vida privada y familiar, de su domicilio y de sus comunicaciones." Artículo 8: "Protección de datos de carácter personal. 1. Toda persona tiene derecho a la protección de los datos de carácter personal que la conciernan. 2. Estos datos se tratarán de modo leal, para fines concretos y sobre la base del consentimiento de la persona afectada o en virtud de otro fundamento legítimo previsto por la ley. Toda persona tiene derecho a acceder a los datos recogidos que la conciernan y a su rectificación. 3. El respeto de estas normas quedará sujeto al control de una autoridad independiente." Artículo 47: "Derecho a la tutela judicial efectiva y a un juez imparcial. Toda persona cuyos derechos y libertades garantizados por el Derecho de la Unión hayan sido violados tiene derecho a la tutela judicial efectiva respetando las condiciones establecidas en el presente artículo. Toda persona tiene derecho a que su causa sea oída equitativa y públicamente y dentro de un plazo razonable por un juez independiente e imparcial, establecido previamente por la ley. Toda persona podrá hacerse aconsejar, defender y representar. Se prestará asistencia jurídica gratuita a quienes no dispongan de recursos suficientes siempre y cuando dicha asistencia sea necesaria para garantizar la efectividad del acceso a la justicia."

investigación. En dicho proyecto, consideró con carácter provisional que los datos personales de ciudadanos de la Unión Europea transferidos a Estados Unidos corrían el riesgo de ser consultados y tratados por las autoridades estadounidenses de una manera incompatible con los artículos 7 y 8 de la Carta y que el Derecho estadounidense no ofrece a esos ciudadanos vías de recurso compatibles con el artículo 47 de la Carta. El Comisario estimó que las cláusulas tipo de protección de datos recogidas en el anexo de la Decisión CPT no subsanan esa deficiencia, en la medida en que sólo confieren a los interesados derechos contractuales contra el exportador o el importador de los datos, sin vincular a las autoridades estadounidenses.

De esta forma, al considerar que, en esas circunstancias, la reclamación modificada del Sr. Schrems planteaba la cuestión de la validez de la Decisión 2010/87/UE relativa a cláusulas contractuales tipo, el 31 de mayo de 2016, el Comisario inició un procedimiento ante la High Court (Tribunal Superior), apoyándose en la jurisprudencia resultante de la sentencia "Schrems I", de 6 de octubre de 2015, apartado 65, a efectos de que esta última pregunte al TJUE acerca de esta cuestión. Mediante resolución de 4 de mayo de 2018, la High Court (Tribunal Superior) planteó la petición de decisión prejudicial ante el TJUE que, finalmente, se resuelve por la Sentencia "Schrems II".

Es conveniente resaltar que, durante todo este *iter* procedimental se producen dos hechos que constituyen antecedentes a tener en cuenta. La primera de las circunstancias ocurridas durante toda la tramitación someramente reproducida es que, con posterioridad a la declaración de invalidez de la Decisión "Puerto seguro", por la Sentencia "Schrems I", la Comisión adoptó la Decisión "Escudo de Privacidad"[118] que tenía como vocación ocupar el vacío dejado por la declaración de invalidez contenida en la referida Sentencia, constituyendo su validez, como se verá, uno de los puntos fundamentales de la Sentencia que es objeto de análisis en el presente estudio. La segunda de estas circunstancias, con cierta relevancia para el análisis de la cuestión objeto del presente trabajo, es la entrada en vigor del RGPD,

---

[118] Decisión de Ejecución (UE) 2016/1250 de la Comisión, de 12 de julio de 2016, con arreglo a la Directiva 95/46/CE del Parlamento Europeo y del Consejo sobre la adecuación de la protección conferida por el Escudo de Privacidad UE-EEUU (DO 2016, L 207, p.1).

que sustituyó a la Directiva 95/46/CE, manteniendo, no obstante, en lo sustancial, la regulación contenida en ésta sobre la transferencia de datos personales a terceros países extracomunitarios.

Con respecto a esta última circunstancia, considera el Tribunal que aunque las cuestiones prejudiciales planteadas se refieren a las disposiciones de la Directiva 95/46/CE, deberán responderse en base al RGPD, ya que el Comisario aún no había adoptado una decisión final sobre esa reclamación cuando la Directiva fue derogada y sustituida por el RGPD, con efecto a partir del 25 de mayo de 2018, por lo que es esta norma, y no la Directiva derogada, la que toma en consideración el Tribunal para la resolución de las cuestiones prejudiciales planteadas

III. LA SENTENCIA "SCHREMS II". OBJETO DE LA CUESTIÓN PREJUDICIAL PLANTEADA

Aunque el órgano judicial nacional formula un total de once cuestiones prejudiciales, el Tribunal agrupa sistemáticamente las mismas de manera que el objeto de decisión se reduce a cinco cuestiones que se relacionarán a continuación.

La primera cuestión prejudicial, tiene como objeto la determinación de la inclusión dentro del ámbito de aplicación del RGPD de las transferencias de datos personales realizada por un operador económico establecido en un Estado miembro, a otro operador económico establecido en un país tercero cuando, en el transcurso de esa transferencia o tras ella, esos datos puedan ser tratados por las autoridades de ese país tercero con fines de seguridad nacional, defensa y seguridad del Estado.

El segundo grupo sistemático de la reclamación prejudicial formulada, en el que el Tribunal incluye las cuestiones prejudiciales segunda, tercera y sexta, es de suma importancia, por cuanto que se traduce en la delimitación de los elementos que han de tomarse en consideración a efectos de determinar si ese nivel de protección está garantizado en el contexto de una transferencia de datos personales a un país tercero basada en cláusulas tipo de protección de datos.

En tercer lugar, el TJUE se pronuncia sobre la cuestión prejudicial octava, que se refiere a la determinación de las facultades de las autoridades de control competentes y, concretamente, a si éstas están obligadas a suspender o prohibir una transferencia de datos personales a un país tercero, que esté basada en cláusulas tipo de protección de datos adoptadas por la Comisión, cuando por parte de la correspondiente autoridad de control se considera que dichas cláusulas no se respetan o no pueden respetarse en ese país tercero.

El cuarto grupo sistemático objeto de resolución por la Sentencia "Schrems II" comprende las cuestiones prejudiciales séptima y undécima, concretándose en el análisis de la validez de la Decisión 2010/87/UE relativa a las cláusulas contractuales tipo, bajo el prisma de la Carta de Derechos Fundamentales de la UE.

En quinto y último lugar, se valoran por el Tribunal, de forma conjunta, las cuestiones prejudiciales cuarta, quinta, novena y décima que, en suma, se refieren a una cuestión de vital importancia como es la validez de la Decisión "Escudo de Privacidad", así como el grado de garantía de la tutela judicial efectiva que, para los ciudadanos de la UE, ofrece la figura del Defensor del Pueblo mencionado en el Anexo III de la referida Decisión.

IV. LA SENTENCIA "SCHREMS II". DECISIÓN DEL TRIBUNAL

1. *Sobre el ámbito de aplicación del RGPD*

Como se ha expuesto, el objeto de la primera cuestión prejudicial se concreta en la inclusión, dentro del ámbito de aplicación del RGPD de una transferencia de datos personales realizada por un operador económico establecido en un Estado miembro a otro operador económico establecido en un país tercero cuando, en el transcurso de esa transferencia o tras ella, esos datos puedan ser tratados por las autoridades de ese país tercero con fines de seguridad nacional, defensa y seguridad del Estado.

El TJUE resuelve esta cuestión considerando que este tipo de transferencias se encuentran dentro del ámbito de aplicación del RGPD, tras un acertado análisis del ámbito de aplicación del mismo, conforme a lo dispuesto en su artículo 2, apartado 1, que establece que el RGPD se aplica al tratamiento total, o parcialmente automatizado, de datos personales, así como al tratamiento no automatizado de datos personales contenidos o destinados a ser incluidos en un fichero. Toma en consideración, también, el Tribunal la definición que el artículo 4, punto 2 del RGPD, realiza del concepto de "tratamiento" como "cualquier operación o conjunto de operaciones realizadas sobre datos personales o conjuntos de datos personales, ya sea por procedimientos automatizados o no", así como los ejemplos que, de dicho concepto, se citan en el referido precepto, como es la "comunicación por transmisión, difusión o cualquier otra forma de habilitación de acceso", debiendo tenerse en cuenta, además, a juicio del Tribunal, que el referido RGPD aplica, a las transferencias de datos personales a países terceros, normas particulares recogidas en su capítulo V, titulado "Transferencias de datos personales a terceros países u organizaciones internacionales", y confiere a las autoridades de control poderes específicos a ese efecto, que se recogen en el artículo 58[119], apartado 2, letra j), del RGPD.

No existiendo dudas con respecto a que el RGPD se aplica a las transferencias de datos personales a países terceros extracomunitarios, pasa el Tribunal a analizar si, el supuesto de hecho de la cuestión prejudicial planteada resulta incardinable a alguna de las excepciones que establece el Reglamento en cuanto a su ámbito de aplicación establecidas en el artículo 2[120], apartado 2

---

[119]   Artículo 58, apartado 2, letra j) del RGPD: "Poderes. Ordenar la suspensión de los flujos de datos hacia un destinatario situado en un tercer país o hacia una organización internacional."

[120]   Artículo 2, apartado 2 del RGPD: "Ámbito de aplicación material 2. El presente Reglamento no se aplica al tratamiento de datos personales: a) en el ejercicio de una actividad no comprendida en el ámbito de aplicación del Derecho de la Unión; b) por parte de los Estados miembros cuando lleven a cabo actividades comprendidas en el ámbito de aplicación del capítulo 2 del título V del TUE; c) efectuado por una persona física en el ejercicio de actividades exclusivamente personales o domésticas; d) por parte de las autoridades competentes con fines

del RGPD que, como recuerda el TJUE, deben interpretarse en sentido estricto[121].

Así las cosas, el Tribunal concluye que, en el caso de autos, al haber sido realizada la transferencia de datos personales que es objeto del litigio principal, por Facebook Ireland hacia Facebook Inc., es decir, entre dos personas jurídicas, dicha transferencia no está comprendida dentro del ámbito del artículo 2, apartado 2, letra c) del RGPD, que tiene por objeto el tratamiento de datos efectuado por una persona física en el ejercicio de actividades exclusivamente personales o domésticas. A la referida transferencia tampoco pueden aplicársele las excepciones recogidas en el artículo 2[122], apartado 2, letras a), b) y d), del antedicho Reglamento, ya que las actividades que allí se enumeran a título de ejemplo son, en todos los casos, actividades propias del Estado o de las autoridades estatales y ajenas a la esfera de actividades de los particulares.

Por todo ello concluye el Tribunal, con respecto a la primera de las cuestiones prejudiciales planteadas, que la posibilidad de que los datos personales transferidos entre dos operadores económicos con fines comerciales sean objeto, en el transcurso de la transferencia o tras ella, de un tratamiento con fines de seguridad pública, defensa o seguridad del Estado por parte de las autoridades del país tercero de que se trate, no puede excluir a la referida transferencia del ámbito de aplicación del RGPD.

---

de prevención, investigación, detección o enjuiciamiento de infracciones penales, o de ejecución de sanciones penales, incluida la de protección frente a amenazas a la seguridad pública y su prevención."

[121]   *Vid.* en lo que se refiere al artículo 3, apartado 2, de la Directiva 95/46/CE, la sentencia de 10 de julio de 2018, Jehovan todistajat, C-25/17, EU:C:2018:551, apartado 37.

[122]   Artículo 2, apartado 2, letras a), b) y d) del RGPD: "Ámbito de aplicación material: a) en el ejercicio de una actividad no comprendida en el ámbito de aplicación del Derecho de la Unión; b) por parte de los Estados miembros cuando lleven a cabo actividades comprendidas en el ámbito de aplicación del capítulo 2 del título V del TUE; d) por parte de las autoridades competentes con fines de prevención, investigación, detección o enjuiciamiento de infracciones penales, o de ejecución de sanciones penales, incluida la de protección frente a amenazas a la seguridad pública y su prevención."

2. Sobre el nivel de protección adecuado para la transferencia de datos a terceros países

Como se ha avanzado, el segundo grupo de cuestiones analizadas por el TJUE se centra en la delimitación de los elementos que han de tomarse en consideración a efectos de determinar si ese nivel de protección está garantizado en el contexto de una transferencia de datos personales a un país tercero basada en cláusulas tipo de protección de datos.

En relación con esta cuestión, analiza el TJUE, en primer lugar, lo dispuesto por el artículo 46[123], apartados 1 y 2, letra c) del RGPD, tras una lectura conjunta de esas disposiciones, concluyendo que, cuando no existe una decisión de adecuación adoptada en virtud del artículo 45[124], apartado 3, del referido Reglamento, el responsable o el encargado del tratamiento solo podrá transmitir datos personales a un tercer país si hubiera ofrecido "garantías adecuadas", siempre que se cumpla la condición de que los interesados cuenten "con derechos exigibles y acciones legales efectivas", pudiendo proporcionarse esas

---

[123]   Artículo 46, apartados 1 y 2, letra c) del RGPD: "Transferencias mediante garantías adecuadas 1. A falta de decisión con arreglo al artículo 45, apartado 3, el responsable o el encargado del tratamiento solo podrá transmitir datos personales a un tercer país u organización internacional si hubiera ofrecido garantías adecuadas y a condición de que los interesados cuenten con derechos exigibles y acciones legales efectivas. 2. Las garantías adecuadas con arreglo al apartado 1 podrán ser aportadas, sin que se requiera ninguna autorización expresa de una autoridad de control, por: c) cláusulas tipo de protección de datos adoptadas por la Comisión de conformidad con el procedimiento de examen a que se refiere el artículo 93, apartado 2."

[124]   Artículo 45, apartado 3 del RGPD: "Transferencias basadas en una decisión de adecuación. 3. La Comisión, tras haber evaluado la adecuación del nivel de protección, podrá decidir, mediante un acto de ejecución, que un tercer país, un territorio o uno o varios sectores específicos de un tercer país, o una organización internacional garantizan un nivel de protección adecuado a tenor de lo dispuesto en el apartado 2 del presente artículo. El acto de ejecución establecerá un mecanismo de revisión periódica, al menos cada cuatro años, que tenga en cuenta todos los acontecimientos relevantes en el tercer país o en la organización internacional. El acto de ejecución especificará su ámbito de aplicación territorial y sectorial, y, en su caso, determinará la autoridad o autoridades de control a que se refiere el apartado 2, letra b), del presente artículo. El acto de ejecución se adoptará con arreglo al procedimiento de examen a que se refiere el artículo 93, apartado 2."

garantías adecuadas, en particular, mediante cláusulas tipo de protección de datos adoptadas por la Comisión.

Afirma el Tribunal que el artículo 45[125], apartado 1, primera frase del RGPD establece que podrá autorizarse una transferencia de datos personales a un tercer país mediante una decisión adoptada por la Comisión, conforme a la cual se atestigua que ese tercer país, un territorio o uno o varios sectores específicos de ese tercer país garantizan un nivel de protección adecuado. A este respecto, sin exigir que el país tercero de que se trate garantice un nivel de protección idéntico al garantizado en el ordenamiento jurídico de la UE, debe entenderse que la expresión "nivel de protección adecuado", tal como queda confirmado en el considerando 104 del referido Reglamento, exige que ese tercer país garantice efectivamente, por su legislación interna o sus compromisos internacionales, un nivel de protección de las libertades y de los derechos fundamentales sustancialmente equivalente al garantizado en la Unión Europea en virtud del antedicho Reglamento, interpretado a la luz de la Carta. En efecto, a falta de esa exigencia, el objetivo mencionado en el anterior apartado se frustraría[126].

En este sentido, concluye el Tribunal que las garantías adecuadas deben asegurar que las personas cuyos datos personales se transfieren a un país tercero sobre la base de cláusulas tipo de protección de datos gocen, como en el marco de una transferencia basada en una decisión de adecuación, de un nivel de protección sustancialmente equivalente al garantizado dentro de la Unión.

En relación con el marco sobre el que ha de interpretarse el alcance del nivel de protección sustancialmente equivalente al garantizado dentro de la UE, analiza el Tribunal si el análisis del nivel de protección debía determinarse a la luz del Derecho de la Unión, en particular, de los derechos garantizados por la Carta y/o a la luz de los

---

[125]　Artículo 45, apartado 1 del RGPD: "Transferencias basadas en una decisión de adecuación 1. Podrá realizarse una transferencia de datos personales a un tercer país u organización internacional cuando la Comisión haya decidido que el tercer país, un territorio o uno o varios sectores específicos de ese tercer país, o la organización internacional de que se trate garantizan un nivel de protección adecuado. Dicha transferencia no requerirá ninguna autorización específica."

[126]　*Vid.*, en lo que respecta al artículo 25, apartado 6, de la Directiva 95/46, la sentencia de 6 de octubre de 2015, Schrems, C-362/14, EU:C:2015:650, apartado 73.

derechos fundamentales reconocidos en el Convenio Europeo para la Protección de los Derechos Humanos y de las Libertades Fundamentales, o también a la luz del Derecho nacional de los Estados miembros. Con respecto a esta cuestión, concluye el Tribunal que el nivel de protección de los derechos fundamentales exigido en el artículo 46, apartado 1, del antedicho Reglamento debe determinarse sobre la base de las disposiciones del mismo Reglamento, interpretadas a la luz de los derechos fundamentales garantizados por la Carta.

Por último, determina el Tribunal los elementos que han de tomarse en consideración para determinar la adecuación del nivel de protección en el contexto de una transferencia de datos personales a un país tercero sobre la base de las cláusulas tipo de protección de datos adoptadas en virtud del artículo 46, apartado 2, letra c) del RGPD, respondiendo el Tribunal que han de tenerse en cuenta, por una parte, las estipulaciones contractuales objeto de acuerdo entre el responsable o el encargado del tratamiento establecidos en la Unión Europea y el destinatario de la transferencia establecido en el país tercero de que se trate y, por otra parte, en lo que respecta al hipotético acceso de las autoridades públicas del país tercero, a los datos personales transferidos, se han de tener en cuenta los elementos mencionados, de modo no exhaustivo, en el artículo 45, apartado 2 del RGPD, que precisa que los interesados deben gozar de garantías adecuadas y contar con derechos exigibles y acciones legales efectivas.

Por tanto, teniendo en cuenta todo lo anterior, el Tribunal interpreta el nivel de protección adecuado para la transferencia de datos a terceros países en el sentido de que las garantías adecuadas, los derechos exigibles y las acciones legales efectivas requeridas por dichas disposiciones deben garantizar que los derechos de las personas cuyos datos personales se transfieren a un país tercero sobre la base de cláusulas tipo de protección de datos gozan de un nivel de protección sustancialmente equivalente al garantizado dentro de la Unión Europea por el referido Reglamento, interpretado a la luz de la Carta. A tal efecto, la evaluación del nivel de protección garantizado en el contexto de una transferencia de esas características debe, en particular, tomar en consideración tanto las estipulaciones contractuales acordadas entre el responsable o el encargado del tratamiento establecidos en la Unión Europea y el destinatario de la transferencia establecido en el país tercero de que se trate como, por lo que atañe a un eventual acceso de las autoridades públicas de ese país tercero a los datos personales de ese modo transferidos, los elementos pertinentes del sistema jurídico de dicho país y, en particular, los mencionados en el artículo 45[127], apartado 2 del RGPD.

3. *Sobre las obligaciones de control de las autoridades*

Como se ha visto, el TJUE analiza, de forma independiente, la cuestión prejudicial octava, que se refiere a la determinación de las facultades de las autoridades de control competentes y, concretamente, a si éstas están obligadas a suspender o prohibir una transferencia de datos personales a un país tercero, basada en cláusulas tipo de protección de datos adoptadas por la Comisión, cuando por parte de la correspondiente autoridad de control se considera que dichas cláusulas no se respetan, o no pueden respetarse en ese país tercero, así como que la protección de los datos transferidos exigida por el Derecho de la Unión Europea, en particular, por los artículos 45 y 46 del RGPD y

---

[127]   Artículo 45, apartado 2 del RGPD: "Transferencias basadas en una decisión de adecuación. 2. Al evaluar la adecuación del nivel de protección, la Comisión tendrá en cuenta, en particular, los siguientes elementos: a) el Estado de Derecho, el respeto de los derechos humanos y las libertades fundamentales, la legislación pertinente, tanto general como sectorial, incluida la relativa a la seguridad pública, la defensa, la seguridad nacional y la legislación penal, y el acceso de las autoridades públicas a los datos personales, así como la aplicación de dicha legislación, las normas de protección de datos, las normas profesionales y las medidas de seguridad, incluidas las normas sobre transferencias ulteriores de datos personales a otro tercer país u organización internacional observadas en ese país u organización internacional, la jurisprudencia, así como el reconocimiento a los interesados cuyos datos personales estén siendo transferidos de derechos efectivos y exigibles y de recursos administrativos y acciones judiciales que sean efectivos; b) la existencia y el funcionamiento efectivo de una o varias autoridades de control independientes en el tercer país o a las cuales esté sujeta una organización internacional, con la responsabilidad de garantizar y hacer cumplir las normas en materia de protección de datos, incluidos poderes de ejecución adecuados, de asistir y asesorar a los interesados en el ejercicio de sus derechos, y de cooperar con las autoridades de control de la Unión y de los Estados miembros, y c) los compromisos internacionales asumidos por el tercer país u organización internacional de que se trate, u otras obligaciones derivadas de acuerdos o instrumentos jurídicos vinculantes, así como de su participación en sistemas multilaterales o regionales, en particular en relación con la protección de los datos personales."

por la Carta, no puede garantizarse, o si, por el contrario, el ejercicio de esas facultades de suspensión o prohibición de las transferencias están limitadas a supuestos excepcionales[128].

Esta cuestión prejudicial es resuelta por el mencionado Tribunal en el sentido de considerar dos escenarios diferentes dependiendo de la existencia o no de una decisión de adecuación dictada por la Comisión. En el caso de que exista una decisión de adecuación, y mientras que la misma no haya sido objeto de invalidación por el TJUE, los Estados miembros y sus órganos, entre ellos las autoridades de control independientes, no pueden adoptar medidas contrarias a esa decisión, como serían actos por los que se apreciará con efecto obligatorio que el tercer país al que se refiere dicha decisión no garantiza un nivel de protección adecuado ni, por consiguiente, suspender o prohibir transferencias de datos personales a ese tercer país.

No obstante, aclara el Tribunal que incluso habiendo adoptado la Comisión una decisión de adecuación, la autoridad nacional de control competente, a la que una persona haya presentado una reclamación para proteger sus derechos y libertades frente al tratamiento de datos personales que la conciernen, debe poder apreciar con toda independencia si la transferencia de esos datos cumple las exigencias establecidas por el RGPD y, en su caso, interponer un recurso ante los tribunales nacionales, para que estos, si concuerdan en las dudas de esa autoridad sobre la validez de la decisión de adecuación, planteen al TJUE una cuestión prejudicial sobre esta validez[129].

Por el contrario, en el caso de que no exista una decisión de adecuación emitida por la Comisión, el Tribunal resuelve que la autoridad de control competente está obligada a suspender o prohibir una transferencia de datos a un país tercero basada en cláusulas tipo de protección de datos adoptadas por la Comisión, cuando esa autoridad de control

---

[128]   *Vid.*, en relación con la traslación de la responsabilidad hacia el responsable del tratamiento, Rodríguez Ayuso, J. F., "Anulación del Privacy Shield en las transferecnias internacionales de datos: ¿presenciamos un desplazamiento fáctico de la responsabilidad?", en *Revista Boliviana de Derecho*, N.º 31, enero 2021, pp. 426-503.

[129]   *Vid.*, en lo que respecta al artículo 25, apartado 6, y al artículo 28 de la Directiva 95/46/CE, la sentencia de 6 de octubre de 2015, Schrems, C-362/14, EU:C:2015:650, apartados 57 y 65.

Alfonso Ortega Giménez

considera, a la luz de todas las circunstancias específicas de la referida transferencia, que dichas cláusulas no se respetan o no pueden respetarse en ese país tercero y que la protección de los datos transferidos exigida por el Derecho de la Unión Europea, en particular, por los artículos 45 y 46[130] del RGPD y por la Carta, no puede garantizarse mediante otros medios, en especial si el responsable o el encargado del tratamien-

---

[130]   Artículo 46 del RGPD: "Transferencias mediante garantías adecuadas. 1. A falta de decisión con arreglo al artículo 45, apartado 3, el responsable o el encargado del tratamiento solo podrá transmitir datos personales a un tercer país u organización internacional si hubiera ofrecido garantías adecuadas y a condición de que los interesados cuenten con derechos exigibles y acciones legales efectivas. 2. Las garantías adecuadas con arreglo al apartado 1 podrán ser aportadas, sin que se requiera ninguna autorización expresa de una autoridad de control, por: a) un instrumento jurídicamente vinculante y exigible entre las autoridades u organismos públicos; b) normas corporativas vinculantes de conformidad con el artículo 47; c) cláusulas tipo de protección de datos adoptadas por la Comisión de conformidad con el procedimiento de examen a que se refiere el artículo 93, apartado 2; d) cláusulas tipo de protección de datos adoptadas por una autoridad de control y aprobadas por la Comisión con arreglo al procedimiento de examen a que se refiere en el artículo 93, apartado 2; e) un código de conducta aprobado con arreglo al artículo 40, junto con compromisos vinculantes y exigibles del responsable o el encargado del tratamiento en el tercer país de aplicar garantías adecuadas, incluidas la relativas a los derechos de los interesados, o f) un mecanismo de certificación aprobado con arreglo al artículo 42, junto con compromisos vinculantes y exigibles del responsable o el encargado del tratamiento en el tercer país de aplicar garantías adecuadas, incluidas la relativas a los derechos de los interesados. 3. Siempre que exista autorización de la autoridad de control competente, las garantías adecuadas contempladas en el apartado 1 podrán igualmente ser aportadas, en particular, mediante: a) cláusulas contractuales entre el responsable o el encargado y el responsable, encargado o destinatario de los datos personales en el tercer país u organización internacional, o b) disposiciones que se incorporen en acuerdos administrativos entre las autoridades u organismos públicos que incluyan derechos efectivos y exigibles para los interesados. 4. La autoridad de control aplicará el mecanismo de coherencia a que se refiere el artículo 63 en los casos indicados en el apartado 3 del presente artículo. 5. Las autorizaciones otorgadas por un Estado miembro o una autoridad de control de conformidad con el artículo 26, apartado 2, de la Directiva 95/46/CE seguirán siendo válidas hasta que hayan sido modificadas, sustituidas o derogadas, en caso necesario, por dicha autoridad de control. Las decisiones adoptadas por la Comisión en virtud del artículo 26, apartado 4, de la Directiva 95/46/CE permanecerán en vigor hasta que sean modificadas, sustituidas o derogadas, en caso necesario, por una decisión de la Comisión adoptada de conformidad con el apartado 2 del presente artículo."

to establecidos en la Unión Europea no han suspendido la transferencia o puesto fin a esta por sí mismos.

4.   Sobre la validez de la Decisión 2010/87/UE

Como se ha señalado, el cuarto grupo sistemático objeto de resolución por la Sentencia "Schrems II" comprende las cuestiones prejudiciales séptima y undécima que, en esencia, tratan sobre el análisis de la validez de la Decisión 2010/87/UE relativa a las cláusulas contractuales tipo bajo el prisma de la Carta de Derechos Fundamentales de la Unión Europea.

El TJUE hace depender la validez de la Decisión 2010/87/UE a si, de conformidad con la exigencia resultante de los artículos 46, apartado 1 y 2, letra c), del RGPD, interpretados a la luz de los artículos 7, 8 y 47 de la Carta[131], tal decisión incluye mecanismos efectivos que permitan, en la práctica, garantizar que el nivel de protección exigido por el Derecho de la Unión Europea sea respetado, así como que las transferencias de datos personales basadas en esas cláusulas sean suspendidas o prohibidas en caso de violación de dichas cláusulas, o de que resulte imposible su cumplimiento.

---

[131]   Carta de los Derechos Fundamentales de la Unión Europea. Artículo 7: "Respeto de la vida privada y familiar. Toda persona tiene derecho al respeto de su vida privada y familiar, de su domicilio y de sus comunicaciones." Artículo 8: "Protección de datos de carácter personal. 1. Toda persona tiene derecho a la protección de los datos de carácter personal que la conciernan. 2. Estos datos se tratarán de modo leal, para fines concretos y sobre la base del consentimiento de la persona afectada o en virtud de otro fundamento legítimo previsto por la ley. Toda persona tiene derecho a acceder a los datos recogidos que la conciernan y a su rectificación. 3. El respeto de estas normas quedará sujeto al control de una autoridad independiente." Artículo 47: "Derecho a la tutela judicial efectiva y a un juez imparcial. Toda persona cuyos derechos y libertades garantizados por el Derecho de la Unión hayan sido violados tiene derecho a la tutela judicial efectiva respetando las condiciones establecidas en el presente artículo. Toda persona tiene derecho a que su causa sea oída equitativa y públicamente y dentro de un plazo razonable por un juez independiente e imparcial, establecido previamente por la ley. Toda persona podrá hacerse aconsejar, defender y representar. Se prestará asistencia jurídica gratuita a quienes no dispongan de recursos suficientes siempre y cuando dicha asistencia sea necesaria para garantizar la efectividad del acceso a la justicia."

El referido Tribunal analiza los concretos mecanismos efectivos de protección de datos que se recogen en el anexo de la Decisión 2010/87/UE concluyendo que, de las cláusulas 4, letras a) y b), 5, letra a), 9 y 11, apartado 1, de dicho anexo se desprende que el responsable del tratamiento establecido en la UE, el destinatario de la transferencia de datos personales y el eventual encargado de este último, se comprometen mutuamente a que el tratamiento de esos datos, incluida su transferencia, ha sido efectuado y seguirá efectuándose de conformidad con la legislación de protección de datos aplicable, que, conforme al artículo 3, letra f) de la antedicha Decisión se corresponde con la legislación que protege los derechos y libertades fundamentales de las personas y, en particular, su derecho a la vida privada respecto del tratamiento de los datos personales, aplicable al responsable del tratamiento en el Estado miembro en que está establecido el exportador de datos.

Asimismo, se analizan por el TJUE las obligaciones del destinatario de la transferencia de datos personales establecido en un país tercero, que se concretan en una información inmediata, al responsable del tratamiento establecido en la UE, de su eventual incapacidad para cumplir con las obligaciones que le incumben con arreglo al contrato celebrado, teniendo la posibilidad, en este caso, el responsable del tratamiento establecido de suspender la transferencia de los datos o rescindir el contrato interpretando el TJUE que esta facultad es obligatoria para el responsable del tratamiento cuando el destinatario de la transferencia establecido en un país extracomunitario no cumple, o ya no puede cumplir, las cláusulas tipo de protección de datos, por lo que, más que una facultad, se convierte en una obligación del responsable de tratamiento establecido en la Unión Europea.

Por tanto, concluye el TJUE que la interpretación de los mecanismos incluidos en la Decisión 2010/87/UE, obligan al responsable del tratamiento establecido en la Unión Europea y al destinatario de la transferencia de datos personales a asegurarse de que la legislación del país tercero de destino permita al antedicho destinatario cumplir con las cláusulas tipo de protección de datos recogidas en la propia Decisión 2010/87/UE, antes de llevar a cabo una transferencia de datos personales a ese país tercero.

En lo que se refiere al alcance de dicha comprobación a efectuar por los sujetos intervinientes en la transferencia de datos, o lo que es lo mismo, cuando debe considerarse por éstos que la legislación del país extracomunitario es incompatible con las cláusulas, señala el TJUE que, las obligaciones impuestas por esa legislación que no vayan más allá de las restricciones necesarias en una sociedad democrática para la salvaguardia, en particular, de la seguridad del Estado, la defensa y la seguridad pública no están en contradicción con las cláusulas tipo de protección de datos, por lo que, *sensu* contrario, el hecho de acatar una obligación dictada por el Derecho del país tercero de destino que vaya más allá de lo necesario para la consecución de tales fines debe considerarse una violación de las antedichas cláusulas.

Conforme a lo establecido en el anexo de la Decisión 2010/87/UE, el responsable del tratamiento establecido en la UE está obligado, cuando el destinatario de la transferencia de datos personales le notifica, que la legislación que le es de aplicación ha sido objeto de una modificación que puede tener un importante efecto negativo sobre las garantías ofrecidas y las obligaciones impuestas por las cláusulas tipo de protección de datos, a enviar esa notificación a la autoridad de control competente en caso de que, a pesar de dicha notificación por parte del destinatario establecido en el país extracomunitario, el responsable de tratamiento establecido en la UE, decida proseguir la transferencia, o levantar una suspensión previamente acordada. El envío de la referida notificación a la autoridad de control competente, y la facultad de ésta de auditar al destinatario de la transferencia de datos personales, permiten a la mencionada autoridad de control comprobar si es preciso proceder a la suspensión o la prohibición de la transferencia prevista para garantizar un nivel de protección adecuado.

Por lo tanto, advierte el Tribunal que, incluso teniendo en cuenta las obligaciones de notificación e información del destinatario extracomunitario, y la obligación de suspensión o finalización de la transferencia de datos por parte del responsable del tratamiento las partes, en el caso de que éste decida no suspender o no finalizar la transferencia, tiene una obligación de notificación a la autoridad de control competente que podrá suspender o prohibir, en su caso, una transferencia de datos personales a un país tercero basada en las cláusulas tipo de protección de datos recogidas en el anexo de dicha Decisión

2010/87/UE, debiendo la autoridad de control ejercer las facultades que le corresponden conforme a lo resuelto en la propia Sentencia "Schrems II".

Por todo lo expuesto, concluye el TJUE que la Decisión 2010/87/ UE prevé mecanismos efectivos que permiten, en la práctica, garantizar que la transferencia a un país tercero de datos personales sobre la base de las cláusulas tipo de protección de datos recogidas en el anexo de la antedicha Decisión se prohíba o suspenda cuando el destinatario de la transferencia no cumpla las referidas cláusulas o no le resulte posible cumplirlas, incluyendo la posibilidad de control por las autoridades en el caso de que por el responsable del tratamiento no se suspenda o prohíba la transferencia, por lo que entiende que no se presenta ningún elemento que pueda afectar a la validez de dicha Decisión.

5. Sobre la validez de la Decisión "Escudo de Privacidad"

Por último, el TJUE entra a valorar la validez de la Decisión "Escudo de Privacidad", atendiendo a si el Derecho de los Estados Unidos garantiza efectivamente el nivel de protección adecuado exigido en el artículo 45 del RGPD, interpretado a la luz de los derechos fundamentales garantizados en los artículos 7, 8 y 47 de la Carta teniendo en cuenta que, el órgano jurisdiccional que plantea la cuestión prejudicial considera que el Derecho de los Estados Unidos no prevé las limitaciones y garantías necesarias con respecto a las injerencias autorizadas por su normativa nacional, así como que tampoco garantiza una tutela judicial efectiva a los interesados, contra tales injerencias, sin que el mecanismo del Defensor del Pueblo previsto ofrezca la debida protección a la tutela judicial efectiva.

Partiendo de este planteamiento se analiza por parte del TJUE la validez de la Decisión "Escudo de Privacidad" teniendo en cuenta, por una parte, la incidencia que las injerencias de las autoridades de Estados Unidos, conforme al Derecho de aquel país, tiene en el nivel de protección adecuado y, por otra, la validez de la figura de Defensor del Pueblo regulado por la Decisión "Escudo de Privacidad" para garantizar la tutela judicial efectiva de los ciudadanos comunitarios en defensa de sus datos personales protegidos.

Con respecto a la primera de las cuestiones, considera el Tribunal que las injerencias resultantes de los programas de vigilancia basados en la FISA[132] y en la E.O. 12333[133] no están sujetas a exigencias que garanticen, un nivel de protección sustancial, considerando el TJUE que las limitaciones que establecen las referidas normas de los Estados Unidos no respetan el principio de proporcionalidad, que establece básicamente que las excepciones a la protección de los datos personales y las limitaciones de esa protección no deben exceder de lo estrictamente necesario.

En este sentido, añade el TJUE que la comunicación de datos de carácter personal a un tercero, como una autoridad pública, constituye una injerencia en los derechos fundamentales consagrados en los artículos 7 y 8 de la Carta (derecho al respeto a la vida privada y familiar, así como derecho a la protección de datos personales), cualquiera que sea la utilización posterior de la información comunicada, considerando una injerencia similar la conservación de los datos de carácter personal y del acceso a esos datos con vistas a su utilización por parte de las autoridades públicas, con independencia de que la información relativa a la vida privada de que se trate tenga o no carácter sensible o de que los interesados hayan sufrido o no inconvenientes en razón de tal injerencia[134].

Aunque el TJUE pone de manifiesto que los anteriores derechos no gozan de carácter absoluto, incide en que cualquier limitación de los mismos, derivada del tratamiento de datos de carácter personal, debe realizarse para fines concretos, sobre la base del consentimiento de la persona afectada o en virtud de otro fundamento legítimo previsto en la Ley, que deberá definir con absoluta claridad el alcance de la limitación prevista en los derechos y libertades, estableciendo reglas claras y precisas que regulen el alcance y la aplicación de la medida

---

[132]   Foreign Intelligence Surveillance Act of 1978 (Ley de Vigilancia de la Inteligencia Extranjera) (*Pub.L.* 95–511, 92 Stat. 1783, 50 U.S.C. cap. 36).

[133]   Executive Order 12333.

[134]   Se remite el TJUE en este punto a las sentencias de 20 de mayo de 2003, Österreichischer Rundfunk y otros, C-465/00, C-138/01 y C-139/01, EU:C:2003:294, apartados 74 y 75; de 8 de abril de 2014, Digital Rights Ireland y otros, C-293/12 y C-594/12, EU:C:2014:238, apartados 33 a 36, y el dictamen 1/15 (Acuerdo PNR UE-Canadá), de 26 de julio de 2017, EU:C:2017:592, apartados 124 y 126.

en cuestión e impongan unas exigencias mínimas, de modo que las personas cuyos datos se hayan transferido dispongan de garantías suficientes que permitan proteger de manera eficaz sus datos de carácter personal contra los riesgos de abuso. En particular, dicha normativa deberá indicar en qué circunstancias y con arreglo a qué requisitos puede adoptarse una medida que contemple el tratamiento de tales datos, garantizando así que la injerencia se limite a lo estrictamente necesario ya que, de lo contrario, no se respetaría el citado principio de proporcionalidad.

En el caso objeto de la Sentencia "Schrems II", el TJUE advierte que las injerencias resultantes de los programas de vigilancia basados en la FISA y en la E.O. 12333 exceden de los límites impuestos por la normativa europea de protección de datos de carácter personal, principalmente debido a que los programas de vigilancia autorizados por la normativa de los Estados Unidos no se fundamentan en una vigilancia individual sino en programas de vigilancia masivos e indiscriminados y, en definitiva, ilimitados, basados en sistemas de recopilación "en bloque" de los datos personales protegidos que, evidentemente, exceden notablemente de las exigencias de concreción y determinación del alcance de la limitación de los derechos y libertades que derivan del principio de proporcionalidad, por lo que, concluye el Tribunal, que no puede considerarse que los programas de vigilancia basados en esas disposiciones se limiten a lo estrictamente necesario.

Con respecto a la segunda de las cuestiones, es decir, sobre la debida garantía del derecho a la tutela judicial efectiva de los interesados, y sobre si la figura del Defensor del Pueblo a la que se refiere la Decisión "Escudo de Privacidad" garantiza este derecho, el TJUE recuerda que el primer párrafo del referido artículo 47 de la Carta requiere que toda persona cuyos derechos y libertades garantizados por el Derecho de la UE hayan sido violados tenga derecho a la tutela judicial efectiva respetando las condiciones establecidas en el mencionado artículo. A tenor del párrafo segundo del antedicho artículo, toda persona tiene derecho a que su causa sea oída por un juez independiente e imparcial, lo que hace necesaria, en todo caso, la existencia de recursos administrativos y acciones judiciales que sean efectivos y accesibles para las personas cuyos datos personales son objeto de tratamiento.

En el caso de autos, la constatación contenida en la Decisión "Escudo de Privacidad", según la cual los Estados Unidos garantizan un nivel de protección sustancialmente equivalente al previsto en el artículo 47 de la Carta, fue puesta en entredicho basándose, en particular, en que la creación del Defensor del Pueblo en el ámbito del "Escudo de Privacidad" no puede subsanar las lagunas en lo que respecta a la tutela judicial de las personas cuyos datos personales son transferidos a ese país tercero, considerando el TJUE que esta exigencia no se cumple en este caso, por cuanto la normativa de los Estados Unidos, en especial en los casos de programas de vigilancia basados en la E.O. 12333, no ofrecen ninguna vía de recurso, por lo que no garantizan la debida tutela judicial efectiva para los ciudadanos cuyos datos son objeto de tratamiento.

Entiende el TJUE que la existencia del mecanismo del Defensor del Pueblo no subsana las limitaciones al derecho a la tutela judicial efectiva, poniendo en entredicho la independencia del Defensor del Pueblo con respecto al poder ejecutivo de los Estados Unidos y su facultad para emitir decisiones vinculantes para las autoridades estadounidenses sin que, además, constata que no existe ninguna garantía legal que pueda ser invocada por los ciudadanos ante dicho Defensor del Pueblo, por lo que no se cumple con la exigencia de una vía de recurso efectivo garante del derecho a la tutela judicial efectiva en materia de protección de datos.

Por lo tanto, concluye el TJUE que la Comisión, al declarar, en el artículo 1, apartado 1, de la Decisión "Escudo de Privacidad", que los Estados Unidos garantizan un nivel adecuado de protección de los datos personales transferidos desde la Unión Europea a entidades establecidas en ese país tercero en el marco del Escudo de la Privacidad UE-EE. UU., no tuvo en cuenta las exigencias resultantes del artículo 45, apartado 1, del RGPD, interpretado a la luz de los artículos 7, 8 y 47 de la Carta por lo que declara la invalidez de dicha Decisión.

Por último, se pronuncia el TJUE sobre si es preciso mantener los efectos de la antedicha Decisión "Escudo de Privacidad" para evitar la creación de un vacío legal, concluyendo que en este caso no se produce tal vacío legal por cuanto que teniendo en cuenta el artículo 49 del RGPD, que establece, de manera precisa, las condiciones en las que pueden tener lugar transferencias de datos personales a países terceros en ausencia de una decisión de adecuación en virtud del artículo 45, apartado 3, del referido Reglamento o de garantías adecuadas con arreglo al artículo 46 del mismo Reglamento.

V. CONCLUSIONES

PRIMERA.- La Sentencia "Schrems II" resuelve un total de once cuestiones prejudiciales planteadas por la High Court (Tribunal Superior, Irlanda), que el TJUE agrupa, para su resolución, en cinco cuestiones que se refieren a la aplicabilidad del RGPD a las transferencia de datos a terceros países extracomunitarios, cuando en dichos países los datos pueden ser tratados por las autoridades con fines de seguridad nacional, defensa y seguridad del Estado; a los elementos integrantes del nivel de protección adecuado en terceros países; a las competencias y facultades de las autoridades de control en dichas transferencias; así como a la validez tanto de la Decisión 2010/87/UE relativa a las cláusulas contractuales tipo bajo el prisma de la Carta de Derechos Fundamentales de la UE, como de la Decisión "Escudo de Privacidad", así como el grado de garantía de la tutela judicial efectiva que, para los ciudadanos de la Unión Europea, ofrece la figura del Defensor del Pueblo mencionado en esta última Decisión.

SEGUNDA.- El TJUE interpreta el nivel de protección adecuado para la transferencia de datos a terceros países en el sentido de que las garantías adecuadas, los derechos exigibles y las acciones legales efectivas requeridas las disposiciones normativas de los terceros países deben garantizar que los derechos de las personas cuyos datos personales se transfieren a dicho país, sobre la base de cláusulas tipo de protección de datos, gozan de un nivel de protección, sustancialmente, equivalente al garantizado dentro de la Unión Europea por el RGPD, interpretado a la luz de la Carta de los Derechos Fundamentales de la Unión Europea.

TERCERA.- En cuanto a las facultades de las autoridades de control competentes en el caso de transferencias de datos protegidos a terceros países extracomunitarios, diferencia el TJUE entre si existe o no de una decisión de adecuación dictada por la Comisión. En el caso de que exista una decisión de adecuación, y mientras que la misma no haya sido objeto de invalidación por el TJUE, los Estados miembros y sus órganos, entre ellos las autoridades de control independientes, no pueden adoptar medidas contrarias a esa decisión, aunque tienen la potestad de interponer recurso ante los tribunales nacionales para que éstos formulen una cuestión prejudicial, ante el TJUE, sobre la validez de la decisión de adecuación. Por el contrario, en el caso de que no exista una decisión de adecuación emitida por la Comisión, el Tribunal resuelve que la autoridad de control competente está obligada a suspender o prohibir una transferencia de datos a un país tercero basada en cláusulas tipo de protección de datos adoptadas por la Comisión, cuando esa autoridad de control considera, que dichas cláusulas no se respetan o no pueden respetarse en ese país tercero.

CUARTA.- El TJUE, en la Sentencia "Schrems II", declara la validez de la Decisión 2010/87/UE por cuanto que ésta prevé mecanismos efectivos que permiten en la práctica garantizar que la transferencia a un país tercero de datos personales sobre la base de las cláusulas tipo de protección de datos recogidas en el anexo de la antedicha Decisión se prohíba o suspenda cuando el destinatario de la transferencia no cumpla las referidas cláusulas o no le resulte posible cumplirlas, incluyendo la posibilidad de control por las autoridades en el caso de que por el responsable del tratamiento no se suspenda o prohíba la transferencia.

QUINTA.- El TJUE declara la invalidez de la Decisión "Escudo de Privacidad" teniendo en cuenta, por una parte, que las injerencias resultantes de los programas de vigilancia basados en la normativa de los Estados Unidos no ofrecen un nivel de protección, sustancialmente, equivalente al garantizado dentro de la Unión Europea por el RGPD, interpretado a la luz de la Carta de los Derechos Fundamentales de la Unión Europea y, por otra parte, que el mecanismo del Defensor del Pueblo previsto en la Decisión "Escudo de Privacidad", no subsana las limitaciones al derecho a la tutela judicial efectiva, poniendo en entredicho la independencia del Defensor del Pueblo con respecto al poder ejecutivo de los Estados Unidos, poniendo de manifiesto, además, que no existe ninguna garantía legal que pueda ser invocada por los ciudadanos ante dicho Defensor del Pueblo, por lo que no se cumple con la exigencia de una vía de recurso efectivo garante del derecho a la tutela judicial efectiva en materia de protección de datos.

EL DERECHO A LA LIMITACIÓN DEL TRATAMIENTO EN EL RGPD: BALANCE DE SU ACOMODACIÓN NORMATIVA EN LA LOPDGDD Y NORMAS CONEXAS

Mónica Martínez López-Sáez
Investigadora García Pelayo
Centro de Estudios Políticos y Constitucionales

I. CONSIDERACIONES PRELIMINARES

1. La materialización del RGPD: un breve recordatorio

El Reglamento General de Protección de Datos ("RGPD", en adelante)[135] que entró en vigor en mayo de 2018, deroga y sustituye a la archiconocida Directiva 95/46/CE ("la Directiva", en adelante). La necesidad de una modernización en el aparato jurídico relativo a la protección de datos era más que evidente: la Directiva se adoptó en un momento en el que el desarrollo de la innovación tecno-digital, y concretamente de la Red, estaba en una fase embrionaria, mientras que los retos planteados en el entorno digital requerían de normas uniformes y eficaces. El marco jurídico relativo a la protección de datos, tan necesitado de una actualización para abordar las insuficiencias de la normativa anterior[136], ha comportado una revisión global del

---

[135] Reglamento (UE) 2016/679 del Parlamento europeo y del Consejo de 27 de abril de 2016 relativo a la protección de las personas físicas en lo que respecta al tratamiento de datos personales y a la libre circulación de estos datos y por el que se deroga la Directiva 95/46/CE (Reglamento general de protección de datos). Disponible en: http://eur-lex.europa.eu/legal-content/ES/TXT/PDF/?uri=CELEX :32016R0679&from=EN

[136] *Vid.*, por ejemplo, Rallo Lombarte, A., "Hacia un nuevo sistema europeo de protección de datos: las claves de la reforma", *Revista de Derecho Político (UNED)*, núm. 85 (septiembre-diciembre), 2012, p. 16; García Mahamut, R., "Del Regla-

sistema europeo de protección de datos. Bajo la justificación de mayor armonización, ante un mercado y una tecnología digital cada vez más globalizadas y complejas, y con el fin de garantizar, simultáneamente, los derechos fundamentales en riesgo y el correcto funcionamiento del mercado interior (compuesto, entre otras, de la libre circulación de los datos), dio comienzo el largo y arduo proceso de modernización europea en esta materia. Este proceso, de más de cuatro años, culminó con la adopción, en abril de 2016, y la publicación en el Diario Oficial de la Unión Europea, en mayo de 2016, del RGPD (generando, así, su entrada en vigor, aunque, curiosamente, no su aplicabilidad directa).

Si bien existen argumentos que sostienen que el RGPD ha supuesto "un antes y un después"[137], decir que dicho instrumento jurídico cambia radicalmente el marco de protección de los datos de carácter personal en Europa quizás sería una afirmación un tanto simplificada. Se podría decir, no obstante, que el proceso ha concluido con una legislación fortalecida y ambiciosa destinada a transformar la manera en la que se utilizan (y se controlan) los datos de carácter personal en la era tecno-digital actual. Teniendo en cuenta, y en palabras de Rallo, que "la interpretación y aplicación del RGPD constituye un reto mayúsculo"[138], ello es todavía más cierto en relación a su adaptación nacional, puesto que las opciones regulatorias, y, subsecuentemente, las dificultades hermenéuticas se duplican.

---

mento General de Protección de Datos a la LO 3/2018 de Protección de Datos Personales y Garantías de los Derechos Digitales" en *El Reglamento General de Protección de Datos un Enfoque Nacional y Comparado. Especial Referencia a la LO 3/2018 De Protección de Datos y Garantía de los Derechos Digitales*, Tirant Lo Blanch, Valencia, 2019, pp. 97-98.

[137] *Vid.*, por todos, Lucas Murillo De La Cueva, P., "El Tribunal Supremo y el derecho a la protección de datos", en *El Reglamento General de Protección de Datos un Enfoque Nacional y Comparado. Especial Referencia a la LO 3/2018 De Protección de Datos y Garantía de los Derechos Digitales*, Tirant Lo Blanch, Valencia, 2019, p. 181.

[138] Rallo Lombarte, A., "Presentación" en *Tratado de Protección de Datos Actualizado con la Ley Orgánica 3/2018, de 5 de diciembre, de protección de datos personales y garantía de los derechos digitales*, Tirant lo Blanch, Valencia, 2018, p.21.

2. Las especificidades del RGPD: el curioso caso (y consecuencias) de un reglamento híbrido

Sin duda, en el RGPD se pueden observar conceptos, definiciones, instituciones y procedimientos que resultan del todo familiares si se hace una lectura conjunta con la Directiva. No obstante, a pesar de las similitudes, las especificidades, nuevas incorporaciones, desarrollos y efectos jurídicos son más que destacables. Antes de entrar de pleno en la naturaleza 'híbrida' y en las curiosidades que ofrece este instrumento jurídico de derecho derivado europeo, cabe hacer al menos un apunte acerca de su parte dispositiva. El RGPD cuenta con 173 considerandos de diversa naturaleza: causal, argumentativa, definidora, ejemplificativa, entre otros calificativos. Por lo que nos interesa, y concordando con López Calvo, encontramos tanto considerandos "redundantes" (que se limitan a reproducir el texto del articulado correspondiente) como considerandos con "especificaciones *ex novo*"[139], resultando ser, en ocasiones, un apoyo hermenéutico inspirador necesario, y en otras ocasiones, una fuente difícil de entender y aplicar.

El RGPD, como acto típico europeo denominado 'reglamento', es, a diferencia de las directivas, que requieren de procedimientos de transposición, directamente aplicable en todos los Estados miembros ("EEMM", en adelante), sin necesidad de intervención alguna de los parlamentos nacionales. La adopción de un reglamento único (y general) perseguía abarcar el más amplio espectro de armonización y posibilitar la mayor aplicación uniforme posible del Derecho de la UE en materia de protección de datos, con el fin de acabar con la fragmentación e inseguridad jurídica que había devenido de la aplicación de la anterior Directiva (Considerando noveno del RGPD). De hecho, el propio Considerando décimo del RGPD parece realizar esa declaración de intenciones al aludir a la *raison d'être* de la adopción del RGPD: principalmente, para alcanzar un "nivel uniforme", una aplicación "equivalente", de regulación y protección que, además, sea "coherente y homogénea".

---

[139]   López Calvo, J., *Comentarios al Reglamento General de Protección de Datos*, Sepin, Madrid, 2017, p. 53.

No obstante, como bien apuntan algunos, el mismo Considerando décimo toma un giro repentino ("apodíctico") y proclama, como suelen hacer las directivas (que no los reglamentos) europeos, la necesidad de que exista cierto margen de apreciación nacional, al establecer que los EEMM *"deben estar facultados para mantener o adoptar disposiciones nacionales a fin de especificar en mayor grado la aplicación de las normas"*[140]. De tal forma, se aprecia un vaivén, tanto en la parte expositiva como dispositiva del RGPD, entre fuerzas normativas integradoras y desintegradoras, *"alternando cohesión y disgregación"*[141]. En palabras de García Mexía, resulta interesante que el RGPD de *"por sentada"* la continuidad del reinado de los diferentes *"acervos nacionales"* en esta materia[142], al permitir, entre otras cuestiones, un amplísimo margen de maniobra para concretar, a escala nacional, buena parte del contenido del mismo, pues deja las respuestas y consecuencias normativas a la merced de lo que disponga *"el Derecho de los Estados"*[143]. Como se puede apreciar, y como estudiaremos más adelante, la previsión que dibuja el RGPD no necesariamente asegura mayor seguridad jurídica en tanto se han multiplicado las fuentes a consultar (la normativa europea y la nacional, horizontal y sectorial) en materia de protección de datos.

El fenómeno de las llamadas clausulas "abiertas" o de "flexibilidad", todavía poco común (aunque cada vez más visto) en los reglamentos europeos, hace del RGPD un acto directamente aplicable y jurídicamente vinculante un tanto "especial"[144]. Según algunos, esta flexibilidad que reconoce el propio RGPD es el "peaje" a pagar, como parte de las habituales concesiones en las negociaciones y votaciones

---

[140]   *Ídem*, p. 61.
[141]   *Ídem*, p. 62.
[142]   Materia que tanto ha avanzado a nivel europeo, y que, sin duda, necesariamente debe seguir avanzando hacia un sistema uniforme y comprehensivo a escala internacional, en línea con la tendencia regional e internacional, tal y como muestra la modernización del Convenio 108+ y en línea con lo propuesto por la Resolución de Madrid de 2015.
[143]   García Mexía, P., "La singular naturaleza jurídica del reglamento general de protección de datos de la UE. Sus efectos en el acervo nacional sobre protección de datos", en *El Reglamento General de Protección de Datos, Hacia un nuevo modelo europeo de privacidad*, Reus, Madrid, 2016, pp. 25-26.
[144]   Tambou, O., "Opening Remarks", en *National Adaptations of the GDPR*, Collection Open Access Book-Blogdroiteuropeen, Luxembourg, 2019, p. 25.

legislativas para *"conseguir un texto consensuado y vinculante"* para casi una treinta de Estados con culturas y ordenamientos jurídicos dispares, permitiendo a los EEMM o bien *"desviarse de las provisiones del RGPD"* o bien *"desarrollarlas más a nivel nacional"*[145]. Así, se aprecian ciertas especificidades y margen de apreciación nacional al enunciar el RGPD que los ordenamientos jurídicos de los EEMM podrán, en la medida en que sea necesario por motivos de coherencia normativa, incorporar elementos adicionales o restricciones al mismo cuando este lo permita (Considerando 8).

En el Capítulo *IX* (arts. 85 a 91) del RGPD, sin lugar a dudas, deja a los EEMM, parafraseando a Álvarez, no sólo "fragmentar el mercado interior"[146], sino también fragmentar las garantías básicas del derecho fundamental a la protección de datos de los interesados, precisamente por permitir la imposición de restricciones adicionales a los derechos que él mismo reconoce. Por poner un ejemplo ilustrativo, como bien demuestran las primeras palabras de los enunciados de los artículos del *Capítulo IX* (que establece el régimen relativo a situaciones específicas de tratamiento), el mínimo denominador común es el margen de apreciación nacional previsto: *"Los Estados miembros conciliarán por ley [...]"*, o *"Los Estados miembros podrán determinar adicionalmente las condiciones específicas para el tratamiento [...]"*147. Veremos más adelante cómo se ha materializado la adaptación nacional del RGPD en el caso del derecho objeto de estudio en el marco de estos y otros tratamientos específicos.

---

145   Córdoba Fernández, P., "Las cláusulas de flexibilidad en el Reglamento General de Protección de Datos y su impacto en la práctica", *El Derecho*, 10-05-2019. Disponible en: https://elderecho.com/las-clausulas-flexibilidad-reglamento-general-proteccion-datos-impacto-la-practica

146   Álvarez Rigaudias, C., "Tratamiento de los datos de salud", en *Reglamento general de protección de datos: hacia un nuevo modelo europeo de privacidad*, Reus, Barcelona, 2016, p. 181.

147   Aunque, tal y como nos recuerda Córdoba Fernández, al tiempo que reconoce cierto margen de apreciación, el RGPD también *"incluye disposiciones que permiten ejercer un control sobre el uso de las cláusulas de flexibilidad contenidas en el texto, empleando como instrumentos su propio articulado y las remisiones a la Comisión Europea y al Comité Europeo de Protección de Datos"*, y los propios principios de protección de datos, tal y como el principio de limitación de finalidad del tratamiento, establecen límites al uso de las cláusulas de flexibilidad, con el fin de no desvirtuar los objetivos de uniformidad del RGPD.

Precisamente, con respecto a esas fuerzas desintegradoras, cabe destacar la constante habilitación de excepciones o especificaciones nacionales (según Tambou, la mitad de las disposiciones del RGPD[148]), que permiten, por ejemplo, establecer criterios específicos, definir supuestos que legitimarían el tratamiento, o, por lo que nos interesa en este trabajo, limitar el alcance o ejercicio de los derechos del interesado, más allá de lo previsto por la RGPD; todo lo cual, sin duda, constituyen obstáculos en el camino hacia esa homogeneidad que tanto dice buscar el legislador europeo. Algunos autores han intentado sistematizar y categorizar las clausulas abiertas en función de su contenido, naturaleza jurídica y nivel de (des)armonización. Mišćenić y Hoffmann explican las diferentes modalidades o clasificaciones que la doctrina académica ha presentado[149]. Entre ellas, nos interesan dos grandes bloques clasificatorios que señalamos a continuación.

Por un lado, explican la propuesta tipológica basada en el nivel de margen de apreciación nacional otorgado. Así, existen las clausulas abiertas potestativas (*facultative opening clauses*), como sería, por ejemplo, el art. 8 RGPD con respecto a la mayoría de edad (o si se prefiere, el límite de edad) a efectos de dar consentimiento al tratamiento de datos (fijando el límite inferior -13 años- pero no el superior), frente a las clausulas abiertas preceptivas (*mandatory opening clauses*), como sería, por ejemplo, el art. 54 RGPD con respecto a las autoridades independientes de control (su establecimiento y garantía de independencia es obligatorio, aunque cuestiones vinculadas al procedimiento de nombramiento queden abiertas). Por otro lado, explican la propuesta tipológica basada el nivel de especificidad de la habilitación normativa. En esta línea, podría decirse que existen clausulas abiertas generales o específicas en función de si ofrece varias opciones a los EEMM sin limitación alguna *ratione materiae* (como, por ejemplo, el art. 85 RGPD, con respecto al tratamiento de datos y las libertades informativas), o si, de lo contrario, ofrece variaciones o especificaciones nacionales para un tema muy específico (por ejemplo,

---

[148] Tambou, O. "Opening Remarks...", *op.cit.*

[149] Mišćenić, E. y Hoffmann, A., "The role of opening clauses in harmonization of EU Law: Example of the EU's General Data Protection Regulation (GDPR)", *EU and comparative law issues and challenges series (ECLIC)*, núm. 4, 2020, pp. 52-55.

el art. 87 RGPD con respecto al tratamiento del número nacional de identidad o el art. 88 en materia laboral, concretamente, en el marco de la legislación de los convenios colectivos).

3. El fortalecimiento de la autodeterminación informativa como principal novedad del RGPD

Si bien no cabe duda de que una aplicación totalmente uniforme y absolutamente armonizadora resulta imposible en virtud de las supracitadas clausulas abiertas, tampoco cabe duda de que el RGPD constituye, en palabras de Lynskey, tanto un sistema de atribución de derechos (*rights-conferring*), como un sistema cuyo diseño e interpretación son consistentes con la concepción subyacente de un derecho fundamental, el de la protección de datos (*rights-based*)[150]. El carácter fundamental del derecho a la protección de datos experimentó una consagración sincrónica, como ya se anunciaba, en instancias nacionales (con su materialización legislativa *ad hoc* o constitucional) y europeas, con directrices y convenios regionales y con la adopción de la Carta de Derechos Fundamentales de la UE ("CDFUE", en adelante) en 2000 (y su posterior consagración como instrumento jurídico vinculante con el mismo valor que los tratados constitutivos y como piedra angular de las fuentes del sistema de protección de los derechos fundamentales de la UE como reza el art. 6 TUE tras la reforma de 2007). Realizada dicha consideración, podemos afirmar que la UE, y sus desarrollos normativos y jurisprudenciales, han ejercido una indudable influencia en el desarrollo de este derecho fundamental, lo que he venido llamando la *constitucionalización* del Derecho de la UE en esta materia, pues recordemos que el sistema europeo de protección de datos se ha configurado como protección de un derecho fundamental subyacente.

El también llamado derecho a la autodeterminación informativa es, a grandes rasgos, la libertad de la persona de decidir sobre el uso de la información personal que le concierne: *"la facultad para* determinar por sí mismo *la línea de actuación en relación con la* información

---

[150] Lynskey, O., *The Foundations of EU Data Protection Law,* Oxford University Press, Oxford, 2015, pp. 35-36.

126   Mónica Martínez López-Sáez

relativa a su persona" (énfasis nuestro)[151]. Por lo que nos interesa, cabe aclarar que el contenido esencial del derecho a la protección de datos se cimienta, como el resto de los derechos fundamentales, vinculados al respeto a la dignidad humana, sobre dos elementos: uno negativo y otro positivo. En primer lugar, en lo atinente a su contenido negativo, este derecho impone límites (que no prohibiciones). Estos límites a la informática o, mejor dicho, y en palabras representativas en la actual era digital, al tratamiento automatizado e ilimitado de datos, aparecen vertebrados en torno a una serie de principios de los que se desglosan a su vez una serie de derechos y obligaciones. Estos no son ni más ni menos que una panoplia de principios de calidad de los datos, así también ha sido indirectamente plasmado en el art. 8.2 CDFUE[152], que regulan y legitiman el tratamiento; estos principios, de sobra conocidos y ahora recogidos tanto en el RGPD como en la Ley Orgánica de Protección de Datos y Garantía de Derechos Digitales ("LOPDGDD", en adelante), incluyen el consentimiento, la exactitud, la confidencialidad o seguridad, y, los que nos interesan especialmente, la limitación de la finalidad y la limitación del plazo de conservación.

En segundo lugar, y en lo atinente al contenido positivo, el derecho a la protección de datos también resulta ser una facultad de control sobre los mismos; control que se hace efectivo a través de un abanico de facultades o derechos. Precisamente sobre la base de un "poder de disposición sobre los datos personales"[153] se consagraron los clásicos

---

[151] Herrán Ortiz, A. I., *El derecho a la intimidad en la nueva Ley Orgánica de Protección de Datos* Personales, Dykinson, Madrid, 2002, p.11. Con igual preferencia se ha pronunciado Lucas Murillo de la Cueva: "Personalmente, he preferido hablar de autodeterminación informativa porque, si bien se trata de una fórmula poco estética, es, sin embargo, más precisa pues apunta al núcleo del derecho, a su aspecto sustantivo, mientras que la protección de los datos personales es su manifestación instrumental y, por eso, tiene un carácter técnico que le priva de capacidad significativa". *Vid.,* Lucas Murillo De La Cueva, P., "El derecho a la autodeterminación informativa y la protección de datos personales", *Azpilcueta*, núm. 20, 2008, p. 44.

[152] Puyol Montero, F. J., "Los principios del derecho a la protección de datos", en *Reglamento general de protección de datos: hacia un nuevo modelo europeo de privacidad*, Reus, Barcelona, 2016, pp. 135-150.

[153] Inicialmente reconocido en la STC 254/1993 (FJ 7).

derechos ARCO[154] (ahora reconfigurados y ampliados como los derechos ARSOPOL), como facultades jurídicas de la persona, con su consiguiente obligación jurídica para terceros, de conocer y decidir sobre la propia información personal. Más directamente vinculado a la protección efectiva del derecho fundamental a la protección de datos de carácter personal, se encuentran novedades significativas en cuanto a los derechos del interesado (y subsecuentes obligaciones por parte del responsable del tratamiento a hacerlos efectivos). En palabras del legislador europeo: *"la protección efectiva de los datos personales [y de los derechos de los titulares de esos datos] en la Unión exige que se refuercen y especifiquen los derechos de los interesados y las obligaciones de quienes tratan y determinan el tratamiento de los datos de carácter personal"* (Considerando 11).

El RGPD consagra, de manera novedosa y expresa, un derecho de portabilidad de datos, ya tratado en otro lugar[155] y un derecho de supresión (el comúnmente denominado, y así también referido en el texto, como 'derecho al olvido'[156]), relativo a obtener del controlador la supresión de datos o enlaces vinculados a los mismos cuando son irrelevantes o han devenido irrelevantes, innecesarios u obsoletos, por el trascurso tiempo y dada la situación particular del interesado[157]. No obstante, también desarrolla el llamado "derecho a la limitación del tratamiento" y nuevas vertientes del clásico derecho de oposición.

---

[154] FJ 6: *"el derecho a que se requiera el previo consentimiento para la recogida y uso de los datos personales, el derecho a saber y ser informado [acceso] sobre el destino y uso de esos datos y el derecho a acceder, rectificar [rectificación] y cancelar [cancelación y oposición] dichos datos"*.

[155] Martínez López-Sáez, M., "El nuevo derecho a la portabilidad de datos personales a la luz del RGPD y la LOPDGDD: ¿objetivo ambicioso o misión imposible?", en *El Reglamento General de Protección de Datos un Enfoque Nacional y Comparado. Especial Referencia a la LO 3/2018 De Protección de Datos y Garantía de los Derechos Digitales*, Tirant Lo Blanch, Valencia, 2019, pp. 265-286.

[156] Por primera vez reconocido en la STJUE de 13 de mayo de 2014 de la Gran Sala del TJUE para el asunto C-131/12 *Google Spain*. También estudiado, de manera detallada, y bajo el prisma del principio *pro personae*, en Martínez López-Sáez, M., *La garantía del derecho al olvido: protección de datos, retos futuros y propuestas de regulación de situaciones de vulnerabilidad en la Unión Europea*, Tesis Doctoral, Universidad de Valencia, 2020.

[157] *Vid.* artículo 17 del RGPD.

A grandes rasgos, el RGPD refuerza derechos ya reconocidos, consagra nuevos derechos, asegura mayor control sobre el procesamiento, la minimización y acceso a los datos y refuerza la protección de colectivos vulnerables, bien sea con disposiciones específicas ateniendo a su condición inherente y específica (niños y adolescentes), bien sea imponiendo límites al tratamiento de datos, que por su naturaleza especialmente sensible, o la situación particular del interesado, pueden perpetuar tratos discriminatorios.

De la aproximación inicial al contenido esencial del derecho fundamental a la protección de los datos personales, observamos que, dentro de su propio contenido positivo, encontramos varios derechos que otorgan un poder de disposición y control sobre los propios datos, entre los que vamos a destacar, como núcleo de esta aportación académica, el derecho a la limitación, no sólo por su novedosa materialización jurídica, sino también, y sobre todo, por el margen de apreciación nacional permitido con respecto al desarrollo y limitación de su ejercicio en ámbitos y por razones de diversa índole.

## 4.	La LOPDGDD *como pináculo de la retroalimentación y evolución normativa en clave iusfundamental*

Como ya he dicho en muchas ocasiones, tanto la *constitucionalización* de la UE (en tanto dicha organización supranacional, si bien internacional en cuanto a su creación, ha devenido, tras la entrada en vigor del Tratado de Lisboa, más constitucional), como la europeización del Derecho Constitucional de los EEMM (entendida como la apertura normativa y hermenéutica nacional a estándares y cánones europeos), ha permitido, sobre todo a través del procedimiento prejudicial ante el TJUE, un diálogo judicial y retroalimentación jurídica en las materias en las que tiene atribuida competencias la UE. En el caso de la protección de datos, la pelota jurídica ha ido pasándose en un vaivén normativo y jurisprudencial entre EM y UE.

Primero, en manos de los Estados, nacieron los tímidos intentos en regular aspectos del tratamiento de datos en países pioneros como Alemania, Suecia o Francia, o mediante su consagración, con carta de naturaleza fundamental, a través de disposiciones de rango constitucional en países como Portugal o España. Después, estuvo en manos de los organismos supraestatales, inspirados por sanar, y basándose en remediar, las divergencias nacionales, con la adopción de normas comunes sobre el tratamiento de datos personales, tales como las Directrices de la OCDE de 1980, el Convenio 108 del Consejo de Europa y la propia Directiva de Protección de datos de 1995 de la UE. Posteriormente, la pelota fue devuelta a manos de los Estados, para implementar y adaptar su normativa a los compromisos adquiridos y obligaciones asumidas a nivel internacional y europeo, respectivamente. Seguidamente, cuando se ha requerido de reconsideración o aclaración, se ha vuelto a recurrir a la UE o al CdE para dotar de mayor coherencia y para asegurar una protección uniforme y efectiva. Y, ulteriormente, los EEMM se han visto obligados a adaptar sus normativas nacionales a las nuevas exigencias europeas. En este estadio del vaivén jurídico nos encontramos actualmente: ya realizadas las adaptaciones nacionales de la normativa jurídicamente vinculante y directamente aplicable.

Pauner y Viguri, de hecho, prefieren hablar de 'desarrollo' más que de adaptación o 'incorporación' normativa precisamente porque, si bien son directamente aplicables, los reglamentos, en muchas ocasiones, requieren de normativa adicional a nivel estatal para asegurar su aplicación plena y efectiva[158]. Así nace la actualmente vigente LOPDGDD. Sin entrar en detalles sobre la crónica legislativa, cuestiones relativas a todas sus novedades o controversias, su *Título III*, dedicado precisa y expresamente a la consagración de derechos digitales concretos, refuerza algunos de los tradicionales derechos ARCO, adaptándolos a la normativa europea (este es el caso del derecho de oposición[159]), y reconoce nuevos derechos (como el derecho a la limitación del tratamiento[160]) de los datos personales, ambos través de una remisión directa. Amén de la estructura, conviene aquí también traer a colación, por un lado, el *Título X*, en tanto en cuanto en él se reconocen otra serie de derechos digitales como "garantías" para el disfrute y ejercicio del derecho fundamental a la protección de datos, y, por otro lado, y como consecuencia del

---

[158]   Pauner Chulvi, C. y Viguri Cordero, J., "The adaptation of the GDPR in Spain: the new data protection act (LOPDGDD)" en *National Adaptations of the GDPR*, Collection Open Access Book-Blogdroiteuropeen, Luxembourg, 2019, p. 80.

[159]   *Vid.*, art. 18 LOPDGDD remitiéndose al art. 21 del RGPD.

[160]   *Vid.*, art. 16 LOPDGDD remitiéndose al art. 18 del RGPD.

primero, la Carta de Derechos Digitales, como propuesta normativa para profundizar en las protecciones necesarias para afrontar con garantías la transformación digital.

Por lo que nos interesa, conviene enfatizar la problemática inherente a la paradoja generada por un instrumento jurídico que adapta la normativa europea mediante remisión directa, a la vez que desarrolla o establece, paralelamente, desarrollos, excepciones o alternativas a su aplicación. Esta problemática, como pueda imaginarse, está vinculada a la necesidad constante de remitirse a ambos textos para ver en qué se complementan y en qué difieren. En palabras de Pauner y Viguri, la LOPDGDD *"no reproduce el contenido íntegro del RGPD por lo que ambos [...] deberán leerse conjuntamente para asegurar la correcta aplicación [...]"*[161]. Sin duda se debe calificar la LOPDGDD de novedosa y vanguardista, especialmente en los que corresponde a dos títulos completos dedicados, en exclusiva, a la cara iusfundamental del derecho a la protección de datos. Pese a ello, no puede obviarse que la técnica adoptada por el legislador español, a saber, de adaptación y complementación con el objeto de cumplir con el RGPD y valerse del margen de apreciación conferido a los EEMM, peca de un excesivo uso de la remisión a dicho acto de derecho derivado europeo; a la vez que se separa del mismo cada vez que ha tenido la ocasión. Todo ello no ha traído otra consecuencia que la confusión y la inseguridad lectora, y por tanto, jurídica, resultando ambas contraproducentes para una adaptación suficiente y comprensión clara del RGPD; acogiéndonos al calificativo de García Mahamut, dicha adaptación podría considerarse que ha devenido "disfuncional"[162].

Ahora bien, no puede haber ninguna duda sobre el reconocimiento expreso y reforzamiento de derechos y garantías para los ciudadanos en el control de los datos personales que les conciernen, siendo este, sin duda, el aspecto más positivo pues ha permitido ampliar los mecanismos de tutela. Como he dicho en otra ocasión: *"lejos de ser una adaptación y complementación perfecta, sigue siendo la plasmación jurídica de la necesaria e inherente constitucionalización del Derecho de la UE*

---

[161]   Pauner Chulvi, C. y Viguri Cordero, J., "The adaptation of the GDPR... *op.cit.*, p. 87.

[162]   García Mahamut, R., "Del Reglamento General de Protección de Datos a la LO 3/2018...*op. cit.*, p. 111.

en materia de protección de datos y del perfeccionamiento del sistema a través de un enfoque jurídico basado en los derechos"[163]. Con este hilo argumentativo conductor, procedemos a analizar, a la luz margen nacional habilitado por el RGPD, la acomodación normativa de uno de esos derechos digitales, en el ordenamiento jurídico español.

II. ANÁLISIS JURÍDICO DE LA PLASMACIÓN EUROPEA Y ADAPTACIÓN NACIONAL DE UN QUASI NOVEDOSO DERECHO IUSDIGITAL: EL CASO DEL DERECHO A LA LIMITACIÓN DEL TRATAMIENTO

1. En el seno de la UE

En lo que se refiere a la limitación del tratamiento, cabe destacar que el nuevo marco regulatorio europeo lo contempla desde una doble óptica: como principio (limitación de la finalidad y limitación del plazo de conservación), entendido como obligación para el responsable del tratamiento, a la vez que como derecho, entendido como facultad de actuación jurídica para un mayor control individual sobre los datos que nos conciernen. En cuanto a la limitación como derecho, el art. 18 otorga al interesado del tratamiento el derecho a que el tratamiento de sus datos personales sea limitado en determinadas circunstancias: *"el interesado tendrá derecho a obtener del responsable del tratamiento la limitación del tratamiento de los datos"*. Esta medida para reforzar el control sobre los datos de carácter personal implica, en definitiva, que los responsables del tratamiento deberán limitar la disponibilidad, accesibilidad o tratamiento de los datos de carácter personal de aquellos interesados que así lo soliciten. Las 'determinadas circunstancias' que habilitan el ejercicio de este derecho son supuestos tasados por el propio reglamento. Esta lista *numerus clausus* concretamente contempla cuatro supuestos, actuando, como acertadamente apunta Álvarez Caro, como medida provisional[164]:

---

[163]   Martínez López-Sáez, M., *La garantía del derecho al olvido..., op.cit.*, p. 140.
[164]   Álvarez Caro, M., "El derecho de rectificación, cancelación, limitación del tratamiento, oposición y decisiones automatizadas", en *El Reglamento General de*

- cuando impugne la exactitud de los datos, mientras se verifica la misma;
- cuando el tratamiento sea ilícito (es decir, cuando se ha incumplido el principio de licitud del tratamiento) pero el interesado no quiera hacer uso del derecho de supresión, solicitando, en lugar su lugar, esta medida menos irreversible;
- cuando no sean necesarios para los fines para los que se trataron, pero se requieren para la formulación, el ejercicio o la defensa de reclamaciones; o
- cuando el interesado se haya opuesto al tratamiento, mientras se verifica si existen motivos legítimos del responsable del tratamiento que prevalecen.

En vista de lo anterior, nosotros, además, reiteramos su naturaleza cautelar, pues dos de los supuestos señalados son *a posteriori* del ejercicio de dos derechos clásicos; mientras se resuelven las solicitudes de rectificación y oposición, respectivamente. Todo lo cual demuestra el carácter generalmente temporal del mismo, pues lo que permite este derecho es la posibilidad de limitar el tratamiento de los datos de carácter personal: se permite la operación de almacenamiento pero no su utilización para otro fin.

De hecho, cabe recordar que el propio RGPD, en aras de claridad conceptual, ofrece una definición de lo que constituye 'limitación' en su art. 4.3: *"el marcado de los datos de carácter personal conservados con el fin de limitar su tratamiento en el futuro"*, mostrando similitudes con conceptos tales como el 'bloqueo' o la 'suspensión' del tratamiento, con el fin de preservar la carga probatoria a efectos de responsabilidades, como pasaba en la anterior normativa española[165]. Asimismo, el Considerando 67 ofrece ejemplos de qué medidas constituirían operaciones aptas y adecuadas en caso de que prevalezca la limitación del tratamiento: trasladar temporalmente los datos seleccionados a otro sistema de tratamiento, impedir el acceso de usuarios

---

Protección de Datos, Hacia un nuevo modelo europeo de privacidad, Reus, Madrid, 2016, p. 235.

[165] De hecho, la definición del art. 4.3 es prácticamente idéntica con la incluida en la anterior Directiva, aunque en ese momento se utilizara el concepto de 'bloqueo'.

a los datos personales seleccionados, o retirar temporalmente los datos publicados de un sitio internet.

En aras a ser exhaustivos, simplemente anunciamos que el art. 19 RGPD también hace referencia al derecho a la limitación del tratamiento al establecer la obligación, bajo el paraguas del principio de responsabilidad proactiva, de notificación (a los demás destinatarios que han tenido acceso a los datos personales) por parte del responsable del tratamiento cuando se produzca una limitación del tratamiento, a no ser que, por imposibilidad técnica o porque constituye un esfuerzo desproporcional.

A pesar de las salvaguardas que el nuevo marco europeo de protección de datos otorga al interesado del tratamiento, también cabe recordar que el Considerando 73 y el art.23 del RGPD establecen que los EEMM pueden imponer restricciones al supracitado derecho (al igual que el resto de derecho consagrados en su *Capítulo III*) cuando se traten datos personales para garantizar objetivos o bienes de interés público:

> *"para salvaguardar la seguridad pública, incluida la protección de la vida humana, especialmente en respuesta a catástrofes naturales o de origen humano, la prevención, investigación y el enjuiciamiento de infracciones penales o la ejecución de sanciones penales, incluida la protección frente a las amenazas contra la seguridad pública o de violaciones de normas deontológicas en las profesiones reguladas, y su prevención, otros objetivos importantes de interés público general de la Unión o de un Estado miembro, en particular un importante interés económico o financiero de la Unión o de un Estado miembro, la llevanza de registros públicos por razones de interés público general, el tratamiento ulterior de datos personales archivados para ofrecer información específica relacionada con el comportamiento político durante los regímenes de antiguos Estados totalitarios, o la protección del interesado o de los derechos y libertades de otros, incluida la protección social, la salud pública y los fines humanitarios"[166].*

Aprovechamos para apuntar que si bien muchos de estos intereses y bienes jurídicamente protegidos ya se preveían como generadores legítimos de una limitación a los derechos del interesado en la Directiva

---

[166]   Para una lectura más fácil se puede encontrar una enumeración con viñetas en el art. 23 RGPD.

(seguridad del Estado, salud pública, intereses económico-financieros, prevención, investigación, detección y enjuiciamiento de infracciones penales, otros son completamente novedosos, como es el caso, por ejemplo, de la protección del interesado o derechos y libertades de terceros, y para la ejecución de demandas civiles.

Como ya adelantábamos anteriormente, el *Capítulo IX* del RGPD también recoge gran parte de las clausulas abiertas, al dar cabida a disposiciones relativas a "situaciones específicas de tratamiento". Así, y por lo que nos interesa en este trabajo, observamos el lenguaje propio del margen de maniobra nacional en enunciados como, por ejemplo, el del art. 85.2 del RGPD en relación con la manta protectora otorgada a las libertades informativas: "*los Estados miembros establecerán exenciones o excepciones de lo dispuesto en los capítulos II (principios), III (derechos del interesado) [...]*" (énfasis nuestro). En análoga línea, el Considerando 156 (en línea con los apartados segundo y tercero del art. 89) del RGPD destaca, por ejemplo, que los EEMM podrán establecer especificaciones y excepciones con respecto a los derechos de limitación del tratamiento, entre otros, cuando se traten datos personales con fines de archivo en interés público, fines de investigación científica e histórico, o, con fines estadísticos. También se observa, aunque más sutilmente, en el 88.1 (tratamiento en el ámbito laboral) al anunciar que los EEMM podrán a través de disposiciones legislativas u otras normas, establecer reglas "*más específicas para garantizar la protección de los derechos y libertades en relación con el tratamiento de datos*".

En el marco de las excepciones habilitadas por motivos de interés público, y aunque sobresale el objeto de estudio de la presente contribución (la adaptación del RGPD al ordenamiento español), cabe recordar que existe la conocida como Directiva Policial[167], como *lex*

---

[167]   Directiva (UE) 2016/680 del Parlamento Europeo y del Consejo de 27 de abril de 2016 relativa a la protección de las personas físicas en lo que respecta al tratamiento de datos personales por parte de las autoridades competentes para fines de prevención, investigación, detección o enjuiciamiento de infracciones penales o de ejecución de sanciones penales, y a la libre circulación de dichos datos y por la que se deroga la Decisión Marco 2008/977/JAI del Consejo. Disponible en: https://eur-lex.europa.eu/legal-content/ES/TXT/PDF/?uri=CELEX:32016L0680&from=ES

specialis, dadas las exclusiones previstas en el ámbito material del RGPD, y parte de ese paquete de reformas liderado por el mismo. Esta se presenta como la norma reguladora europea del tratamiento de datos personales en materia de cooperación policial y judicial en el ámbito penal. Si bien este instrumento de Derecho europeo derivado se adoptó con el objetivo de agilizar dicha cooperación permitiendo facilidades para la libre circulación e intercambio de datos personales entre Estados miembros, esto debe llevarse a cabo con pleno respeto del derecho fundamental a la protección de datos de carácter personal. A tal fin, enumera una serie de principios, idénticos a los establecidos en el RGPD, si bien con mayor margen de discreción nacional, que rigen el tratamiento lícito y legítimo de datos de carácter personal. En lo que aquí nos interesa, resulta significativo hacer referencia a la obligación de adoptar los mecanismos adecuados para garantizar un nivel de seguridad y confidencialidad de los datos de carácter personal, incluida la limitación de su tratamiento como alternativa proporcional al derecho de supresión (art. 16.3 *in fine* y 16.4 Directiva Policial).

Así, en caso de que el interesado del tratamiento no pueda acogerse a las condiciones habilitantes para ejercer su derecho al olvido, podrá, en su defecto, solicitar la limitación del tratamiento de sus datos personales cuando existan dudas en cuanto a su exactitud, o cuando deban conservarse por mayor tiempo a efectos puramente probatorios (el art. 16.3 Directiva Policial). Igualmente, cabe anunciar que el margen de apreciación nacional es también amplio en cuanto a los motivos (intereses) legítimos para denegar dichas solicitudes, enumerados en el art. 16.4 *in fine*, entre los que cabe destacar el evitar que se obstaculicen o perjuicios en las indagaciones, investigaciones o procedimientos oficiales o judiciales, así como para proteger la seguridad pública y los derechos de terceros.

A continuación, veremos cómo se han plasmado estas y otras habilitaciones a cierto margen nacional, previstas por el RGPD, a nivel nacional.

2. *En el ordenamiento español*

El contenido del artículo controvertido del RGPD se ha materializado, en el caso español, en la incorporación del art. 16 en la LOPDGDD, que hace una remisión normativa directa al RGPD: *"El derecho a la limitación del tratamiento se ejercerá de acuerdo con lo establecido en el artículo 18 del Reglamento (UE) 2016/679".* Ello hace que, en cuanto a su contenido y alcance, nos remitamos al análisis efectuado en el apartado anterior, sin hacer ninguna otra puntualización más que la siguiente. Si bien los términos parecen usarse indistintamente en el RGPD, la equiparación del bloqueo con la limitación no ha sido pacífica entre la doctrina española. Núñez García afirma que la redacción del RGPD y de la LOPDGDD parece encaminarse a decir lo mismo[168]. Según Santos Morón, la LOPDGDD ha vaciado de contenido este derecho *"toda vez que prevé, con carácter general, en el art. 32, que el responsable del tratamiento está obligado a bloquear los datos cuando proceda a su rectificación o supresión [...] estando el responsable obligado a bloquear de oficio los datos, no parece necesario que el interesado ejercite el mencionado derecho a la limitación del tratamiento"*[169]. En cambio, según Puente Escobar, el bloqueo de datos es más amplio que el derecho a la limitación del tratamiento por no exigir el primero previa solicitud del afectado y por extender sus efectos a cualquier supuesto de tratamiento *"incluso cuando no ha concurrido causa que hubiera podido legitimar al afectado para el ejercicio de ese derecho"*[170].

Tal y como apunta Martínez Martínez, el derecho a la limitación del tratamiento sólo podrá explayar sus efectos jurídicos en los casos en los que la propia LOPDGDD excepciona el bloqueo[171]. Aún más crítico ha sido Gudín, con respecto a la obligación de bloqueo, por considerar que la redacción del artículo controvertido contraviene el

---

[168]   Núñez García, J. L., "Responsabilidad y obligaciones del responsable y del encargado del tratamiento" en *Tratado de Protección de Datos Actualizado con la Ley Orgánica 3/2018, de 5 de diciembre, de protección de datos personales y garantía de los derechos digitales*, Tirant lo Blanch, Valencia, 2018, p. 370.

[169]   Santos Morón, M. J., "Tratamiento de datos, sujetos implicados, responsabilidad proactiva", en *Protección de Datos Personales- Asociación de Profesores de Derecho Civil*, Tirant lo Blanch, Valencia, 2020, p. 68.

[170]   Puente Escobar, A., "Principios y licitud del tratamiento", en *Tratado de Protección de Datos Actualizado con la Ley Orgánica 3/2018, de 5 de diciembre, de protección de datos personales y garantía de los derechos digitales*, Tirant lo Blanch, Valencia, 2018, p. 165.

[171]   Martínez Martínez, R., "Derecho a la limitación del tratamiento", en *Protección de Datos. Comentarios a la Ley Orgánica de Protección de datos y garantías de los derechos digitales (en relación con el RGPD)*, Sepin, Madrid, 2019, p. 109.

contenido del derecho de supresión en tanto obliga al responsable a bloquear los datos siempre que se ejercite el derecho de supresión, obligando también a *"conservarlos para la exigencia de posibles responsabilidades derivadas del tratamiento y solo por el plazo de prescripción de las mismas"*[172]. La adaptación normativa española sí que define la operación del bloqueo, de manera separada al de limitación, aunque claramente vinculada al principio de responsabilidad proactiva y a los principios de limitación del tratamiento, en su art. 32.2. Así, la concreta como operación de identificación y reserva de los datos impidiendo su tratamiento allende la propia conservación173, aunque también goza de excepciones a su utilización (es el caso del art. 21.2 LOPDGDD en materia de operaciones mercantiles cuando no lleguen a realizarse, el caso del art. 22.3 *in fine* en materia de videovigilancia y el caso del art. 24.2 y 24.4 en relación a los sistemas de denuncias internas cuando hayan cumplido el plazo máximo de conservación, efectuándose, en su lugar, la supresión).

No obstante lo anterior, no cabe duda que tanto la acción de bloqueo como la acción de limitación técnica del tratamiento comparten la misma justificación y consecuencia natural: marcar y aislar o hacer inaccesibles los datos personales cuando sobrepasen la finalidad probatoria. Por lo que interesa al análisis sectorial y a la afectación del margen de maniobra nacional habilitado por el RGPD, cabe formular tres consideraciones en virtud de un análisis e interpretación del *Título IV* de la LOPDGDD, que recoge las *Disposiciones aplicables a tratamientos concretos* y a la luz de algunas de las disposiciones adicionales y finales de la misma.

Primero, la presunción *iuris tantum* de licitud del tratamiento de datos personales que figura en los arts. 19 (sobre contacto, empresarios

---

[172]　Gudín Rodríguez-Magariño, F., "Bloqueo de los datos", en *Protección de Datos. Comentarios a la Ley Orgánica de Protección de datos y garantías de los derechos digitales (en relación con el RGPD)*, Sepin, Madrid, 2019, pp. 178-179.

[173]　Que reza: *"El bloqueo de los datos consiste en la identificación y reserva de los mismos, adoptando medidas técnicas y organizativas, para impedir su tratamiento, incluyendo su visualización, excepto para la puesta a disposición de los datos a los jueces y tribunales, el Ministerio Fiscal o las Administraciones Públicas competentes, en particular de las autoridades de protección de datos, para la exigencia de posibles responsabilidades derivadas del tratamiento y solo por el plazo de prescripción de las mismas".*

individuales y profesionales liberales), 20 (sobre sistemas de información crediticia), 21 (sobre realización de operaciones mercantiles), así como la declaración absoluta de licitud del tratamiento que consta en el art. 23 (sobre sistemas de exclusión publicitaria) y 24 (sobre sistemas de información de denuncias internas) y art. 26 (sobre fines de archivo en interés público) de la LOPDGDD, vicia uno de los cuatro supuestos habilitadores para el ejercicio del derecho a la limitación del tratamiento; como es de imaginar, hablamos del que figura en el art. 18.1(b) RGPD relativo a la posibilidad de solicitar el derecho a la limitación del tratamiento cuando el tratamiento sea ilícito y se quiera recurrir a una limitación en vez de a un borrado de dicha información).

Segundo, con respecto al tratamiento de datos personales con fines específicos, cabe decir lo siguiente. En materia de sistemas de exclusión publicitaria, el art. 23.1 LOPDGDD alude a la posibilidad de limitar la recepción de las comunicaciones comerciales, aunque algunos no consideran este como el auténtico derecho a la limitación, en este tipo de supuestos, sino que resulta ser un "derecho de oposición limitado"[174]. En materia de videovigilancia (art. 22 LOPDGDD), sea privada o pública, la norma española se acoge al margen de maniobra nacional que permite el art. 23.1(c) y (d) del RGPD, mediante la posibilidad de restringir el ejercicio o alcance de los derechos del interesado (incluido el de limitación del tratamiento) para salvaguardar bienes e intereses jurídicamente protegidos, tales como la seguridad pública, la prevención, investigación o enjuiciamiento de infracciones penales (nos remitimos al sucinto análisis efectuado sobre la Directiva Policial del apartado anterior).

En análoga línea, cabe apuntar que la Disposición adicional duodécima de la LOPDGDD (normas aplicables a los tratamientos de los registros de personal del sector público), en su tercer apartado, hace alusión a las excepciones previstas al ejercicio del derecho a la limitación del tratamiento cuando se constaten razones de "interés público importante", pudiendo ser esos datos *objeto de tratamiento cuando*

---

[174]   Adsuara Varela, B., "Derechos de rectificación, supresión (olvido) y portabilidad (de los datos) y de limitación y oposición (al tratamiento)", en *Tratado de Protección de Datos Actualizado con la Ley Orgánica 3/2018, de 5 de diciembre, de protección de datos personales y garantía de los derechos digitales*, Tirant lo Blanch, Valencia, 2018, p. 326.

sea necesario para el desarrollo de los procedimientos de personal". Concordamos, por tanto, con Davara en que esta disposición *"llama la atención"* pues parece *"estar afirmando que aunque se atendiera positivamente el derecho de limitación, en determinadas circunstancias, la limitación podría no ser cien por cien efectiva y real"*175 bajo motivos legítimos imperiosos en los que prevalece un tratamiento allende el mero almacenamiento, por parte de la Administración Pública, cuando actúa como empleador.

En similar línea vuelven a contemplarse limitaciones al derecho a la limitación del tratamiento (valga la redundancia) en relación a sistemas de información de denuncias internas al contemplar el art. 24, en su segundo y cuarto apartados, que el acceso a datos contenidos en sistemas de información de denuncias internas siempre estará a disposición de quienes desarrollan funciones de control interno y de cumplimiento, así como a terceros cuando resulte necesario para la adopción de medidas disciplinarias o para la tramitación de procedimientos judiciales si proceden (acorde con la satisfacción de un interés legítimo por parte del responsable del tratamiento y por razones de interés público).

Asimismo, la cláusula abierta del art. 89.2 RGPD ha posibilitado la inclusión del segundo apartado de la Disposición adicional decimoséptima de la LOPDGDD (relativa a tratamientos de datos de salud), la cual modifica, entre otras, la Ley General de Sanidad. Su entrada en vigor ha añadido un nuevo *Capítulo II* al *Título VI* de la Ley General de Sanidad que permite que, en lo que se refiere al tratamiento de datos en la investigación en materia de salud y biomedicina, se podrá excepcionar, entre otros, el derecho a la limitación del tratamiento, cuando su solicitud se haga directamente ante los investigadores o centros de investigación que utilicen datos anonimizados o seudonimizados, cuando el ejercicio de tales derechos se refiera a los resultados de la investigación o cuando la investigación tenga por objeto un interés público esencial relacionado con la seguridad del Estado, la

---

175   Davara Fernández De Marcos, L., "Los derechos del interesado en el Reglamento europeo y la LOPDGDD: ¿qué hay de nuevo?", *Consultor de los ayuntamientos y de los juzgados: Revista técnica especializada en administración local y justicia municipal*, núm. extr. 3, 2019, pp. 48-61.

defensa, la seguridad pública u otros objetivos importantes de interés público general, como imaginamos que podría ser la salud pública.

Tercero, en cuanto al tratamiento de datos en el ámbito de la función estadística pública, la norma española, acogiéndose al margen de maniobra permitido por el art. 89 del RGPD (en su segundo y tercer apartados), habilita a los organismos públicos competentes para las supracitadas funciones, podrán directamente denegar solicitudes relativas al derecho a la limitación del tratamiento, entre otros, cuando esté dicho tratamiento amparado por "las garantías del secreto estadístico previstas en la legislación estatal o autonómica" (art. 25.3 LOPDGDD). Así, cuando la admisión de una petición del derecho a la limitación del tratamiento pueda imposibilitar u obstaculizar gravemente los fines estadísticos que habilitaron el tratamiento, se podrán imponer restricciones o se podrán denegar dichas solicitudes. Ello queda jurídicamente legitimado y amparado por el art. 4.2 (obligación de adoptar las medidas organizativas y técnicas necesarias para proteger la información personal recopilada) y, sobre todo, el art. 18.1 (que obliga a la supresión o destrucción de los datos personales cuando su uso o conservación ya no sea necesaria para el desarrollo de las operaciones estadísticas) y el art. 19.3 (que permiten, excepcionalmente, tras 25 años desde su recaudación, la puesta a disposición de datos protegidos por el secreto estadístico a aquellos que acrediten un interés legítimo) de la Ley 12/1989, de 9 de mayo, de la Función Estadística Pública.

Por último, también se habilita la excepción de obligación de bloqueo, y podría darse también para el caso de la limitación del tratamiento, acudiendo directamente a la supresión, en los casos en los que la mera conservación pudiera generar riesgos elevados para los derechos de los interesados o generar costes desproporcionados para el responsable del tratamiento. Así lo contempla, como decíamos con anterioridad, en materia de videovigilancia (art. 22.3 *in fine*) o en materia de denuncias internas cuando no se haya dado curso a ellas (art. 24.4 *in fine*). Esto potencialmente pone en peligro la carga probatoria necesaria para entablar determinadas acciones judiciales.

De las consideraciones efectuadas, concluimos este apartado con dos afirmaciones o reflexiones. En primer lugar, que el "interés público", a pesar de ser una base jurídica consensuada para la legitimación del tratamiento en determinados supuestos, también constituye un criterio legitimador y ampliamente recurrido para inhabilitar el ejercicio del derecho a la limitación del tratamiento de datos de carácter personal, menoscabando, por tanto, su ejercicio efectivo y, en última instancia, la efectividad del derecho a la autodeterminación informativa. Constituye *de iure* y *de facto*, un concepto jurídico indeterminado, sistemáticamente interpretado en su sentido más amplio, que permite habilitar tratamientos, *a priori* (por contemplar excepciones a su ejercicio) o *a posteriori* (por contemplar supuestos que permitirían su tratamiento a pesar de haber realizado la solicitud correspondiente) de ser limitados, desvirtuando, en un gran número de ámbitos materiales, el triunfo de una solicitud de limitación del tratamiento.

En segundo lugar, si bien en todos los casos citados parece invertirse la prevalencia lógica de intereses, fallando en contra del interés/voluntad personal del interesado, y a favor de un interés legítimo público o imperioso del responsable del tratamiento, en algunos de los supuestos tiene cierto sentido (denota "buen criterio"[176]) que sea así, con el fin de preservar determinados principios generales del Derecho, otros bienes e intereses jurídicamente protegidos, y los propios derechos del interesado. Este es el caso, por ejemplo, en el ámbito de los sistemas de información crediticia, dónde es necesario tratar los datos más allá de su mera conservación para asegurar un "buen saneamiento del mercado financiero" a través del acceso, por parte de los usuarios de estos sistemas, de información personal relevante, a pesar de estar siendo verificada su exactitud o licitud, tras la simple solicitud realizada por el afectado[177].

Esto resulta amparado, de manera indirecta y análoga, por el propio TJUE, si recordamos la doctrina emanada de su sentencia prejudicial en el asunto *Manni*, en el que, en aras a la publicidad registral y la seguridad jurídica de terceros de buena fe en el tráfico mercantil, como principios jurídicos generales, denegó la petición (en ese caso de

---

[176] Núñez García, J. L., "Responsabilidad y obligaciones...*op.cit.*, p. 370.

[177] Alonso Martínez, C., "Sistemas de información crediticia", en *Tratado de Protección de Datos Actualizado con la Ley Orgánica 3/2018, de 5 de diciembre, de protección de datos personales y garantía de los derechos digitales*, Tirant lo Blanch, Valencia, 2018, p.786.

supresión) del interesado[178]. Este también es el caso de tratamientos relativos a la función estadística pública, en la que, además, se toman previsiones y medidas técnicas tendentes a anonimizar la información recabada, o tratamientos relativos al archivado de interés público. Sin embargo, en otros casos, tiene menos sentido, sobre todo cuando se trata de ámbitos en los que las relaciones jurídicas nacen de por sí desequilibradas y las consecuencias negativas (o daños e injerencia en otros derechos fundamentales) son más notables y más irreversibles. Este sería el caso, por ejemplo, en materia de videovigilancia en el ámbito laboral (art. 22.3 *in fine* LOPDGDD).

III. LAS LIMITADAS LÍNEAS DE LA AEPD ANTE LOS PRIMEROS PROCEDIMIENTOS DE TUTELA DEL DERECHO A LA LIMITACIÓN DEL TRATAMIENTO

A modo meramente introductorio, cabe apuntar que el *Título VII* de la LOPDGDD configura la AEPD como una autoridad de protección de datos de ámbito estatal, con personalidad jurídica propia y plena capacidad pública y privada, actuando con plena independencia en el ejercicio de sus funciones[179]. La institucionalización de órganos independientes que supervisen el control del tratamiento de datos de carácter personal ha devenido no sólo una necesidad del sistema jurídico y una garantía sumamente funcional y efectiva, sino también una exigencia del proceso de armonización en materia de protección de datos a nivel europeo. De manera resumida, la AEPD se encarga, principalmente, de supervisar la aplicación de la LOPDGDD y del RGPD[180]. Ello conlleva la asignación de funciones de diversa índole: informativa, consultiva, de *soft law*, de investigación, de acción exterior, represiva, etc[181]. Así, como el garante más importante del derecho fundamental a la protección de datos y demás derechos y

---

[178] No obstante, también recordaremos que, al igual que los derechos de supresión/olvido y oposición, en ocasiones, la naturaleza de los datos y la situación particular del interesado podrán alterar el resultado de ponderación tradicionalmente aceptado. *Vid*. STJUE de 9 de marzo de 2017, apartados 60 *in fine*, 61 y 63.

[179] *Vid*. art. 44 LOPDGDD.

[180] *Vid*. art. 47 LOPDGDD.

[181] *Vid*. arts. 50-56 y 70-78 LOPDGDD.

garantías análogas en el contexto de la recopilación, uso y difusión de datos de carácter personal, la AEPD ha tenido un papel determinante en la consagración y desarrollo de los derechos del interesado y de los mecanismos de tutela para asegurar su protección efectiva.

No sorprende que, tras la entrada en vigor de la LOPDGDD en diciembre de 2018, adaptando la normativa española a las exigencias del RGPD, se hayan visto los primeros procedimientos de tutela de los derechos del interesado del tratamiento, incluidos los nuevos derechos reconocidos por el marco europeo (es particularmente destacable el caso del derecho al olvido/derecho de supresión, pues la AEPD, a la vanguardia del reconocimiento de este derecho, vio una oleada de demandas por falta de contestación a solicitudes acerca de su ejercicio tras la famosa sentencia prejudicial *Google Spain*). Lo que sí sorprende es que, a pesar de que han pasado ya casi tres años, contamos con una muy modesta línea de resoluciones de la AEPD, en el marco del procedimiento de tutela de derechos, relativas al derecho a la limitación del tratamiento; eso sí, al menos, en dos ámbitos sectoriales distintos. Las dos resoluciones versan sobre reclamaciones vinculadas a no haber atendido correctamente el derecho a la limitación del tratamiento: comunidad de propietarios y suministros.

En orden cronológico, esclarecemos, a continuación, lo más relevante de cada una, aunque adelantamos que ambas estiman la petición del interesado, instando a los responsables del tratamiento a remitir a la parte reclamante o bien certificación en la que conste que ha atendido el derecho de limitación del tratamiento o bien denegación debidamente motivada de las razones por las que no procede atender su petición. Ello demuestra, en última instancia, la necesidad de contemplar los derechos ARSOPOL del interesado del tratamiento en conjunción con las obligaciones de información y transparencia del responsable del tratamiento de los arts. 11-12 LOPDGDD, sobre todo en relación a los procedimientos relativos al ejercicio de los derechos.

El primero, el procedimiento TD-00344-2019 (resolución de 10 de junio de 2020)[182], contra Iberdrola Comercialización de Último Recurso, S.A.U., por no haber sido debidamente atendido la petición de

---

[182]   RAEPD núm. 00174/2020.

limitación del tratamiento. De esta resolución nos interesan dos cuestiones. En primer lugar, que la AEPD acoge las definiciones y cuatro supuestos habilitantes del ejercicio del derecho a la limitación del tratamiento[183], explicando su importancia a la luz de la era socio-digital actual, llena de riesgos y prácticas que ponen en jaque el derecho a la protección de datos y otros derechos personalísimos[184]. En segundo lugar, recuerda que la implementación de medidas tendentes a limitar el tratamiento y medidas que aseguran que cualquier gestión que se solicité vía telefónica requiera de determinada información para asegurar la identidad del titular de los datos, una vez iniciado procedimientos ante la AEPD, no sustituyen la obligación de responder al interesado acerca de su solicitud de ejercicio del derecho correspondiente: "no cabe aceptar que la respuesta que corresponda realizar pueda manifestarse con ocasión de un mero trámite administrativo, como es la formulación de alegaciones con motivo del presente procedimiento, iniciado precisamente por no atender debidamente la solicitud en cuestión"[185].

El segundo, el procedimiento TD/00047/2020 (resolución de 2 de julio de 2020)[186], contra Fincaminium, S.L., por no haber sido debidamente atendida la petición de limitación del tratamiento. En primer lugar, como apunta la AEPD, el procedimiento se instruye como consecuencia de la denegación de uno de los derechos básicos del interesado (el derecho a la limitación del tratamiento), teniendo como obje-

---

[183]   Vid. RAEPD núm. 00174/2020 (FJ 6): "cuando se impugne la exactitud de los datos personales, durante un plazo que permita al responsable verificar la exactitud de los mismos; cuando el tratamiento sea ilícito y se oponga a la supresión de los datos personales; cuando el responsable ya no necesite los datos personales para los fines del tratamiento, pero sean necesarios para la formulación del ejercicio o la defensa de reclamaciones o cuando se haya opuesto al tratamiento, mientras se verifica si los motivos legítimos del responsable prevalecen sobre los de la parte reclamante".

[184]   Id.: "Hoy en día con la proliferación de las redes sociales, el uso de internet y otros medios de comunicación, el negocio jurídico se lleva a cabo de diversas maneras lo que puede dar lugar a la usurpación de identidad y perjudicar al titular de los datos, una práctica muy común se da cuando un tercero por medios informáticos, personales o cualquier otro medio obtiene información personal y la utiliza ilegítimamente".

[185]   Id. FJ 6 in fine.

[186]   RAEPD núm. 00204/2020.

to principal que se adopten las medidas necesarias para garantizar los derechos del interesado. En segundo lugar, la AEPD, de nuevo, señala la finalidad y los supuestos habilitadores del derecho a la limitación del tratamiento, y, por lo que nos interesa, se posiciona automáticamente a favor del interesado al determinar que "mientras se verifica si los motivos legítimos del responsable prevalecen sobre los de la parte reclamante" prevalece el garantizar, dentro de lo razonable, el derecho fundamental a la protección de datos[187]. En tercer lugar, al igual que en la resolución anteriormente analizada, recuerda que, a pesar de haberse limitado la finalidad y los destinatarios del tratamiento de los datos de carácter personal (pues alega la entidad reclamada que "los datos obtenidos a través de la nota simple pública del Registro de la Propiedad fueron recabados para iniciar procedimiento monitorio por cuotas pendientes de la comunidad de propietarios y sus datos se trataron para ese fin, sin cederse a terceras personas y una vez abonadas las cuotas pendientes se procedió a la destrucción de del documento") ello no sustituye la necesidad de dar respuesta motivada a la solicitud del interesado y de tomar las medidas necesarias en caso de estimar su petición de limitación.

IV. CONCLUSIONES

El RGPD supone un refuerzo del derecho a la protección de datos como pilar básico de las garantías y libertades en un mundo económica y digitalmente globalizada. Así, pretende alcanzar una verdadera armonización, en todo el territorio de la UE, en materia de protección de datos, mediante el uso de una norma única, de aplicación directa y con intención homogeneizadora en todos los EEMM, con un doble fin: alcanzar un nivel coherente de protección en todo el territorio y evitar aplicaciones fragmentadas y divergencias normativas que dificulten la libre circulación y protección de los datos de carácter personal. El RGPD tiene como objetivo cardinal otorgar al individuo un mayor control sobre sus datos, y lo pretende alcanzar mediante el fortalecimiento de las disposiciones de la normativa anterior y la

---

[187] *Id.*, FJ 6.

creación de nuevos recursos jurídicos en caso de incumplimiento de la normativa de protección de datos, y, en especial, en caso de injerencia injustificada al derecho fundamental a la protección de datos. El refuerzo de la posición de control del individuo con respecto a sus propios datos personales se traduce, por tanto, en un mayor número de elenco de derechos (incluido el de la limitación del tratamiento) y un fortalecimiento de aquellos considerados clásicos, así como un fortalecimiento de las obligaciones del responsable del tratamiento en relación a los mismos. El RGPD garantiza un cumplimiento más sólido de la protección de datos, siendo un régimen más resistente y mucho más restrictivo de la discrecionalidad estatal que el anterior. Este nuevo marco jurídico es considerablemente más severo que la Directiva anterior, pues mejora y amplía los derechos de protección de datos de los individuos, así como sus mecanismos de tutela.

No obstante lo anterior, las finalidades principales del mismo todavía se pueden (y sin duda se verán) parcialmente vencidas en tanto en cuanto el propio instrumento normativo prevé todavía cierto margen de maniobra nacional en determinados ámbitos y sectores, sobre todo aquellos vinculados a la consecución de intereses públicos. Así lo hemos estudiado con respecto a su adaptación en la LOPDGDD, con un análisis enfocado en el derecho recogido en su art. 16, en conjunción con los tratamientos especiales recogidos en su Título IV, que establece, haciendo uso del margen de maniobra nacional, limitaciones a dicho derecho en el ámbito mercantil, comercial y de la función estadística pública, en materia de videovigilancia, en relación a los sistemas de denuncias internas y en relación a investigaciones en materia de salud y biomedicina.

Concluimos haciendo hincapié en lo novedoso de este derecho a la limitación del tratamiento. Con la creación del mismo, al igual que el resto de derechos que consagra, el legislador europeo y español lo que quieren es otorgar todavía más poder de decisión y control a la persona sobre todos los tratamientos que los distintos responsables y encargados del tratamiento llevan a cabo con los datos que le conciernen. Además, para compensar los efectos jurídicos de la obligación o la excepción de bloqueo, este derecho puede ser la única manera que tiene el interesado del tratamiento de controlar, de manera efectiva, su identidad digital y de proteger, de manera efectiva, las pruebas para entablar las acciones administrativas y judiciales necesarias en caso de incumplimiento de lo establecido en la normativa europea y española de protección de datos.

En definitiva y a modo de colofón, el Título III de la LOPDGDD hace una remisión normativa de los clásicos derechos, reforzados por la RGPD y, haciendo uso de la habilitación de complementariedad normativa permitida por el RGPD, incorpora nuevos derechos de la persona interesada en el tratamiento al Derecho español. Entre estos, cabe destacar el derecho a la limitación del tratamiento, reconocido en los arts. 18 RGPD y art. 16 LOPDGDD, respectivamente. La presente contribución ha intentado detallar los aciertos y límites de la adaptación normativa de esta garantía del derecho fundamental a la protección de datos al ordenamiento jurídico español, con especial énfasis en sus consecuencias jurídicas a nivel sectorial.

Como todo lo relacionado, por un lado, con la regulación de lo digital, y al igual que con el ejercicio del resto de derechos vinculados a la protección de datos, y, por otro lado, con las configuraciones propias y complejas de la ordenación y tutela multinivel, nos seguiremos enfrentando a un conjunto de desafíos técnico-jurídicos. El presente estudio, simplemente pretendía esclarecer algunos de esos desafíos jurídico-técnicos presentes, todavía pendientes, y futuros.

RGPD Y AUTORIDADES DE PROTECCION DE DATOS: UN ANTES Y UN DESPUÉS

Mónica Arenas Ramiro
Profesora Contratada Doctora de Derecho Constitucional
Delegada de Protección de Datos
Universidad de Alcalá

I. INTRODUCCIÓN

El Reglamento (UE) 2016/679 General de Protección de Datos (RGPD), que empezó a aplicarse en mayo de 2018 tras un complejo proceso de negociaciones para su puesta en marcha, se aprobó con el fin de armonizar la normativa nacional existente a nivel europeo y empoderar a los ciudadanos, favoreciendo y reforzando el mercado digital europeo.[188] La forma de conseguir estos objetivos no fue solo reducir trámites burocráticos o cargas administrativas para los responsables a la hora de tratar datos personales y otorgar más facultades a los titulares de los datos, sino plantear un nuevo enfoque proactivo frente al tradicional enfoque reactivo de la normativa,[189] reforzando, además, la independencia de las Autoridades de control, máximes garantes del derecho fundamental a la protección de datos.

---

[188] Sobre el cambio experimentado, *vid.* las interesantes reflexiones de Rallo Lombarte, A., "Hacia un sistema europeo de protección de datos: las claves de la reforma", en *RDP*, n.º 85, 2012, pp. 15-56.

[189] Sobre este enfoque proactivo, Troncoso Reigada considera que el RGPD ha transformado en un principio lo que la ahora derogada Directiva 95/46/CE, a la que viene a sustituir, recogía como la responsabilidad del responsable del tratamiento (en su art. 24). *Vid.* Troncoso Reigada, A., "XXVI. Autoridades de control independientes", en Piñas Mañas, J. L. (Dir.), *Reglamento general de protección de datos: hacia un nuevo modelo europeo de privacidad*, Editorial Reus, Madrid, 2016, p. 464. El autor considera así que el RGPD se aleja del modelo de Derecho continental europeo y se acerca más a un modelo de common law, caracterizado por "una mayor desregulación y que tiene en cuenta la valoración del caso concreto" (p. 468).

El RGPD, a diferencia de la escueta atención que dedicaba la derogada Directiva 95/467CE a las Autoridades de control, que les dedicaba un único artículo (el art. 28), regula la figura de las Autoridades de control independientes en su Capítulo VI (arts. 51 a 59), recogiendo en su Capítulo VII (arts. 60 a 68) las medidas de cooperación y coherencia.

La cuestión llegados a este punto es que el RGPD, a pesar de ser una norma de aplicación directa –que deja menos margen de maniobra a los Estados, de lo que puede dejar una Directiva–, contiene cincuenta y seis remisiones o cláusulas abiertas –excesivas, en nuestra opinión– a completar por los Estados. Esta técnica, más allá de la crítica de la técnica legislativa empleada,[190] sigue generando cierta falta de uniformidad y distorsión del mercado único digital entre los Estados miembros de la Unión Europea. Entre las citadas remisiones o cláusulas abiertas contenidas en el RGPD se encuentran las contenidas en los artículos citados que regulan las Autoridades de control.

En España, la norma que se ha encargado de completar lo previsto en el RGPD y adaptarlo a nuestro Estado es la LO 3/2018, de Protección de Datos Personales y Garantía de Derechos Digitales (LOPDGDD). Nuestra LOPDGDD tiene como objetivos la armonización de la legislación española con el RGPD, así como regular aquellas disposiciones de la norma europea que no están expresamente recogidas o que necesitan una regulación más detallada a nivel nacional. En el caso de las Autoridades de control, la LOPDGDD las regula en su Título VII (arts. 44 a 62, con referencia a la Agencia Española de Protección de Datos (AEPD) y a las Autoridades auto-

---

[190]   Inteligente e interesante reflexión sobre la técnica legislativa la encontramos en García Mahamut, R., "Del Reglamento General de Protección de Datos a la LO 3/2018 de Protección de Datos Personales y Garantía de los Derechos Digitales", en García Mahamut, R. / Tomás Mallén, B., *El Reglamento General de Protección de Datos. Un enfoque nacional y comparado*, Tirant lo Blanch, Valencia, 2019, pp. 101-103, quien además de enumerar las cláusulas abiertas contenidas en el RGPD (pp. 107-110), ya vaticinaba que esta técnica legislativa "sin género de dudas acarreará serios desajustes cuando los operadores jurídicos deban hacer efectivas algunas de sus disposiciones". La autora cita al respecto las afirmaciones en la misma línea de López Calvo, J., *Comentarios al Reglamento Europeo de Protección de Datos*, Sepin, Madrid, 2017, p. 53.

nómicas. Con fecha 2 de junio de 2021 se publicó el RD 389/2021 por el que se aprueba el Estatuto de la AEPD (EAEPD), derogándose su anterior Estatuto (aprobado por RD 428/1993), que fue el que la puso en marcha y la configuró fruto del desarrollo de la derogada LO 5/1992 de Tratamiento Automatizado de los Datos de Carácter Personal (la conocida LORTAD). [191]

En el presente capítulo nos vamos a centrar en analizar los cambios producidos con la aprobación del RGPD más que en explicar en detalle la figura de las Autoridades de control.

Fruto de la obligación del RGPD de que las Autoridades de control gocen de un régimen específico, plasmado en la LOPDGDD y desarrollado por el EAEPD, se introducen numerosos cambios en el régimen de nuestras Autoridades de control con el fin de reforzar su independencia. En términos generales, los principales cambios se van a producir en relación con: el procedimiento de nombramiento de la Presidencia y Adjuntía; los presupuestos; la relación de puestos de trabajo; la composición del Consejo Consultivo; el deber de colaboración con la Agencia; y los planes de auditoría y la elaboración de Circulares.

Pero antes de analizar la nueva regulación de las Autoridades de control recogida en el RGPD y completada por la LOPDGDD, y por el citado EAEPD debemos recordar aquí que las Autoridades de control son una garantía adicional destinada a proteger y tutelar un derecho fundamental, el derecho a la protección de datos personales, siendo su principal característica su independencia. Esta cualidad se ha recogido no sólo por diferentes textos normativos,[192] y se reitera

---

[191]   Art. 45.2 y Disp. Final 15ª LOPDGDD. El Estatuto consta de 48 artículos agrupados en cinco Capítulos. El proyecto de EAEPD recibió Informes de la Dirección General de los Registros y del Notariado, de 14 de junio de 2019; de la Secretaría de Estado de Justicia, de 19 de junio de 2019; de la Abogacía General del Estado, de 28 de junio de 2019; de la Oficina de Coordinación y Calidad Normativa, de 17 de enero de 2020; de la Secretaría General Técnica del Ministerio de Hacienda, de 31 de enero de 2020; del Ministerio de Política Territorial y Función Pública, de 29 de mayo de 2020; de la Secretaria General Técnica del Ministerio de Justicia, de 29 de octubre de 2020; y, por último, debemos destacar el Dictamen del Consejo de Estado, de 11 de febrero de 2021 (n.º 683/2020).

[192]   En la Unión Europea dicha exigencia la encontramos en el art. 8.3 CDFUE y en el art. 16.2 TFUE, que vienen a considerar que el respeto a las normas de

por el RGPD además de en su articulado en sus Considerandos 92 y 117, sino que se ha puesto de manifiesto por el TJUE en más de una ocasión,[193] que lo ha visto claro desde un principio y ha exigido una "total independencia".[194]

Si la anterior Directiva 95/46/CE realizaba una breve mención a la independencia de las Autoridades de control, el RGPD concreta en qué consiste esta independencia, señalando tanto garantías materiales como formales, lo que se reflejará no sólo en su composición, organización y funcionamiento, sino también en las funciones y competencias que tiene asignadas. No obstante, el RGPD, a pesar de establecer un mínimo que cada Estado deberá establecer por ley en relación con las condiciones generales de las mismas,[195] deja un amplio margen de actuación a los Estados en su configuración.

---

protección de datos personales debe estar sujeto al control de una Autoridad independiente. A nivel internacional dicha exigencia se reconoce en el ahora art. 15.5 Convenio 108 + (modificación del Convenio 108, de 1981, aprobada el 10 de octubre de 2018; y ratificado por España el 28 de enero de 2021), así como, de forma más detallada en el Protocolo adicional al Convenio 108 sobre las autoridades de supervisión y los flujos transfronterizos de datos (STE n.º 181), de 8 de noviembre de 2001.

[193] Citamos aquí la STJUE de 9 de marzo de 2010, Comisión europea contra Alemania (C-518/07, §§ 23 y 25); la STJUE de 16 de octubre de 2012, Comisión europea contra Austria (C-614/10, § 37); la STJUE de 8 de abril de 2014, Comisión europea contra Hungría (C-288/12, §§ 47-62), donde se condenó al país por cesar antes de tiempo a los dirigentes de dicha Autoridad; y las conocidas STJUE de 6 de octubre de 2015, Maximilliam Schrems contra Data Protection Commissioner (C-362/14, §§ 38-66). y la STJUE de 16 de julio de 2020, asunto Schrems II (C-311/18).

[194] STJUE de 9 de marzo de 2010, Comisión europea contra Alemania (C-518/07, § 27). En este asunto, el TJUE consideró que someter la actuación de las Autoridades de control a vigilancia estatal constituía una violación del requisito de independencia. La "total independencia" debía entenderse, a juicio del TJUE como la independencia del SEPD, que no pueda solicitar ni recibir instrucción de nadie. Y así, concluyó que "en el ejercicio de sus funciones, las Autoridades de control deben actuar con objetividad e imparcialidad y, para ello, han de estar a resguardo de toda influencia externa, incluida la ejercida directa o indirectamente por las autoridades públicas" (§ 25). Todas estas cuestiones tienen su reflejo ahora en el art. 52 RGPD, que establece los requisitos mínimos para garantizar esa independencia total.

[195] Así, el art. 54 RGPD dispone que, como mínimo, los Estados deberán establecer por ley las condiciones generales de las Autoridades de control, destacando entre ellas: las cualificaciones y condiciones de idoneidad necesarias para sus

En este sentido, el RGPD ha supuesto un antes y un después para las Autoridades de control. Y no sólo por haber pasado de regularse en un artículo a hacerlo en diecisiete, sino porque se han regulado aspectos que contribuyen a mejorar su independencia, que es la esencia de su creación. Toca ahora a los Estados concretar. Con esta finalidad se aprobó el EAEPD, con el fin de adaptar la organización y funcionamiento de la AEPD a los cambios introducidos por el RGPD y plasmados en la LOPDGDD.

En el caso español, dicha exigencia de independencia se reitera en la LOPDGDD –y en el EAEPD, atendiendo al margen de maniobra que le permite el RGPD. Esto se reflejará en nuestra AEPD que ha experimentado un gran cambio, entre otras cosas, en su composición –que ha cambiado radicalmente, pasando ahora a tener una Presidencia y un Adjunto/a o Adjuntía, en el estatuto de sus miembros –exigiéndose una cualificación profesional para ser nombrado miembro de la entidad– y en sus funciones y competencias –que se han visto reforzadas–.

En conclusión, debemos entender, que la necesidad de independencia no es un privilegio, sino una exigencia necesaria para reforzar la protección de las personas físicas en el tratamiento de sus datos personales y la libre circulación de los mismos. No podemos olvidar que las Autoridades de control "son el primer punto de contacto para los interesados en los casos de violación de la privacidad".[196] Esta independencia es el criterio que debe regir no sólo la organización y funcionamiento de las Autoridades de control, sino también sus competencias.

---

miembros; las normas y el procedimiento de nombramiento de sus miembros, así como el procedimiento de selección del personal. Esto último se hará conforme a lo establecido por el Derecho. Con la aprobación del RGPD y, posteriormente, nuestra LOPDGDD, las Autoridades de control han pasado a ocupar un papel mucho más activo en el control y supervisión del cumplimiento de la normativa de protección de datos. Asimismo, el hecho de reforzar su carácter independiente tanto en su organización, funcionamiento, funciones y competencias, provoca que su papel como garantes del derecho fundamental a la protección de datos sea mucho más eficaz.

[196]   Como se deriva del art. 13.2.d) RGPD. *Vid.* Agencia de los Derechos Fundamentales de la Unión Europea / Consejo de Europa / Supervisor Europeo de Protección de Datos, *Manual de legislación europea en materia de protección de datos*, Oficina de Publicaciones de la Unión Europea, Luxemburgo, 2019, p. 215.

De esta forma, será su carácter independiente lo que dará sentido a su existencia: servir de garantía a un derecho fundamental, tutelar dicho derecho y, con ello, empoderar a los ciudadanos.

II. NOMBRAMIENTO

Lo más destacable en el procedimiento de designación y nombramiento de las Autoridades de control independientes tras la aprobación del RGPD, como ha quedado dicho, es el reforzamiento de su carácter independiente.

Se recoge así expresamente en una norma específica sobre el tratamiento de datos personales lo que venía exigiendo el TJUE, y por lo que se había condenado a países como Alemania, Austria o Hungría: una independencia no solo organizativa, sino funcional o competencial, concretándose los aspectos sobre cómo hacerla efectiva, detallándose desde la forma y requisitos para el nombramiento, duración del mandato y estatuto de sus miembros, hasta exigiéndose su autonomía personal, presupuestaria y financiera y atribuyéndoles un mayor número de funciones.

1. *El establecimiento de la Autoridad de control*

1.1. Una o varias Autoridades de control

Dice el RGPD que cada Estado debe nombrar una (o varias) Autoridades públicas independientes encargadas de supervisar su cumplimiento con el fin de proteger el derecho a la protección de datos.[197] A partir de aquí, el RGPD deja su configuración en manos de los Estados. El RGPD respeta "la arquitectura constitucional de cada Estado miembro",[198] lo que en nuestro caso se traduce en una Agencia Española de Protección de Datos a nivel nacional y dos Autoridades autonómicas de protección de datos: catalana y vasca.[199] En España,

---

[197]   Art. 51.1 RGPD.
[198]   Art. 117 RGPD. Sobre esta cuestión, *vid.* Troncoso Reigada, A., "XXVI. Autoridades de control...", *op. cit.*, pp. 483-484.
[199]   Deberíamos citar aquí también el Consejo de Transparencia y Protección de Datos de Andalucía, por tener competencias en protección de datos. Sobre las

la LOPDGDD regula la figura de las Autoridades autonómicas de protección de datos en el Capitulo II del Título VII (art. 57 a 62), debiendo recordarse aquí que sus funciones y potestades, que serán las previstas en el RGPD para las Autoridades de control, se ejercerán en el marco de la normativa autónomica y de los tratamientos sometidos a su competencia.[200]

En el caso de España, el art. 44 LOPDGDD y los artículos 1 y 4 EAEPD establecen expresamente que la AEPD "es una autoridad administrativa independiente de ámbito estatal",[201] y remiten a lo previsto para estas figuras a la Ley 40/2015 del Régimen del Sector Público.[202]

---

autoridades autonómicas y las Disposiciones generales de su creación (arts. 57 a 59 LOPDGDD), *vid.* Soriano Moreno, S. "Artículos 57 a 59", en Arenas Ramiro, M. / Ortega Giménez, A., *Protección de Datos. Comentarios a la Ley Orgánica de Protección de Datos y Garantía de Derechos Digitales (en relación con el RGPD)*, Sepin, Madrid, 2019, pp. 272-278. Asimismo, destacamos aquí "Las Autoridades autonómicas de protección de datos (comentario al articulo 57 LOPDGDD)", de Lucas Murillo de la Cueva, E., en Troncoso Reigada, A. (Dir.), Comentario al Reglamento General de Protección de Datos y a la Ley Orgánica de Protección de Datos Personales y Garantía de Derechos Digitales, Tomo II, Civitas, Navarra, 2021, pp. 2645-2678.

[200]   Art. 57.2 LOPDGDD, que se refiere también a la posibilidad de dichas Autoridades de dictar Circulares en dicho ámbito.

[201]   Sobre las Administraciones independientes, véase la excelente obra de referencia de Salvador Martínez, M., *Autoridades independientes. Un análisis comparado de los Estados Unidos, el Reino Unido, Alemania, Francia y España*, Ariel, Barcelona, 2002; así como las excelentes aportaciones de Rallo Lombarte y Troncoso Reigada en la obra de Pauner Chulvi, C. / Tomás Mallén, B. (Coords.), *Las Administraciones independientes*, Tirant lo Blanch, Valencia, 2009. Y sobre la AEPD, *vid.*, Salvador Martínez, M. "Artículo 44", en Arenas Ramiro, M. / Ortega Giménez, A., *Protección de Datos. Comentarios a la Ley Orgánica de Protección de Datos y Garantía de Derechos Digitales (en relación con el RGPD)*, Sepin, Madrid, 2019, pp. 219-221. *Vid.*, también, Troncoso Reigada, A. "Las Agencias de Protección de Datos como Administración independiente", en Pauner, C. / Tomás, B., *Las Administraciones independientes*, Tirant lo Blanch, Valencia, 2009, pp. 27-216; y Blanco Antón, M.J, "Capítulo XXX. Autoridades de control independientes (arts. 51-59)", en Blanco Antón, M.J, "Capítulo XXX. Autoridades de control independientes (arts. 51-59)", en López Calvo, J. (Coord.), *El nuevo marco regulatorio derivado del Reglamento Europeo de Protección de Datos*, Bosch / Wolters Kluwer, Madrid, 2018, pp. 591-607.

[202]   Arts. 109 y 110 Ley 40/2015, del Régimen Jurídico del Sector Público. La LOPDGDD se refiere expresamente al apartado 3 del art. 109. *Vid.* Salvador Martí-

Uno de los elementos más destacables introducidos por el RGPD es la necesidad de que las Autoridades de control creadas, incluso dentro de un mismo Estado, deberán colaborar y cooperar con el fin de un cumplimiento normativo homogéneo. En esta línea, la LOPD-GDD exige igualmente a lo largo de su articulado ese deber de cooperación y de información mutua.[203]

1.2. Autonomía personal, presupuestaria y financiera

El RGPD reconoce la autonomía personal, presupuestaria y financiera de las Autoridades de control.[204] Es evidente que si las mismas dependen económicamente de quienes las nombran, la independencia es más que cuestionable. De ahí que el RGPD se refiera a la necesidad de que las mismas dispongan de "un presupuesto anual, público e independiente, que podrá formar parte del presupuesto general del Estado o de otro ámbito nacional", siendo los Estados los que decidirán en último término este extremo.

Más allá de la citada autonomía, debemos destacar aquí, como también recuerda el RGPD, que esta autonomía no puede implicar ausencia de responsabilidad de las mismas, por lo que establece la necesidad de mecanismos de control o supervisión de sus gastos financieros, estableciéndose incluso la posibilidad de un control judicial.[205] En España el EAEPD indica que la Agencia ejerce sus funciones con autonomía orgánica y funcional, actuando con plena independencia "del Gobierno, de las Administraciones públicas y de cualquier interés empresarial o comercial". Asimismo, nuestra LOPDGDD y el EAEPD

---

nez, M., "Artículo 45", en Arenas Ramiro, M. / Ortega Giménez, A., *Protección de Datos. Comentarios a la Ley Orgánica de Protección de Datos y Garantía de Derechos Digitales (en relación con el RGPD)*, Sepin, Madrid, 2019, pp. 222-224.

[203] Art. 58 LOPDGDD. Sobre esta cuestión, vid. Jiménez-Castellanos Ballesteros, I., "Coordinación con las Autoridades autonómicas de protección de datos en el marco de los procedimientos establecidos en el RGPD (comentario a los artículos 60 al 62 LOPDGDD", en Troncoso Reigada, A. (Dir.), Comentario al Reglamento General de Protección de Datos y a la Ley Orgánica de Protección de Datos Personales y Garantía de Derechos Digitales, Tomo II, Civitas, Navarra, 2021, pp. 2691-2698.

[204] Art. 52.6 RGPD.

[205] Art. 52.6 RGPD y Considerando 118 RGPD.

reconocen dicha autonomía financiera y presupuestaria, integrándose su presupuesto de forma independiente en los Presupuestos Generales del Estado, siendo de destacar que los ingresos que la Autoridad recaude, pasarán a formar parte de sus reservas con el fin de garantizar su independencia.[206]

1.3. Disponibilidad de recursos humanos y económicos

Con el fin de hacer frente a las funciones asignadas y ser eficaz en la garantía del derecho a la protección de datos, el RGPD exige que las Autoridades de control cuenten con recursos "humanos, técnicos y financieros, así como de los locales y las infraestructuras necesarios" para cumplir con la función que tienen asignada.[207]

En cuanto a los recursos económicos, el EAEPD señala que la Agencia los podrá destinar con el fin de garantizar su plena independencia y que tendrá, incluso, potestad recaudatoria respecto de los recursos que tenga atribuidos pudiendo emplear el procedimiento de apremio. NOTA= Arts. 40 y 41 EAEPD. Como recurso de apoyo a la Agencia para su representación y defensa en juicio se contará con la ayuda de la Abogacía General del Estado (la Dirección del Servicio Jurídico el Estado). NOTA = Art. 48 EAEPD.

2.   Los miembros de la Autoridad de control

2.1. Requisitos generales

Cualificación. Como algo también novedoso y digno de mención destaca el hecho de que el RGPD regula los requisitos para ser nombrado miembro de la Autoridad de control, a saber: poseer la titulación, la experiencia y las aptitudes, en particular en el ámbito de la protección de datos personales, necesarias para el cumplimiento de sus funciones y el ejercicio de sus poderes (art. 53.2 RGPD), más allá de reunir unas "cualificaciones y condiciones de idoneidad necesarias" (art. 54.1.b) RGPD), aunque bien es cierto el amplio margen de discrecionalidad que reúne ese carácter de "idóneo".

---

[206]   Arts. 43 y 44 EAEPD.
[207]   Art. 52.4 RGPD y Considerando 120 RGPD.

Así las cosas, el RGPD deja a la libre decisión de los Estados la forma de elección y nombramiento de los miembros de las Autoridades de control, y aquí es donde nuestra LOPDGDD ha cambiado radicalmente la forma de elección de los miembros de la AEPD, lo que se ha detallado en el EAEPD.[208]

Procedimiento de selección y nombramiento. El RGPD dispone que el nombramiento de los miembros de la Autoridad de control se realice "mediante un procedimiento transparente", dando varias posibilidades: por el Parlamento, por el Gobierno, por el Jefe del Estado o por un organismo independiente encargado de dicho nombramiento.[209]

La LOPDGDD ha cambiado la forma de elección de quienes son ahora su Presidencia y su Adjunto/a.[210] En todo caso, tal y como exige el RGPD dicho procedimiento está sometido a una reserva de ley, así como todo lo que tenga que ver con su mandato, estatuto, funciones y poderes.

Mandato. El RGPD introduce como novedad el tiempo mínimo del mandato de los miembros de las Autoridades de control.[211] El RGPD no deja cerrada la duración del mandato, de su carácter renovable o del número de veces que podrá renovarse, pero sí establece que el mismo no podrá ser inferior a cuatro años.[212]

En este sentido, la LOPDGDD estable un mandato de 5 años para la Presidencia y Adjunto/a de la AEPD, que podrá renovarse por otro periodo de igual duración,[213] lo que contribuye, como sucede con el Defensor del Pueblo, a garantizar su independencia al exceder del periodo de una legislatura y del posible cambio de Gobierno que, de por medio, pueda producirse. Asimismo, se establece también su inamo-

---

[208]   Art. 45.2 LOPDGDD.
[209]   Art. 53 RGPD.
[210]   Art. 48 LOPDGDD.
[211]   Recoge así el pronunciamiento del TJUE sobre el mandato y la duración del mismo en el asunto Comisión europea contra Hungría, de 8 de abril de 2014 (§§ 50 y 67), donde se concluyó que, con el fin de garantizar la independencia de las Autoridades de control, los Estados miembros debían respetar la duración del mandato de la Autoridad "hasta que llegue al término inicialmente previsto".
[212]   Art. 54.1.d) RGPD.
[213]   Art. 48.5 LOPDGDD.

vilidad excepto en una serie de casos tasados en los que la separación además de ser acordada por Consejo de Ministros deberá contar con la misma ratificación del Congreso que tuvo para su nombramiento. Mientras dure el mandato los miembros de las Autoridades de control son "inamovibles". La inamovilidad es una forma más de garantizar la independencia tanto de los miembros como de la propia institución. El RGPD dispone que éstos "únicamente" podrán ser destituidos "en el caso de conducta irregular grave o si deja de cumplir las condiciones exigidas en el desempeño de sus funciones",[214] señalando igualmente que podrán terminar su mandato, cesarán, por terminación del mismo, por dimisión o por jubilación obligatoria.[215] En la LOPDGDD se establecen como causas de cese o separación del mandato, antes de la expiración de éste, por petición propia o por incumplimiento grave de sus obligaciones, incapacidad sobrevenida para el ejercicio de su función, incompatibilidad, o condena por delito doloso, siendo exigible en todos los casos excepto en este último, la ratificación por la misma mayoría y el mismo procedimiento previsto para su nombramiento.[216]

Por último, de la misma forma, el RGPD deja en manos de los Estados el carácter renovable o no del mandato de sus miembros, y, en su caso, el número de veces que podrán ser renovados.[217]

El estatuto de los miembros de la Autoridad de control. El establecimiento de un régimen de incompatibilidades, a la vez que el reconocimiento de una serie de derechos y obligaciones configura un auténtico estatuto de los miembros de las Autoridades de control. Pero es en este punto donde el RGPD, de nuevo, vuelve a dejar en manos de los Estados miembros, su configuración.[218] El RGPD se limita a señalar que los miembros de las Autoridades de control deben actuar con "integridad"

---

[214] Art. 53.4 RGPD.
[215] Art. 53.3 RGPD. Sobre la importancia de recoger las causas de cese o de duración en el ejercicio de sus funciones, más allá de la STJUE de 8 de abril de 2014, Comisión europea contra Hungría (C-288/12, §§ 50 y 67), *vid.* el interesante argumento del Informe explicativo del Convenio 108+, apdo. 129.
[216] Art. 48.5 LOPDGDD.
[217] Art. 54.1.e) RGPD.
[218] Art. 52.3 RGPD.

con el fin de garantizar la independencia de la institución.[219] Por ello, los miembros de las Autoridades de control no podrán llevar a cabo "cualquier acción que sea incompatible con sus funciones y no participarán, mientras dure su mandato, en ninguna actividad profesional que sea incompatible, remunerada o no".[220]

En este sentido, aunque la LOPDGDD se remite a las normas del Sector público, es el EAEPD el que configura dicho estatuto.

Aquí, sería realmente interesante que, como apunta el RGPD,[221] los Estados, en este caso España, recogieran en dicho Estatuto (lo que no ha ocurrido) no sólo la acciones, ocupaciones y prestaciones incompatibles con el cargo durante el mandato, sino que se regularan también dichas incompatibilidades después del mismo, con el fin de no abrir las conocidas "puertas giratorias" en este tipo de puestos y que lógicamente, empañan su independencia.[222]

Por último, el RGPD aborda también las obligaciones del personal que trabaja en la autoridad de control e insiste en el deber de secreto profesional, no sólo durante el mandato, sino incluso finalizada el mismo,[223] haciéndose especial hincapié a la información relacionada con las infracciones cometidas en este terreno Obligación de secreto que también reconoce el EAEPD, que se remite al Código Ético del personal al servicio de la AEPD, publicado en su web. NOTA = Art. 39 EAEPD.[224]

2.2. Personal

El RGPD plasma la exigencia de independencia que venía concluyendo el TJUE respecto del personal de las Autoridades de control.

---

[219] Considerando 121 RGPD.
[220] Art. 52.3 RGPD.
[221] Art. 54.1.f) RGPD.
[222] Sobre esta idea, *vid.* Troncoso Reigada, A., "XXVI. Autoridades de control...", *op. cit.*, pp. 479-480.
[223] Art. 54.1.f) RGPD. Sobre este deber de secreto, véase también la STJUE de 16 de octubre de 2012, Comisión europea contra Austria (C-614-/10), §§ 62-64, con referencia a la posibilidad de que ante la ausencia de un deber de secreto se pudiera someter a la Autoridad de control a una influencia indirecta incompatible con las exigencias de independencia de la normativa.
[224] Art. 54.2 RGPD.

Así, por ejemplo, el TJUE dejó claro que el hecho de que los poderes públicos (en este caso era la Cancillería federal austriaca) facilitase personal a la Autoridad de control suponía una lesión del requisito de independencia.[225] Así las cosas, el RGPD dispone que los Estados miembros deben garantizar que cada Autoridad de control pueda elegir a su propio personal.[226] Mediante dicha elección se establece una autonomía de personal, indicándose que dicha elección deberá venir precedida por un proceso de selección por parte de la Autoridad de control como por un organismo independiente.

Así las cosas, sobre el régimen del personal de las Autoridades de control, no parece tener mucho sentido que su selección, obligaciones, derechos o garantías difieran de lo dispuesto para los funcionarios y empleados que trabajan en cualquier Administración pública.[227] En este sentido, el EAEPD señala que la Agencia elaborará y aprobará su relación de puestos de trabajo y que el personal a su servicio será personal funcionario o laboral (teniendo el personal funcionario la condición de agentes de la autoridad en el ejercicio de sus funciones), y estará sometido no sólo al Estatuto Básico del Empleado Público (RDLeg. 5/2015) o al Estatuto de los Trabajadores (RDLeg. 2/2015), sino al régimen de incompatibilidades del personal al servicio de las Administraciones públicas (Ley 53/1984).NOTA = Arts. 32 a 39 EAEPD.

2.3. Presidencia y Adjuntía de la AEPD

La LOPDGDD ha supuesto un cambio radical no sólo en la composición de la Autoridad de Control, sino en la forma de elección, dentro de los márgenes ofrecidos por el RGPD ya analizados. Pasamos de un

---

[225] STJUE de 16 de octubre de 2012, Comisión europea contra Austria (C-614-/10), §§ 59 y 63.
[226] Art. 52.5 RGPD.
[227] En este sentido, vid. Troncoso Reigada, A., "XXVI. Autoridades de control...", op. cit., p. 481, quien cita para el caso español la obligación constitucional de servir con objetividad a los intereses generales (art. 103 CE).

Director/a a una Presidencia,[228] con sus respectivas funciones,[229] y a la aparición de un Adjunto/a, o Adjuntía a la Presidencia [230] que tendrá en ciertos puntos un régimen similar a la Presidencia. El Adjunto/a tiene la misión de auxiliar a la Presidencia, aunque sus funciones de sustitución se concretan en el EAEPD.[231] Tanto Presidencia como Adjunto/a tendrán la consideración de alto cargo de la Administración General del Estado, y desempeñarán sus cargos "con dedicación exclusiva, plena independencia y objetividad", exigiéndoseles tener "la titulación, la experiencia y las aptitudes", debiendo evaluárseles sobre la base del mérito, la capacidad, la competencia y la idoneidad,

---

[228]   Sobre la Presidencia de la AEPD se pronunció el Consejo de Estado en su Dictamen, de 11 de febrero de 2021 (n.º 683/2020). Señalando como indispensable "la descripción del órgano o persona que va a realizar la evaluación previa del mérito, capacidad, competencia e idoneidad de los candidatos", lo que el EAEPD ha recogido con la creación de un Comité de selección (art. 20 EAEPD).

[229]   Las funciones de la Presidencia, recogidas en el art. 48.1 LOPDGDD, se concretan en el art. 13 EAEPD. Sobre este tema, el Dictamen del Consejo de Estado, de 11 de febrero de 2021 (n.º 683/2020) señaló que era innecesario reproducir aquí el régimen de impugnación de los actos y disposiciones de la Presidencia de la AEPD (recogidas en el art. 48.6 LOPDGDD). El Consejo de Estado apuntaba que el EAEPD propuesto incurría una contradicción al señalar que los actos y disposiciones de la AEPD son recurribles potestativamente en reposición tanto actos como disposiciones, pero no así las Circulares, todo ello cuando "como es sabido, las disposiciones administrativas de carácter general no son susceptibles de recurso en vía administrativa (artículo 112.3 Ley 39/2015", por lo que el Consejo de Estado proponía la eliminación de dicho apartado tercero o bien una redacción "más depurada" del mismo, lo que ha pretendido hacer el EAEPD.

[230]   Al respecto, *vid.* Arenas Ramiro, M., "Artículo 48", en Arenas Ramiro, M. / Ortega Giménez, A., *Protección de Datos. Comentarios a la Ley Orgánica de Protección de Datos y Garantía de Derechos Digitales (en relación con el RGPD)*, Sepin, Madrid, 2019, pp. 235-240.

[231]   Art. 48.2 LOPDGDD y art. 17 EAEPD. A este respecto, el Dictamen del Consejo de Estado, de 11 de febrero de 2021 (n.º 683/2020), realizó una observación respecto de la Delegación de competencias al señalar que se incurría "en un exceso reglamentario al no precisar que esa delegación de competencias de la Presidencia en ningún caso puede afectar a las funciones de ésta relacionadas con los procedimientos regulados en el titulo VIII de la Ley Orgánica 3/2018, funciones que el artículo 48.2 de dicha ley orgánica caracteriza de indelegables", a la vez que "no ofrece una visión completa de las posibilidades de delegación". Esto actualmente se ha corregido con la redacción del EAEPD, aunque sigue sin llegar a detallarse (art. 15 EAEPD).

entendida como una conducta intachable e íntegra .NOTA = Arts. 14 y 18 EAEPD, respectivamente, así como el art. 19.3 EAEPD. [232]

Para el nombramiento y designación tanto de la Presidencia como del Ajunto/a, la LOPDGDD ha optado por una fórmula un tanto confusa tanto en términos de transparencia como de independencia.[233] Aunque es cierto que el nombramiento de la Presidencia, y también ahora de un Adjunto o Adjunta, no cae solo en manos del Gobierno, sino que se deberá haber oído previamente al Congreso sobre la justificación del candidato propuesto respecto de su mérito, capacidad, competencia e idoneidad, y cuya elección el Congreso debe ratificar en la Comisión de Justicia por una mayoría cualificada en primera votación de 3/5, y de una mayoría absoluta en segunda.

Resulta un tanto curioso que se utilicen los términos de idoneidad, o se hable de personas de reconocida competencia profesional, no sólo por la indeterminación del concepto de lo idóneo, sino porque se señala expresamente que dicha competencia lo sería "en particular, en materia de protección de datos", permitiéndose, por lo tanto, que la competencia pudiera ser en otras materias, no exigiéndose tampoco, como se hace en otros países de nuestro entorno, un número mínimo de años de experiencia acreditada.

Asimismo, si tenemos en cuenta el actual juego político y las mayorías parlamentarias existentes, quizá hubiera sido preferible, como sucede con el Defensor del Pueblo, la intervención de las dos Cámaras o de una Comisión mixta de ambas en su nombramiento. No podemos olvidar que la AEPD, como el Defensor del Pueblo son garantías institucionales al servicio y protección de derechos fundamentales. No obstante, a pesar de que parece mucho más independiente el hecho de que el nombramiento venga por un organismo independiente o por una mayoría cualificada del Parlamento, en España hemos seguido vinculando el nombramiento a una decisión del Ministro de Justicia, esto es, del Gobierno.

---

[232]   Art. 48.2 LOPDGDD. Con rango de Subsecretario la Presidencia (art. 12.1 EAEPD) y de Director General la Adjuntía a la Presidencia (art. 16.1 EAEPD).

[233]   Así lo ha indicado, como ha quedado dicho, el Dictamen del Consejo de Estado, de 11 de febrero de 2021 (n.º 683/2020).

Por último, como órganos directamente dependientes de la Presidencia de la AEPD, el EAEPD recoge: la Subdirección General de Inspección de Datos; la Subdirección General de Promoción y Autorizaciones; su Secretaría General; la División de Relaciones Internacionales; y la División de Innovación Tecnológica.NOTA = Arts. 27 a 31 EAEPD, respectivamente. Recordamos aquí que el EAEPD suprime no sólo la figura del Director de la Agencia, sino también el Registro General de Protección de Datos y la Inspección de Datos, cuyos puestos de trabajo se adscribirán a los nuevos órganos creados en función de sus atribuciones (Disp. Adic. Única y Disp. Transit. Única EAEPD).

2.4. El Consejo Consultivo de la AEPD

Por último, queríamos señalar que nuestra LOPDGDD prevé, junto a la Presidencia y Adjunto/a, la existencia de un órgano de asesoramiento, que es el Consejo Consultivo. Si bien es cierto que esta figura ya existía con la anterior normativa nacional, destaca ahora la ampliación del número de sus miembros, su variada composición y forma de elección de sus miembros, que refleja una pluralidad de opiniones que pueden fomentar un rico debate democrático.[234] Además,

---

[234]   Dispone el art. 49.1 LOPDGDD que compondrán dicho Consejo: a) Un Diputado, propuesto por el Congreso de los Diputados. b) Un Senador, propuesto por el Senado. c) Un representante designado por el Consejo General del Poder Judicial. d) Un representante de la Administración General del Estado con experiencia en la materia, propuesto por el Ministro de Justicia. e) Un representante de cada Comunidad Autónoma que haya creado una Autoridad de protección de datos en su ámbito territorial, propuesto de acuerdo con lo que establezca la respectiva Comunidad Autónoma. f) Un experto propuesto por la Federación Española de Municipios y Provincias. g) Un experto propuesto por el Consejo de Consumidores y Usuarios. h) Dos expertos propuestos por las Organizaciones Empresariales. i) Un representante de los profesionales de la protección de datos y de la privacidad, propuesto por la asociación de ámbito estatal con mayor número de asociados. j) Un representante de los organismos o entidades de supervisión y resolución extrajudicial de conflictos previstos en el Capítulo IV del Título V, propuesto por el Ministro de Justicia. k) Un experto, propuesto por la Conferencia de Rectores de las Universidades Españolas. l) Un representante de las organizaciones que agrupan a los Consejos Generales, Superiores y Colegios Profesionales de ámbito estatal de las diferentes profesiones colegiadas, propuesto por el Ministro de Justicia. m) Un representante de los profesionales de la seguridad de la información, propuesto por la asociación de ámbito estatal con

debemos destacar igualmente el hecho de que sus miembros deben tener la consideración de "expertos", para lo que se exige acreditar "conocimientos especializados en el Derecho y la práctica en materia de protección de datos mediante el ejercicio profesional o académico".[235]

No obstante, no menos cierto es que todo lo relacionado con el Consejo se deja en manos del Estatuto orgánico de la Agencia, que lo regula en sus artículos 23 a 28 EAEPD, estableciendo un mandato de 5 años para sus miembros. Asimismo, aunque el EAEPD indica que sus decisiones no tendrán en ningún caso carácter vinculante, restándole eficacia, lo que no se puede negar en cualquier caso es que nuestra LOPDGDD configura un Consejo Consultivo en el que se da cabida a profesionales de la privacidad, la seguridad o la transparencia.[236]

III. PODERES Y FUNCIONES

El RGPD se ha encargado de fortalecer a las Autoridades de control en todas sus funciones y competencias, a diferencia de la escasa mención que hacía la Directiva 95/46/CE al respecto.[237] El RGPD ha reforzado y concretado los poderes de las Autoridades de control, especialmente los relacionados con su potestad investigadora y coercitiva o sancionadora, pero desde el requisito de la independencia. De esta forma, se han hecho más eficaces sus labores de supervisión del cumplimiento de la normativa de protección de datos. De ahí la importancia de reforzar la independencia en el ejercicio de sus funciones y competencias, garantizándose así una objetividad plena en sus decisiones.[238] La protección efectiva del derecho pasa por reconocer a las Autoridades de control "poderes equivalentes para supervisar y garantizar el cumplimiento de las normas relativas a la protección

---

mayor número de asociados. n) Un experto en transparencia y acceso a la información pública propuesto por el Consejo de Transparencia y Buen Gobierno. ñ) Dos expertos propuestos por las organizaciones sindicales más representativas".

[235]   Art. 49.2 LOPDGDD.
[236]   Martínez Martínez, R. (Dir.), *Ley Orgánica de Protección de Datos y Garantía de los Derechos Digitales. Edición especial*, Wolters Kluwer, Madrid, 2019, p. 17.
[237]   Art. 28.3 Directiva 95/46/CE.
[238]   Art. 52.1 RGPD y como también exige el art. 15.5 del citado Convenio 108 +.

de los datos de carácter personal y que las infracciones se castiguen con sanciones equivalentes".[239] Asimismo, debemos añadir que esta exigencia de independencia se vería vacía de contenido si la misma no pudiera ser probada y controlada. De ahí la exigencia no solo del control de las Autoridades, sino la exigencia de transparencia en su funcionamiento, lo que se va a reflejar en sus Informes de actividad y, en el caso español, en la publicidad también de las resoluciones de la Presidencia.[240]

Dado que en este terreno es donde las Autoridades de control han mostrado más divergencias, el RGPD, con el fin de garantizar una supervisión y ejecución coherente en toda la Unión Europea,[241] se ha encargado de establecer el mínimo de competencias que las mismas deben tener, a saber: poderes de investigación, poderes correctivos y poderes de autorización y consultivos.[242]

La LOPDGDD recoge las funciones y potestades de la AEPD en su artículo 47, con expresa mención a los artículos 57 y 58 RGPD.[243] Y el EAEPD las recoge en su artículo 5, remitiendo no sólo al RGPD, sino a la LOPDGDD. Asimismo, el Estatuto se refiere a las obligaciones de colaboración con los órganos competentes en lo que respecta al desarrollo normativo que incida en la materia; al control de lo relacionado con la función estadística pública; a la colaboración con el Consejo de Transparencia y Buen Gobierno; a la colaboración con el Consejo General del Poder Judicial en el ámbito de la Administración de Justicia; así como a las funciones que le atribuyan otras leyes o normas.

[239] *Vid*. Considerando 11 RGPD. Y sobre dicha necesidad, *vid*. Troncoso Reigada, A., "XXVI. Autoridades de control...", *op. cit*., pp. 487-488.
[240] Art. 59 RGPD y art. 50 LOPDGDD, que nos remite al EAEPD, donde encontramos la exigencia de transparencia y publicidad (art. 11 EAEPD).
[241] Considerando 129 RGPD.
[242] Art. 58 RGPD.
[243] Al respecto, *vid*. Arenas Ramiro, M., "Artículo 47", en Arenas Ramiro, M. / Ortega Giménez, A., *Protección de Datos. Comentarios a la Ley Orgánica de Protección de Datos y Garantía de Derechos Digitales (en relación con el RGPD)*, Sepin, Madrid, 2019, pp. 229-234.

1.   Poderes y Funciones

1.1. Poderes de investigación

Las Autoridades de control, más allá de velar por el correcto cumplimiento de la normativa de protección de datos, tienen toda una serie de funciones de supervisión proactiva y preventiva que pueden englobarse en su potestad investigadora. Así pueden investigar las operaciones de tratamiento e intervenir en caso necesario.[244]

En conexión con este poder de investigación debemos entender que la Autoridad de control debe poder tener acceso a todos los datos personales y a la información que resulte necesaria para su investigación, incluidos los locales donde se pueda conservar información relevante. El TJUE ha concluido que este poder de investigación debe entenderse en un sentido amplio con el fin de garantizar una protección eficaz del derecho a la protección de datos, permitiendo que las Autoridades de control puedan tomar y llevar a cabo las medidas necesarias.[245]

De ahí que, por ejemplo, en la LOPDGDD se exija un deber de colaboración con la AEPD.[246] Es también en relación con estas potestades de investigación donde la LOPDGDD se refiere a la función de auditorías preventivas.[247]

Así las cosas, es en relación con estos poderes cuando se plantean los problemas relacionados con la división de competencias entre las distintas Autoridades de control.[248] El RGPD incluye disposiciones,

---

[244]   Art. 58 RGPD.

[245]   STJUE de 6 de octubre de 2015, Maximiliam Schrems contra Data Protection Commissioner (C-362-14, §§ 26-36 y 40-41). En este caso, el TJUE consideró que las Autoridades de control podían impedir la transferencia de datos personales a Estados Unidos, aunque existiera una decisión de idoneidad si existían pruebas razonables de que en Estados Unidos ya no estaba garantizado el derecho. En esta misma línea debemos citar la conocida como asunto Schrems II (STJUE de 16 de julio de 2020 (C-311/18, & 147); y, especialmente, la STJUE de 15 de junio de 2021, asunto Facebook Ireland y otros (C-645/19) donde se establece el papel de las Autoridades de control en las transferencias internacionales (&& 47-53 y 63).

[246]   Art. 52 LOPDGDD.

[247]   Art. 54 LOPDGDD.

[248]   Sobre este tema se pronunció el TJUE en la Sentencia de 1 de octubre de 2015, Weltimmo contra Nemzeti Adatvédelmi és Információszabadsag Hatóság (C-

como luego veremos, que tratan de dar solución a estos problemas mediante los conocidos como mecanismos de ventanilla única y las obligaciones de cooperación entre las Autoridades de control.

1.2. Poderes correctivos

Es en el terreno sancionador donde se ha encontrado una mayor divergencia a la hora de aplicar la normativa de protección de datos entre los Estados miembros. Así, si bien la mayoría de los países atribuían formalmente a las Autoridades de control la posibilidad de imponer sanciones económicas, en la práctica, esto sólo se utilizaba como último recurso, con la excepción de España y Portugal que lo hacían habitualmente. Por tanto, existía una importante divergencia tanto en la actividad inspectora de las Autoridades de control como en la gravedad de las sanciones que éstas podían imponer.

Esto ha venido provocando la existencia de los llamados "paraísos de datos", que movilizaban a empresas que buscaban un cumplimiento más laxo de la norma y menores sanciones en caso de incumplimiento. No podemos decir que España fuera uno de esos paraísos, pero es cierto que la potestad investigadora y sancionadora de nuestras Autoridades de control necesitaban del refuerzo que ahora les garantiza el RGPD.

La LOPDGDD refuerza el marco procedimental sancionador e introduce en el procedimiento a la figura del Delegado/a de Protección de Datos.[249]

Por último, vinculado a los poderes de investigación y correctivos, pero dejándolo en manos de los Estados, el RGPD establece que cada Estado miembro está obligado a establecer por ley que su Autoridad de control pueda informar a las autoridades judiciales de las infracciones cometidas en este terreno.[250] Esto se ha visto reforzado con el pronunciamiento del TJUE en su Sentencia de 15 de junio de 2021, en el asunto Facebook Ireland y otros, donde el Tribunal concluyó que una Autoridad de control, en determinadas circunstancias, podrá

230/14).

[249]   Martínez Martínez, R. (Dir.), *Ley Orgánica de Protección de Datos y Garantía de los Derechos Digitales. Edición especial*, Wolters Kluwer, Madrid, 2019, p. 17.

[250]   Art. 58.5 RGPD.

ejercer su facultad de poner en conocimiento de los órganos jurisdiccionales cualquier supuesta infracción en relación con el tratamiento de datos transfronterizo.

1.3. Poderes consultivos

Por último, aunque no menos importante, debemos destacar aquí por la novedad que suponen, las facultades de las Autoridades de control relacionadas con sus poderes de autorización y consultivos, destacando los casos de "consulta previa".

El RGPD atribuye a las Autoridades de control un conjunto de facultades en aquellos tratamientos que requieren una consulta previa, como puede ser, por ejemplo, asesorar sobre un determinado tratamiento cuando éste haya pasado por la previa evaluación de impacto y se haya evidenciado que el mismo entraña un alto riesgo para la privacidad de los titulares de los datos tratados, o bien, así lo disponga el propio Estado miembro.[251]

1.4. Funciones establecidas en el RGPD

Materializando las potestades otorgadas por el RGPD, o la LOPD-GDD a las Autoridades de control, éstas podrán llevar a cabo numerosas funciones. Las funciones de las Autoridades de control, si bien están detalladas en el RGPD,[252] podrían resumirse en controlar, en su territorio, la aplicación del RGPD y hacerlo efectivo.[253]

No obstante, dichas funciones deberán ser llevadas a cabo con total independencia. El RGPD dispone que las Autoridades de control no estarán sometidas a orden o instrucción alguna, de la misma forma que lo venía exigiendo la Directiva 95/46/CE y de la misma forma que lo venía exigiendo el TJUE en sus Sentencias, pero concreta que los miembros de dichas Autoridades serán "ajenos a toda influencia externa, ya sea directa o indirecta, y no solicitarán ni admitirán ninguna instrucción".[254]

---

[251] Art. 58.3.a) RGPD.
[252] Art. 57 RGPD.
[253] Art. 57.1.a) RGPD.
[254] Art. 52.2 RGPD.

No existe aquí diferencia alguna con nuestra LOPDGDD ni con el EAEPD, que exigen igualmente dicha independencia. No es muy original nuestra LO en relación con las funciones y potestades de las Autoridades de control. Así las cosas, debemos destacar que el RGPD hace especial hincapié en la actitud proactiva que deben llevar a cabo las Autoridades de control, lo que se detallará por cada uno de los Estados. Esta proactividad refuerza el resto de funciones y se va a manifestar, entre otras, y especialmente, en funciones orientadas a la sensibilización y concienciación y a ofrecer una información comprensible.

2. *Otras funciones establecidas en la LOPDGDD*

Ya hemos dejado señalado que el RGPD permite a los Estados atribuir por Ley nuevas funciones a las Autoridades de control, y ya ha quedado también dicho que nuestra LOPDGDD se remite básicamente a lo previsto por el RGPD. Y, de la misma forma, el EAEPD se remite a las obligaciones recogidas en el RGPD y en la LOPDGDD, recordando además las funciones establecidas en la LO 7/2021, de Protección de datos personales tratados para fines de prevención, detección, investigación y enjuiciamiento de infracciones penales y de ejercicio de sanciones penales; así como las recogidas en la Ley 34/2002 de Servicios de la Sociedad de la Información y de Comercio Electrónico (derivadas de la Directiva 2002/58/CE).NOTA = Arts. 48-51 LO 7/2021 y art. 43 Ley 34/2002.

Pero no es menos cierto que nuestra normativa nacional detalla las potestades de investigación, añadiendo en este punto lo que denomina "auditoría preventiva",[255] estableciendo cuál será el alcance de la investigación y, además, detallando el deber de colaboración con las mismas.[256] Se establece igualmente que en este contexto la Presiden-

---

[255] Art. 54.1 LOPDGDD, que se refiere a auditorías preventivas referidas a "los tratamientos de un sector concreto de actividad" y que se concreta en "actividades de investigación sobre entidades pertenecientes al sector inspeccionado o sobre los responsables objeto de la auditoría".

[256] Art. 52 LOPDGDD, con especial mención a las Administraciones públicas, incluidas la tributaria y la de la Seguridad Social.

cia de la AEPD pueda dictar directrices generales o específicas y que tendrán carácter vinculante.[257]

Asimismo, nuestra LOPDGDD reconoce expresamente como una potestad adicional, como "otras potestades de la Agencia Española de Protección de Datos",[258] la potestad de regulación mediante la elaboración y aprobación de Circulares que tendrán carácter vinculante una vez publicadas en el BOE.[259] Su procedimiento de elaboración se encuentra regulado en el EAEPD.[260] Destacamos la importancia de las Circulares en tanto que serán las mismas las que se deberán aprobar en relación con las medidas de seguridad a implementar, por lo que cobrarán un gran valor entre responsables del tratamiento de datos, en tanto que es un ámbito que el RGPD ha dejado abierto al buen saber y entender de cada responsable y a su voluntad proactiva.

En este punto, dejamos aquí señalado, por un lado, en relación con dicho deber de colaboración con la AEPD, lo cuestionable de la exigencia de colaboración de los operadores que presten servicios de comunicaciones electrónicas y las de los prestadores de servicios de la sociedad de la información sin que medie autorización judicial previa "o respecto a la

---

[257] Art. 54.2 y 3 LOPDGDD.

[258] Sección 3ª del Capítulo I, del Título VII, LOPDGDD (arts. 55 y 56).

[259] Art. 55 LOPDGDD y art. 6 EAEPD. Sobre las mismas, *vid.* Arenas Ramiro, M., "Artículo 55", en Arenas Ramiro, M. / Ortega Giménez, A., *Protección de Datos. Comentarios a la Ley Orgánica de Protección de Datos y Garantía de Derechos Digitales (en relación con el RGPD)*, Sepin, Madrid, 2019, pp. 265-267.

[260] A pesar de remitirse su procedimiento de elaboración al EAEPD, que se aprobó en junio de 2021 , en marzo de 2019 se aprobó la primera Circular de la AEPD: Circular 1/2019, de 7 de marzo, de la Agencia Española de Protección de Datos, sobre el tratamiento de datos personales relativos a opiniones políticas y envío de propaganda electoral por medios electrónicos o sistemas de mensajería por parte de partidos políticos, federaciones, coaliciones y agrupaciones de electores al amparo del artículo 58 bis de la Ley Orgánica 5/1985, de 19 de junio, del Régimen Electoral (BOE de 11 de marzo de 2019). Sobre la regulación de estas Circulares también se pronunció el Consejo de Estado en su Dictamen, de 11 de febrero de 2021 (n.º 683/2020). El Consejo de Estado presentó numerosas observaciones considerando que su aprobación debería "someterse al procedimiento legalmente establecido para la elaboración de las disposiciones de carácter general", señalando expresamente que "su contenido debe quedar mejor delimitado". Esto se ha detallado en el citado art. 6 EAEPD, dándose un plazo (aunque muy breve) de audiencia e información pública, exigiéndose un Dictamen del Consejo de Estado.

utilización de sistemas que permitan la divulgación sin restricciones de datos personales", sin concretarse muy bien aquí a qué se refiere.

Junto a la potestad de regulación a través de Circulares, la LOPD-GDD reconoce como potestad adicional de la AEPD, más allá de las reconocidas en el RGPD, "la titularidad y el ejercicio de las funciones relacionadas con la acción exterior del Estado en materia de protección de datos", concretándose dicha potestad en funciones como la participación en reuniones y foros internacionales de ámbito distinto al de la Unión Europea; la participación en las organizaciones internacionales competentes en materia de protección de datos en el marco de la acción exterior del Estado; y la colaboración con otras autoridades o instituciones, especialmente en el ámbito iberoamericano, con competencia para "suscribir acuerdos internacionales administrativos y no normativos en la materia".[261]

Por último, en cumplimiento del principio de proactividad que exige el RGPD, las Autoridades de control también deben ser proactivas y no sólo en el cumplimiento de la normativa y en vigilar su cumplimiento. Como ha quedado dicho, es una función esencial de las Autoridades de control, y así lo exige nuestra LOPDGDD, que las mismas lleven a cabo una labor de sensibilización de responsables y encargados del tratamiento sobre sus obligaciones en materia de protección de datos.[262] En esta línea debemos destacar, aunque no sin reservas, el papel otorgado a la AEPD por la LO 8/2021, de Protección integral a la Infancia y a la Adolescencia frente a la violencia, estableciéndose expresamente que la AEPD "garantizará la disponibilidad de un canal accesible y seguro de denuncia de la existencia de contenidos ilícitos en Internet".NOTA = Art. 52 LO 8/2021.

---

[261]   Art. 56.1 y 3 LOPDGDD.
[262]   Art. 57.1. d) RGPD. Así lo afirmó también la Directora de la AEPD, Mar España, en Martínez Martínez, R. (Dir.), *Ley Orgánica de Protección de Datos y Garantía de los Derechos Digitales. Edición especial*, Wolters Kluwer, Madrid, 2019, p. 22. Lo que se hará a través de la Subdirección General de Promoción y Autorizaciones (art. 28.a) y b) EAEPD).

IV. MECANISMOS DE COOPERACION Y COHERENCIA

Sin adentrarnos en el funcionamiento de los mecanismos de cooperación y coherencia que el RGPD regula en su Capítulo VII (arts. 60 a 68), debemos mencionarlos llegados este punto por el papel que las Autoridades de control desempeñan.[263]

Con estos mecanismos, el RGPD detalla la competencia y cooperación de las Autoridades de control, con especial referencia a los casos de tratamientos de datos personales transfronterizos, esto es, en aquellos tratamientos en los que habrá más de una Autoridad de control implicada, bien porque el responsable del tratamiento tenga establecimientos en más de un Estado, o bien porque el tratamiento afecta sustancialmente a los interesados en más de un Estado miembro. En estos casos se hace indispensable que las Autoridades de control cooperen entre sí con el fin de garantizar una protección efectiva del derecho a la protección de datos y un enfoque coordinado.[264] Se ha indicado con acierto que la trascendencia del RGPD se da en este terreno, con la "ruptura del principio de territorialidad y sus distintos engarces al servicio de ese efecto de homogeneización

---

[263] Sobre los mismos, *vid.* Viguri Cordero, J. A, "Cooperación y coordinación entre autoridades de protección de datos", en Rallo Lombarte, A. / García Mahamut, R. (Coords.), *Hacia un nuevo derecho europeo de protección de datos*, Tirant lo Blanch, Valencia, 2015, pp. 739-769; y Irurzun Montoro, F. "XXVII. Cooperación y coherencia entre Autoridades de control", en Piñas Mañas, J. L. (Dir.), *Reglamento general de protección de datos: hacia un nuevo modelo europeo de privacidad*, Editorial Reus, Madrid, 2016, pp. 513-526; López Calvo, J., "Capítulo XXXI. Cooperación y coherencia", en López Calvo, J. (Coord.), *El nuevo marco regulatorio derivado del Reglamento Europeo de Protección de Datos*, Bosch / Wolters Kluwer, Madrid, 2018, pp. 609-632. Y realmente interesante, el capítulo de Cervera Navas, L., "Cooperacion y coherencia (comentario general al Capítulo VII RGPD)", en Troncoso Reigada, A. (Dir.), Comentario al Reglamento General de Protección de Datos y a la Ley Orgánica de Protección de Datos Personales y Garantía de Derechos Digitales, Tomo II, Civitas, Navarra, 2021, pp. 2845-2854; así como, en la misma obra, el capítulo "Cooperación y coherencia desde la perspectiva del Tribunal de Justicia de la Unión Europea (comentario a los artículos 60 a 67 RGPD)", de Ulloa Rubio, I., pp. 2855-2878.

[264] Agencia de los Derechos Fundamentales de la Unión Europea / Consejo de Europa / Supervisor Europeo de Protección de Datos, *Manual de legislación europea en materia de protección de datos*, Oficina de Publicaciones de la Unión Europea, Luxemburgo, 2019, pp. 212-213.

normativa, la clave de bóveda sobre la que descansan sus mayores aportaciones".[265]

Si bien la cooperación se hace más necesaria en los casos transfronterizos, el RGPD exige, como hemos dicho, la cooperación en forma de asistencia mutua e intercambio de información, con el fin de ejecutar y aplicar el RGPD de forma coherente. La cooperación comprende el intercambio de información, la asistencia mutua en materia de supervisión e investigación y la adopción de soluciones vinculantes.[266] En este sentido, veremos que las Autoridades de control podrán llevar a cabo operaciones conjuntas, entre las que se incluyen investigaciones y medidas de ejecución conjuntas.[267]

La novedad introducida por el RGPD es el llamado mecanismo de "ventanilla única".[268] La regla general será que los ciudadanos –más bien, las empresas que realizan tratamientos de datos transfronterizos– se dirijan a la Autoridad de control de su Estado –donde se encuentra su establecimiento principal o único–[269], pero se abre la posibilidad de que en los tratamientos transfronterizos se puedan dirigir a la Autoridad de control que deseen. En estos casos, si hay varias Autoridades implicadas, la Autoridad de control principal será aquélla donde se encuentre el establecimiento principal del responsable o bien, la del Estado donde se afecte sustancialmente a sus ciudadanos.

El fin del RGPD es que las Autoridades de control implicadas no puedan actuar sin tenerse en cuenta mutuamente y que con la exigida cooperación se facilite el contacto a las empresas que realizan

---

[265]   *Vid.* García Mahamut, R., "Del Reglamento General….", *op. cit.*, p. 97.

[266]   Art. 60 RGPD.

[267]   Art. 61.1-3 RGPD y art. 62.2 RGPD.

[268]   Art. 60 RGPD. Este mecanismo "tiene por objeto mejorar la armonización y la aplicación uniforme de la legislación de la UE en materia de protección de datos en los distintos Estados miembros" (*vid.* Agencia de los Derechos Fundamentales de la Unión Europea / Consejo de Europa / Supervisor Europeo de Protección de Datos, *Manual de legislación europea en materia de protección de datos*, Oficina de Publicaciones de la Unión Europea, Luxemburgo, 2019, p. 223).

[269]   Sobre el concepto de establecimiento principal, art. 4.16) RGPD, así como las Directrices para determinar la autoridad de control principal de un responsable o encargado del tratamiento, aprobadas por el Grupo de Trabajo del artículo 29 (G29), el 13 de diciembre de 2016, actualizadas el 5 de abril de 2017 (WP 244).

tratamientos transfronterizos. De esta forma se refuerza la seguridad jurídica, a la vez que las decisiones se adoptan con una mayor rapidez, evitando pronunciamientos contradictorios.[270] Así, la Autoridad principal consultará y presentará su proyecto de decisión al resto, informándose entre ellas mutuamente y sin dilación.[271] Y, para el caso de que se pronuncie una Autoridad de control que no sea considerada la principal, ésta deberá ponerse en contacto con la que lo sea y deberá esperar a que la principal se pronuncie (en un plazo de tres semanas) y decida si trata el caso y asume la competencia, o bien, si no trata el caso y se lo deja. Como ya ha quedado dicho, resulta realmente relevante el pronunciamiento del TJUE en su Sentencia de 15 de junio de 2021, asunto Facebook Ireland y otros, donde concluyó que las Autoridades de control nacionales podrán ejercer acciones legales en sus países contra eventuales infracciones transfronterizas cometidas por plataformas como Facebook, incluso aunque no fueran consideradas como Autoridad de control principal.

Como novedad en este proceso, aparece la intervención del Comité Europeo de Protección de Datos (CEPD),[272] con el fin de hacer efectivo el conocido como mecanismo de coherencia. El mecanismo de coherencia se empleará básicamente en dos situaciones y guardará conexión con las decisiones vinculantes emitidas por el CEPD. Así,

---

[270]   Agencia de los Derechos Fundamentales de la Unión Europea / Consejo de Europa / Supervisor Europeo de Protección de Datos, *Manual de legislación europea en materia de protección de datos*, Oficina de Publicaciones de la Unión Europea, Luxemburgo, 2019, p. 223.

[271]   Art. 56.2 y 3 RGPD y art. 61.1 y 2 RGPD.

[272]   El CEPD es un organismo con personalidad jurídica creado por el RGPD en su art. 68, y viene a sustituir el trabajo realizado por el Grupo de Trabajo del Artículo 29 (G29), aunque con mayor poder de decisión, y está formado por los Directores o Presidentes de las Autoridades de control de los Estados miembros y por el SEPD o sus representantes. Sus funciones se detallan en los artículos 64, 65 y 70 RGPD, pudiendo agruparse en funciones de coherencia, consulta y orientación. Sobre el Comité, véase el excelente trabajo de González Fuster, G., "El Comité Europeo de Protección de Datos (CEPD): territorio desconocido", en García Mahamut, R. / Tomás Mallén, B., *El Reglamento General de Protección de Datos. Un enfoque nacional y comparado*, Tirant lo Blanch, Valencia, 2019, pp. 161-180; y el trabajo de Cervera Navas, L., "El Comité Europeo de Protección de Datos", en Piñas Mañas, J.L. (Dir.), *Reglamento general de protección de datos: hacia un nuevo modelo europeo de privacidad*, Editorial Reus, Madrid, 2016, pp. 527-538.

el CEPD adoptará una decisión vinculante en los casos de ventanilla única, para el caso en el que una Autoridad de control hubiera planteado una objeción pertinente y motivada, hubiera dudas sobre quién es la Autoridad principal, o bien, si la Autoridad de control no solicita el dictamen del Comité o no lo cumple; y, en segundo lugar, cuando la Autoridad de control pretenda adoptar medidas como las listas de operaciones que requieren de evaluación de impacto o establecer cláusulas contractuales tipo.

La cooperación es exigida igualmente en aquellos Estados, como España, donde existan varias Autoridades de control,[273] especialmente para que estas Autoridades sean tenidas en cuenta en los procedimientos ante el Comité Europeo de Protección de Datos (CEPD),[274] o en los tratamientos transfronterizos.[275] El CEPD intervendrá en los mecanismos de coherencia cuando la Autoridad que lidera el caso, le pida que emita un Dictamen y el mismo no se respete o provoque una disputa entre Autoridades nacionales. Aquí el CEPD ejerce como árbitro, emitiendo opiniones vinculantes, como ha quedado dicho.

Más allá de aquellos casos en los que intervenga el CEPD, la AEPD deberá informar a las autoridades autonómicas de su actuación en materia de acción exterior, posibilitando su participación.[276]

Con estos mecanismos se pretende salvar uno de los mayores problemas planteados en la práctica de las autoridades administrativas independientes, como era la descoordinación y el solapamiento

---

[273]   Considerando 119 RGPD.
[274]   Arts. 60 y 62 LOPDGDD. Al respecto, *vid.* Camisón Yagüe, J.A., "Artículo 60", en Arenas Ramiro, M. / Ortega Giménez, A., *Protección de Datos. Comentarios a la Ley Orgánica de Protección de Datos y Garantía de Derechos Digitales (en relación con el RGPD)*, Sepin, Madrid, 2019, pp. 279-282; y del mismo autor, "Artículo 62", en Arenas Ramiro, M. / Ortega Giménez, A., *Protección de Datos. Comentarios a la Ley Orgánica de Protección de Datos y Garantía de Derechos Digitales (en relación con el RGPD)*, Sepin, Madrid, 2019, pp. 284-286.
[275]   Art. 61 LOPDGDD. Al respecto, *vid.* Ortega Giménez, A., "Artículo 61", en Arenas Ramiro, M. / Ortega Giménez, A., *Protección de Datos. Comentarios a la Ley Orgánica de Protección de Datos y Garantía de Derechos Digitales (en relación con el RGPD)*, Sepin, Madrid, 2019, p. 283.
[276]   Art. 56.1 y 2 LOPDGDD.

de actividades con otras autoridades o agencias y con otros organismos públicos. Así, nuestra LOPDGDD ha establecido incluso un procedimiento de colaboración con el Consejo General de Poder Judicial (CGPJ) en el ejercicio de las competencias que éste tiene atribuidas para la protección de datos en el ámbito de la Administración de justicia.[277]

---

[277]   Salvador Martínez, M. "Artículo 44", *op. cit.*, p. 221.

MENORES, CENTROS DOCENTES Y DATOS: DECISIONES CONFLICTIVAS

Mònica Vilasau Solana
Profesora de Derecho Civil
Estudis de Dret i Ciència Política
Universitat Oberta de Catalunya

I. INTRODUCCIÓN

En el contexto educativo se tratan muchos datos relativos al alumno menor de edad, desde el momento en que se realiza su preinscripción en un centro docente y a lo largo de toda su vida académica. Sin embargo, estos datos no se limitan a los que se originan en el centro docente (expediente, becas, ayudas obtenidas, sanciones, actividades realizadas, fotografías, contactos, o premios y reconocimientos obtenidos) sino que incluyen también los que se generan fuera de dicho ámbito, por ejemplo, los que deben aportarse al realizar la preinscripción (datos de identificación, de salud o profesión de los representantes legales).

La producción y gestión de estos datos surgen como consecuencia de un entramado de relaciones jurídicas que tienen lugar entre el centro docente y los representantes de los alumnos, o bien con terceros (por ejemplo, con los sujetos que prestan actividades extraescolares) y también las que involucran al alumno con el resto de la comunidad educativa y otros alumnos y sus familias.

En este trabajo se analizará algunos supuestos de tratamientos de datos por los centros docentes. Para ello es preciso analizar previamente el marco general que permite el tratamiento de la información personal de los alumnos.

Para poder tratar los datos personales es preciso que exista una base legitimadora[278]. El consentimiento del afectado constituye una de estas bases (art. 6.1.a RGPD). Existen otros posibles cauces que

---

[278] Tal y como disponen los arts. 5.1.a) y 6 RGPD.

legitiman el tratamiento de la información personal; uno de los que tendrá relevancia en el tema estudiado es la Ley, singularmente en este caso la Ley Orgánica 2/2006, de 3 de mayo de Educación (LOE).

Así mismo también deberá tenerse en cuenta la existencia de una relación jurídica entre los representantes legales y el centro educativo (art. 6.1.b RGPD). En base a dicha relación, existirán datos que deberán facilitarse para su cumplimiento (cfr al realizar la preinscripción al centro). Se trata de datos como el nombre del alumno, de los representantes legales, dirección postal, teléfono, datos económicos o datos básicos de salud (por ejemplo alergias o intolerancias alimentarias)[279].

II. EL CONSENTIMIENTO COMO BASE DE LEGITIMACIÓN

Este trabajo analizará determinados supuestos de tratamientos que tienen su base en el consentimiento del afectado o de sus representantes legales. El art. 4.11 RGPD define el consentimiento como: "toda manifestación de voluntad libre, específica, informada e inequívoca por la que el interesado acepta, ya sea mediante una declaración o una clara acción afirmativa, el tratamiento de datos personales que le conciernen"[280].

A continuación se examinarán los requisitos relacionados con la formación del consentimiento, posteriormente la exteriorización del mismo y finalmente la capacidad para consentir.

---

[279]   En cuanto a las diferentes bases legales que pueden concurrir: García Garnica, Mª.C., "Datos personales y menores de edad", en *Protección de datos personales*, González Pacanowska, I. (coord.), Tirant lo Blanch, Valencia, 2020, pp. 161-238, vid p. 199.
Téngase en cuenta el art. 84.2 LOE que relaciona una serie de criterios que determinarán la prioridad en la admisión en un centro docente y que conllevará el tratamiento de los datos enumerados en dicho precepto.

[280]   En cuanto a los requisitos del consentimiento, respecto a su formación y exteriorización: Vilasau Solana, M., "El consentimiento general y de menores", *Tratado de Protección de Datos actualizado con la Ley Orgánica 3/2018, de 5 de diciembre, de protección de datos personales y garantía de los derechos digitales*, Rallo Lombarte, A. (dir.), Tirant lo Blanch, Valencia, 2019, pp. 197- 250.

1. La formación del consentimiento

Para que el consentimiento sea apto para legitimar el tratamiento debe reunir unos requisitos. Debe tratarse de un consentimiento libre, específico e informado.

1.1. Consentimiento libre

El término libre implica elección y control por parte de los interesados. Por lo tanto, si el sujeto se siente obligado o compelido de algún modo, o bien puede sufrir consecuencias negativas si no proporciona el consentimiento, este no puede considerarse libre Considerando 43 RGPD).

Existen dos preceptos relacionados con la exigencia de un consentimiento libre. Uno hace referencia a la prohibición de condicionar el consentimiento, el otro a su revocación.

La prohibición de condicionar el consentimiento se halla recogida en el art. 7.4 RGPD. En base a la misma, para valorar si el consentimiento se ha dado libremente, se tendrá en cuenta si la ejecución de un contrato o la prestación de un servicio se supedita a que se consienta el tratamiento de datos personales que *no* sean necesarios para la ejecución de dicho contrato[281].

La finalidad del precepto es proteger al afectado respecto de tratamientos que podrían calificarse como coercitivos, puesto que condicionan la obtención de un bien o de un servicio a consentir un tratamiento no necesario (vid también art. 6.3 LOPDGDD).

Por ejemplo, en el momento de solicitar plaza en un centro educativo se solicitan datos necesarios para gestionar la preinscripción: nombre, dirección de correo postal, número de hermanos, lugar de trabajo de los padres o tutores. Supongamos que también se solicitan datos relativos a la afiliación política de los padres. Estos últimos datos no son necesarios objetivamente para formalizar la preinscripción al centro educativo. En base al art. 7.4 RGPD, no podría pues condicionarse el hecho de que los padres proporcionen estos "otros datos"

---

[281] *Vid* Considerando 43 del RGPD.

(afiliación política) a la formalización de la preinscripción, ya que no son necesarios para la misma.

Sin embargo, considero que la prohibición de vinculación no impediría la posibilidad de solicitar datos que no fueran precisos para un tratamiento concreto siempre que ello *no estuviera condicionado* y se indicara claramente que su *aportación es voluntaria*[282].

En el caso de que se incumpliera esta prohibición y se obtuvieran datos de forma coercitiva, estos no podrían ser tratados.

En cuanto a la revocación del consentimiento, el RGPD vincula la exigencia de un consentimiento libre al hecho que el consentimiento pueda revocarse sin que el afectado sufra perjuicio alguno. El interesado tendrá derecho a retirar su consentimiento en cualquier momento. Dicha retirada no afectará el tratamiento producido antes de la misma (art. 7.3. RGPD).

Debe ser tan fácil revocar el consentimiento como otorgarlo y la revocación no tiene que producir ningún perjuicio al afectado. El responsable del tratamiento (RT) debe facilitar la retirada del consentimiento de forma gratuita y sin que disminuya el nivel de la prestación del servicio. Debe informarse al afectado de la facultad de retirar el consentimiento antes de otorgarlo [ex art. 13.2.c) RGPD y art. 14.2.d) RGPD].

1.2. Consentimiento específico

Otra de las exigencias del art. 4.11 RGPD es que el consentimiento debe ser específico. Ello está estrechamente relacionado con el Principio de limitación de la finalidad (art. 5.1.b. RGPD): los datos personales serán "recogidos con fines determinados, explícitos y legítimos, y no serán tratados ulteriormente de manera incompatible con dichos fines".

---

[282] Por ejemplo, se solicitan datos de las aficiones de los alumnos y familiares para proporcionarles información sobre vacaciones u ocio. Si ello no se condiciona a la formalización de la inscripción y además se pide el consentimiento de forma separada al resto de los datos que sí son necesarios, no veo obstáculo alguno en pedir estos otros datos siempre que se identifique claramente la finalidad del tratamiento y se proporcione la información precisa.

En el momento de recabar los datos debe enunciarse la finalidad del tratamiento y ponderar si los datos recogidos son excesivos respecto de dicha finalidad. Por ejemplo, se solicitan datos para que los alumnos participen en salidas culturales o puedan beneficiarse de descuentos en librerías. Un consentimiento para una finalidad muy genérica no sería válido. Si se considerara que los datos son excesivos, a pesar de existir consentimiento, no sería válido para el tratamiento de los datos. Tampoco sería válido un consentimiento en blanco, sin especificar la finalidad concreta del tratamiento.

El consentimiento puede pedirse para varios fines (art. 6.1.a RGPD), pero en este caso el RT debe facilitar la posibilidad de optar para cada fin de forma independiente. Deberá distinguirse claramente cada una de las finalidades, de modo que pueda consentirse una y rechazarse otra. En cualquier caso, la finalidad de un tratamiento tendrá como horizonte último lo que dispone la DA 23.1 de la LO 2/2006, de Educación, según la cual los centros docentes tienen como finalidad última la educación y orientación de los alumnos[283].

1.3. Consentimiento informado

Otra de las exigencias del art. 4.11 es que se trate de un consentimiento informado. Así lo determina el art. 5.1.a. RGPD (Principio de transparencia) y se concreta en los arts. 12, 13 y 14 RGPD y art. 11 LOPDGDD. Las exigencias relativas a la información comprenden aspectos relativos al contenido y a la forma de proporcionarla.

En cuanto al contenido, los arts. 13 y 14 RGPD y el art. 11 LO-PDGDD distinguen los supuestos en que los datos se obtienen del afectado directamente y aquellos en que se obtienen de un tercero. En cuanto al contenido, el RT deberá básicamente dar respuesta a las preguntas relativas a quién trata los datos, para qué (finalidad), cómo lo llevará a cabo (por ejemplo, si existirán transferencias in-

---

[283]   En cuanto a la necesidad del consentimiento específico, Grimalt Servera considera que ello comporta excluir finalidades excesivamente genéricas que puedan conducir a tratamientos ulteriores que excedan de las expectativas razonables. (Grimalt Servera, P., "El uso de la imagen del menor estudiante en los centros educativos (especial atención al uso de las redes sociales)", *Actualidad jurídica iberoamericana*, nº 10, 2019, pp. 138-179, *vid.* p. 156).

ternacionales de datos o comunicaciones a terceros), durante cuánto tiempo y también deberá informar al afectado de los derechos que le corresponden [284].

El Comité Europeo de Protección de Datos (CEPD)[285], ante la tensión existente entre facilitar toda la información necesaria y hacerlo de forma concisa, pone de relieve la posibilidad de proporcionar la información por niveles o por capas [Directrices 5/2020 del CEPD sobre el consentimiento en el sentido del Reglamento (UE) 2016/679, adoptadas el 4 de mayo de 2020, § 69 y 71 y GT29, (WP 260, §§ 34, 35, 36 y 38)][286]. Esta posibilidad es de alguna forma adoptada por el art. 11 LOPDGDD[287] y también fue objeto de una recomendación en la *Guía para el cumplimiento del deber de informar*, elaborada por las Autoridades de protección de datos españolas[288].

En cuanto a la forma, la información debe ser de fácil acceso, lo que se concreta en que el interesado no debe tener que buscar la información, sino que debe poder reconocer inmediatamente dónde y cómo acceder a ella [CEPD, Directrices 5/2020 § 67 y (GT 29, WP 260, § 11)][289].

---

[284]   En cuanto al contenido de la información puede consultarse: Vilasau Solana, M., "Las exigencias de información en el RGPD y en la LO 3/2018 de Protección de Datos y garantía de los derechos digitales, ¿contribuyen a la formación de un consentimiento de mejor calidad?", en *El Reglamento General de Protección de Datos: un enfoque nacional y comparado, especial referencia a la LO 3/2018 de protección de datos y garantía de los derechos digitales*, [García Mahamut, R. y Tomás Mallén, B., (ed. lit.)], Tirant lo Blanch, Valencia, 2019, pp. 209–236, *vid* pp. 214-222.

[285]   El CEPD fue creado por el art. 68 RGPD; se trata de un organismo de la UE cuya finalidad principal es la de garantizar la aplicación coherente del RGPD (art. 70 RGPD).

[286]   El GT29 (Grupo de protección de las personas en lo que respecta al tratamiento de datos personales) fue creado por el art. 29 de la Directiva 95/46/CE y sustituido por el CEPD (art. 94.2 RGPD). El CEPD asumió los documentos emanados del GT29 y reelaboró algunos de ellos.

[287]   El art. 11 establece que existe una información básica y "restante información"; esta última puede facilitarse mediante una dirección electrónica u otro medio que permita acceder de forma sencilla e inmediata a la restante información.

[288]   Puede consultarse dicha Guía en: https://www.aepd.es/media/guias/guia-mode-lo-clausula-informativa.pdf

[289]   En relación a la forma de presentar la información, vid: Vilasau Solana, M., "Las exigencias de información en el RGPD...", cit. pp. 222-227.

Distintos preceptos del RGPD hacen referencia a *cómo debe ser el lenguaje* (calidad del mismo), y a la necesidad de utilizar un lenguaje claro y sencillo (art. 7.2 RGPD). El art. 12.1 RGPD dispone que la información debe ser "en forma concisa, transparente, inteligible, con un lenguaje claro y sencillo. También se hace especial referencia a los niños, de modo que estas exigencias relativas a la información se tendrán especialmente en cuenta al proporcionar información a este colectivo (art. 12.1 RGPD en relación con el art. 8.1 RGPD).

El CEPD expresamente subraya la exigencia de que la información sea «inteligible», de modo que sea comprensible al integrante medio de la audiencia. Además, vinculado al principio de responsabilidad proactiva, el RT debe procurar tener un conocimiento de las personas respecto de quienes se recaba información [(Directrices 5/2020 § 70 y WP 260, § 9)]. El GT29 proporcionó pautas concretas acerca de qué comporta utilizar un lenguaje claro y sencillo y propuso distintos ejemplos de buenas y malas prácticas (WP 260, § 12). También se hace referencia a aspectos concretos del uso del lenguaje (WP 260, § 13), especialmente cuando el RT se dirija a niños (Directrices 5/2020 § 126 WP 260, § 14).

Un aspecto muy relevante, en cuanto a cómo facilitar la información es la previsión del art. 12. 7 RGPD de proporcionarla en *combinación con iconos normalizados.*

Finalmente, en cuanto a la materialización de la información, debe tenerse en cuenta la previsión del art. 11 LOPDGDD. Como ya se ha indicado, este precepto propone una información por capas o por niveles; de modo que se facilita al afectado una información básica (art. 11.2 y art. 11.3 LOPDGDD), y la "restante información" se proporciona mediante una dirección electrónica u otro medio que permita acceder a la misma de forma sencilla e inmediata (art. 11.1. *infine* y art. 11.3 LOPDGDD)[290].

---

[290] Como ya se ha indicado, este precepto viene a recoger las recomendaciones de la *Guía para el cumplimiento del deber de informar*, y supone alinearse con las indicaciones del CEPD (Directrices 5/2020 § 69 y 71) y del GT29 (WP 260, §§ 36 y 38).

1.4. Condiciones para el consentimiento (Art. 7 RGPD)

El art. 7 RGPD dedicado a "condiciones para el consentimiento" hace referencia a distintos aspectos, algunos también abordados por el art. 6 LOPDGDD.

- Prueba del consentimiento: corresponde al RT ser capaz de demostrar que el afectado consintió el tratamiento de sus datos (art. 7.1. RGPD).
- Tratamiento de datos en el contexto de una declaración más amplia (art. 7.2 RGPD): En los casos en que el consentimiento se solicita en el marco de un negocio en que existen distintos aspectos, debe identificarse claramente la petición de datos personales. De este modo el afectado pueda reconocer claramente, dentro de las distintas cláusulas, aquellas relativas a la petición del consentimiento y la información preceptiva.
- Revocación del consentimiento (art. 7.3 RGPD). Como se ha indicado, el afectado tendrá derecho a retirar su consentimiento en cualquier momento.
- Prohibición de condicionar el consentimiento, contenida en el art. 7.4. RGPD y que ya ha sido analizada.

Hasta el momento se han examinado los requisitos del consentimiento si bien debe subrayarse que a pesar de que concurran todos ellos, puede suceder que el consentimiento no sea apto para tratar los datos. Ello puede ocurrir porque a pesar de que se trate de un consentimiento libre, específico, informado e inequívoco, se produzca una vulneración de los principios de protección de datos (contemplados en el art. 5 RGPD), por ejemplo, el principio de minimización.

Este sería el caso en que se piden más datos de los necesarios para la inscripción en un centro educativo. O bien el tratamiento es desproporcionado. Por ejemplo, para controlar si los alumnos acceden al centro educativo, se lleva a cabo un reconocimiento facial para comunicar las ausencias a los representantes legales de los alumnos. Este tratamiento podría ser considerado como desproporcionado ya que pueden utilizarse otras medidas menos invasivas de la privacidad y de la información personal[291].

2.   *Exteriorización del consentimiento*

La regla general recogida en el art. 4.11 RGPD es que el consentimiento debe ser *inequívoco* y que su manifestación debe producirse *"mediante una declaración o una clara acción afirmativa"* (vid también el art. 6.1 LOPDGDD).

Esta acción afirmativa puede consistir en una declaración por escrito, por medios electrónicos, una declaración verbal, marcar una casilla de un sitio web o escoger parámetros técnicos al utilizar los servicios de la sociedad de la información (SSI).

La solución adoptada por el art. 4.11 RGPD y el art. 6.1 LOPD-GDD comporta excluir el silencio como mecanismo del que pueda inferirse la voluntad del afectado. Esto es, en caso de que se soliciten datos al afectado y este no conteste, el silencio (ausencia de respuesta) *no puede ser considerada en ningún caso como un asentimiento al tratamiento*. Esta posibilidad era admitida expresamente, bajo determinadas condiciones, por el art. 14 RD 1720/2007 que desarrolló la LOPD de 1999 y ahora debe considerarse derogada.

El CEPD realizó las siguientes aclaraciones sobre la forma de prestar el consentimiento (Directrices 5/2020 § 13, 77, 81 y 86 y GT29 WP 259, § 3.4):

i.- El consentimiento puede obtenerse mediante una declaración verbal grabada, si bien debe proporcionarse la información necesaria.

ii.- Si se está navegando por una página web, continuar con la navegación sin más *no equivale* a consentir el tratamiento de datos.

---

[291]   *Vid.* APDCAT, Pautes centres educatius: preguntes freqüents: https://apdcat. gencat.cat/web/.content/04-actualitat/menors-i-joves/documents/PAUTES-ME-NORS-PREGUNTES-FREQUeENTS-ESCOLES.pdf

iii.- La aceptación global de los términos y condiciones generales no puede considerarse una clara acción afirmativa que implique consentimiento al uso de datos personales.

iv.- El RGPD no permite tener que marcar una casilla para quedar excluido de un tratamiento.

Sin embargo en ocasiones, ante determinados tratamientos que pueden entrañar un mayor peligro, se exige un consentimiento reforzado. Ello se concreta en la exigencia de un *consentimiento explícito*. Este es el caso del tratamiento de "categorías especiales de datos personales" (art. 9.2.a.RGPD); elaboración de perfiles (art. 22.2.c. RGPD) o bien respecto determinados supuestos de transferencias internacionales de datos (art. 49.1.a RGPD).

Las categorías especiales de datos son aquellas que revelen el origen étnico o racial, las opiniones políticas, las convicciones religiosas o filosóficas, o la afiliación sindical, y el tratamiento de datos genéticos, datos biométricos dirigidos a identificar de manera unívoca a una persona física, datos relativos a la salud o datos relativos a la vida sexual o la orientación sexual de una persona física[292].

El art. 9.1. LOPDGDD establece que a fin de evitar situaciones discriminatorias, el solo consentimiento del afectado *no bastará* para levantar la prohibición del tratamiento de datos cuya *finalidad principal sea identificar* su ideología, afiliación sindical, religión, orientación sexual, creencias u origen racial o étnico (art. 9.1.I LOPDDGG). Por ejemplo, pretender clasificar a los alumnos en función de su religión u origen racial, *no* podría llevarse a cabo a pesar de contar con el consentimiento explícito del afectado.

Sin embargo, si en el momento de formalizar la inscripción en el centro se pregunta si el alumno opta por la asignatura de religión, ello no supone un tratamiento de datos ideológicos ni estaría sujeto a la prohibición del art. 9.1.I LOPDGDD. La finalidad de la pregunta no es identificar la ideología sino gestionar la formación de los alumnos.

---

[292]　Según establece el Considerando 51 RGPD, el tratamiento de fotografías no debe considerarse sistemáticamente un tratamiento de categorías especiales de datos personales.

En este sentido se pronuncia expresamente la Resolución 2002-9906 de la AEPD, de 6 de junio. La AEPD señala que el dato de optar por cursar la asignatura de religión o la alternativa prevista no sería un dato especialmente protegido, ya que no revela en sí mismo la ideología del alumno, no supone manifestación de una determinada confesionalidad, sino simplemente el interés por una determinada disciplina[293].

En cuanto a la declaración expresa, un modo de emitirla es una declaración escrita firmada. También se puede emitir la declaración requerida rellenando un impreso electrónico, enviando un correo electrónico, cargando un documento escaneado con la firma o utilizando una firma electrónica.

Así mismo puede obtenerse el consentimiento explícito mediante una conversación telefónica, siempre que la información sobre las opciones sea justa, inteligible y clara y pida una confirmación específica del interesado [por ejemplo, pulsando un botón o proporcionando confirmación verbal (Directrices 5/2020 § 95 y GT29, WP 259, § 4)].

Un supuesto en que sería preciso el consentimiento explícito lo constituye el tratamiento del dato de salud.

3. Capacidad para consentir

3.1. La edad

Cuando la base que permite el tratamiento de datos sea el consentimiento, el RGPD establece que los menores que tienen como mínimo 16 años pueden prestar su consentimiento para el tratamiento de datos que esté relacionado con la oferta directa a niños de SSI (art. 8.1 RGPD).

Si el niño es menor de 16 años, tal tratamiento únicamente se considerará lícito si el consentimiento lo dio o autorizó el titular de la patria potestad o tutela sobre el niño, y solo en la medida en que se dio o autorizó. Sin embargo, el RGPD dispone que los Estados miembros

---

[293]   Así lo declara expresamente la AEPD, *vid*. Guías sectoriales y concretamente la *Guía para centros educativos*: http://tudecideseninternet.es/aepd/images/guias/GuiaCentros/GuiaCentrosEducativos.pdf
En el mismo sentido, APDCAT, Pautes centres educatius, *cit*., p. 3.

podrán establecer por ley una edad inferior a tales fines, siempre que esta no sea inferior a 13 años (art. 8.1 RGPD)[294].

Regla general. El art. 7.1 LOPDGDD, sirviéndose de la habilitación que le proporciona el RGPD, dispone que podrán tratarse los datos del menor en base a su consentimiento cuando sea mayor de catorce años.

El ámbito de aplicación del RGPD es más reducido que la LOPD-GDD, ya que el primero se limita a la oferta directa a niños de sociedad de la información, por ejemplo, comercio electrónico o prestación de servicios on-line. La LOPDGDD tiene un abanico más amplio: cualquier supuesto de tratamiento de datos (incluso en papel), cuya base legal sea el consentimiento. Por ejemplo, historias clínicas, inscripciones en centros educativos, petición de ayudas sociales, suscripción a revistas o participación en sorteos. Arenas Ramiro, siguiendo a otros autores, considera que el art. 8.1 RGPD y el ámbito de aplicación del mismo no debe circunscribirse a los SSI[295].

El tratamiento de los datos de los menores de catorce años, fundado en el consentimiento, solo será lícito si consta el del titular de la patria potestad o tutela, con el alcance que determinen los titulares de la patria potestad o tutela (art. 7.2 LOPDGDD).

La regla general es pues que a partir de los 14 años, el menor puede consentir el tratamiento de sus datos personales por él mismo y que antes de esta edad, será preciso el consentimiento de quienes

---

[294]   Algunos autores critican la posibilidad que se deja a los EM de rebajar la edad, en la medida que implica romper con la armonización que perseguía el RGPD y además comporta que el RT deba conocer las distintas edades que establezcan los EM, especialmente en el tratamiento transfronterizo de datos. *Vid* entre otros: García Garnica, Mª C, *ob. cit.*, p. 182 y Arenas Ramiro, M., "El impacto del Reglamento General de Protección de Datos europeo en el tratamiento de los datos personales de los menores de edad", en *El Reglamento General de Protección de Datos: un enfoque nacional y comparado...*, cit., pp. 237-264, *vid.* p. 243.
García Garnica también pone de relieve que el art. 8 RGPD no toma en consideración, al establecer una edad habilitante, distintas circunstancias que puedan concurrir en el tratamiento (riesgos, datos tratados, etc). (García Garnica, Mª C., *ob. cit.*, p. 182).

[295]   Arenas Ramiro, M., loc. cit., p. 242.

ostentan la patria potestad o tutela, si la base jurídica utilizada es el consentimiento[296].

Sin embargo, a pesar de tener 14 años, si se demuestra que el menor carecía de capacidad volitiva adecuada, a pesar de haber otorgado dicho consentimiento, el mismo no sería válido. Como se analizará más adelante, en este caso Grimalt hace referencia a la posibilidad de invocar la falta de madurez del menor en base, entre otros preceptos, en el art 162 1º CC que hace referencia a este criterio (la madurez del menor). Por debajo de los 14 años siempre es preciso el consentimiento de los titulares de la patria potestad o tutela. De todos modos, deberá tenerse en cuenta el derecho del menor a ser oído (art. 9. LOPJM[297]), en función de su edad y madurez, así como el art. 2 LOPJM según el cual primará el interés superior del menor sobre otros intereses. Este precepto también dispone que las limitaciones a la capacidad de obrar de los menores se interpretarán de forma restrictiva.

Excepción a la regla general. Tras la regla general de que los menores pueden prestar su consentimiento al tratamiento de datos a partir de los 14 años, la legislación española establece una excepción.

Se trata de aquellos supuestos en que el consentimiento para el tratamiento se presta en el contexto de un acto o negocio jurídico (negocio principal) para el cual es preciso la asistencia de los titulares de la patria potestad o tutela.

En este caso, si la edad para el negocio principal es otra distinta de los 14 años (se entiende que superior), la edad para prestar el consentimiento para el tratamiento de datos relacionado con el negocio principal también se elevará e igualará a la necesaria para el negocio principal (art. 7.1.ii LOPDGDD). En definitiva, se trata de unificar

---

[296]   La LOPDGDD (siguiendo al RGPD), se aparta de otro criterio establecido en el Código civil, en relación con los actos relativos a los derechos de la personalidad, que es el relativo a la madurez del menor (art. 162.1º CC), criterio que también siguen otras normas civiles. La LOPDGDD, en cambio, establece franjas de edades.

[297]   Ley Orgánica 1/1996, de 15 de enero, de Protección Jurídica del Menor, de modificación parcial del Código Civil y de la Ley de Enjuiciamiento Civil.

las edades para realizar un determinado acto o negocio jurídico y el tratamiento de datos relacionado con el mismo[298].

Un ejemplo podría ser aquél en que un menor que tiene 15 años adquiere un teléfono móvil. Para dicha adquisición se precisa la asistencia del representante legal (si se considera que dicho negocio excede de aquellos relativos a bienes y servicios de la vida corriente propios de la edad del menor, ex art. 1263.1 CC[299]). En cuanto al tratamiento de datos según las exigencias del art. 7.1.ii LOPDGDD, el menor, a pesar de tener 15 años, no podría prestar el consentimiento por sí mismo, sino que necesitará la asistencia de los representantes legales. (Por lo tanto, decaería la regla general de los 14 años y se aplicaría la excepción).

En definitiva, ante un procesamiento de datos deberá examinarse si se tratan datos sin vincularse con ningún otro acto o negocio jurídico. Si es así, el menor podrá consentir el tratamiento de sus datos si tiene 14 años o más, sin precisar ningún tipo de complemento.

Si el tratamiento se vincula a otro negocio, deberá analizarse la capacidad exigida para el negocio principal y en función de la misma se

---

[298]   En este sentido también se pronuncia Andreu Martínez que, en relación al art. 7.1 LOPDGDD, indica que "esto significa que, si para un acto en concreto una norma establece la intervención del representante legal (por ejemplo, en actuaciones sanitarias, art. 9.3 y Ley 41/2002; o el ámbito contractual, art. 1263.1.º CC), habrá que contar con su consentimiento (aunque el menor tuviera 14 años) para el tratamiento de los datos personales que se recaben a propósito de dicha actuación". Vid Andreu Martínez, B., "La protección de los datos personales de los menores y de sus derechos digitales", en Especial, Nueva Ley Orgánica de Protección de Datos y Garantía de los Derechos Digitales, Martínez Martínez, R. (coord.), Wolters Kluwer, 2018, pp. 1-5, vid. p. 1. Según Andreu Martínez la nueva regulación trata de superar la jurisprudencia de la Audiencia Nacional que proporcionaba una validez distinta al contrato celebrado (inválido) y al tratamiento de datos relacionado con el mismo (lícito).

[299]   En relación a la interpretación de este precepto y la evolución sufrida por el mismo, vid. Verdera Server, R., Lecciones de Derecho Civil, Derecho Civil I, 2ª ed., Valencia, Tirant lo Blanch, 2019, pp. 258-259.)
En cuanto a la interpretación del art. 1263.1º CC, Verdera señala que la norma se refiere a una intervención de los padres no representativa puesto que si representan al hijo no cabe hablar de actuación del menor por sí mismo. (Verdera Server, R., loc. cit., p. 267). Por lo tanto, creo que está claro el vínculo entre el art. 1263.1 CC y el art. 7.1.ii LOPDGDD, puesto que en ambos casos se hace referencia a "asistencia".

determinará si es necesario o no, y a partir de qué edad, la asistencia de los representantes legales. Para ello deberá tenerse en cuenta también si existe normativa específica, tanto legislación civil como la propia de otros ámbitos normativos, así como a nivel estatal o de las CCAA.

3.2. Verificación de la edad

Según el art. 8.2. RGPD, el responsable del tratamiento debe hacer esfuerzos razonables para verificar que el consentimiento es dado o autorizado por el titular de la patria potestad o tutela sobre el niño, teniendo en cuenta la tecnología disponible. El art. 7 LOPDGDD nada dice al respecto.

La aplicación del art. 8 RGPD implica dos verificaciones distintas y complementarias: verificar la edad del niño y verificar, en caso de que el menor no alcance los 16 años o la edad fijada por cada Estado, que el consentimiento sea dado o autorizado por quienes tienen la representación legal del menor.

Las medidas de verificación deben ser proporcionales a la naturaleza y riesgos de las actividades de tratamiento (Directrices 5/2020, § 135 y GT29 WP 259, § 7.1.3) y ello no debe conducir a un tratamiento excesivo de datos.

En el caso de los centros docentes, esta verificación no debe ser demasiado complicada, ya que existe una relación entre el centro y el alumno y la edad de este último se desprende de la documentación precisa para hacer la preinscripción en los centros.

En la medida que la LOPDGDD no establece nada al respecto, algún sector doctrinal considera aplicable el art. 13.4 RLOPD[300]. Por mi parte considero que el deber de verificación se deriva del art. 8.2 RGPD.

---

[300]   Este es el caso, por ejemplo, de García Garnica, que indica que el art. 13.4 RLOPD aún está vigente. La vigencia del RLOPD no es una cuestión pacífica. Si bien no existe una derogación expresa del mismo, en la medida que se derogó la LOPD de 1999, norma que le proporcionaba cobertura, ello podría interpretarse de modo que el RLOPD tampoco tuviera vigencia. En cualquier caso, el deber de verificar la autenticidad de la edad del menor va implícito en el Principio de responsabilidad proactiva, ex art. 5.2 RGPD, (García Garnica, Mª C. ob. cit., p. 188).

III. ANÁLISIS DE ALGUNOS SUPUESTOS

Una vez vistas las condiciones generales en que puede prestarse el consentimiento para tratar los datos personales, se analizan algunos supuestos. Para ello parece oportuno distinguir entre los casos que afectan la esfera económica del menor de aquellos relativos al ámbito personal.

1. *Supuestos que afectan la esfera económica del menor*

1.1. Realización de adquisiciones

Un supuesto podrá ser aquél en que en el centro docente exista un establecimiento (por ejemplo, una papelería) que permita realizar determinadas compras, bien de forma presencial o bien on-line. Si en el marco de una adquisición (libro, material escolar) se tratan datos del menor, para determinar qué consentimiento debe concurrir será preciso analizar el tipo de contrato realizado y la capacidad de obrar exigida en su caso. Si se considera que la adquisición entra dentro de los negocios relativos a bienes y servicios de la vida corriente propios de su edad (art. 1263.1 CC), el menor actuará por el mismo, sin representación alguna. En la medida en que no sea precisa dicha representación ni asistencia para el negocio principal, tampoco serán necesarias para tratar los datos personales relacionados con la adquisición realizada.

Sin embargo, si en la misma librería se lleva a cabo una adquisición de mayor relevancia económica, por ejemplo, un menor compra un *ipad*, la solución puede ser distinta. En este caso se puede considerar que excede de los negocios que según los usos sociales puede llevar a cabo un menor por sí mismo. Si se tratan datos personales en relación con dicha adquisición, y aunque el menor tenga 16 años (si no está emancipado), no bastará con su consentimiento para tratar los datos porque para el negocio principal, en el marco del cual se produce el tratamiento de datos, precisa la asistencia del representante legal. Por lo tanto, el menor tampoco podría prestar el consentimiento por sí mismo para tratar los datos y sería necesario la asistencia de los representantes legales.

1.2. Contratación de actividades

Otro supuesto que puede tener relevancia en el contexto educativo es la contratación de actividades extraescolares, realización de excursiones, intercambios, convivencias o viajes de final de curso. En el marco de las mismas se pueden recabar datos de contacto de los representantes legales, datos de afiliación a la seguridad social, los necesarios para suscribir una póliza de seguros de accidentes o bien información relativa a intolerancias alimentarias.

Considero que la contratación de estas actividades excede de los negocios relativos a bienes y servicios de la vida corriente. En consecuencia, aunque el menor tenga 16 o 17 años (si no se trata de un menor emancipado), se precisará la asistencia de los titulares de la patria potestad o tutela. Por lo tanto, el menor, por sí mismo, no podría prestar el consentimiento para tratar los datos personales relacionados con dichas actividades y no se aplicaría la regla del art. 7.1.i) LOPDGDD sino la del art. 7.1.ii) LOPDGDD.

2. *Supuestos que afectan la esfera personal*

2.1. Participación en concursos o sorteos

Si se solicitan datos personales para participar en un concurso que organiza el centro educativo o un tercero y ello no se vincula a ningún negocio jurídico principal para el cual se exija una determinada capacidad de obrar, bastará el consentimiento del menor que tenga 14 años o más. Por debajo de esta edad, será preciso el consentimiento de los representantes legales.

2.2. El derecho a la imagen

El tratamiento de las imágenes en el marco de las actividades de los centros docentes planteará múltiples interrogantes que podrán surgir, entre otros supuestos, en el uso de las redes sociales, en las salidas culturales, excursiones o bien en actos organizados por los centros docentes abiertos a los familiares de los alumnos.

Una vez más se planteará la cuestión relativa a quién puede tratar las imágenes que, según la definición que proporciona el 4.1 RGPD, constituyen un dato de carácter personal: "toda información sobre una persona física identificada o identificable"[301].

Disparidad de criterios: edad versus madurez del menor

En la medida que la imagen se considera un dato personal, para determinar quién puede prestar el consentimiento tratándose de un menor resultaría de aplicación el art. 7 LOPDGDD. Sin embargo, antes de analizar la aplicación de este precepto es preciso examinar si existen otras normas que deban tenerse en cuenta.

El interrogante surge porque el derecho a la propia imagen también es objeto de otra norma, la LO 1/1982, que regula la prestación del consentimiento. Según el art. 3.1 LO 1/1982, "El consentimiento de los menores e incapaces deberá prestarse por ellos mismos si sus condiciones de madurez lo permiten, de acuerdo con la legislación civil".

Se trata de dos normas que por razón del objeto (imagen de un menor), pueden resultar aplicables. El problema es que manejan dos criterios distintos respecto la capacidad del sujeto afectado: una *edad concreta* (14 años, LOPDGDD) o bien *madurez* (LO 1/1982). También el art. 162.1º CC hace referencia al criterio de la madurez al establecer que se exceptúan de la representación legal, los actos relativos a los derechos de la personalidad que el hijo, de acuerdo con su madurez, pueda ejercitar por sí mismo[302].

¿Cuál de estas normas debe prevalecer? La LOPDGDD (dato personal) y por lo tanto exigencia de 14 años para poder consentir, o bien la LO 1/1982 (imagen) y valoración de la madurez?

---

[301]   En cuanto a la imagen como dato de carácter personal, en el marco de la LOPD de 1999, *vid*. Piñar Mañas, J. L., "Concepto de dato de carácter personal", en *Comentarios a la LOPD*, Troncoso Reigada A. (coord.), Aranzadi, 2010, pp. 184- 213, y concretamente, *vid*. pp. 205-206.

[302]   Martínez de Aguirre Aldaz, C., en *Curso de Derecho civil I: Derecho Privado. Derecho de la Persona*, De Pablo Contreras, P., (coord), 5ª ed., Colex, 2015, pp. 405-413, § 175 y 176. Este autor reflexiona acerca de los actos relativos a los derechos de la personalidad que el hijo, de acuerdo con su madurez, pueda ejercitar por sí mismo.

En el caso de un menor de 12 años, si prevalece la LOPDGDD el menor no podría consentir por él mismo. Por el contrario, si se considera preferente la LO 1/1982, si el menor en cuestión tuviera suficiente madurez, sí que podría consentir el tratamiento de su imagen. Ante esta dualidad normativa existen distintos criterios.

i.- Un criterio podría ser aplicar la ley especial, y por lo tanto la LO 1/1982 que regula específicamente el ejercicio del derecho a la propia imagen por parte de un menor (art 3), tal y como considera Grimalt. Este autor defiende el carácter específico de la LO 1/1982 frente a las normas de protección de datos, ya desde la vigencia de la LORTAD, derogada por la LOPD de 1999. Subraya este autor que ni la LO 1/82 ni la LOPJM han sido derogadas ni expresa ni tácitamente por la Disposición derogatoria única. 3 LOPDGDD[303].

Este razonamiento se basa en el principio de especialidad en la medida que frente a la regulación general de protección de datos, existe una regulación específica que puede solaparse con la anterior y que sí protege bienes concretos: la intimidad, el honor y la propia imagen. Por lo tanto Grimalt considera que la LO 1/1982 es ley especial respecto a la LOPD y de aplicación preferente[304].

ii.- Otra opción sería considerar que en el caso de tratar datos en el contexto de SSI fuera de aplicación la norma relativa al tratamiento de datos personales y en el resto de los supuestos, la LO 1/1982. Sin embargo, si bien el RGDP está contemplando expresamente el tratamiento de datos de los menores en el marco de la oferta directa a niños de SSI, la LOPDGDD no establece esta limitación y por lo tanto tiene un mayor ámbito de aplicación. De hecho, el art. 7 LOPDGDD resulta aplicable a tratamientos no automatizados y también a aquellos que no estén relacionados con un SSI. García Garnica al hacer referencia a la capacidad para consentir el tratamiento de datos por parte de los menores señala que en los casos en que el tratamiento de datos suponga el uso de la imagen o nombre del menor y este sea contrario a sus intereses, resultará aplicable como ley especial el art. 4.3 LOPJM[305].

---

[303]   Grimalt Servera, P., *ob. cit.*, p. 165
[304]   *Loc. cit.* p. 165, nota n.º 74.
[305]   García Garnica, Mª C., *ob. cit.*, p. 183.

Esta misma autora, si bien no establece expresamente la distinción entre SSI y aquellos supuestos que no tienen esta característica, parece apuntar a esta diferencia. La autora señala que el uso de imágenes de los menores en las webs de los centros docentes deberá cumplir con los requisitos de la normativa de protección de datos y concretamente los arts. 84 y 92 LOPDGDD. En cambio, cuando sean los familiares o alumnos quienes tomen imágenes generalmente no resultará aplicable el RGPD (excepción doméstica), pero sí que podrá invocarse la tutela frente a intromisiones ilegítimas contemplada en la LO 1/1982[306].

iii.- Por mi parte soy del parecer que debe ahondarse en el concepto de dato personal y, siguiendo a Rebollo Delgado, distinguir entre la imagen como dato y el derecho a la propia imagen. Señala este autor que "la imagen es un dato de carácter personal, pero que no queda sometida a la normativa sobre protección de datos de carácter personal más que cuando se realiza con ella una serie de tratamientos que facilitan su manejo"[307]. Según Rebollo, "la imagen requiere, para quedar bajo la regulación de la protección de datos, que se realice con ella cualquier tipo de operación (tratamiento) que la haga accesible (fichero) y que sea relativa a una persona identificada o identificable (dato de carácter personal)[308]. En definitiva, el criterio es su accesibilidad conforme a un criterio lógico que permite un empleo sistemático y selectivo.

Los considerandos de la Directiva 95/46 (DPD)[309], a pesar de tratarse de una norma derogada, pueden arrojar cierta luz a las cuestiones planteadas. Tras afirmar, en el Considerando 14, que los tratamientos de los datos relativos a imagen y sonido quedarán bajo el ámbito de aplicación de la DPD, se afirma que "los tratamientos que afectan a dichos datos sólo quedan amparados por la presente Directiva cuando están automatizados o cuando los datos a que se refieren

---

[306] García Garnica, Mª C., *loc. cit.*, pp. 211-213
[307] Rebollo Delgado, L., "El derecho a la propia imagen y la imagen como dato", en *Revista española de protección de datos*, nº 5, 2008, pp. 155-182, *vid.* p. 168
[308] Rebollo Delgado, L, *loc. cit.* p. 171. En el mismo sentido se pronuncia el autor en: L. Rebollo Delgado, L., "La imagen como dato", en *Anuario de la Facultad de Derecho*, (Universidad de Alcalá), nº 2, 2009, pp. 177-201, concretamente pp. 200-201).
[309] Directiva 95/46/CE del Parlamento Europeo y del Consejo, de 24 de octubre de 1995,

se *encuentran contenidos* o se *destinan a encontrarse contenidos* en un *archivo estructurado* según criterios específicos relativos a las personas, a fin de que se pueda *acceder fácilmente a los datos de carácter personal* de que se trata (Considerando 15 DPD). Por lo tanto, el criterio determinante es de nuevo el fácil acceso, que se reitera una vez más en relación a los tratamientos manuales (Considerando 27 DPD).

Este mismo criterio, necesidad de que la información esté estructurada, se recoge también en el Considerando 15 del RGPD, que dispone que: "[...] La protección de las personas físicas debe aplicarse al tratamiento automatizado de datos personales, así como a su tratamiento manual, cuando los datos personales figuren en un fichero o estén destinados a ser incluidos en él. Los ficheros o conjuntos de ficheros, así como sus portadas, que no estén estructurados con arreglo a criterios específicos, no deben entrar en el ámbito de aplicación del presente Reglamento".

En definitiva, un aspecto clave, para establecer la aplicación de la normativa de protección de datos, es el fácil acceso a la información, relacionado con las funciones de búsqueda y específicamente con el tratamiento masivo de datos.

En base a estos criterios, considero que debe distinguirse en función de si el tratamiento de la imagen tiene lugar en el marco de un SSI en sentido amplio o bien en formato digital o por el contrario no es así. En el primer caso, me inclinaría por aplicar la LOPDGDD ya que en este entorno el criterio de la accesibilidad es incuestionable. El formato digital, precisamente, comporta que las opciones de búsqueda/acceso se generalicen.

Por otro lado, así lo determina el propio art. 92 LOPDGDD que dispone que: "Los centros educativos y cualesquiera personas físicas o jurídicas que desarrollen actividades en las que participen menores de edad garantizarán la protección del interés superior del menor y sus derechos fundamentales, especialmente el derecho a la protección de datos personales, en la publicación o difusión de sus datos personales a través de servicios de la sociedad de la información.

Cuando dicha publicación o difusión fuera a tener lugar a través de servicios de redes sociales o servicios equivalentes deberán contar con el consentimiento del menor o sus representantes legales, conforme a lo prescrito en el artículo 7 de esta ley orgánica".

En cuanto a los supuestos que no pueden considerarse SSI ni tampoco redes sociales, por ejemplo tratamiento en papel, considero que debería estarse en primer lugar a la finalidad del tratamiento. En determinados supuestos (imagen en sentido estático), podría primar la LO 1/1982. Por ejemplo, en los supuestos en que se quiera formalizar un contrato relativo a la comercialización de la imagen de un menor o el uso publicitario de la misma, considero que prevalecería la LO 1/1982[310].

La razón principal es que el contexto de la aprobación de la LO 1/1982 nada tiene que ver con el actual. La LO 1/1982 está pensando en un contexto analógico, mientras que la LOPDGDD se focaliza en el tratamiento digital y uso constante y masivo de datos y la transmisión continuada e inmediata de los mismos. Por lo tanto, aquellos supuestos que tengan por objeto directo la regulación de la imagen, entiendo que deben someterse a la LO 1/1982. Si bien se trata de supuestos conflictivos, de zonas grises y susceptibles de interpretación.

Una vez realizada esta primera valoración general, se analiza la forma de operar el consentimiento en distintos supuestos.

Supuestos concretos

i.- Si se trata de un menor que tiene 16 años o más

En este caso (puede tratarse de un menor emancipado o no emancipado), podrá consentir él mismo en aplicación del art. 8.1 RGPD y art. 7.1 LOPDGDD. Sin embargo, también surge la duda relativa a la posible aplicación de la LO 1/1996 y si el consentimiento prestado podría ser ineficaz si el tratamiento de los datos supusiera un

---

[310]   Un buen ejemplo de aplicación de la LO 1/1982 en relación al tratamiento de la imagen de un menor lo constituye el supuesto contemplado en la STS 2856/2015, de 30/06/2015, ECLI:ES:TS:2015:2856, en la que se publicó la imagen de un menor, sin el consentimiento del representante legal, en una revista gratuita de ámbito local para hacer publicidad de una actividad cultural (muestra de cetrería). Se aplicó tanto la LO 1/1982 como la LOPJM. Si bien el juzgado de instancia y la audiencia desestimaron la reclamación del representante legal, el TS casó la sentencia de instancia en base a la inexistencia del consentimiento del representante legal.

menoscabo de la imagen del menor (art. 4.3 LOPJM, precepto que se analizará más adelante). En este sentido Grimalt propone interpretar de modo conjunto los arts. 8 y 9 RGPD junto con la LOPJM, de modo que el consentimiento del menor para el tratamiento de sus datos, por ejemplo, en las redes sociales, será válido aunque la información a tratar suponga un menoscabo en su dignidad, salvo que los datos merezcan protección especial, ex art. 9 RGPD[311].

ii.- Si se trata de un menor que tenga 14 años o más

En este caso, en función de la regla del art. 7.1 LOPDGDD, considero que deberá distinguirse en función de si el tratamiento tiene lugar en el marco de un acto o negocio jurídico más amplio o no es el caso. Si no es así, se aplica el art. 7.1.i), y por lo tanto, si el menor tiene 14 años o más podrá consentir el tratamiento de los datos por sí mismo (por ejemplo, publicar una foto en una red social, sin perjuicio de lo que se indicará más adelante)[312].

En el caso de que el tratamiento tenga lugar en el marco de un acto/negocio jurídico más amplio (art. 7.1.ii LOPDGDD), deberá de estarse al "negocio principal" para determinar si para el mismo es preciso otro requisito de capacidad y a este último atenerse.

Por ejemplo, en el momento de formalizar la inscripción en un centro o suscribirse a una actividad extraescolar (actividad deportiva), debe aportarse una foto del menor. En este caso considero que el tratamiento de la imagen es subsidiario de la inscripción, por lo tanto, considero que no nos hallaríamos dentro del supuesto general del 7.1.i. LOPDGDD, esto es, los 14 años, sino que resultaría de aplicación la excepción. La formalización de la inscripción constituye un contrato de prestación de servicios, en cuyo caso, si el menor no es emancipado, deben suscribirlo sus representantes legales. Por ello, en este caso, sería aplicable el consentimiento preciso para el negocio

---

[311]   Grimalt Servera, P., *ob. cit*, p. 159.
[312]   Sin embargo, deberá estarse a otro criterio, que es el que establece el art. 4.3 LOPJM, y tener en cuenta si ello comporta un menoscabo de la imagen del menor. Por otro lado, me parece muy acertado distinguir, como hace Grimalt, en función de si se trata de redes sociales abiertas o cerradas. En el primer caso se deberá ser mucho más cauteloso.

principal, en cuyo contexto se traten los datos personales y entiendo que decaería la regla de los 14 años.

Esta solución puede parecer incongruente, en la medida que cuando resulta aplicable el art. 7.1.ii LOPDGDD el tratamiento de la imagen puede tener menos trascendencia que cuando por ejemplo se trata exclusivamente de publicar fotografías en una red social. En este último supuesto, si bien la conducta puede ser más peligrosa que en el caso anterior, si el menor tuviera 14 años o más no quedaría bajo el control/supervisión del representante legal y podría consentir por él mismo. Sin embargo, considero que este es el criterio que resulta aplicable en base al texto de la LOPDGDD, aunque sea criticable.

Grimalt considera (en el marco anterior a la LOPDGDD y aplicando el RGPD) que a partir de los 14 años se puede presumir que en abstracto el menor tiene capacidad de obrar suficiente para decidir sobre el uso de la imagen (principio general que según este autor cabría deducir en nuestro Ordenamiento jurídico, en base, entre otros argumentos, en el art. 1.1 LORPM)[313].

En consecuencia, Grimalt es del parecer que, si se demuestra que el menor no tenía condiciones suficientes de madurez para entender el alcance de su consentimiento, este no será válido[314]. Estoy de acuerdo con este autor en que se podrá impugnar el consentimiento otorgado por el menor. Sin embargo, estimo que el criterio para hacerlo no sería el de la falta de madurez del menor, en la medida que no es el requisito exigido en el art. 7.1 LOPDGDD. En todo caso aquello que deberá demostrarse no sería la falta de madurez, sino que el menor (mayor de 14 años), no tenía la capacidad de entender adecuada, esto es, que su capacidad "natural" no era la precisa para prestar el consentimiento. Esto considero que en rigor sería algo distinto de la madurez.

iii.- Si se trata de un menor que tenga menos de 14 años

En este caso deben consentir los representantes legales, según dispone el art. 7.2 LOPDGDD. La doctrina plantea la cuestión de si el menor que tuviera por ejemplo 13 años cumplidos podría consentir por él mismo en caso de que se acreditara suficiente madurez. Consi-

313   Grimalt Servera, P., ob. cit., p. 163.
314   Grimalt Servera, P. loc. cit., p. 163.

dero que no puede forzarse la interpretación del art. 7.2 LOPDGDD. Si el art. 8.1 RGPD ha permitido a los EM rebajar la edad y en nuestro caso esta edad se ha fijado en los 14 años, no puede admitirse una rebaja de la misma alegando la madurez del menor, ya que ni el RGPD ni la LOPDGDD aluden a este criterio[315].

Aparicio Salom y Vidal Laso relacionan el criterio de madurez ex art. 3.1 LO 1/1982 con el de los 14 años, de modo que el art. 7 LOPDGDD lo que haría sería fijar el momento en que se alcanza dicha madurez (14 años). En consecuencia, en la medida que vinculan madurez con la edad concreta ex art. 7. LOPDGDD, consideran estos autores que el límite de edad podría verse modificado en los casos en que el menor accede a la madurez suficiente a una edad diferente, ya sea superior o inferior a la determinada por el reglamento[316].

iv.- ¿Puede el Centro Docente prescindir del consentimiento de los menores o de los representantes legales?

En determinados casos el Centro Docente podrá tratar los datos sin precisar el consentimiento del menor o de los representantes legales en la medida que exista una habilitación legal o bien que sea preciso para cumplir las finalidades de educación y orientación propias de los centros docentes (DA 23.1 LOE).

Grimalt se plantea si es posible establecer el uso de la imagen de los alumnos prescindiendo de su consentimiento o del de los representantes legales y determinar que en concretos contextos deban usarse las redes sociales. Considera que los Centros Docentes pueden imponer a los alumnos el uso de las redes que impliquen el tratamiento de la imagen del menor siempre que las competencias que se desarrollen

---

[315] Grimalt plantea la cuestión pero tiene dudas de ello en base al tenor literal del art. 7 LOPDGDD (Grimalt Servera, P., loc. cit., p. 163).

[316] Sin embargo, Aparicio Salom y Vidal Laso basan su argumentación en Informes de la AEPD anteriores a la LOPDGDD, que aplicaban el art. 162.1 CC que también se refiere a la madurez del menor. (Aparicio Salom, J. y Vidal Laso, M., *Estudio sobre la Protección de Datos*, 5ª ed., Aranzadi, Pamplona, 2019, pp. 146-147). Como ya he indicado, considero que nos debemos ceñir a la edad contemplada en el art. 7 LOPDGDD, a pesar de que se pueda estar en contra de la edad establecida por el legislador español y el criterio fijado por el art. 8 RGPD (que no es el de la madurez).

con el uso de las redes sociales así lo exijan. Según Grimalt, podría invocarse la aplicación del art. 6.1.e) RGPD. Sin embargo, en la medida que se trate de imponer el uso en una red social de la imagen de un menor, dicha decisión deberá someterse al juicio de proporcionalidad, lo que comporta analizar la idoneidad, necesidad y proporcionalidad de la medida. Para aplicar este criterio debe tenerse en cuenta, además, si se trata de redes sociales cerradas/intranet o bien de redes abiertas a terceros[317].

Otro supuesto que se plantea Grimalt es el de utilizar las redes sociales como medio de comunicación con los familiares del menor (enviar videos, fotos) y ello sin necesidad de recabar el consentimiento de los propios alumnos o de los representantes legales.

Considera este autor que en este supuesto también es preciso acudir al juicio de proporcionalidad. La conclusión a la que llega es que no sería admisible el uso de redes sociales abiertas mientras que parece razonable el uso de redes sociales cerradas y ello siempre y cuando el tratamiento de la imagen se incardine en el desarrollo normal de las actividades educativas, la información no suponga una minusvaloración de la imagen del menor y que la divulgación de la información se circunscriba a los representantes legales de los compañeros del menor y sin que se pueda hacerse un uso posterior de la misma. En cualquier caso sí que subsistirá el deber de informar y el derecho de oposición.

Finalmente se plantea la posibilidad de que los Centros Docentes usen la imagen del menor en ejercicio de su "libertad" de información (realización de eventos, visitas a lugares públicos, premios concedidos). Coincido con la opinión de Grimalt según la cual no es posible publicar dichas imágenes/fotos en redes abiertas al público, especialmente si no existe relevancia pública suficiente. En cambio, si la actividad tiene implicaciones públicas, se pueden valorar otros criterios, en función del carácter accesorio de la imagen y que la misma no sea perjudicial para el menor[318].

---

[317]   Grimalt Servera, P., *ob. cit.*, pp. 147-149.
[318]   Grimalt, *loc. cit.*, pp. 150-151 y p. 154.

El consentimiento no basta... (cláusula de cierre)

Sin embargo, aunque se tenga el consentimiento, ya sea del menor o del representante legal, el Centro Docente debe ser consciente que ello no es una patente de corso que habilite cualquier tratamiento. Y ello porque también debe tenerse en cuenta la LO 1/1996, de Protección Jurídica del Menor, a la que el art. 84.2 LODPDGG se remite.

Según esta norma, la difusión de información o la utilización de imágenes o nombre de los menores en los medios de comunicación que puedan implicar una intromisión ilegítima en su intimidad, honra o reputación, o que sea contraria a sus intereses, determinará la intervención del Ministerio Fiscal, que instará de inmediato las medidas cautelares y de protección previstas en la Ley y solicitará las indemnizaciones que correspondan por los perjuicios causados (art. 4.2 LO 1/1996).

Por último, debe tenerse en cuenta que el concepto de intromisión ilegítima es muy amplio, de modo que se considera como tal: "cualquier utilización de su imagen o su nombre en los medios de comunicación que pueda implicar menoscabo de su honra o reputación, o que sea contraria a sus intereses incluso si consta el consentimiento del menor o de sus representantes legales" (art. 4.3 LO 1/1996).

Por lo tanto, existe un último control, y es el de si el uso de la imagen es contrario a los intereses del menor (menoscaba su imagen), en cuyo caso se deberán disparar las señales de alarma y debería frenarse el uso de la imagen.

También podría entenderse que la LO 1/1996 solo sería aplicable en los supuestos estrictos de medios de comunicación y, por lo tanto, las redes podrían considerarse excluidas. Sin embargo, considero que la LO 1/1996 debe interpretarse de acuerdo con la realidad social del momento y resultaría de aplicación la misma al supuesto de tratamientos digitales de datos. Además, la propia LOPDGDD invoca dicha norma.

En conclusión, en cuanto al tratamiento de la imagen, especialmente en redes sociales y cuando la misma es digitalizada, considero que debe de aplicarse la LOPDGDD y de forma residual la LO 1/1982, la aplicación de esta última considero que sería preferente cuando se trate de un uso estático de la imagen. Sin embargo, en cualquier caso, resultará de aplicación la LO 1/1996 y deberá de estarse alerta respecto de aquello que suponga vulneración de la imagen del menor: en consecuencia, deberá velarse y ponderarse mucho antes de publicar imágenes que pudieran vulnerar el interés legítimo del menor.

2.3. Comunicación de calificaciones y absentismo escolar

En ocasiones se puede plantear la cuestión relativa a si el centro educativo debe y puede comunicar a los representantes legales del menor determinada información cuando el afectado se oponga a ello. Por ejemplo, información relativa a las calificaciones o ausencias del alumno.

La solución a esta cuestión debe analizarse desde la perspectiva de la relación paterno filial o la existente entre el tutor-tutelado. El art. 154 CC dispone que los hijos no emancipados están bajo la patria potestad de los progenitores. La patria potestad, como responsabilidad parental, se ejercerá siempre en interés de los hijos, de acuerdo con su personalidad, y con respeto a sus derechos, su integridad física y mental[319].

La patria potestad, en cuanto a función, comprende un conjunto de deberes y facultades. Entre ellas la de velar por los hijos, alimentarlos y educarlos. Derechos y deberes que se ejercen en el marco del interés familiar, con la finalidad de facilitar el desarrollo global de la personalidad de quien está sometido a la misma.

En cuanto a la obligación del tutor de educar al menor y procurarle una formación integral (art. 228.2 CC)[320] deberá ajustarse a aquello que hubieran establecido los padres. En defecto de dichas disposiciones, será el tutor y no el juez quien debe decidir sobre la educación del menor, en la medida en que se trata de un derecho-

---

[319] Si bien el art. 154 CC fue modificado por la Ley Orgánica 8/2021, de 4 de junio, de protección integral a la infancia y la adolescencia frente a la violencia (BOE nº 134 de 5 de junio de 2021), no sufrió cambios en cuanto a este contenido.

[320] Se trata de lo que dispone el art. 228.2 CC tras la redacción proporcionada por la Ley 8/2021, de 2 de junio, por la que se reforma la legislación civil y procesal para el apoyo a las personas con discapacidad en el ejercicio de su capacidad jurídica (BOE nº 132, de 3 de junio de 2021). El contenido del art. 228.2 CC antes de la Ley 8/2021 se hallaba en el art. 269.2 CC.

deber por parte del tutor, que se ejercerá bajo la vigilancia y control de la autoridad judicial[321].

En consecuencia, el conocimiento de las calificaciones o absentismo por parte de los representantes legales podrá ampararse en los deberes concretos que integran el ejercicio de la patria potestad o tutela.

Así lo entiende la AEPD (Informe 466/2004 de 3 de enero de 2005) que declara que esta comunicación de datos estaría amparada en una habilitación legal, los arts 154.1º y 269.2 CC[322], que establecen respectivamente las obligaciones de padres y tutores de velar por sus hijos/tutelados tenerlos en su compañía, alimentarlos, educarlos y procurarles una formación integral[323]. Si bien este informe es anterior al RGPD, considero que la misma solución resulta aplicable actualmente[324].

El principio que preside el ejercicio de la patria potestad es el beneficio del hijo, que debe buscarse de acuerdo con su personalidad. La determinación de dicho interés corresponde, en principio, a quien ostenta su representación. En caso de conflicto de intereses, si no existe solución legal, será el juez quien resuelva, teniendo en cuenta que, ex art. 2.1 LOPJM predomina el interés del hijo[325].

El Informe 0441/2015 de la AEPD (6 de noviembre de 2015) analiza si ante la oposición del hijo *mayor de edad*[326] el centro docente debe facilitar a los padres las calificaciones. Según la AEPD, dicha comunicación se puede amparar en el art. 146 CC (derecho de alimentos

---

[321]   Ordás Alonso, M., *Comentarios al Código Civil*, Bercovitz, R (coord.), pp. 487-488. Este autor se pronunciaba en estos términos al comentar el art. 269.2 CC. Como ya se ha indicado, este precepto fue modificado por la Ley 8/2021 y el contenido de dicho art. 269.2 CC se halla actualmente en el art. 228.2 CC. En la medida que el tenor literal es el mismo, el comentario de Ordás Alonso al art. 269.2 CC puede aplicarse al art. 228.2 CC.

[322]   La referencia al art. 269.2 CC, tras la reforma llevada a cabo por la Ley 8/2021, debe entenderse hecha al art. 228.2 CC.

[323]   En cuanto a conflictos en casos de custodia compartida o si uno de los progenitores está privado judicialmente de la patria potestad, *vid*. APDCAT, *Pautes centres educatius*, cit., p. 22.

[324]   En relación a la patria potestad y aplicación del art. 154 CC, se pronuncia García Garnica, Mª C., ob. cit., p. 215.

[325]   *Vid*. Ballesteros De Los Ríos, M., "Comentarios a los arts. 154 a 180 del Código Civil", p. 332.

[326]   Podrá tratarse de un alumno mayor de edad porque haya repetido curso o bien alcance la mayoría antes de finalizar el segundo curso de bachillerato.

en sentido amplio). En defecto de esta base legal podría invocarse el interés legítimo del padre (art. 6.1.e RGPD).

En el supuesto analizado por el Informe 0141/2017 de la AEPD (14 de julio de 2017) la Agencia considera procedente, en base al interés legítimo, que el progenitor, que está satisfaciendo alimentos al hijo mayor de edad que cursa bachillerato, acceda a las calificaciones del hijo en base al derecho a la tutela judicial efectiva del progenitor que quiere plantear una acción de modificación de pensión alimenticia.

En cuanto a facilitar información escolar de los alumnos a otros familiares, ello solo será posible si quienes ostenten la patria potestad o tutela lo autorizan expresamente[327]. En relación al absentismo escolar, debe seguirse el mismo criterio relativo a las calificaciones. La existencia de obligaciones que integran la potestad de los representantes legales y que les permiten acceder a las calificaciones de sus hijos o tutelados, permite acceder a la información relativa al absentismo escolar. Si se trata de hijos/tutelados mayores de edad, dichos representantes podrán ser informados del absentismo escolar de sus representados mayores de edad cuando corran con sus gastos educativos o de alimentación, al existir un interés legítimo derivado del mantenimiento del representado[328].

2.4. Información sobre la situación familiar

Los centros educativos pueden recabar determinada información sobre la situación familiar de los alumnos. En este caso la base jurídica que proporciona fundamento al tratamiento de la información es la LOE, cuyo art. 84.2 relaciona los datos que pueden solicitarse relativos a la situación familiar del alumno en relación al proceso de admisión de los mismos en los centros docentes.

En caso de que los padres estén separados o divorciados, debe recabarse información sobre quién ostenta la patria potestad, así como quién ostenta la guarda y custodia y las personas autorizadas a

---

[327]   Guía para centros educativos, cit., p. 3. La APDCAT indica que ello solo será posible si dichos familiares tienen la representación legal del menor, vid. APDCAT, *Pautes centres educatius*, cit, p. 9.

[328]   Guía para centros educativos, cit., p. 31.

recoger al alumno. Así mismo los padres deben comunicar al centro educativo las modificaciones relativas al ejercicio de la patria potestad respecto de los hijos[329].

En relación a la comunicación a los Centros Docentes acerca de las vicisitudes de la patria potestad pueden surgir también conflictos relativos a la adopción de determinadas decisiones como puede ser la publicación de imágenes de los menores en las redes sociales.

Un ejemplo de este desacuerdo en el ejercicio de la patria potestad respecto de la publicación de imágenes y uso de una red social lo constituye el supuesto que dio lugar al Auto de la Audiencia Provincial de Asturias[330]. La madre de la menor (13 años) instó a que se prohibiera que la menor pudiera subir fotos a una red social sin el consentimiento de la progenitora mediante el teléfono móvil que le había regalado el padre y que utilizaba cuando se hallaba con él. Esta pretensión no prosperó en la medida que se acreditó que el uso que la menor hacía de la red social era adecuado.

En cuanto a los desacuerdos entre los responsables legales, en defecto de previsión expresa en la normativa de protección de datos, resulta procedente recurrir a las normas generales relativas al ejercicio de la patria potestad y concretamente al art. 156 CC. Si bien el art. 156 CC fue modificado por la Ley 8/2021, las previsiones en caso de desacuerdos de los progenitores no fueron alteradas. En consecuencia, cabe aplicar el mismo criterio antes y después de dicha Ley. Como regla general, serán válidos los actos que realice uno de los representantes legales con el consentimiento expreso o tácito del otro y los que realice uno solo conforme al uso social y a las circunstancias o bien en situaciones de urgente necesidad[331].

Por otro lado, deberá tenerse en cuenta que en los casos en que se trate de un uso exclusivo a nivel familiar concurrirá la excepción doméstica y por lo tanto no resultará aplicable el RGPD [art. 2.2.c) RGPD]. En el caso de imágenes atentatorias de la intimidad u honor del menor y si se publican en redes sociales abiertas (que excedan el

---

[329]   Guía para centros educativos, cit., p. 22 y APDCAT, *Pautes centres educatius*, cit, p. 12.

[330]   Sección 4ª, núm. 31/2019 de 13 marzo, (ECLI:ES:APO:2019:356ª)

[331]   García Garnica, Mª C., ob. cit., p. 185.

ámbito doméstico), sí que podrá solicitarse la autorización judicial, en defecto de acuerdo entre los progenitores, ex art. 156 CC[332]. Grimalt analiza la interpretación del art. 156 CC (ejercicio ordinario de la patria potestad) en relación con la autorización del uso de imágenes y considera que sería razonable entender que concurre dicha autorización para que el Centro Docente divulgue la imagen de un alumno menor de edad si la finalidad perseguida por el Centro Docente con la divulgación está relacionada con las funciones del propio centro. De todos modos, el autor recomendaría al Centro Docente recabar el consentimiento de ambos progenitores[333].

2.5. Ejercicio de los derechos reconocidos en el RGPD

La AEPD (Informe 466/2004, § IV) indica que los menores de edad respecto a quienes no se exija ningún tipo de complemento de capacidad en cuanto a la recogida de datos, podrán ejercer sus derechos ARCO sin la concurrencia de la autorización de sus padres/tutores. Sin embargo, debe tenerse en cuenta que este informe es anterior al RGPD.

El art. 12.1 LOPDGDD indica que los derechos reconocidos en el RGPD podrán ejercerse directamente o por medio de representante legal y el art. 12.6 LOPDGDD específicamente contempla dicha representación para menores de catorce años.

En consecuencia, a *sensu contrario*, los mayores de catorce años deberán poder ejercer los derechos relacionados con la protección de datos sin la autorización de los representantes legales salvo que alguna norma específica establezca lo contrario[334].

---

[332]   García Garnica, Mª C., loc. cit., pp.185 -187.
[333]   Grimalt Servera, P., *ob. cit.*, p. 69. Vid concretamente la interpretación que se plantea acerca de usos sociales y también del término urgente necesidad. Según Grimalt, es difícil imaginar esta urgencia respecto de la foto de un menor, *loc. cit.*, pp. 170-171.
[334]   En este sentido, *vid.*, APDCAT, *Pautes centres educatius*, cit, p. 21.

2.6. Publicidad y proceso de admisión

En los supuestos en que según la legislación deba informarse acerca del proceso de admisión de los alumnos si esta se lleva a cabo mediante un procedimiento de concurrencia competitiva, la publicidad deberá realizarse de manera que no suponga un acceso indiscriminado a la información. Esta publicación deberá recoger sólo el resultado final del baremo[335].

IV. CONCLUSIONES

En el presente trabajo se ha analizado el tratamiento de determinados datos de los alumnos menores de edad y se han examinado posibles conflictos que pueden surgir en su procesamiento en el contexto educativo. Singularmente se ha prestado atención a la manifestación del consentimiento. Considero que la cuestión decisiva es cómo se forma su voluntad.

Es evidente que la sociedad en la que nos hallamos inmersos plantea retos totalmente impensables en el contexto en que se aprobó la LO 1/1982. Así mismo la trascendencia actual de publicar información y especialmente imágenes nada tiene que ver con el tratamiento de las mismas por los medios de comunicación en 1996 (año de aprobación de la LOPJM).

En consecuencia, constituye un aspecto clave la formación de la voluntad del menor de modo que se percate de la trascendencia que tiene vivir en la sociedad de la información.

A ello procura dar respuesta la LOPDGDD. Por un lado, el art. 83 LOPDGDD, que lleva por rúbrica *Derecho a la educación digital*, tiene como objetivo garantizar la plena inserción del alumnado en la sociedad digital y el aprendizaje de un uso de los medios digitales seguro y respetuoso con la dignidad humana. Ello deberá acompañarse de un diseño curricular adecuado y la previsión de que el profesorado reciba la formación necesaria. Esta estrategia también debe implicar a los representantes legales de los menores que deben procurar que

---

[335] *Guía para centros educativos*, cit., p. 27. APDCAT, Pautes centres educatius, cit, pp. 13 y 14.

estos hagan un uso equilibrado y responsable de los dispositivos digitales y de los servicios de la SI (art. 84.1 LOPDGDD).

Por otro lado, están previstas políticas de impulso de los derechos digitales y elaboración de un plan de actuación dirigido a que los menores hagan un uso equilibrado y responsable de los dispositivos digitales y de los SSI (art. 97). Finalmente la DA 19 LOPD (*Derechos de los menores ante Internet*) dispone que el Gobierno debe remitir un proyecto de ley dirigido a garantizar los derechos de los menores ante el impacto de Internet.

Todas estas disposiciones, algo reiterativas, merecen una valoración positiva. Sin embargo, el problema es que con gran probabilidad cuando lleguen a concretarse estarán superadas por la realidad que pretenden regular. Además, también es muy probable que los destinatarios de las mismas (los menores) sepan mucho más que aquellos que teóricamente deben educarles.

Considero que para intentar que la revolución tecnológica no arrolle a los ciudadanos, especialmente a los menores, y les convierta en un simple engranaje de la sociedad digital, es imprescindible conocer y estudiar los mecanismos que constituyen su esencia. Ello debe abordarse desde distintas disciplinas, especialmente la tecnología, el derecho, la filosofía, la economía, la sociología, y singularmente la psicología. Es preciso conocer el impacto que tiene en la construcción de la identidad del sujeto la sociedad en la que se desarrolla. De otro modo los ciudadanos nos convertiremos en meros títeres de la sociedad de la información.

LOS PODERES DE LAS AUTORIDADES DE CONTROL EN MATERIA DE PROTECCIÓN DE DATOS FRENTE AL DEBER DE SECRETO PROFESIONAL

Cristina Pauner Chulvi

Profesora Titular de Derecho Constitucional
Universitat Jaume I

INTRODUCCIÓN

El Reglamento General de Protección de Datos[336] (RGPD en adelante) en su artículo 90 permite a los Estados miembros de la Unión Europea promulgar su propia legislación nacional de protección de datos en lo que respecta a las obligaciones de secreto profesional y adoptar normas específicas que fijen el alcance de las competencias de las autoridades de control establecidas en el artículo 58. Esto es, en ese margen que concede el RGPD, las normativas nacionales podrán limitar ciertas competencias de las autoridades de control para conciliarlas con el secreto profesional que deben mantener ciertos profesionales.

Concretamente, el artículo 90 regula las "Obligaciones de secreto" y establece que: "1. Los Estados miembros podrán fijar los poderes de las autoridades de control establecidos en el artículo 58, apartado 1, letras e) y f), en relación con los responsables o encargados sujetos, con arreglo al Derecho de la Unión o de los Estados miembros o a las normas establecidas por los organismos nacionales competentes, a una obligación de secreto profesional o a otras obligaciones de secreto equivalentes, cuando sea necesario y proporcionado para conciliar el derecho a la protección de los datos personales con la obligación

---

[336] Reglamento (UE) 2016/679 del Parlamento Europeo y del Consejo de 27 de abril de 2016, relativo a la protección de las personas físicas en lo que respecta al tratamiento de datos personales y a la libre circulación de los datos y por el que se deroga la Directiva 95/46/CE (DO L 119 de 4.5.2016, p. 1).

de secreto. Esas normas solo se aplicarán a los datos personales que el responsable o el encargado del tratamiento hayan recibido como resultado o con ocasión de una actividad cubierta por la citada obligación de secreto. 2. Cada Estado miembro notificará a la Comisión las normas adoptadas de conformidad con el apartado 1 a más tardar el 25 de mayo de 2018 y, sin dilación, cualquier modificación posterior de las mismas"[337].

Los poderes de las autoridades de control a los que se refiere son "obtener del responsable y del encargado del tratamiento el acceso a todos los datos personales y a toda la información necesaria para el ejercicio de sus funciones" (apartado e) y "obtener el acceso a todos los locales del responsable y del tratamiento, incluidos cualesquiera equipos y medios de tratamiento de datos, de conformidad con el Derecho procesal de la Unión o de los Estados miembros" (apartado f).

Por su parte, el considerando 164 RGPD, que contextualiza al mencionado artículo 90, dice así: "Por lo que respecta a las facultades de las autoridades de control para obtener del responsable o del encargado del tratamiento el acceso a los datos personales y el acceso a sus locales, los Estados miembros podrán adoptar por ley, dentro de los límites del presente Reglamento, normas específicas para salvaguardar las obligaciones de secreto profesional u otras obligaciones equivalentes de secreto, en la medida en que sea necesario para conciliar el derecho a la protección de los datos personales con una obligación de secreto profesional. Ello se entenderá sin perjuicio de las obligaciones existentes de los Estados miembros de adoptar normas sobre secreto profesional cuando así lo exija el Derecho de la Unión."

En suma, el artículo 90 RGPD tiene en cuenta el conflicto entre la protección de los datos personales que las autoridades de control supervisan y la obligación de mantener el secreto para las personas obli-

---

[337] La obligación de notificar a la Comisión tiene por objeto que esta actúe como guardiana de los Tratados (art. 258 TFUE), especialmente si la regulación nacional cumple con los criterios de necesidad y la proporcionalidad. Con todo, la falta de notificación por parte del Estado miembro no afecta a la entrada en vigor de la normativa estatal, aunque el incumplimiento puede dar lugar al correspondiente procedimiento de infracción iniciado por la Comisión. Sobre la falta de notificación, véase la STJUE C-336/14, caso *Sebat Ince*, 4 de febrero de 2016.

gadas por el secreto profesional en virtud de las legislaciones de los Estados miembros, profesionales tales como abogados, procuradores, notarios, fiscales, contables, auditores, asesores fiscales, profesionales de la salud o periodistas, entre otros, y otorga a los Estados miembros de la Unión Europea una facultad de discrecionalidad relativamente amplia. No obstante, este margen de discrecionalidad nacional también es limitado, ya que se refiere únicamente a las facultades de las autoridades de control para acceder a locales o despachos profesionales y datos personales necesarios para el cumplimiento de las tareas relacionadas con la inspección (artículo 58.1. e y f RGPD)[338].

El objetivo de esta disposición es garantizar que la aplicación del Reglamento no ponga en peligro los intereses legítimos de las personas cuando el Derecho nacional o europeo considere que deben estar protegidos por el deber de secreto profesional[339]. Estamos ante otro ejemplo en el que el derecho a la protección de datos debe adoptar medidas compensatorias. Incluso, los Estados miembros, sus autoridades y tribunales – y, por tanto, las autoridades de control – tienen la obligación de asegurarse de que no mantienen una interpretación de la legislación de protección de datos que pudiera estar en conflicto con otros derechos fundamentales o con otros principios generales del derecho comunitario, como el principio de proporcionalidad.

En las siguientes líneas tratamos de deslindar el secreto profesional del principio de confidencialidad establecido en el RGPD, analizaremos cómo está regulado el secreto profesional en España para dos profesiones en las que el secreto es de gran trascendencia (abogacía y

---

[338]   Puede confrontarse esta previsión con la Directiva 2006/24 sobre comunicaciones electrónicas. El TJUE ha subrayado en numerosos pronunciamientos su aplicación incluso a las personas cuyas comunicaciones están sujetas, según las normas del Derecho nacional, a la obligación de secreto profesional ya que la Directiva no prevé ninguna excepción (STJUE, asuntos acumulados C-293/12 y 594/12, *Digital Rights Ireland and Seitlinger and Others*, 8 de abril de 2014, para. 58 y STJUE, asuntos acumulados C-203/15 y C-698/15, *Tele2 Sverige AB v Post- och telestyrelsen and Secretary of State for the Home Department c. Tom Watson and Others*, 21 de diciembre de 2016, para. 105).

[339]   Wiese Sandverg, Christian, "Article 90. Obligations of secrecy", en *The EU General Data Protection Regulation (GDPR). A Commentary*, eds. Kuner/Bygrave/Docksey/Drechsler, 2020, p. 1253.

Cristina Pauner Chulvi

profesiones sanitarias)[340] y trataremos de determinar el modo de conciliar el cumplimiento del deber de secreto profesional con las potestades supervisoras de la autoridad de control de protección de datos en España.

II. PRINCIPIO DE CONFIDENCIALIDAD Y DEBER DE SECRETO PROFESIONAL

El artículo 90 RGPD se refiere a «una obligación de secreto profesional u otras obligaciones equivalentes de secreto e introduce el concepto de secreto profesional, pero no lo define. Aunque el secreto profesional está arraigado y protegido por el derecho comunitario, no existe una definición general y su concepto difiere de un Estado miembro a otro[341]. Sin embargo, se puede partir de los elementos que caracterizan el secreto profesional tal y como lo define el artículo 339 del Tratado de Funcionamiento de la Unión Europea –TFUE[342]– y generalmente se acepta que el secreto profesional es necesario para garantizar algunos derechos fundamentales, como el derecho a un juicio justo y el derecho de defensa (en el caso de los abogados, artículos 47 y 48 de la Carta de Derechos Fundamentales de la Unión Europea –CDFUE– y artículo 6 del Convenio Europeo de Derechos Humanos –CEDH–) [343] o el derecho a la intimidad (en el caso de los

---

[340]   Esta selección de profesiones atiende a la importancia que el secreto juega en las mismas y el mayor perjuicio que su violación implica en la persona titular de ese secreto, aunque el deber de secreto profesional es mucho más amplio, siendo exigible con carácter general a todos los profesionales que, por razón de su trabajo puedan recibir confidencias o conocer datos o hechos relevantes de una persona.

[341]   STJUE, C-155/79, caso *AM & Limited c. Comisión de las Comunidades Europeas*, 18 de mayo de 1982, paras. 170 y 171 y C-550/07, caso *Akzo Nobel Chemicals y otros c. Comisión*, 14 de septiembre de 2010, para. 70.

[342]   Artículo 339 TFUE: "Los miembros de las instituciones de la Unión, los miembros de los comités, así como los funcionarios y agentes de la Unión estarán obligados, incluso después de haber cesado en sus cargos, a no divulgar las informaciones que, por su naturaleza, estén amparadas por el secreto profesional y, en especial, los datos relativos a las empresas y que se refieran a sus relaciones comerciales o a los elementos de sus costes". Véase también STJUE T-198/03, caso *Bank Austria Creditanstalt c. Comisión*, 30 de mayo de 2006, para. 7.

[343]   STJUE, C-305/05, caso *Ordre des barreus francophones et germanophones y otros c. Consejo de Ministros*, 26 de junio de 2007 y STEDH, asunto *Wieser*

profesionales de la salud, el artículo 7 CDFUE y el art. 8 CEDH) [344]. La persona, cuyos datos se ven afectados, debe estar segura de que el profesional no divulgará, y no puede ser obligado a revelar, la información proporcionada por ella[345].

El título "Obligaciones de secreto" del artículo 90 RGPD puede inducir a confusión con otras referencias cercanas pero diferentes en cuanto alcance o sujetos que también recoge el Reglamento. Así, en primer lugar, encontramos que el artículo 5.1 RGPD enumera, entre los principios relativos al tratamiento, el de confidencialidad obligando a que los datos sean "tratados de tal manera que se garantice una seguridad adecuada de los datos personales, incluida la protección contra el tratamiento no autorizado o ilícito y contra su pérdida, destrucción o daño accidental, mediante la aplicación de medidas técnicas u organizativas apropiadas («integridad y confidencialidad»)" (apartado f). El principio de confidencialidad garantiza que la información es accesible únicamente a personal autorizado a tener acceso y tiene como finalidad evitar que se realicen filtraciones de los datos no consentidas por los titulares de los mismos.

La estrecha interdependencia entre el principio de seguridad y el principio de confidencialidad se pone de relieve con claridad en el RGPD que trata los dos principios conjuntamente concediendo a ambos una importancia central.

En España, el artículo 5 LOPDGDD regula la confidencialidad –con anterioridad deber de secreto regulado en el artículo 10 LOPD– como un deber de los responsables y encargados del tratamiento, así como de todas las personas que intervengan en cualquier fase de este en los términos a los que se refiere el artículo 5.1.f RGDP y determina que esta obligación general de confidencialidad será complementaria de los deberes de secreto profesional de conformidad con su normativa aplicable manteniéndose aun cuando hubiese finalizado la relación

---

y *Bicos Beteilligungen c. Austria,* 16 de octubre de 2007 y asunto *Pruteanu c. Rumania,* 3 de febrero de 2015.

[344] STJUE, C-73/07, caso *Satamedia Oy,* 16 de diciembre de 2008 y STEDH, asunto *Sanoma Uitgevers BV c. Países Bajos,* 14 de septiembre de 2010.

[345] Sobre secreto profesional ante las autoridades de supervisión financieras, STJUE, C-140/13, caso *Annett Altmann y otros, 14 de noviembre de 2014;* sobre secreto bancario, STJUE, C-522/14, *caso Sparkasse Allgäu, 14 de abril de 2016.*

del obligado con el responsable o encargado. Sobre este precepto volveremos con detenimiento más adelante.

Existe, por tanto, un interés del responsable o encargado por establecer las medidas técnicas y organizativas adecuadas y proporcionales para garantizar la integridad, disponibilidad y la confidencialidad de la información y preservarla de accidentes, acciones ilícitas o malintencionadas incluidos accesos no autorizados a los datos. Estas medidas han de garantizar un nivel de seguridad adecuado teniendo en cuenta el estado de la técnica y la naturaleza de los datos personales a proteger y exigirán una evaluación de los riesgos para fijar el nivel de seguridad adecuado en coherencia con la novedad del modelo de responsabilidad del RGPD que evoluciona de un patrón basado, fundamentalmente, en el control del cumplimiento a otro que descansa en el principio de responsabilidad activa exigiendo del responsable o encargado del tratamiento una previa valoración del riesgo que pudiera generar el tratamiento de los datos personales para, a partir de dicha valoración, adoptar las medidas que procedan. Y el artículo 78.2 LOPDGDD refleja ese patrón en su Título V referido al responsable y encargado del tratamiento a quienes exige que, en la determinación de las medidas técnicas y organizativas apropiadas para garantizar y acreditar que el tratamiento es conforme a la normativa aplicable en materia de protección de datos, "(…) tendrán en cuenta en particular los mayores riesgos que podrían producirse en los siguientes supuestos: a) Cuando el tratamiento pudiera generar situaciones de discriminación, usurpación de identidad o fraude, pérdidas financieras, daño para la reputación, *pérdida de confidencialidad de datos sujetos al secreto profesional*, reversión no autorizada de la seudonominización o cualquier otro perjuicio económico, moral o social significativo para los afectados".

Ambos principios –el de integridad o seguridad y el de confidencialidad –constituyen una garantía para el derecho fundamental a la protección de datos porque aseguran que los datos personales solo sean conocidos por el afectado o interesado y por aquellos usuarios de la organización cuyo perfil les atribuye competencia para usar, consultar, modificar o incluir datos en los sistemas de información.

En palabras de la AEPD, «Este deber de secreto (LOPD) comporta que el responsable de los datos almacenados no pueda revelar ni dar a conocer su contenido teniendo el "deber de guardarlos, obligaciones que subsistirán aún después de finalizar sus relaciones con el titular del fichero o, en su caso, con el responsable del mismo". Este deber es una exigencia elemental y anterior al propio reconocimiento del derecho fundamental a la libertad informática, a que se refiere la Sentencia del Tribunal Constitucional 292/2000, de 30 de noviembre, y, por lo que ahora interesa, comporta que los datos tratados no pueden ser conocidos por ninguna persona o entidad ajena fuera de los casos autorizados por la Ley, pues en eso consiste precisamente el secreto (PS/00192/2008, Sentencias de la Sección Primera de la Sala de lo Contencioso-Administrativo de 18 de febrero de 2002 y 1 de febrero de 2006)»[346].

En segundo lugar, y estrechamente vinculado al precepto anterior, el artículo 28.3.b) RGPD determina que el contrato o acto jurídico que vincule al encargado estipula que este "garantizará que las personas autorizadas para tratar datos personales se hayan comprometido a respetar la confidencialidad o estén sujetas a una obligación de confidencialidad de naturaleza estatutaria"[347].

Para garantizar una asignación transparente de responsabilidades y obligaciones tanto interna –entre responsables y encargados[348]– como externamente hacia los interesados y los reguladores, el procesamiento por parte de un encargado debe estar cubierto por un contrato u otro acto jurídico vinculante entre el responsable y el encargado que documente las instrucciones del responsable del tratamiento, así como el objeto y la duración del mismo, su naturaleza y finalidad, el tipo de datos personales y las categorías de los interesados y las obligaciones y derechos del responsable. Se trata de un detallado conjunto de instrucciones del responsable que obligan al encargado a actuar sometido a ellas. Entre el contenido obligatorio de este contrato se incluye la estipulación de que las personas autorizadas al tratamiento

---

[346]   AEPD, *Guía: La protección de datos en las relaciones laborales*, 2009, p. 41.

[347]   CJEU, Case T-462/12 R, *Pilkington Group Ltd v. European Commission*, Order of the President of the General Court, 11 March 2013, para. 44 and ECHR, *Brito Ferrinho Bexiga Villa-Nova v. Portugal*, 1 December 2015.

[348]   Sobre estos conceptos, véase Grupo de Trabajo sobre protección de datos del artículo 29, *Dictamen 1/2010 sobre los conceptos de «responsable del tratamiento» y «encargado del tratamiento»*, WP169, de 16 de febrero de 2010.

de datos personales están sujetas a las cláusulas de confidencialidad a semejanza de lo que contemplaba el artículo 16 de la Directiva 95/46/EC. El encargado, a su vez, debe tener acuerdos de confidencialidad con sus empleados y contratistas. Además, cuando finalice el contrato, el encargado del tratamiento deberá eliminar o devolver todos los datos personales al responsable del tratamiento y eliminar todas las copias existentes, a menos que así lo exija la legislación de la Unión o de los Estados miembros.

En tercer lugar, el artículo 38.5 RGPD determina que "El delegado de protección de datos estará obligado a mantener el secreto o la confidencialidad en lo que respecta al desempeño de sus funciones, de conformidad con el Derecho de la Unión o de los Estados miembros"[349].

Esta previsión plantea una serie de cuestiones, en particular, en lo que respecta a las funciones del delegado de protección de datos en relación con su organización de nombramiento. El GT29 se ha pronunciado sobre este extremo, aunque solo proporciona una orientación limitada sobre la confidencialidad frente a la autoridad de protección de datos y explica que "el delegado actúa como punto de contacto para facilitar el acceso de la autoridad de control a los documentos y la información necesarias para el ejercicio de sus poderes de investigación, correctivos, de autorización y consultivos mencionados en el artículo 58. Como ya se ha señalado, el delegado de protección de datos está obligado a mantener el secreto o la confidencialidad en lo que respecta al desempeño de sus funciones, de conformidad con el Derecho de la Unión Europea y de los Estados miembros (artículo 38, apartado 5). No obstante, la obligación de mantener el secreto o la confidencialidad no prohíbe al delegado de protección de datos contactar con la autoridad de control y recabar su asesoramiento"[350].

---

[349]   Véase también el artículo 21 del Reglamento (UE) 2018/1725 del Parlamento Europeo y del Consejo, de 23 de octubre de 2018, relativo a la protección de las personas físicas en lo que respecta al tratamiento de datos personales por las instituciones, órganos y organismos de la Unión, y a la libre circulación de esos datos, y por el que se derogan el Reglamento (CE) n.º 45/2001 y la Decisión n.º 1247/2002/CE.

[350]   Grupo de Trabajo sobre protección de datos del artículo 29, *Directrices sobre los delegados de protección de datos (DPO)*, WP243, de 13 de diciembre de 2016, revisadas por última vez y adoptadas el 5 de abril de 2017.

Según se desprende de la posición organizativa que ocupa el delegado de protección de datos en el RGPD, la confidencialidad se considera una medida necesaria para proteger su independencia[351]. Así, puede traerse a colación una resolución de 2010 de la autoridad alemana de protección de datos responsable del sector privado sobre los requisitos mínimos para garantizar la independencia de los delegados de protección de datos de la empresa, en la que la confidencialidad se consideró una medida necesaria para preservar esa independencia: "Con el fin de garantizar la independencia del delegado de protección de datos, son necesarias algunas medidas organizativas internas de la empresa: los delegados están vinculados a la confidencialidad sobre la identidad del interesado, así como las circunstancias en las que obtuvieron información sobre un interesado, a menos que el interesado en cuestión autorice expresamente lo contrario"[352]. Sin embargo, ninguna de estas afirmaciones responde realmente a la cuestión de cómo debe funcionar el requisito de confidencialidad en relación con la relación entre el delegado y su organización de nombramiento. Esto dependerá en parte del tipo de problemas de privacidad a los que se enfrenta la organización y de cómo se abordan. Además, se plantea la cuestión de cómo, si el trabajo del delegado de protección de datos

---

[351]   El TJUE aún no se ha pronunciado directamente sobre el delegado de protección de datos. Sin embargo, hay diversos pronunciamientos sobre la independencia de las autoridades de control que pueden ser relevantes para determinar los elementos que integran la independencia de estas son aplicables a la figura del delegado. Así, las SSTJUE, C-518/07, caso *Alemania c. Comisión*, 9 de marzo de 2010, sobre prohibición de instrucciones e independencia de cualquier influencia ejercida por las entidades supervisadas; C-614/10, caso *Austria c. Comisión*, 16 de octubre de 2012, sobre autonomía operacional, presupuesto adecuado e independencia de la plantilla frente al Gobierno; caso C-288/12, *Hungría c. Comisión*, 8 de abril de 2014, sobre la necesidad de razones objetivas para finalizar un mandato anticipadamente y C-362/14, caso *Schrems*, 6 de octubre de 2015, sobre objetivo de la independencia: garantizar la eficacia y fiabilidad del seguimiento del cumplimiento (Álvarez Rigaudias, Cecilia y Spina, Alejandro, "Article 38. Position of the data protection officer", en *The EU General Data Protection Regulation (GDPR). A Commentary*, eds. Kuner/Bygrave/Docksey/Drechsler, 2020, p. 705).

[352]   Hladjk, Jörg, "German DPAs Set Minimum Qualification and Independence Requirements for Company Data Protection Officers", 17 de diciembre de 2010. Disponible en https://www.huntonprivacyblog.com/2010/12/17/german-dpas-set-minimum-qualification-and-independence-requirements-for-company-data-protection-officers/

está protegido por privilegios legales (en particular, para los delegados externos que son abogados), el deber de confidencialidad puede operar frente al cliente.

En la segunda frase del artículo 44 del Reglamento 2018/1725 relativo a la protección de las personas físicas en lo que respecta al tratamiento de datos personales por las instituciones, órganos y organismos de la Unión, y a la libre circulación de esos datos también cabe encontrar orientaciones adicionales: "Nadie deberá sufrir perjuicio alguno por informar al delegado competente de protección de datos de que se ha cometido una infracción de lo dispuesto en el presente Reglamento". En virtud de esta disposición, la confidencialidad a la que está sujeta el delegado se interpreta principalmente como una forma de proteger a las fuentes de posibles reclamaciones contra las instituciones en lo que respecta al tratamiento de datos personales (denuncia).

La LOPDGDD ha regulado con mayor detalle la posición del delegado de protección de datos y en el artículo 36 leemos que "En el ejercicio de sus funciones y como norma general, el delegado tendrá acceso a los datos personales y procesos de tratamiento, no pudiendo oponer a este acceso el responsable o el encargado del tratamiento la existencia de cualquier deber de confidencialidad o secreto, incluyendo el previsto en el artículo 5 de esta ley orgánica".

En todas estas referencias, el deber de confidencialidad afecta a los implicados en cualquier etapa del tratamiento de datos personales, manteniendo la obligación incluso después de la finalización de su conexión con el responsable del fichero (como el encargado del tratamiento, el delegado de protección de datos o el personal de las autoridades de control) y es una característica que comparten con el deber de secreto profesional que, como veremos, también perdura más allá de la finalización de la relación con el cliente/paciente.

La importancia de este principio de confidencialidad se deduce al comprobar que su vulneración está considerada una infracción muy grave en la normativa de protección de datos. Así, el artículo 83 RGPD, bajo la rúbrica "Condiciones generales para la imposición de multas administrativas", en sus apartados 1 y 5.a) señala que: "1. Cada autoridad de control garantizará que la imposición de las multas administrativas con arreglo al presente artículo por las infracciones del presente Reglamento indicadas en los apartados 4, 5 y 6 sean en cada caso individual efectivas, proporcionadas y disuasorias." y que "5. Las infracciones de las disposiciones siguientes se sancionarán, de acuerdo con el apartado 2, con multas administrativas de 20 000 000 EUR como máximo o, tratándose de una empresa, de una cuantía equivalente al 4 % como máximo del volumen de negocio total anual global del ejercicio financiero anterior, optándose por la de mayor cuantía: "a) los principios básicos para el tratamiento, incluidas las condiciones para el consentimiento a tenor de los artículos 5, 6, 7 y 9".

Paralelamente, el artículo 72.1.a) LOPDGDD tipifica la infracción al principio de confidencialidad como muy grave a efectos de prescripción en los siguientes términos: "1. En función de lo que establece el artículo 83.5 del Reglamento (UE) 2016/679 se consideran muy graves y prescribirán a los tres años las infracciones que supongan una vulneración sustancial de los artículos mencionados en aquel y, en particular, las siguientes: a) El tratamiento de datos personales vulnerando los principios y garantías establecidos en el artículo 5 del Reglamento (UE) 2016/679."

Dicho esto, la confidencialidad prevista en estos preceptos no debe ser entendida como absoluta, dado que en ese caso sería imposible la cesión de datos prevista en el artículo 8 LOPDGDD. El deber de confidencialidad cede, por tanto, cuando existe el cumplimiento de una obligación legal del responsable del tratamiento, en cumplimiento de una misión realizada en interés público o en el ejercicio de poderes públicos.

III. LA REGULACIÓN DEL SECRETO PROFESIONAL EN ESPAÑA

Esta obligación de confidencialidad que recogen el RGPD y la LOPDGDD está obviamente relacionada con el deber de secreto profesional. Este deber que tienen los miembros de ciertas profesiones de no descubrir a terceros los hechos que han conocido en el ejercicio de su profesión se refuerza por la posición de responsables o encargados del tratamiento sobre los datos que legítimamente han recabado u obtenido y que les somete al principio de confidencialidad.

Cristina Pauner Chulvi

De manera muy explícita, el mencionado artículo 5 LOPDGDD considera el deber de confidencialidad como una obligación específica relativa al tratamiento de datos y, por esto, complementaria del deber de secreto profesional. El tenor literal del precepto dice:

> «Artículo 5. *Deber de confidencialidad.*
>
> 1. Los responsables y encargados del tratamiento de datos así como todas las personas que intervengan en cualquier fase de este estarán sujetas al deber de confidencialidad al que se refiere el artículo 5.1.f) del Reglamento (UE) 2016/679.
>
> 2. La obligación general señalada en el apartado anterior será complementaria de los deberes de secreto profesional de conformidad con su normativa aplicable.
>
> 3. Las obligaciones establecidas en los apartados anteriores se mantendrán aun cuando hubiese finalizado la relación del obligado con el responsable o encargado del tratamiento.»

El secreto profesional ha sido definido en el ATC de 11 de diciembre de 1989 donde declara que "el secreto profesional se entiende como la sustracción al conocimiento ajeno, justificado por razón de una actividad, de datos o informaciones obtenidas que conciernen a la vida privada de las personas". Este instituto aparece reconocido en los Códigos deontológicos de algunas profesiones como deber-derecho de aplicación a los profesionales de respetar el secreto de cualquier información confidencial que le transmita su cliente en el marco de su relación y se aplica, a semejanza del principio de confidencialidad, a cualquier persona que colabore con el profesional en su actividad perdurando la obligación incluso después de finalizada la relación profesional. Su fundamentación ética se basa en la supuesta relación de confianza del cliente ante la que se espera la respuesta de fidelidad del profesional. En el ámbito legal, la obligación de guardar secreto profesional está regulada en la mayoría de las legislaciones sectoriales con distinto alcance[353]. El derecho fundamental que sirve

---

[353] Este deber de secreto ha sido interpretado en un sentido amplio por el TC que en su sentencia 115/2000, de 5 de mayo, lo impone en una relación laboral basado en la confianza puesto que se trata de una empleada del hogar que difundió detalles de la intimidad de su empleadora. Así leemos que "desde la perspectiva constitucional cabe estimar asimismo que el secreto profesional, en cuanto deber que se impone a determinadas personas (STC 110/1984, de 26 de noviembre, FJ 10)

de base para la justificación de ambos deberes –el de confidencialidad y el de secreto profesional– es el derecho a la intimidad recogido en el artículo 18 CE.

Por un lado, el secreto profesional entronca directamente con la protección del derecho a la intimidad. En palabras del Tribunal Constitucional, "el secreto profesional, en cuanto justifica, por razón de una actividad, la sustracción al conocimiento ajeno de datos o informaciones obtenidas que conciernen a la vida privada de las personas, está estrechamente relacionado con el derecho a la intimidad que el art. 18.1 de la Constitución garantiza, en su doble dimensión personal y familiar, como objeto de un derecho fundamental. En tales casos, la observancia del secreto profesional puede ser garantía para la privacidad, y el respeto a la intimidad, una justificación reforzada para la oponibilidad del secreto, de modo que se proteja con éste no sólo un ámbito de reserva y sigilo en el ejercicio de una actividad profesional que, por su propia naturaleza o proyección social se estime merecedora de tutela, sino que se preserve, también, frente a intromisiones ajenas, la esfera de la personalidad que el art. 18.1 de la Constitución garantiza" (ATC 600/1989, de 11 de diciembre, FJ 2).

Por otro, el deber de confidencialidad es uno de los pilares básicos de la protección de datos personales, instituto de garantía del derecho a la intimidad, y asegura que los datos personales solo sean conocidos por el interesado y por aquellas personas que su labor profesional les atribuye competencia para operar sobre los datos en los sistemas de información. Se pretende garantizar fundamentalmente el derecho a la intimidad del individuo frente a los riesgos potenciales que se

---

resulta exigible no sólo a quien se halla vinculado por una relación estrictamente profesional, sino también a aquéllos que, como ocurre en el presente caso, por su relación laboral conviven en el hogar de una persona y, en atención a esta circunstancia, tienen un fácil acceso al conocimiento tanto de los espacios, enseres y ajuar de la vivienda como de las personas que en ella conviven y de los hechos y conductas que allí se producen. En tales casos, es indudable que la observancia del deber de secreto es una garantía de que no serán divulgados datos pertenecientes a la esfera personal y familiar del titular del hogar, con vulneración de la relación de confianza que permitió el acceso a los mismos" (FJ 6).

pueden derivar contra ella del uso de sistemas informáticos o de las tecnologías de la información y comunicación (artículo 18.4 CE)[354].

Antes de introducirnos en el análisis de la regulación española en materia de secreto profesional y, sin ánimo exhaustivo, destacamos que el secreto profesional también se reconoce en varios documentos de la Unión Europea, entre ellos la Recomendación R(2000) 21, de 25 de octubre de 2000, adoptada por el Comité de Ministros a los Estados miembros sobre la libertad de ejercicio de la profesión de abogado[355], la Directiva 2015/849/CE del Parlamento Europeo y del Consejo, de 25 de mayo de 2015, relativa a la prevención de la utilización del sistema financiero con fines de blanqueo de capitales o financiación del terrorismo, la Directiva 2014/65/UE del Parlamento Europeo y del Consejo, de 15 mayo de 2014, sobre los mercados de instrumentos financieros; la Directiva 2013/36/UE del Parlamento Europeo y del Consejo, de 26 de junio de 2013, relativa al acceso a la actividad de las entidades de crédito y a la supervisión prudencial de las entidades de crédito y las empresas de inversión y la Directiva 2000/31/CE, de 8 de junio de 2000, sobre determinados aspectos de los servicios de la sociedad de la información, en particular el comercio electrónico, en el mercado interior.

Ya en el ámbito nacional, encontramos el instituto del secreto profesional desarrollado en diferentes normas. Dicho marco normativo arranca, en el derecho interno, de la Constitución española, en la que el secreto aparece indirectamente aludido en tres preceptos estando todos incluidos en el ámbito de los derechos fundamentales.

En primer lugar, el artículo 18 CE garantiza el derecho al honor, a la intimidad personal y familiar y a la propia imagen. En segundo lugar, el artículo 20 CE -consagrado a las libertades de expresión e in-

---

354   Puyol Montero, Javier, "El deber de secreto: una obligación existente también en la protección de datos", 25 de septiembre de 2017, https://confilegal.com/20170925-deber-secreto-una-obligacion-existente-tambien-la-proteccion-datos-i/

355   Sobre la aplicación del RGPD a la abogacía, puede verse Council of Bars and Law Societies of Europe, *CCBE Recommendations regarding the implementation of the General Data Protection Regulation (GDPR)*, 02/12/2016. Una visión general del secreto professional en la Unión Europea en Buyle, Jean Pierre y Dirk van Gerven, *Professional Secrecy of Lawyers in Europe*, Cambridge University Press, 2013.

formación- establece que la ley regulará el secreto profesional siendo una prerrogativa exclusiva de los profesionales de la información. Por último, el artículo 24.2 CE también encomienda a la ley la regulación de los casos en los que, por razón de parentesco o secreto profesional, no se estará obligado a declarar sobre hechos presuntamente delictivos tratándose de una manifestación del derecho fundamental de defensa.

El secreto profesional también goza de regulación sectorial en los distintos ámbitos normativos. Así, la legislación laboral establece que la revelación de información bajo secreto puede ser causa de despido disciplinario del trabajador según la interpretación del artículo 54.2 del Estatuto de los Trabajadores cuyo apartado d) permite al empresario despedir a un empleado en caso de transgresión de la buena fe contractual y abuso de confianza. En la legislación administrativa, veremos los diferentes regímenes disciplinarios en las líneas que siguen y con carácter transversal, la LOPDGDD determina que la comunicación o cesión de datos personales, así como la vulneración del deber de guardar secreto puede considerarse una infracción de carácter muy grave (artículo 72.1.i) con sanciones de hasta 20.000.000 € o el 4% de la facturación anual. En el ámbito penal, el artículo 199 del Código penal determina que "1. El que revelare secretos ajenos, de los que tenga conocimiento por razón de su oficio o sus relaciones laborales, será castigado con la pena de prisión de uno a tres años y multa de seis a doce meses. 2. El profesional que, con incumplimiento de su obligación de sigilo o reserva, divulgue los secretos de otra persona, será castigado con la pena de prisión de uno a cuatro años, multa de doce a veinticuatro meses e inhabilitación especial para dicha profesión por tiempo de dos a seis años". Ambos tipos delictivos tienen elementos comunes, pero se diferencian en el tipo de relación que une al sujeto activo con el pasivo (laboral o por razón de un oficio, por una parte, y profesional por otra)[356], en la gravedad de las penas

---

[356] Respecto al tipo agravado, la STS de 4 de abril de 2002 señala que "se trata de un delito especial propio, con el elemento especial de autoría derivado de la exigencia de que el autor sea profesional, esto es que realice una actividad con carácter público y jurídicamente reglamentada" a lo que complementa la STS de 27 mayo 2008 que "La tipicidad radica no tanto en la especial condición de profesionales si no en la actividad típica del incumplimiento de su obligación

privativas de libertad y pecuniarias, y en la adición de la pena de inhabilitación especial a los supuestos de quebrantamiento del secreto profesional. La responsabilidad civil por incumplimiento del deber de secreto se deriva de la LO 1/1982, de 5 de mayo, de protección civil del derecho al honor, a la intimidad personal y familiar y a la propia imagen que otorga esta garantía a los derechos fundamentales reconocidos en el artículo 18.1 CE frente a todo género de injerencias o intromisiones ilegítimas. Cuando la quiebra del secreto profesional afecte a esos derechos fundamentales será causa de que surja la obligación de indemnizar de los daños y perjuicios derivados de esa intromisión ilegítima, si el hecho constituye alguno de los ilícitos civiles que establece el art. 7 de la citada ley.

1. El secreto profesional en la abogacía

A nivel europeo el secreto profesional en la abogacía aparece reconocido en el Código de Deontología de los Abogados de la Unión Europea, de 28 de octubre de 1988[357], como derecho y deber fundamental y primordial del abogado[358]. Este texto declara que la función del abogado se basa en esencia en ser depositario de los secretos de su cliente y destinatario de informaciones basadas de la confianza. Esta confianza no cabe sin la garantía de la confidencialidad. Por ello, el abogado debe guardar secreto de toda información de la que tuviera conocimiento en el marco de su actividad profesional, sin límite en el tiempo y extendida a sus socios, empleados y a cualquier persona que colabore con él en su actividad profesional.

---

profesional que le imponía abstenerse de utilizar los contenidos secretos que se le habían encomendado por razón de su actividad profesional".

[357]   Adoptado en la Sesión Plenaria del Consejo de la Abogacía Europea (CCBE por sus siglas en inglés) de 28 de octubre de 1988 y modificado en las Sesiones Plenarias de 28 de noviembre de 1998, 6 de diciembre de 2002 y 19 de mayo de 2006.

[358]   Sobre esta cuestión puede consultarse, entre otros, Pardo Gato, José Ricardo, "El secreto profesional y la confidencialidad abogado-cliente", *Revista Jurídica de Catalunya*, vol. 117, n.º 4, 2018, pp. 873-898; Plasència i Monleón, Antoni, "Secreto profesional e independencia del abogado según el derecho español", *Revista Jurídica de Catalunya*, vol. 86, n. 4, 1987, pp. 951-970; Otero González, Pilar, *Justicia y secreto profesional*, Centro de Estudios Ramón Areces, Madrid, 2001 y Martínez Val, José María, *Abogacía y Abogados*, Tecnos, Madrid, 1999.

Quien ejerce la abogacía se convierte en custodio de la intimidad personal de su cliente y de su inalienable derecho a no declarar contra sí mismo. Se trata de un deber deontológico y legal y a la vez un derecho que concreta derechos fundamentales que el ordenamiento jurídico reconoce a los clientes y a la defensa como mecanismo esencial del Estado de Derecho. En otras palabras, el fundamento del secreto profesional de quien ejerce la abogacía se encuentra en la protección de la intimidad del cliente y en la utilidad social de la profesión puesto que la eficacia de la función de la defensa dependerá de la relación de confianza entre abogado y cliente.

En España, la regulación del secreto profesional se recoge de forma explícita en el artículo 542.3 de la Ley Orgánica 6/1985, de 1 de julio, del Poder Judicial (LOPJ) que preceptúa que "Los abogados deberán guardar secreto de todos los hechos o noticias de que conozcan por razón de cualquiera de las modalidades de su actuación profesional, no pudiendo ser obligados a declarar sobre los mismos". Por su parte, el Real Decreto 135/2021, de 2 de marzo, por el que se aprueba el Estatuto General de la Abogacía Española (EGAE) dedica los artículos 21 a 24 al secreto profesional y establece que, de conformidad con la citada LOPJ, la confianza y confidencialidad en las relaciones con el cliente imponen al profesional de la Abogacía el deber y el derecho de guardar secreto de todos los hechos o noticias que conozca por razón de cualquiera de las modalidades de su actuación profesional, no pudiendo ser obligado a declarar sobre ellos (artículo 21.1 EGAE).

Asimismo, concreta el ámbito de este deber-derecho que alcanza a "todos los hechos, comunicaciones, datos, informaciones, documentos y propuestas que, como profesional de la Abogacía, haya conocido, emitido o recibido en su ejercicio profesional" (artículo 22.1 EGAE), así como a conversaciones con el cliente y comunicaciones con otros profesionales de la Abogacía (artículo 23 EGAE); excluye de la cobertura del secreto profesional aquellas actuaciones realizadas fuera del mandato representativo del cliente (artículo 22.2 EGAE); insiste en la extensión del deber de secreto a socios y colaboradores del abogado (artículo 22.4 EGAE) y en la perdurabilidad del deber-derecho de secreto una vez finalizada la relación profesional (artículo 22.5 EGAE) aunque el profesional de la Abogacía quedará relevado del mantenimiento del secreto si cuenta con la autorización del cliente (artículo 22.6 EGAE) y determina la presencia del Decano de los Colegios para la práctica de registros en los despachos de los abogados (artículo 24 EGAE).

Finalmente, el Código Deontológico de la Abogacía Española (CDAE), de 6 de marzo de 2019, define el alcance del secreto profesional en el artículo 5 donde leemos "La confianza y confidencialidad en las relaciones con el cliente, ínsita en el derecho de éste a su defensa e intimidad y a no declarar en su contra, impone a quien ejerce la Abogacía la obligación de guardar secreto, y, a la vez, le confiere este derecho, respecto de los hechos o noticias que conozca por razón de cualquiera de las modalidades de su actuación profesional, limitándose el uso de la información recibida del cliente a las necesidades de su defensa y asesoramiento o consejo jurídico, sin que pueda ser obligado a declarar sobre ellos como reconoce la Ley Orgánica del Poder Judicial" (apartado 1). Se reproducen las notas de mantenimiento vitalicio del secreto incluso después de dejar el ejercicio de la abogacía, cobertura del secreto profesional a las comunicaciones y negociaciones orales y escritas de todo tipo, con independencia del medio o soporte utilizado, así como extensión del secreto a cualquier persona que colabore con quien ejerce la abogacía.

Explícitamente, el artículo 21 CDAE se refiere al empleo de las tecnologías de la información y la comunicación y recuerda que debe hacerse uso responsable y diligente de las mismas "debiendo extremar el cuidado en la preservación de la confidencialidad y del secreto profesional" (apartado 2).

Por último, dentro del capítulo dedicado a la responsabilidad disciplinaria, el artículo 124 EGAE tipifica como infracción muy grave "f) La vulneración del deber de secreto profesional cuando la concreta infracción no esté tipificada de forma específica" que puede sancionarse con la expulsión del Colegio o la suspensión del ejercicio de la Abogacía por plazo superior a un año sin exceder de dos y la exclusión del profesional de la Abogacía de los servicios del Turno de Oficio por un plazo mínimo de entre uno y dos años (artículo 127.1 y 4 EGAE)[359].

---

[359] La responsabilidad disciplinaria dispone de un Reglamento específico donde se regula esta materia, el Reglamento de Procedimiento Disciplinario de la Aboga-

2. El secreto profesional en las profesiones sanitarias

El secreto profesional en materia sanitaria es especialmente relevante dada la particular relación entre el profesional de la medicina y el paciente, afianzada en la confidencialidad y reserva y de la naturaleza de la información relativa a aspectos íntimos que se revela en el marco de aquella[360]. De ahí que, según el Tribunal Constitucional, "el secreto profesional sea concebido en este ámbito como norma deontológica de rigurosa observancia, que encuentra una específica razón de ser no ya en la eficiencia misma de la actividad médica, sino en el respeto y aseguramiento de la intimidad de los pacientes" (ATC 600/1989, de 11 de diciembre, FJ 2).

La obligación de secreto de los médicos y profesional sanitario se encuentra legislativamente establecida en el artículo 10.3 de la Ley 14/1986, de 25 de abril, General de Sanidad (LGS), que garantiza el derecho de los ciudadanos "a la confidencialidad de toda la información relacionada con su proceso y con su estancia en instituciones sanitarias públicas y privadas que colaboren con el sistema público" y concurrente en el historial clínico-sanitario, en el que deben "quedar plenamente garantizados el derecho del enfermo a su intimidad personal y familiar y el deber de guardar el secreto por quien, en virtud de sus competencias, tenga acceso a la historia clínica" (artículo 6.1). Y el artículo 32.1 LGS determina las responsabilidades en que puede incurrir el personal sanitario: "Las infracciones en materia de sanidad serán objeto de las sanciones administrativas correspondientes, previa instrucción del oportuno expediente, sin perjuicio de las responsabilidades civiles, penales o de otro orden que puedan concurrir". Previsión de confidencialidad que se reitera en el artículo 7

---

cía Española, de 27 de febrero de 2009.

[360]   Álvarez Rigaudias, Cecilia, "Tratamiento de datos con fines de investigación científica y/o médica", en A. Rallo Lombarte (coord.), *Tratado de protección de datos, actualizado con la Ley Orgánica 3/2018, de 5 de diciembre, de Protección de Datos Personales y Garantía de los Derechos Digitales*, Tirant lo Blanch, Valencia, 2019, pp. 707-740. Otras referencias de consulta en Ortega Lorente, José Manuel, "El secreto profesional médico: garantía del derecho a la intimidad y límite de la investigación penal", *Jueces para la Democracia*, n. 36, 1999, pp. 47-57 y De Miguel Sánchez, Noelia, *Secreto médico, confidencialidad e información sanitaria*, Marcial Pons, 2002.

de la Ley 33/2011, de 4 de octubre, General de Salud Pública (LGSP) que remite a la normativa en materia de protección de datos y la Ley 41/2002, de 14 de noviembre, básica reguladora de la autonomía del paciente (LBRAP) y en el artículo 43 dedicado a la seguridad de la información[361]. La práctica de la medicina en equipo en un contexto tecnológico obliga a que el secreto trascienda a la figura del médico y se extienda a la generalidad de las profesiones sanitarias y a otras personas implicadas en las actividades sanitario-asistenciales.

Dentro de las normativas médicas legales ocupa un lugar destacado la mencionada LBRAP que determina el deber de secreto médico en su artículo 7.1 donde concreta la confidencialidad de los datos clínicos relativos a la salud de cada paciente, datos que no pueden ser revelados ni difundidos sin previa autorización amparada por la Ley. El artículo 7.2 LBRAP establece que "Los centros sanitarios adoptarán las medidas oportunas para garantizar los derechos a que se refiere el apartado anterior, y elaborarán, cuando proceda, las normas y los procedimientos protocolizados que garanticen el acceso legal a los datos de los pacientes". Y el artículo 16.6 LBRAP establece que el personal que accede a los datos de la historia clínica en el ejercicio de sus funciones queda sujeto al deber de secreto.

También los códigos deontológicos de las diferentes profesiones sanitarias se refieren al deber de guardar secreto[362]. Destacadamente, el Código de Deontología Médica de 2011[363] regula el secreto profesional en el artículo 27 que declara que el secreto médico es uno de los

---

[361] Artículo 43. Seguridad de la información: "1. En todos los niveles del sistema de información en salud pública se adoptarán las medidas necesarias para garantizar la seguridad de los datos. 2. Los trabajadores de centros y servicios públicos y privados y quienes por razón de su actividad tengan acceso a los datos del sistema de información están obligadas a mantener secreto."

[362] Sin ánimo exhaustivo, podemos citar el Código de Deontología en Enfermería, el Código de Ética y Deontología farmacéutica o el Código de ética y Deontología en Fisioterapia.

[363] A nivel internacional, debe citarse el Código Internacional de Ética Médica, de octubre de 1983, que establece que "El médico debe guardar absoluto secreto de todo lo que se le haya confiado, incluso después de la muerte del paciente. El médico debe respetar la confidencialidad del paciente. Es ético revelar información confidencial cuando el paciente otorga su consentimiento o cuando existe una amenaza real e inminente de daño para el paciente u otros y esta amenaza solo puede eliminarse con la violación del secreto".

pilares en los que se fundamenta la relación médico-paciente basada en la mutua confianza y que "comporta para el médico la obligación de mantener la reserva y la confidencialidad de todo aquello que el paciente le haya revelado y confiado, lo que haya visto y deducido como consecuencia de su trabajo y tenga relación con la salud y la intimidad del paciente, incluyendo el contenido de la historia clínica" (apartado 2).

3. Los límites al secreto profesional

De igual forma que el principio de confidencialidad se somete a excepciones, el secreto profesional no es un deber absoluto y existen supuestos en los que el profesional puede separarse de este deber.

En primer lugar, cuando el propio interesado lo autoriza. En el caso de la abogacía, si bien existe una amplia discusión doctrinal, nos alineamos con la que mantiene que la dispensa del cliente al abogado faculta a este a revelar los hechos objeto de secreto, aunque no le obliga a efectuar dicha revelación, fundamentalmente porque el secreto profesional es un deber y un derecho del abogado tal y como determina el artículo 542.3 LOPJ. Como vimos, el artículo 22 EGAE reconoce excepciones a este deber de secreto profesional y en el apartado 6 determina que "El Abogado quedará relevado de este deber sobre aquello que solo afecte o se refiera a su cliente, siempre que éste le haya autorizado expresamente".

En el caso de los datos sanitarios sometidos a reserva, el artículo 9.2 RGPD autoriza la difusión cuando hay previa petición y autorización del paciente. Especialmente interesante a este respecto es el supuesto contemplado en el artículo 9.3 RGPD que establece que las categorías especiales de datos podrán tratarse a los fines de medicina preventiva o laboral, evaluación de la capacidad laboral del trabajador, diagnóstico médico, prestación de asistencia o tratamiento de tipo sanitario o social, o gestión de los sistemas y servicios de asistencia sanitaria y social "cuando su tratamiento sea realizado por un profesional sujeto a la obligación de secreto profesional, o bajo su responsabilidad, de acuerdo con el Derecho de la Unión o de los Estados miembros o con las normas establecidas por los organismos nacionales competentes, o por cualquier otra persona sujeta también a la obligación de secreto de acuerdo con el Derecho de la Unión o de los Estados miembros o de las normas establecidas por los organismos nacionales competentes."

En segundo lugar, en cumplimiento de la obligación de colaboración con la justicia. El artículo 118 CE establece la obligación de todos los ciudadanos de cumplir las sentencias y demás resoluciones firmes de los Jueces y Tribunales, así como prestar la colaboración requerida por estos en el curso del proceso y en la ejecución de lo resuelto. La protección del derecho fundamental a la intimidad o del de defensa, como hemos visto, exime de esta obligación de colaboración a los profesionales sujetos a secreto profesional. Con carácter general, el artículo 259 de la Ley de Enjuiciamiento Criminal (LECrim) recoge la obligación de todo aquel que presenciare la perpetración de cualquier delito público a ponerlo inmediatamente en conocimiento del Juez de instrucción, de paz, comarcal o municipal, o funcionario fiscal más próximo al sitio en que se hallare (...). Este deber de denuncia se extiende en el artículo 262 LEcrim a quienes, por razón de sus cargos, profesiones u oficios tuvieren noticia de algún delito público estableciéndose como excepción en el artículo siguiente (artículo 263 LEcrim) a los Abogados y Procuradores de los hechos que hayan tenido conocimiento por manifestaciones de sus clientes, los eclesiásticos o los ministros de otros cultos de los hechos que hayan tenido conocimiento por razón de su cargo, a los que ha de añadirse los periodistas por el secreto profesional. El resto de los profesionales sujetos al deber de secreto profesional no podrán ampararse en el mismo a la hora de no formular la correspondiente denuncia, con la responsabilidad incluso penal en la que se puede incurrir.

En el caso de comparecencia en un proceso judicial, y descartada la obligación para los profesionales de la abogacía, el deber de secreto quedaría relegado a un segundo plano cuando el profesional sanitario fuese citado a declarar como testigo o perito, en cuyo caso el juez dirimiría el margen de revelación de secretos del sanitario. En el ámbito del proceso penal y civil, los artículos 416 a 418 LEcrim y el artículo 371 LEC, respectivamente, se ocupan de regular los efectos y las consecuencias de la comparecencia de los testigos con deber de guardar secreto; en este caso, cuando el testigo citado manifieste en el acto del juicio que está sujeto al deber de secreto profesional, debe ser el juez en base a las manifestaciones que realice el testigo llamado a hacerlo, el que resuelva lo procedente sobre si el testigo queda liberado de declarar, en caso contrario, estará obligado a declarar, pudiendo incurrir en un delito de desobediencia si se negara a ello.

Como novedad, la Disposición final novena LOPDGDD analiza de forma monográfica el tratamiento de datos en la investigación de salud y modifica el artículo 16.3 LBRAP. De acuerdo con la nueva redacción, el acceso a la historia clínica con *fines judiciales*, entre otros, se realiza mediante disociación de los datos de identificación personal del paciente y los datos de carácter clínico asistencial, de manera que, como regla general, queda asegurado el anonimato salvo que el propio paciente haya dado su consentimiento para no separarlos. Sin embargo, el párrafo tercero de este mismo apartado añade que se exceptúan los supuestos de investigación de la autoridad judicial en los que se considere imprescindible la unificación de los datos identificativos con los clinicoasistenciales, en los cuales se estará a lo que dispongan los jueces y tribunales en el proceso correspondiente. En este supuesto, en el que el juez fuerza el levantamiento del secreto, el acceso a los datos y documentos de la historia clínica queda limitado estrictamente a los fines específicos de cada caso.

En tercer lugar, cuando exista un riesgo para terceros. Es uno de los supuestos límite y que mayores dificultades plantea para determinar si el profesional puede romper la obligación de secreto. Recordemos que, con carácter general, el RGPD considera que "la pérdida de la confidencialidad de datos sujetos a secreto profesional" es uno de los riesgos que provoca el tratamiento de datos de carácter personal y que afecta a los derechos y libertades del interesado[364]. En estos supuestos límite, cabe aplicar estos mismos criterios fundamentales para justificar la revelación de secreto, entre ellos, la probabilidad de que se produzca el daño y la magnitud del mismo. En el caso de profesiones sanitarias, el nuevo artículo 16.3 LBRAP contempla que las Administraciones sanitarias podrán acceder, motivadamente y por medio de un profesional sanitario sujeto al secreto profesional o personal sujeto a obligación equivalente de secreto, a los datos identificativos

---

[364] El Considerando 76 RGPD declara que la probabilidad y la gravedad del riesgo para aquellos derechos y libertades del interesado y de terceros debe determinarse con referencia a la naturaleza, el alcance, el contexto y los fines del tratamiento de datos. En este caso ha de ponderarse el riesgo sobre la base de una evaluación objetiva de la situación.

de los pacientes por razones epidemiológicas o de protección de la salud pública.

IV. EL SECRETO PROFESIONAL DE LOS RESPONSABLES Y ENCARGADOS DEL TRATAMIENTO DE DATOS FRENTE A LA OBLIGACIÓN DE PERMITIR EL ACCESO A LOS DATOS POR PARTE DE LAS AUTORIDADES DE CONTROL

La normativa en materia de protección de datos afecta intensamente a las profesiones que hemos analizado más arriba. Todas ellas requieren la realización de tratamientos de datos personales para garantizar derechos fundamentales como el derecho a la tutela judicial efectiva o el derecho a la vida y a la protección de la salud. Además, la mayor parte de los datos personales que se manejan en estas profesiones entran dentro de las categorías especiales que son aquellas que "revelen el origen étnico o racial, las opiniones políticas, las convicciones religiosas o filosóficas, o la afiliación sindical, y el tratamiento de datos genéticos, datos biométricos dirigidos a identificar de manera unívoca a una persona física, datos relativos a la salud o datos relativos a la vida sexual o a las orientaciones sexuales de una persona física" (artículo 9.1 RGPD).

Las obligaciones que el RGPD impone a estos profesionales en cumplimiento del principio de confidencialidad exigen la implantación y cumplimiento de las medidas de seguridad exigibles, medidas que han de considerarse, pese a su novedad, con la misma intensidad con la que tradicionalmente se han considerado las exigencias de secreto profesional y que se encuentran bajo supervisión de las autoridades de control, encargadas de velar por el cumplimiento de la normativa de protección de datos y controlar su aplicación.

La Agencia Española de Protección de Datos es la autoridad de control en esta materia en el ámbito nacional[365] y, a semejanza de la

---

[365] En el ámbito autonómico contamos con la Autoridad Catalana de Protección de Datos, la Agencia Vasca de Protección de Datos y el Consejo de Transparencia y Protección de Datos de Andalucía.

Agencia Tributaria, dispone de facultades investigadoras y de supervisión con las que puede exigir que se le facilite cualquier información y conseguir de los responsables y los encargados el acceso a todos los datos personales, así como la posibilidad de acceder a los locales, los equipos informáticos y demás medios utilizados para el tratamiento de los datos según consta en el artículo 47 LOPDGDD que remite a lo dispuesto en los artículos 57 y 58 RGPD.

La AEPD puede solicitar esa información o presentarse en las oficinas del responsable o encargado para realizar la inspección de los equipos informáticos, documentos y demás medios utilizados para tratar datos personales. Con carácter general, es necesario facilitar esa información y permitir el acceso requerido y, tras la revisión, los inspectores de la AEPD levantarán un acta donde dejarán constancia de lo detectado. En caso de no colaborar, la Agencia podrá imponer una sanción, de acuerdo con el artículo 83 RGPD, por esa obstrucción a las funciones de la AEPD, sanción que no paraliza la posible investigación y el procedimiento sancionador que la hubiere provocado[366].

Este proceso se matiza según lo dispuesto en el artículo 90 RGPD en la medida en que permite que los Estados miembros modulen los poderes de las autoridades de supervisión ante encargados o responsables del tratamiento que, por mor del ejercicio de su profesión, se encuentran sujetos a secreto profesional. Por ejemplo, permitiendo que un médico, actuando como responsable en una materia cubierta por la normativa nacional o europea sobre confidencialidad entre doctor/paciente, pueda invocar las reglas nacionales ante las peticiones de información que le haya hecho una autoridad ejerciendo las competencias del 58.1.e y f. De igual forma, un abogado ejerciendo para un cliente tiene un deber de secreto profesional bajo la normativa nacional cuando trata la información del cliente como responsable del tratamiento. De hecho, existe una obligación de estos responsables bajo el artículo 25 RGPD, interpretado a la luz del considerando 75, para adoptar medidas que aseguren que los datos personales protegidos por el secreto profesional mantienen esa protección (protección de datos desde el diseño y por defecto).

---

[366] Por todos, véase el Procedimiento sancionador PS/00007/2015 (https://www.aepd.es/es/documento/ps-00007-2015.pdf).

El artículo 90 RGPD también se aplica a los encargados del tratamiento. Por ejemplo, un abogado ejerciente puede actuar como encargado de tratamiento de parte de un cliente (asumiendo de nuevo que
se dan los criterios del mencionado artículo 90) y puede, si es el caso,
negarse a facilitar los datos personales a la autoridad de control si así
lo prevé la norma nacional o europea.

El margen nacional de apreciación que reconoce el artículo 90 RGPD
está sometido a dos límites. En primer lugar, el artículo 90 RGPD no
está autorizando una restricción absoluta de estas competencias de la
autoridad de control y solo puede aplicarse a los datos confidenciales,
esto es, aquellos recibidos u obtenidos por el responsable o el encargado del tratamiento en una actividad sujeta al secreto profesional o
equivalentes y que, como hemos visto, sirven para garantizar algunos
derechos fundamentales como el de defensa o privacidad.

Esto significa que las normas específicas que se adopten por los
Estados miembros al amparo del artículo 90 RGPD no pueden excluir
otra información de las competencias supervisoras de las autoridades
de control que les reconocen los artículos 58.1.e y f. Por lo tanto, y
dado que las obligaciones profesionales de secreto protegen a menudo
más que datos personales se ha de destacar que el art. 58.1.e consagra
el derecho de la autoridad de conseguir toda la información necesaria.
Por ello, las cuestiones que son de conocimiento público común o que
el profesional conoce de forma independiente o que llega a conocer
simplemente con ocasión de, y no debido a, el ejercicio de su cargo
no son directamente el tema del secreto profesional. Así, las condiciones que debe cumplir esa información cubierta por la obligación de
secreto profesional son que solo sea conocida por un grupo limitado
de personas, que la divulgación de dicha información pueda dar lugar
a una grave desventaja para el interesado y que, incluso teniendo en
cuenta los intereses opuestos, se exija objetivamente el secreto. La
información que no cumple estos requisitos debe facilitarse a la autoridad de control.

En segundo lugar, el artículo 90 RGPD establece la posibilidad de
fijar los poderes de las autoridades de control «cuando sea necesario
y proporcionado para conciliar el derecho de protección de los datos
personales con la obligación de secreto», por lo que no puede deducirse que exista *necesariamente* una tensión entre las competencias

de las autoridades de control y las obligaciones derivadas del secreto profesional. Si tal tensión se produce, estamos ante los característicos conflictos que se dan entre derechos: por un lado, existe la obligación de controlar el cumplimiento de la normativa de protección de datos por parte de las agencias supervisoras – artículo 16.2 TFUE – incluidos los datos cubiertos por el secreto profesional y, por otro lado, debe garantizarse el derecho del interesado a la protección de sus datos personales como una expresión del derecho fundamental a la intimidad – artículo 16.1 TFUE –.

Así pues, el poder reglamentario de los Estados miembros está limitado por la necesidad y la proporcionalidad. La necesidad es un principio básico a la hora de evaluar la restricción de los derechos fundamentales e implica en sí misma que el objetivo legítimo que persigue la interferencia no puede alcanzarse mediante medidas menos restrictivas. La proporcionalidad es un principio que restringe a las autoridades en el ejercicio de sus competencias al exigirles que alcancen un equilibrio entre los medios utilizados y el objetivo previsto. La proporcionalidad exige que las ventajas debidas a la limitación del derecho deben compensar los sacrificios que aquella comporta para algún derecho, no sean compensadas por las desventajas de ejercer el derecho[367].

En general, la doctrina[368] sostiene que para justificar una limitación de las facultades de investigación de la autoridad supervisora no bastará con el reconocimiento del secreto en un reglamento sectorial, sino que esa exención debe explicitarse en el contenido de la norma y confirmar que los encargados o responsables del tratamiento bajo secreto profesional están excluidos de la supervisión. La Ley federal alemana de protección de datos[369] ofrece un ejemplo de ello en la Sección 29 sobre los "Derechos del interesado y las facultades de las autoridades de supervisión en caso de obligaciones de secreto" en cuyo apartado 3 leemos: "Las autoridades de control no tendrán los poderes de investigación de conformidad con el artículo 58, apartado 1, letras e) y f), del

---

[367] STJUE, caso C-44/94, *Fishermen 's Organisation*, 17 de octubre de 1995 y STEDH, asunto *S. and Marper v. the United Kingdom*, 4 de diciembre de 2008, para. 101.

[368] Wiese Sandverg, Christian, "Article 90. Obligations of secrecy", cit., p. 1257.

[369] *Bundesdatenschutzgesetz – BDSG*, de 27 de abril de 2017.

Reglamento (UE) 2016/679 con respecto a las personas enumeradas en la sección 203 (1), (2a) y (3) del Código Penal o sus encargados en la medida en que el ejercicio de esas facultades violaría la obligación de secreto de estas personas. Si en el contexto de una investigación una autoridad de control tiene conocimiento de datos sujetos a la obligación de secreto a los que se refiere la primera frase, la obligación de secreto también se aplicará a la autoridad de control"[370].

Frente a esta exclusión tan explícita, durante el período de adaptación de las normativas nacionales al nuevo RGPD, la autoridad independiente de protección de datos en Reino Unido (Information Commissioner's Office, ICO) advirtió del riesgo de que la cláusula del artículo 90 RGPD impidiese el acceso a la información necesaria para llevar a cabo las investigaciones reglamentarias, por ello subrayó la necesidad de realizar un tratamiento restrictivo del alcance de la exención para garantizar que la autoridad de supervisión "no se viese obstaculizada en su capacidad para llevar a cabo sus funciones reglamentarias ante individuos y organizaciones que se basan en obligaciones de confidencialidad para ocultar información a la autoridad" 371.

Trasladando estas consideraciones a las dos profesiones que estamos analizando, queda descartada la obligación de los profesionales de la abogacía de facilitar los datos sometidos a secreto ante la autoridad de control. El Tribunal Constitucional, en su STC 110/1984, de 26 de noviembre, ha entendido que ese secreto profesional se extiende también ante la Administración Pública: "El secreto profesional, es decir, el deber de secreto que se impone a determinadas personas, entre ellas los Abogados, de lo que conocieren por razón de su profesión, viene reconocido expresamente por la Constitución que en su art. 24.2 dice que la Ley regulará los casos en que, por razón de parentesco o de secreto profesional, no se está obligado a declarar sobre hechos presuntamente delictivos. Evidentemente y *a fortiori* tampoco existe el deber de declarar a la Administración sobre esos hechos. La

---

[370] El listado de personas enumeradas en el artículo 203 del Código Penal alemán incluye a médicos, abogados, dentistas, farmacéuticos, psicólogos, trabajadores sociales y otras profesiones con especial relación de confianza con sus clientes.

[371] ICO, *The Information Commissioner's Office (ICO) response to DCMS General Data Protection Regulation (GDPR) derogations call for views*, 10 de mayo de 2017, p. 6.

Constitución consagra aquí lo que es no un derecho sino un deber de ciertos profesionales que tiene una larga tradición legislativa (cfr. art. 263 de la L.E.Cr.)" (FJ 10).

La interpretación del TJUE coincide en esta línea y ha caracterizado la supervisión independiente bajo los artículos 8.3 CDFUE y 16.2 TFUE como un componente nuclear del derecho a la protección de datos. En concreto, ha afirmado que "la creación en los Estados miembros de autoridades de control independientes constituye, pues, un elemento esencial del respeto a la protección de las personas en lo que respecta al tratamiento de datos personales"[372] pero también ha afirmado que si esta petición no es compatible con otros derechos fundamentales- concretamente el derecho a un juicio justo del artículo 6 CEDH y el derecho a no declarar contra sí mismos – debe analizarse separadamente. A este respecto, el artículo 58.4 establece explícitamente que los poderes de la autoridad supervisora que le concede el artículo 58 se someten a las oportunas garantías, incluido el derecho a un juicio justo, reconocidos en la normativa nacional de acuerdo con la CEDH[373].

Sin embargo, la posición jurídica de los profesionales de la abogacía se ha visto matizada por las últimas tendencias legislativas y jurisprudenciales en materias como el blanqueo de capitales, la prevención del fraude fiscal o la responsabilidad penal de las empresas y "se promueve una comprensión del letrado como un cuasi-funcionario con deberes positivos especiales de colaboración"[374]. Así, el secreto profesional del abogado se ha visto limitado con motivo de la Ley 10/2010, de 28 de abril, de Prevención del Blanqueo de Capitales y de la Financiación del Terrorismo, que impone a los abogados unas obli-

---

[372] Por ejemplo, en la citada STJUE caso *Hungría c. Comisión*, para. 48. También en las SSTJUE caso *Comisión c. Alemania*, para. 23 y caso *Comisión c. Austria*, para. 37.

[373] Artículo 58 RGPD "4. El ejercicio de los poderes conferidos a la autoridad de control en virtud del presente artículo estará sujeto a las garantías adecuadas, incluida la tutela judicial efectiva y al respeto de las garantías procesales, establecidas en el Derecho de la Unión y de los Estados miembros de conformidad con la Carta".

[374] Goena Vives, Beatriz, "El secreto profesional del abogado in-house en la encrucijada: tendencias y retos en la era del compliance", *Revista Electrónica de Ciencia Penal y Criminología*, 2019, n.º 21-19, p. 2.

gaciones de información y colaboración con la Administración, aunque con la excepción de aquellos datos a los que accedan con motivo de la defensa de los intereses del cliente en procesos judiciales o en relación con ellos (artículo 22 de la Ley 10/2010)[375]. E igualmente, en el supuesto de los abogados de empresa, por la consideración de que estos no son abogados independientes quedando, por tanto, excluidos de la garantía del secreto profesional[376].

En el supuesto del secreto profesional del personal del ámbito de la salud entraría en juego la ponderación a la que nos referíamos arriba en atención a los criterios de necesidad y proporcionalidad. El objetivo es la conciliación del ejercicio de la actividad supervisora con el mantenimiento del secreto profesional con todo el alcance posible. Así, por una parte, debe analizarse si los intereses protegidos por el

---

[375] Artículo 22. *No sujeción.* "Los abogados no estarán sometidos a las obligaciones establecidas en los artículos 7.3, 18 y 21 con respecto a la información que reciban de uno de sus clientes u obtengan sobre él al determinar la posición jurídica en favor de su cliente o desempeñar su misión de defender a dicho cliente en procesos judiciales o en relación con ellos, incluido el asesoramiento sobre la incoación o la forma de evitar un proceso, independientemente de si han recibido u obtenido dicha información antes, durante o después de tales procesos. Sin perjuicio de lo establecido en la presente Ley, los abogados guardarán el deber de secreto profesional de conformidad con la legislación vigente". La STEDH de 6 de diciembre de 2012, asunto *Michaud c. Francia,* declaró que la regulación francesa que obliga a los abogados a informar de las sospechas sobre las posibles actividades ilícitas de sus clientes en relación con el blanqueo de capitales no supone una intromisión desproporcionada ni, por tanto, ilegítima en el derecho a la privacidad consagrado en el art. 8 CEDH. Un comentario a este pronunciamiento en González Pascual, Maribel, "Secreto profesional de los abogados y blanqueo de capitales: la normativa de la Unión ante el TEDH", *Revista Española de Derecho Constitucional,* núm. 101, 2014, pp. 381-404.
[376] SSTJUE C-155/79, caso *AM&S Europe Limited c. Comisión de la Comunidad Europea,* 18 de mayo de 1982 y C-550/07, caso *Akzo Nobel chemicals Ltd. y otros,* 14 septiembre de 2010, citadas anteriormente. En la doctrina, por todos véase, Grande Sanz, Marta., "El secreto profesional de los abogados de empresa", en *Retos de la abogacía ante la sociedad global,* coords. Gisbert Pomata M., Serrano Molina A., dirs. Carretero González C., y de Montalvo Jääskeläinen F., 2012, pp. 555-579; Rodríguez-Piñero Bravo-Ferrer, Miguel, "El secreto profesional del abogado interno y la STJUE Akzo de 14 de septiembre de 2010", *Diario La Ley,* núm. 7668, 2011 y Goena Vives, Beatriz, "El secreto del abogado in-house en la encrucijada: tendencias y retos en la era del compliance", *op.cit.,* pp. 1-26.

secreto profesional pueden quedar sin afectarse mientras se permite a la autoridad supervisora conseguir la información. Por ejemplo, en el marco de una investigación sobre las circunstancias que rodean una brecha de seguridad, la autoridad de control puede ser competente para obtener información sobre el modo como un responsable del tratamiento ha manejado datos médicos, responsable que está sujeto a la obligación de secreto profesional por ser profesional de la salud, pero no puede obtener los datos médicos en sí. O tampoco plantearía problemas la comunicación de datos que no tuvieren la consideración de íntimos porque no están cubiertos por el deber de secreto ya que su revelación no sería susceptible de lesionar la intimidad del paciente. Así, el profesional sanitario debería responder a cuestiones como si hubo o no información suficiente por parte de los médicos a efectos de obtener el consentimiento informado del paciente, pues tales datos carecen de relevancia jurídica a efectos de preservar la intimidad, la privacidad del sujeto[377]. El artículo 16 LBRAP que quedó modificado por la Disposición final novena LOPDGDD establece unas condiciones que, si bien referidas al acceso a la historia clínica con otros fines (judiciales, epidemiológicos, de salud pública, de investigación o de docencia), marcan unas pautas que pueden aplicarse también a este ámbito: en primer lugar, la obligación de preservar los datos de identificación del paciente asegurando su anonimato; en segundo término, la limitación del acceso a los datos estrictamente necesarios para los fines específicos de cada caso; y, en tercer lugar, la motivación por parte de la autoridad de la solicitud de acceso. Asimismo, finalmente, ha de ponerse de relieve que la obligación de confidencialidad afecta también a las autoridades de control y a su plantilla[378], obligación que actúa como garantía de que dicha información solo será utilizada para el fin para el que se les haya proporcionado o en el marco de procedimientos administrativos relacionados específicamente con dichas funciones.

---

[377]   Beltrán Aguirre, Juan Luís; García López, Fernando José y Navarro Sánchez, Carmen, *Protección de datos personales y secreto profesional en el ámbito de la salud: una propuesta normativa de adaptación al RGPD*, SESPAS. Sociedad Española de Salud Pública y Administración Sanitaria, Barcelona, 2017, p. 81.

[378]   Artículo 54.2 RGPD. También artículo 56 del Reglamento (UE) 2018/1725.

V. CONCLUSIONES

Cuando las autoridades supervisoras ejercen sus competencias para acceder a los datos personales tratados por responsables y encargados o a los lugares en los que se almacenan, este acceso puede suponer la revelación de información sujeta al deber de secreto. El artículo 90 RGPD asigna un mandato a los Estados miembros para encontrar el equilibrio entre el – a menudo estricto y en ocasiones absoluto – deber de no revelar información que se aplica a determinadas profesiones y el derecho a la protección de datos personales.

Tanto el derecho a la protección de datos como el secreto profesional se encuentran enraizados en el derecho a la intimidad de forma que las situaciones en las que la protección de cada uno de ellos se tensiona ha de procurarse una lectura conciliadora de ambos. Estamos ante un clásico conflicto entre derechos que debe resolverse aplicando las pautas que la jurisprudencia internacional y nacional ha fijado para estos supuestos de tensión y la restricción de los poderes de las autoridades de control solo podrá hacerse «cuando sea necesario y proporcionado para conciliar el derecho de protección de los datos personales con la obligación de secreto».

A lo largo del análisis hemos explorado el alcance del secreto profesional de los profesionales de la abogacía y de la salud por tratarse de dos ejemplos en los que el impacto del secreto es muy evidente y porque han recibido un tratamiento normativo específico, especialmente en el RGPD, así como jurisprudencial con abundantes pronunciamientos del TJUE sobre su significado y límites.

En España, el artículo 5 LOPDGDD regula la confidencialidad –con anterioridad deber de secreto regulado en el artículo 10 LOPD– como un deber de los responsables y encargados del tratamiento, así como de todas las personas que intervengan en cualquier fase de este y determina que esta obligación general de confidencialidad será complementaria de los deberes de secreto profesional de conformidad con su normativa aplicable. Este precepto impone a los profesionales citados una obligación de confidencialidad que se deriva de su condición de encargados o responsables en materia de protección de datos y un deber de secreto que se superpone al anterior y que se basa en derechos fundamentales como el derecho de defensa o derecho a la intimidad.

El análisis de la jurisprudencia europea y nacional nos ha permitido concluir que, por un lado, prevalece del secreto profesional en garantía del derecho de defensa aunque hay una evolución legislativa y jurisprudencial que impone los abogados una serie de deberes de colaboración en materias relacionadas con el tráfico económico ilegal que colisionan con su deber/derecho a la confidencialidad. En el ámbito de las profesiones sanitarias, la tensión entre la supervisión de las autoridades de control y la preservación del secreto debe resolverse aplicando un estricto control de necesidad y proporcionalidad que garantice, en todo caso, la justificación sobre los datos concretos de salud considerados necesarios por la autoridad de control para realizar la supervisión; la entrega en primera instancia de datos técnicos que permitan comprobar la observancia de la integridad y seguridad del tratamiento; si se requiere la cesión de datos de salud para el buen fin de la investigación, la garantía del menor perjuicio para los titulares de los datos aplicando siempre que sea posible, técnicas de anonimización y la asunción de que las autoridades de control están obligadas a su vez por el deber de secreto respecto de los datos a los que accedan y conozcan.

EUROPRISE, EL ESQUEMA NACIONAL DE SEGURIDAD Y OTRAS INICIATIVAS IMPULSADAS POR DISTINTAS AGENCIAS DE PROTECCIÓN DE DATOS EUROPEAS

Jorge Agustín Viguri Cordero[379]
Profesor Ayudante Doctor de Derecho Constitucional
Universitat Jaume I

I. INTRODUCCIÓN

Con la aplicación del Reglamento General de Protección de Datos (RGPD) el pasado 25 de mayo de 2018, los mecanismos de certificación adquirieron relevancia legal, lo que supuso que los operadores jurídicos y las organizaciones tuvieran a su disposición innumerables opciones de certificación de titularidad pública y privada en el mercado, incluyendo, entre otros, aquellos centrados en el cometido de asegurar el cumplimiento efectivo de la legislación de protección de datos.[380] Las autoridades supervisoras y los organismos de certificación –acreditados en sus respectivas sedes nacionales donde operan– tienen la facultad de certificar a los responsables y encargados de tratamiento de datos, concediendo una "distinción" pública para las partes interesadas que permite dar a conocer el gran interés de las organizaciones por proteger los datos personales objeto de procesamiento.

---

[379] El presente trabajo ha sido elaborado en el marco de la estancia postdoctoral en la Universitat Rovira i Virgili entre el 1/3/2021 al 30/7/2021 subvencionada por la Conselleria de Innovación, Universidades, Ciencia y Sociedad Digital convocadas por Resolución de 22 de noviembre de 2020 y concedida (en concurrencia competitiva) en junio de 2021 (número de expediente: BEST/2021/049).

[380] A lo largo del presente trabajo, debe entenderse por *"organización"* cualquier entidad pública o privada cuya actividad sea susceptible de efectuar cualquier tratamiento o procesamiento de datos personales.

Ahora bien, el RGPD no prevé condiciones exhaustivas para las autoridades de supervisión actuantes como organismos de certificación, sino que deja tal cuestión abierta a los Estados para que sean estos los que desarrollen en sus respectivas legislaciones el modelo más apropiado que se adapte a sus necesidades y particularidades nacionales –sin perjuicio de que las autoridades de protección de datos ostenten *per se* la función de supervisar el uso ulterior de las certificaciones y, en su caso, retirar certificaciones u ordenar al organismo de certificación que no emita una certificación (art. 42 RGPD)–.

En efecto, la certificación de un mecanismo relevante en el ámbito de la protección de datos puede ofrecer respuestas a la prevención de brechas en la privacidad y en la protección de los datos de los usuarios. Estos mecanismos se encuentran vinculados con el principio de responsabilidad proactiva *(accountability)* que regula el art. 5.2 RGPD[381] y deben conectarse siguiendo los parámetros relativos a la seguridad de tratamiento del art. 32 RGPD, que dispone expresamente lo siguiente: *"Teniendo en cuenta el estado de la técnica, los costes de aplicación, (...) el responsable y el encargado del tratamiento aplicarán medidas técnicas y organizativas apropiadas para garantizar un nivel de seguridad adecuado al riesgo (...)"*.

Asimismo, su implementación pretende dotar de garantías a la "Responsabilidad del responsable del tratamiento" del art. 24 RGPD, que reconoce que este *"(...) aplicará medidas técnicas y organizativas apropiadas a fin de garantizar y poder demostrar que el tratamiento es conforme con el presente Reglamento. (...)"* Tan es así, que el art. 42 en su apartado 3º atribuye a la adhesión a mecanismos de certificación una presunción de cumplimiento, en el sentido de que estos *"podrán ser utilizados como elementos para demostrar el cumplimiento de las obligaciones por parte del responsable del tratamiento"*.

---

[381]   Sobre la vinculación entre certificación y su trascendencia en la responsabilidad proactiva, remitimos a los estudios de: Rallo Lombarte, A., "El nuevo derecho de protección de datos", *Revista Española de Derecho Constitucional*, n.º 116, 2019, pp. 45-74; Bajo Albarracín J. A., Capítulo 37. Consideraciones sobre el principio de responsabilidad proactiva y diligencia (accountability). "Experiencias desde el Compliance", López Calvo J., (coord.), *La adaptación al nuevo marco de protección de datos tras el RGPD y la LOPDGDD*, 2019, pp. 973-981; Gudín Rodríguez-Magariños, F., *Nuevo Reglamento Europeo de Protección de Datos versus Big Data*, Valencia: Tirant lo Blanch, 2018, pp. 83-85.

Entre todos los mecanismos de certificación relevantes en el marco de la protección de datos personales, incluyendo las normas más relevantes de la Organización Internacional de Normalización (ISO) y de la Comisión Electrotécnica Internacional (IEC),[382] este trabajo tiene por objeto el análisis de las distintas iniciativas de certificación públicas y que, en mayor medida, han sido impulsadas por las autoridades o agencias de protección de datos europeas (APD) en los últimos años. A diferencia de las iniciativas de certificación tradicionales objeto de desarrollo y certificación por parte de organismos de certificación privados, estas obtienen el directo respaldo de las correspondientes APD, lo cual pretende avanzar esta disciplina hacia el fiel objetivo de demostrar el cumplimiento exhaustivo de distintas materias específicas previstas en el RGPD y que requieren de un nivel de desarrollo y concreción que, indudablemente, excede de aquel previsto en las legislaciones nacionales de protección de datos.

II. LA CONCEPTUALIZACIÓN DE LA CERTIFICACIÓN EN EL RGPD

1. Los criterios técnico-jurídicos susceptibles de inclusión en los esquemas de certificación

Las iniciativas y esquemas de certificación pueden definirse como procesos que permiten demostrar el cumplimiento efectivo del nivel de seguridad apropiado y facultan a las organizaciones certificadas proporcionar garantías suficientes en el respeto de la normativa de protección de datos vigente. Constituyen circunstancias de exoneración o atenuación del régimen sancionador que prevé la legislación de protección de datos.

---

[382] Para un análisis sobre los estándares internacionales ISO/IEC de la serie 27000 sobre Seguridad de la Información y su pertinencia a los efectos de asegurar el cumplimiento del RGPD, remitimos a nuestro estudio en: Viguri Cordero J., La adopción de instrumentos de certificación como garantía eficiente en la protección de los datos personales, *Revista Catalana de Dret Públic*, n.º 62, 2021, pp. 1-17.

En este sentido, cabe recordar que el art. 83 RGPD contempla las condiciones para la imposición de multas administrativas, que deben aplicarse de manera individual, resultando efectivas, proporcionadas y disuasorias. Además, conforme al apartado 2º letra j) del mencionado artículo, se prevé expresamente que *"Al decidir la imposición de una multa administrativa y su cuantía en cada caso individual se tendrá debidamente en cuenta: la adhesión (...) a mecanismos de certificación aprobados con arreglo al artículo 42"*.

Si bien, esto no implica que cada responsable o encargado de datos debidamente certificado cumpla íntegramente con lo dispuesto en la legislación de protección de datos, en este caso, excedería del propio objetivo de la certificación tendente en proporcionar una presunción a través de una validación en la cual, se entiende que el procesamiento de los datos resulta compatible con una norma o esquema con un ámbito de aplicación. En este sentido, como recuerda López Calvo, la obtención de la certificación en cuestión no otorga un salvoconducto automático hacia la exculpación en caso de que se comenta una infracción.[383]

De hecho, este puede resultar *amplio*, de manera que comprenda una amplia tipología de requisitos y criterios sobre protección de datos –en este caso, a través de normas internacionales de referencia como la norma de la serie ISO/IEC 27000–[384] o *específico* –por ejemplo,

---

[383] Lopez Calvo J., *Comentarios al Reglamento Europeo de Protección de Datos*, Sepín, 2017, p. 93.

[384] ISO/IEC 27000:2019. Tecnología de la información. Técnicas de seguridad. Sistemas de Gestión de la Seguridad de la Información (SGSI) y dentro de esta familia, deben destacarse: ISO/IEC 27001:2017. Tecnología de la información. Técnicas de seguridad. Sistemas de Gestión de la Seguridad de la Información. Requisitos. ISO/IEC 27002:2017. Tecnología de la Información. Técnicas de seguridad. Código de prácticas para los controles de seguridad de la información. Con respecto a esta última, puede verse el proyecto de la publicación de la versión actualizada de esta norma, que tiene previsto comenzar a implementarse a finales de 2021. El borrador puede consultarse en el siguiente enlace: https://cdn. standards.iteh.ai/samples/75652/adf745e3d93f49a3a7bf922b027ddc81/ISO-IEC-DIS-27002.pdf
Por lo que respecta a la extensión de la seguridad de la información a la privacidad y protección de datos, véase: ISO/IEC 27701:2019. Técnicas de seguridad. Extensión a ISO/IEC 27001 e ISO/IEC 27002 para la gestión de la información de privacidad. Requisitos y directrices.

que su ámbito de aplicación certifique el cumplimiento de los requisitos para ejercer como Delegado de Protección de Datos (en adelante, DPD) o las medidas de seguridad acorde al nivel de riesgo específico en las operaciones de tratamiento–.

En cualquier caso, el Comité Europeo de Protección de Datos (CEPD) ha concretado los componentes básicos que debe contener un esquema de certificación para evaluar de una operación de procesamiento:

1. los datos personales;
2. los sistemas técnicos, entendiéndose como tal, toda aquella infraestructura necesaria para el procesamiento de datos personales y;
3. los procesos relativos a las operaciones de procesamiento.[385]

Sin embargo, en el presente, el mercado de la certificación no está ajeno a problemas de enorme calado en cuando a su implementación jurídica pues, como reconocía un estudio que fue presentado a la Comisión Europea (CE) en el año 2019, esta no resulta lo suficientemente transparente.[386] Cabe tener presente que, con carácter general, estas no están disponibles de manera libre y gratuita.[387]

Todo ello ha provocado una desconfianza generalizada en las partes interesadas (acreditadoras, certificadoras, organizaciones y usuarios) en torno a las normas de certificación, cuestión que en los últimos tiempos parece revertirse gracias a los ingentes esfuerzos de las

---

[385] Comité Europeo de Protección de Datos (CEPD), Directrices 1/2018 sobre certificación e identificación de criterios de certificación de conformidad con los artículos 42 y 43 del Reglamento 2016/679, 4 de junio de 2019 (versión 3.0), pp. 13 y ss.

[386] Comisión Europea, Data Protection Certification Mechanisms, Study on Articles 42 and 43 of the Regulation (EU) 2016/679. Final report, febrero de 2019, pp. 15 y ss. Disponible únicamente en versión inglesa en: https://op.europa.eu/en/publication-detail/-/publication/5509b099-707a-11e9-9f05-01aa75ed71a1/language-en

[387] Principalmente, las tradicionales y populares normas ISO/IEC carecen de publicidad sin el pago de una tasa, aunque pueden encontrarse en el mercado otras que, si están disponibles gratuitamente, como es el caso de las normas del *National Institute of Standards and Technology* (NIST). Para más información sobre las normas NIST en el ámbito de la privacidad, véase: https://www.nist.gov/privacy-framework

APD europeas en la creación y aplicación de distintos esquemas de certificación. Iniciativas de gran impacto y validez en el estado en el que se encuentra la citada Agencia que, como tendremos oportunidad de analizar en los siguientes epígrafes, se encuentran publicadas –en toda su extensión– en sus respectivas páginas web aunque, a diferencia de las normas ISO/IEC, dejan de surtir efectos jurídicos en otro estado.

Ahora bien, estos mecanismos pueden solventar los grandes conflictos jurídicos que se producen en relación con la responsabilidad proactiva, la seguridad de la información o, incluso, la especificación de los requisitos para efectuar las transferencias internacionales de datos (arts. 42.1 y 46 RGPD). Se trata de cuestiones que trascienden del ámbito nacional y que exigen una contundente respuesta conjunta de las APD para garantizar un nivel de protección de los datos personales objeto de trasferencia equiparable al dispuesto por el RGPD.

En este sentido, recordemos que la Sentencia del Tribunal de Justicia de la Unión Europea (STJUE) *Data Protection Commissioner c. Facebook Ireland and Maximillian Schrems*, de 14 de julio de 2020388 declaraba la invalidez del *Privacy Shield* o Escudo de la privacidad entre Europa y Estados Unidos (EE.UU), la cual vino motivada por la falta de coherencia equivalente de las garantías adecuadas, los derechos exigibles y las acciones legales efectivas al RGPD.

Un pronunciamiento con directa trascendencia para los esquemas de certificación, que conforme a lo dispuesto en el Considerando 101 y los arts. 42.2 y 44 y ss. RGPD, pueden actuar como elementos que suplan la imposibilidad *de facto* de transferir información personal bajo el marco del mencionado Escudo. De hecho, pese a que el Tribunal de Luxemburgo lo invalidó a nivel comunitario, todavía constituye la ley aplicable en EE.UU –no obstante, el Departamento de Comercio de este país apuntó que está trabajando en una revisión del citado Escudo con la clara voluntad de proporcionar una alternativa equiparable al nivel de protección previsto por el RGPD–. Esto incluye el fortalecimiento del proceso de recertificación para aquellas organizaciones participantes para reducir el tiempo del proceso de

---

388 STJUE, *Data Protection Commissioner c. Facebook Ireland and Maximillian Schrems*, de 16 de julio de 2020. Asunto C-311/18 (ECLI:EU:C:2020:559).

comprobación de las correspondientes verificaciones sobre el cumplimiento.[389]

Por lo tanto, nada obsta para que los esquemas de certificación específicos cumplan con una función esencial en los próximos años, aquella consistente en adaptarse eficientemente a aquellos cambios exhortados no solo por el mero desarrollo tecnológico, sino por aquellas exigencias de las autoridades nacionales de control, del CEPD o dimanantes de recientes pronunciamientos jurisdiccionales en sede nacional, europea o internacional.

2. La certificación del RGPD y su exigua especificación en la LOPDGDD

El art. 42 RGPD establece una rigurosa y extensa regulación sobre la acción de certificación. Esto incluye el establecimiento de la labor de promoción por parte de los Estados miembros, las autoridades de control, el Comité y la Comisión (apartado 1°); la función esencial de la certificación tendente en "demostrar la existencia de garantías adecuadas ofrecidas (...)" (apartado 2°); su naturaleza potestativa (apartado 3°); su mera presunción, esto es, la no limitación de la responsabilidad (apartado 4°); las condiciones para la expedición (apartado 5°); la exigencia de suministrar toda la información y el acceso a las actividad de tratamiento para efectuar tal procedimiento (apartado 6°); el periodo máximo de expedición y renovación (apartado 7°); o la labor de archivo en un registro de la totalidad de mecanismos de certificación por parte del CEPD y su puesta a disposición pública (apartado 8°).

Sin embargo, este precepto no se encuentra especificado en la Ley Orgánica de Protección de Datos y Garantía de los Derechos Digitales (LOPDGDD), de 5 de diciembre de 2018, que únicamente regula en su art. 39 LOPDGDD la acreditación de instituciones de certificación en los términos que siguen:

---

[389]   Koenig, J., Rincon, K., Newby, T. G., Sisk, D., Chew, H., Keep Your Personal Data Flowing – How to Navigate the Changing Tides of the New EU Guidance and UK-EU Brexit Deal, 8 de enero de 2021. Disponible en: https://www.fenwick.com/insights/publications/keep-your-personal-data-flowing-how-to-navigate-the-changing-tides-of-the-new-euguidance-and-eu-brexit-deal.

"Sin perjuicio de las funciones y poderes de acreditación de la autoridad de control competente en virtud de los artículos 57 y 58 del Reglamento (UE) 2016/679, la acreditación de las instituciones de certificación a las que se refiere el artículo 43.1 del citado reglamento podrá ser llevada a cabo por la Entidad Nacional de Acreditación (ENAC), que comunicará a la Agencia Española de Protección de Datos y a las autoridades de protección de datos de las comunidades autónomas las concesiones, denegaciones o revocaciones de las acreditaciones, así como su motivación".

Dicho precepto únicamente establece la obviedad por la cual los organismos de certificación, esto es, los sujetos encargados de llevar a cabo la función esencial de certificar deben estar acreditados por la ENAC.[390] Requisito que implica que esta actividad de certificación no se encuentra liberalizada, sino que únicamente pueden llevarla a cabo –en relación con un esquema en el contexto de la protección de datos– aquellos organismos acreditados en sede nacional. Todo ello, siguiendo los requisitos que se desarrolla en el art. 43.2.º RGPD, esto es:

a) han demostrado, a satisfacción de la autoridad de control competente, su independencia y su pericia en relación con el objeto de la certificación;

b) se han comprometido a respetar los criterios mencionados en el artículo 42, apartado 5, y aprobados por la autoridad de control que sea competente en virtud del artículo 55 o 56, o por el Comité de conformidad con el artículo 63;

c) han establecido procedimientos para la expedición, la revisión periódica y la retirada de certificaciones, sellos y marcas de protección de datos;

d) han establecido procedimientos y estructuras para tratar las reclamaciones relativas a infracciones de la certificación o a la manera en que la certificación haya sido o esté siendo aplicada por un responsable o encargado del tratamiento, y para hacer

---

[390]   Conforme al Real Decreto 1715 de 2010, esta Entidad es el único organismo español que tiene potestad pública para otorgar acreditaciones de conformidad con lo dispuesto en el Reglamento Europeo n.º 765/2008 por el que se establecen los requisitos de acreditación y vigilancia del mercado relativos a la comercialización de los productos.

dichos procedimientos y estructuras transparentes para los interesados y el público, y

e) han demostrado, a satisfacción de la autoridad de control competente, que sus funciones y cometidos no dan lugar a conflicto de intereses.

III. LOS MECANISMOS DE CERTIFICACIÓN MÁS RELEVANTES EN EUROPA

1. *European Privacy Seal (EuroPriSe)*

Actualmente, el Sello Europeo de la Privacidad (EuroPriSe) se erige como una las iniciativas más conocidas en el objetivo de crear una certificación del RGPD con validez general para el ámbito de aplicación del mismo. Este Sello fue creado en el año 2007 para solventar los problemas que afectaban a los anteriores sellos de privacidad, concretamente, la generalizada desconfianza en este tipo de mecanismos de certificación en la UE. Fruto de sus oportunas actualizaciones, la versión v.201701 vigente –operativa desde enero de 2017– incorporó las disposiciones legales del RGPD,[391] lo cual permite a las organizaciones certificadas demostrar la aplicación de la legislación de protección de datos.

Este Sello posee un alcance territorial exclusivamente europeo –frente a la internacionalización de las normas ISO– e incluye criterios relacionados con la privacidad y con la protección de datos personales a la par que referencias a los derechos de los usuarios y a la confianza de los productos, servicios o sistemas de tecnologías de la información (TI) certificados. Una de las ventajas competitivas radica en el hecho de que su certificación permite a aquellas organizaciones que no pueden certificarse conforme a los estándares ISO/IEC pero que pretenden demostrar el cumplimiento del RGPD.

---

[391]   European Privacy Seal (EuroPriSe), Criteria for the certification of IT products and IT-based services (v201701), enero de 2017. Disponible en: https://www.european-privacy-seal.eu/EPS-en/Criteria.

EuroPriSe no solo resulta coherente con los requisitos del RGPD, sino que integra eficazmente una serie de métodos de certificación de seguridad de TI ampliamente reconocidos, como la norma ISO/IEC 27000 sobre Seguridad de la Información (SI). Dispone de unos criterios de certificación sólidos y desarrollados que fomentan la mejora continua, teniendo en cuenta el marco técnico, organizativo y legal concreto del producto, servicio o sistema e involucra a todas las partes interesadas para fortalecer la posición de los interesados y dotarlo de transparencia.

Además, contiene referencias expresas al cumplimiento de los principios de protección de datos del art. 5 RGPD (apartado 2.5), así como a los derechos de los interesados del Capítulo III contemplados en los arts. 15 y ss. RGPD (apartado 4º).

Ahora bien, no conviene obviar dos de los inconvenientes más destacados de esta certificación:

- por un lado, solo tiene en cuenta el tratamiento de datos personales mediante nuevas tecnologías y;
- por otro lado, todavía no ha recibido el respaldo y aprobación de las distintas autoridades de control ni del CEPD conforme dispone el apartado 5º del art. 42 RGPD.[392]

Por su parte, el apartado 6º dispone el compromiso de entregar toda la información y acceso a sus actividades de tratamiento que necesite para llevar a cabo el procedimiento de certificación. Una disposición que faculta al organismo de certificación decidir acerca del tratamiento que lleva a cabo una organización en el seno de su actividad.

---

[392] Vinculado a *EuroPriSe*, se han promovido otras iniciativas por parte de expertos en protección de datos como *GDPRtEXT*, que pretende certificar el cumplimiento de la normativa de protección de datos mediante un cuestionario basado en los requisitos del RGPD y EuroPriSe, transcribiendo estos criterios en un banco de preguntas que se emplean durante una auditoría. Las respuestas determinan el grado de cumplimiento de estas obligaciones legales. Sobre el particular, remitimos a siguiente estudio: Pandit H.J., Fatema K., O'Sullivan D., Lewis D., GDPRtEXT–GDPR as a Linked Data Resource, en: GANGEMI A. et al. (eds.) *The Semantic Web. ESWC 2018. Lecture Notes in Computer Science*, vol. 10843, 2018, Springer, Cham, pp. 11-12.

Con respecto al tiempo de expedición, el apartado 7º establece un período máximo de tres años y que podrá ser renovada en las mismas condiciones, siempre y cuando se sigan cumpliendo los requisitos pertinentes. Este intervalo de tiempo podrá evidentemente variar desde el momento en el que se otorgó en un principio la certificación. En este caso, en aras de aumentar la seguridad jurídica, deberán de comunicarse aquellas circunstancias que requieran de oportunas modificaciones para adecuarse efectivamente a las exigencias del RGPD.

Por último, el apartado 8º recoge el control efectivo de todos los mecanismos de certificación, previendo la necesidad de crear un registro donde se almacenen los requisitos de certificación y las organizaciones certificadas. Además, el registro deberá cumplir con estrictos criterios de transparencia, poniéndose a disposición pública por cualquier medio apropiado, esto es, tanto de forma física como telemática.

Recordemos que el Grupo de Trabajo del Artículo 29 (GT 29) apuntó en el año 2018 que las normas de certificación debían incluir no solo criterios técnicos tradicionalmente presentes, sino la fuerte apuesta de inclusión de conocimientos especializados de protección de datos.[393] Declaración que fue seguida más tarde por el ya renombrado CEPD que recordó que la certificación debía focalizarse en demostrar mediante su objeto principal el cumplimiento de los componentes específicos a los que hemos hecho referencia con anterioridad.[394]

Esta iniciativa lleva más de una década en funcionamiento y ha supuesto el precedente más relevante de certificación en el contexto de protección de los datos. Aunque sus criterios resultan coherentes con el RGPD, actualmente, no tiene el respaldo conjunto de las APD europeas.[395] Ello implica que el conjunto de criterios de EuroPriSe no

---

[393] Grupo de Trabajo del Artículo 29, Proyecto de Directrices sobre la acreditación de los organismos de certificación con arreglo al Reglamento (UE) 2016/679, WP261, 6 de febrero de 2018, p. 12. Disponible en: http://ec.europa.eu/newsroom/article29/item-detail.cfm?item_id=614486.

[394] Comité Europeo de Protección de Datos, Directrices 1/2018 sobre certificación..., ob. cit., p. 13.

[395] EuroPriSe ostenta el reconocimiento mutuo con la Autoridad Alemana de Protección de Datos (ULD) pero nada se concreta sobre si otras APD reconocen esta iniciativa de certificación. Para más información remitimos a: EuroPriSe, Overview on the EuroPriSe Certification Scheme, agosto de 2017, Bonn/Alemania. Accesible en: https://www.euprivacyseal.com/EPS-en/Presentations.

Jorge Agustín Viguri Cordero

han sido aprobados de conformidad con lo dispuesto en el art. 42.5 RGPD, por lo que todavía no ha sido formalmente acreditado como organismo de certificación de conformidad con el art. 43 GDPR. Por tal motivo, EuroPriSe requiere que sus clientes lo indiquen claramente en el momento en el que hagan uso del correspondiente sello.

Finalmente, conviene destacar que EuroPriSe recibió recientemente comentarios positivos del organismo de acreditación alemán DAkkS sobre su futuro programa de certificación. De hecho, el Comisionado Estatal de Protección de Datos y Libertad de Información de Renania del Norte-Westfalia (LDI NRW) se encuentra examinando el programa y los criterios de certificación correspondientes y tiene previsto concluir concluirá el procedimiento de examen del programa mediante una decisión declaratoria.[396]

Por lo tanto, una vez pueda concluirse la certificación de EuroPriSe en un país clave como Alemania, deberán ser otros EEMM los que impulsen la validación de sus criterios de certificación para así garantizar que el CEPP pueda aprobarlo como "sello oficial holístico en materia de privacidad y protección de datos" en los próximos años.

2. Los esquemas de certificación en España

2.1. La certificación del Esquema Nacional de Seguridad

Una de las primeras iniciativas de certificación que se desarrollaron en España fue, precisamente, el Esquema Nacional de Seguridad (ENS), establecido por el art. 42 de la Ley 11/2007, de 22 de junio, de acceso electrónico de los ciudadanos a los Servicios Públicos. Si bien, fue el Real Decreto 3/2010, de 8 de enero, por el que se regula el Esquema Nacional de Seguridad en el ámbito de la Administración Electrónica, modificado por el Real Decreto 951/2015, de 23 de octubre, el que regula en toda su extensión el ESN en el ámbito de la Administración Electrónica con objeto de garantizar una actualización a la evolución tecnológica y al marco jurídico europeo e internacional.

---

[396] https://www.euprivacyseal.com/EPS-en/news/n/12256/europrise-reaches-important-milestone-on-the-road-to-approved-gdpr-certification

Precisamente, la Exposición de Motivos del RD 3/2010 estableció que el objeto ESN radica en "el establecimiento de los principios y requisitos de una política de seguridad en la utilización de medios electrónicos que permita la adecuada protección de la información" y persigue "fundamentar la confianza en que los sistemas de información prestarán sus servicios y custodiarán la información de acuerdo con sus especificaciones funcionales, sin interrupciones o modificaciones fuera de control, y sin que la información pueda llegar al conocimiento de personas no autorizadas".

Esta finalidad se complementa con lo dispuesto en el art. 156 de la Ley 40/2015 de 1 de octubre, de Régimen Jurídico del Sector Público, dispone que el ENS se centra en el establecimiento de "la política de seguridad en la utilización de medios electrónicos en el ámbito de la presente Ley, y está constituido por los principios básicos y requisitos mínimos que garanticen adecuadamente la seguridad de la información tratada". Ahora bien, ello no exime que las organizaciones del ámbito privado participantes en la prestación de servicios a las entidades públicas puedan beneficiarse de este Esquema a fin de garantizar la confianza a las partes interesadas, tal y como examinaremos a continuación.

Esta modalidad de certificación, inspirada en la norma ISO/IEC 27001 sobre SI, se centra en el establecimiento de una política de seguridad aplicable al uso de medios electrónicos que garantice unas condiciones mínimas de seguridad al ciudadano por parte de aquellas empresas públicas prestatarias de un determinado servicio. Sin embargo, a diferencia de otros mecanismos de certificación –que, recordemos, no son vinculantes con carácter general –, lo cierto es que el ESN supone una de las principales normas susceptibles de ser certificadas la cual modifica radicalmente esta naturaleza jurídica por cuanto son de obligado cumplimiento para las entidades pertenecientes al Sector Público.

Esta deriva de un precepto legal por lo que se aparta *a priori* de las iniciativas de certificación susceptibles de desarrollo por parte de la Agencia Española de Protección de Datos (AEPD) y que abordaremos en el siguiente epígrafe. Si bien, en su respecto ámbito competencial, esta Agencia dispone de una Guía práctica de análisis de riesgos de las actividades de tratamiento. Esta prevé una hoja de ruta para afrontar los riesgos del tratamiento, concretando las medidas de seguridad y los controles que deben adoptarse para garantizar los derechos y libertades de los individuos.[397] Incluso, ha implementado la herramienta *FACILITA-RGPD* para suministrar a responsables o encargados el tratamiento de los datos personales de escaso riesgo su adecuación a la legislación de protección de datos.[398]

El ESN ha permitido disponer de una Administración Pública aún más segura, contribuyendo a "formar una comunidad concienciada con la ciberamenaza que comparta soluciones a problemas comunes en las Administraciones Públicas".[399] Su éxito radica en el alto grado de adaptación y nivel de especificación, habida cuenta de que su funcionamiento parte de la tipificación de distintas medidas de seguridad recogidas en su Anexo II y que están condicionadas por: la valoración del nivel de seguridad en cada dimensión, y a la categoría del sistema de información especificado en el art. 43 y computada dependiendo del nivel de seguridad más alto de las dimensiones que han sido objeto de valoración. Ateniendo a los parámetros concretos (nivel y categoría) previstos en la legislación del Esquema, se determina el nivel de los requisitos de seguridad (bajo, medio o alto) y sobre cada una de las dimensiones de seguridad, esto es, la confidencialidad, la integridad, la disponibilidad y autenticidad.

Cabe destacar que, para aquellos sistemas de información de categoría básica, resulta vinculante exhibir una Declaración de Conformidad. En cambio, para aquellos de categorías media y alta, es obligatorio una Certificación de Conformidad –en el caso de los sis-

---

[397]   AEPD, Guía práctica de Análisis de riesgos en los tratamientos de datos personales sujetos al RGPD. Disponible en: https://www.aepd.es/sites/default/files/2019-09/guia-analisis-de-riesgos-rgpd.pdf.

[398]   AEPD, Facilita 2.0. Disponible en: https://servicios.aepd.es/AEPD/view/form/MDAwMDAwMDAwMDAwMDMyNjM5MTAxNjE1Mzk0MjATIy?update d=true

[399]   Agencia Española de Normalización y Certificación (AENOR), *Revista de la normalización y la certificación*, n.º 318, 2016, pp. 62 y 63. Para un análisis sobre el ESN y su relevancia en el RGPD y LOPDGDD, remitimos al estudio de: Alamillo Domingo I., Esquema nacional de seguridad. La Administración electrónica y la seguridad de la información, en: Campos Acuña M.C. (dir.), *Aplicación práctica y adaptación de la protección de datos en el ámbito local: novedades tras el RGPD y la LOPDGDD*, 2019, pp. 607-639.

temas disponen de categoría básica, esta resulta facultativa–. Además, a los efectos de publicidad, es necesario mostrar a los interesados los distintivos relacionados con el compromiso de la entidad en cuestión con la seguridad de la información de los sistemas, respecto de la información que trata o los servicios que presta.[400]

Asimismo, en los casos de sistemas de información de categoría media o alta, se exige que para la acreditación de las Entidades de Certificación del ENS participen el Centro Criptológico Nacional (CCN) y la ENAC con objeto de que informen sobre los requisitos que deben cumplir y los criterios que deben adoptar para garantizar una adecuada evaluación de la conformidad de las auditorías. Ello, de conformidad con la Resolución de 13 de octubre de 2016, de la Secretaría de Estado de Administraciones Públicas, por la que se aprueba la Instrucción Técnica de Seguridad de conformidad con el ESN.[401] Es más, la certificación de este Esquema deberá necesariamente expedirse por una Entidad Certificadora acreditada.[402]

Por su parte, en el marco del ESN, las entidades afectadas tienen la obligación de nombrar a responsables específicos. Como regula el art. 10 del RD 3/2010, aquellos sistemas de información de las entidades sometidas al citado RD exigen el nombramiento de tres modalidades de responsables: el *responsable de la información*, competente para determinar los requisitos de la información susceptibles de tratamiento; el *responsable del servicio*, que establece los requisitos de los servicios objeto de prestación y el *responsable de la seguridad*, encargado de la toma de decisiones para garantizar el cumplimiento de los requisitos de seguridad de la información.

---

[400] Ministerio de Defensa. Guía de Seguridad de las TICCCN-STIC 809, Declaración, certificación y aprobación provisional de conformidad con el ENS y distintivos de cumplimiento, enero de 2021, párr. 20. Disponible en: https://www.ccn-cert.cni.es/series-ccn-stic/800-guia-esquema-nacional-de-seguridad/1279-ccn-stic-809-declaracion-de-conformidad-con-el-ens/file.html.

[401] Resolución de 13 de octubre de 2016, de la Secretaría de Estado de Administraciones Públicas, por la que se aprueba la Instrucción Técnica de Seguridad de conformidad con el Esquema Nacional de Seguridad (BOE, n.º 265, 2 de noviembre de 2016).

[402] Ministerio de Defensa. Guía de Seguridad de las TICCCN-STIC 809..., *ob. cit.*, párrs. 22 y 23.

Esta diferenciación entre los responsables de la seguridad de los sistemas de información y de la prestación de los servicios permite establecer parámetros diferenciados en las distintas actuaciones que lleva a cabo las entidades certificadas conforme al ESN. A ello se adiciona la necesidad de concretar una *política de seguridad de la organización*, un documento estratégico en el marco de la entidad que debe especificar las facultades de cada uno de los responsables, los mecanismos de coordinación y las distintas vías de resolución de conflictos.

Resulta incuestionable que el ESN constituye una de las certificaciones vinculadas con la legislación de protección de datos más relevantes en España. De hecho, las medidas de seguridad de tratamiento del art. 32 RGPD se encuentran especificadas en el ámbito del sector público en la Disposición Adicional Primera LOPDGDD que recoge expresamente lo siguiente:

> "1. El Esquema Nacional de Seguridad incluirá las medidas que deban implantarse en caso de tratamiento de datos personales para evitar su pérdida, alteración o acceso no autorizado (...)".
>
> 2. Los responsables enumerados en el artículo 77.1 de esta ley orgánica deberán aplicar a los tratamientos de datos personales las medidas de seguridad que correspondan de las previstas en el Esquema Nacional de Seguridad, así como impulsar un grado de implementación de medidas equivalentes en las empresas o fundaciones vinculadas a los mismos sujetas al Derecho privado. En los casos en los que un tercero preste un servicio en régimen de concesión, encomienda de gestión o contrato, las medidas de seguridad se corresponderán con las de la Administración pública de origen y se ajustarán al Esquema Nacional de Seguridad."

Por lo tanto, las amplias categorías de responsables o encargados del tratamiento recogidas expresamente en el art. 77 LOPDGDD[403]

---

[403]   Estas categorías abarcan las que siguen: a) Los órganos constitucionales o con relevancia constitucional y las instituciones de las comunidades autónomas análogas a los mismos. b) Los órganos jurisdiccionales. c) La Administración General del Estado, las Administraciones de las comunidades autónomas y las entidades que integran la Administración Local. d) Los organismos públicos y entidades de Derecho público vinculadas o dependientes de las Administraciones Públicas. e) Las autoridades administrativas independientes. f) El Banco de España. g) Las corporaciones de Derecho público cuando las finalidades del tratamiento se relacionen con el ejercicio de potestades de derecho público. h) Las fundaciones del sector público. i) Las Universidades Públicas. j) Los consorcios.

tienen el deber de aplicar al tratamiento de datos de carácter personal las medidas de seguridad que correspondan según lo dispuesto en el ENS, además de promover un grado de implementación de medidas semejantes en las empresas o fundaciones vinculadas a los mismos sujetas al Derecho privado. Esta obligación se extiende a aquellos terceros prestatarios de un servicio en régimen de concesión, a los que se encomienda la gestión o disponen de un vínculo contractual, cuyas medidas deberán resultar análogas a las que corresponden a la Administración pública de origen.

El ESN está diseñado con un enfoque de aplicación "potencialmente universal" de forma que, como apunta Molina Jordano de Govertis, "cada vez es más común, que las empresas privadas que se presentan a licitaciones del sector público encuentren reflejados en los pliegos la exigencia inexcusable de que cumplan con el Esquema Nacional de Seguridad y que hayan superado un proceso de certificación por una entidad debidamente acreditada".[404]

Más recientemente, el Centro Criptológico *Nacional Computer Emergency Response Team* (CCN-CERT) y la AEPD establecieron un mecanismo de colaboración para ofrecer a las Administraciones Públicas (AAPP) que permite evaluar los potenciales riesgos en materia de seguridad de la información y de protección de datos.[405] Ello, en aras de garantizar el cumplimiento eficaz del art. 13 de la Ley 39/2015, de 1 de octubre, del Procedimiento Administrativo Común de las Administraciones Públicas, que reconoce el derecho de los ciudadanos a la protección y confidencialidad de sus datos y a la seguridad de los mismos cuando figuren en los ficheros, sistemas y aplicaciones de las AAPP.

---

k) Los grupos parlamentarios de las Cortes Generales y las Asambleas Legislativas autonómicas, así como los grupos políticos de las Corporaciones Locales.

[404] https://dpd.aec.es/el-esquema-nacional-de-seguridad-la-da-1a-de-la-lopd-gdd-y-su-aplicabilidad-a-las-empresas-privadas/.

[405] La herramienta PILAR incluye un conjunto de criterios sobre el cumplimiento de las AAPP para comprobar los requisitos establecidos en la normativa de protección de datos, favoreciendo el cumplimiento preventivo del ESN y del RGPD. Para más información sobre esta herramienta, véase: https://pilar.ccn-cert.cni.es/index.php.

2.2. El Esquema de certificación Agencia Española de Protección de Datos–Delegados de Protección de Datos

La AEPD ha sido pionera en la elaboración de un marco de referencia para certificar a DPD y, junto con la ENAC, presentó en 2018 un Esquema de certificación para DPD que fue actualizado a finales de 2019.[406] Este Esquema constituye una modalidad de certificación que permite concretar la cualificación y los conocimientos requeridos para desarrollar la actividad como DPD, por lo que la AEPD se encarga de por especificar los criterios técnicos y específicos y otorga a los organismos de certificación –acreditados por la ENAC– la función de conceder o denegar tal certificación.

Cabe recordar que se trata de un esquema de certificación de naturaleza potestativa, lo cual implica que, para ejercer como DPD, no resulta vinculante estar en posesión de este certificado. Sin embargo, la AEPD considera que, para garantizar su debida cualificación y capacidad técnica y profesional, estos deben reunir el nivel de conocimientos equivalentes a los contenidos y criterios allí previstos. [407]

En el apartado 7° del Esquema, se contemplan –con carácter general– las funciones del DPD replicadas conforme a lo dispuesto en el art. 39 RGPD y arts. 36 y 37 LOPDGDD. Si bien, lo verdaderamente relevante supone la concreción exhaustiva de las competencias requeridas para el puesto de DPD (apartado 7.2°)[408] y unos prerrequisitos

---

[406] AEPD, "El Esquema de certificación de Delegados de Protección de Datos de la Agencia Española de Protección de Datos (Esquema AEPD-DPD)". Redactado por la Unidad de Evaluación y Estudios Tecnológicos de la Agencia Española de Protección de Datos, 10 de diciembre 2019. Véase la corrección de errores advertidos en la versión 1.4, de 10 de enero de 2020. Disponible en el siguiente enlace: https://www.aepd.es/sites/default/files/2020-07/esquema-aepd-dpd.pdf

[407] Para más información, remitimos al método de evaluación previsto en el apartado 7.5. AEPD, "El Esquema de certificación de Delegados..., *ob. cit.*, p. 16.

[408] 1.Cumplimiento de principios relativos al tratamiento, como los de limitación de finalidad, minimización o exactitud de los datos. 2.Identificación de las bases jurídicas de los tratamientos. 3.Valoración de compatibilidad de finalidades distintas de las que originaron la recogida inicial de los datos. 4.Determinación de la existencia de normativa sectorial que pueda estipular condiciones de tratamiento específicas distintas de las establecidas por la normativa general de protección de datos. 5.Diseño e implantación de medidas de información a los afectados por los tratamientos de datos. 6.Establecimiento de procedimientos de

que, a nuestro juicio, deberían extenderse a cualquier sujeto y que exige la justificación de alguno de los siguientes cuatro niveles:

I.   El primero de ellos exige la experiencia profesional de, al menos, cinco años en proyectos y/o actividades y tareas relacionadas con las funciones del DPD.

II. En lo que concierne al segundo, este reduce esta experiencia a un mínimo de tres años y lo compensa con una formación mínima reconocida de protección de datos de 60 horas.

III. En el tercer nivel, se reduce a una experiencia profesional de, al menos, dos años, compensado con una formación mínima reconocida de 100 horas.

VI. Por último, en el cuarto y último nivel, es necesario una formación mínima reconocida de 180 horas.

Las distintas modalidades de formación varían sustancialmente en el número de horas en relación con la mayor o menor experiencia profesional y se computan sobre materias contenidas en el programa del Esquema. Las condiciones para la justificación de los prerrequisitos y

---

recepción y gestión de las solicitudes de ejercicio de derechos por parte de los interesados. 7.Valoración de las solicitudes de ejercicio de derechos por parte de los interesados. 8.Contratación de encargados de tratamiento, incluido el contenido de los contratos o actos jurídicos que regulen la relación responsable-encargado. 9.Identificación de los instrumentos para las transferencias internacionales de datos adecuados a las necesidades y características de la organización, y de las razones que justifiquen la transferencia. 10.Diseño e implantación de políticas de protección de datos. 11.Auditoría de protección de datos. 12.Establecimiento y gestión de los registros de actividades de tratamiento. 13.Análisis de riesgos de los tratamientos realizados. 14.Implantación de las medidas de protección de datos desde el diseño y protección de datos por defecto adecuadas a los riesgos y naturaleza de los tratamientos. 15.Implantación de las medidas de seguridad adecuadas a los riesgos y naturaleza de los tratamientos. 16.Establecimiento de procedimientos de gestión de violaciones de seguridad de los datos, incluida la evaluación del riesgo para los derechos y libertades de los afectados y los procedimientos de notificación a las autoridades de supervisión y a los afectados. 17.Determinación de la necesidad de realización de evaluaciones de impacto sobre la protección de datos. 18.Realización de evaluaciones de impacto sobre la protección de datos. 19.Relaciones con las autoridades de supervisión. 20.Implantación de programas de formación y sensibilización del personal en materia de protección de datos.

del proceso de reconocimiento de los programas de formación se detallan en el Anexo I del citado Esquema. Si bien, tales criterios gozan de cierta flexibilidad, de manera que, en el caso de no cumplir con algunas de las cuatro opciones, se permite la opción de convalidar hasta un año de experiencia profesional a través de la justificación de méritos adicionales.[409]

Sin el cumplimiento de estos prerrequisitos, no es posible acceder al proceso de certificación. En cualquier caso, se trata de condiciones mínimas que permitirán la realización del examen, objeto central de esta certificación, consistente en 150 preguntas tipo test de respuesta múltiple y de contenido teórico/práctico estructuradas en tres dominios:

- Dominio 1 sobre normativa general de protección de datos: 50%, 75 preguntas, de ellas 15 con escenario práctico.
- Dominio 2 sobre responsabilidad activa: 30%, 45 preguntas, de ellas 9 con escenario práctico.
- Dominio 3 sobre técnicas para garantizar el cumplimiento de la normativa de protección de datos y otros conocimientos: 20%, 30 preguntas, de ellas 6 con escenario práctico.

Y quizá una de las cuestiones más relevantes radica en la necesidad de obtener un 50% cada uno de los dominios hasta conseguir una puntuación total del 75% compensables entre ellos. Además, para que las entidades certificadoras puedan acreditarse por la ENAC, deben elaborar un banco de 300 preguntas siguiendo los criterios establecidos por la AEPD, mediante un documento confidencial con la

---

[409]   Estos méritos se distribuyen en: Formación universitaria específica o complementaria en protección de datos o privacidad; formación específica o complementaria, en protección de datos o privacidad; trabajo fin de curso en temas de protección de datos o privacidad; prácticas en empresas en temas de protección de datos o privacidad; actividad docente relacionada con la materia de protección de datos o privacidad; actividad investigadora y publicaciones en temas de protección de datos o privacidad; premios de protección de datos o privacidad; certificaciones en materias de protección de datos o privacidad (en vigor); u otras certificaciones en materias relacionadas (en vigor). Para consultar puntuaciones y detalles sobre cada una de las categorías, remitimos a: AEPD, "El Esquema de certificación de Delegados…, *ob. cit.*, pp. 35 y ss.

prohibición expresa para las personas con acceso al mismo su utilización con cualquier otra finalidad.[410]

La AEPD se encarga de revisar en dos ocasiones las preguntas. En el supuesto de que algunas de ellas no se ajustasen a los criterios establecidos, comunicará a las entidades interesadas las deficiencias identificadas a fin de que puedan corregir las erratas identificadas. Tras la segunda revisión, si siguen sin ajustarse a sus criterios, se tendrá por incumplido este requisito, por lo que no podrá realizar la certificación mediante la organización de los exámenes.[411]

Actualmente, 7 entidades de certificación están acreditadas por la ENAC para certificar el mencionado Esquema DPD-AEPD.[412] Cabe destacar que AENOR perdió su capacidad para certificar DPD el 4 de abril de 2019, lo cual afectó no únicamente a las concesiones futuras de estos últimos años, sino también a aquellas que se habían otorgado con anterioridad.[413]

Por su parte, otros organismos de certificación han desarrollado paralelamente sus propios esquemas de certificación independientes de este, pero con el mismo cometido. Incluso la certificación no es un requisito indispensable para el acceso a la profesión de DPD, una liberalización que puede plantear problemas de enorme calado para las organizaciones si tenemos en consideración que la responsabilidad en caso de incumplimiento de la legislación de protección de datos no

---

[410] Para la realización de test de los 3 dominios, remitimos a los libros: Puyol J., *Libro de Test Delegado de Protección de Datos (DPO) Dominio I*, Tirant lo Blanch, 2019, pp. 1-646; Puyol J., Franco C., *Libro de Test Delegado de Protección de Datos (DPO) Dominio II*, Tirant lo Blanch, 2020, pp. 1-992; *Ídem, Libro de Test Delegado de Protección de Datos (DPO) Dominio III*, Tirant lo Blanch, 2020, pp. 1-792.

[411] Para más información sobre el método de evaluación, remitimos al apartado 7.5 del Esquema.

[412] Estas son: IVAC Instituto de Certificación, S.L.; Asociación para el Fomento de la Seguridad de la Información (ISMS FORUM); Centro de Registro y Certificación de Personas (CERPER); Autoridad de Certificación Asociación, ANF AC; Cualicontrol–ACI, S.A.; Adok Certificación Internacional, S.L.; Bureau Veritas Iberia, S.L.

[413] Esta Asociación habilitó una dirección de correo electrónico (certificación-dpd@aenor.com) para atender los requerimientos de aquellos sujetos afectados.

recae sobre este sino sobre el responsable o encargado del tratamiento conforme a lo dispuesto en los arts. 24 RGPD y 28 LOPDGDD.

De hecho, el art. 28.2 h) LOPDGDD insta a los responsables y encargados del tratamiento a adoptar medidas –como las previstas en estándares definidos por esquemas de certificación– para acreditar que el tratamiento es conforme con el Reglamento. No obviemos que el responsable o encargado responde directamente no solo ante posibles sanciones que se impongan al DPD,[414] sino también ante sanciones como consecuencia de una infracción de la normativa de protección de datos. Por lo tanto, la certificación del DPD puede resultar esencial a la hora de determinar la cuantía de la multa administrativa al amparo del art. 83.2 j) RGPD.

3. Las iniciativas de certificación en Francia

El objetivo de las iniciativas de certificación que han sido impulsadas recientemente por la Commission Nationale de l'informatique et des libertés (CNIL) –la respectiva APD francesa– ha sido el de proporcionar un reconocimiento oficial a una gran tipología de productos, servicios o sistemas TI como productos de seguridad, procedimientos de auditoría que incluyen el procesamiento de datos personales o cursos de capacitación sobre protección de datos. Es más, para aquellos servicios proporcionados de manera conjunta por más de un proveedor, la CNIL ha otorgado un alto nivel de adaptación, proporcionando un "sello de privacidad conjunto".[415]

Este sello no ha contemplado –con carácter general– aquellos aspectos pertinentes y comúnmente accesibles en las normas ISO/IEC, como es el caso de un acceso eficaz a la resolución de posibles conflictos entre las partes. Las decisiones de denegación adoptadas por esta autoridad de supervisión únicamente han sido susceptibles de impugnación ante el Consejo de Estado dentro del plazo de dos meses siguientes a la publicación de la decisión.[416]

---

[414]   En lo que atañe al Régimen sancionador del Título IX, el art. 70.2 LOPDGDD reconoce expresamente que "no será de aplicación al delegado de protección de datos el régimen sancionador establecido en este Título".

[415]   https://www.cnil.fr/fr/node/682.

[416]   https://www.cnil.fr/en/all-you-should-know-about-privacy-seals

Se trata de un procedimiento con acceso efectivo a un recurso judicial en la jurisdicción contencioso-administrativa, el cual dista claramente de aquellas certificaciones susceptibles de certificación por parte de organizaciones privadas, en cuyo caso, se prevén eficientes mecanismos de resolución de conflictos y fruto de la relación contractual, se encuentran sujetas a la jurisdicción civil en toda su extensión.

La CNIL dispone de sellos en materia de certificación acreditados directamente por esta[417] y dirigidos a cualquier persona física o jurídica, cuyo procedimiento o producto corresponda a alguna de las normas publicadas por esta autoridad en el Diario Oficial. Estos están sujetos a una serie de requisitos que, precisamente, se incluyeron por parte de la Agencia Europea de Seguridad de las Redes y de la Información (ENISA) en sus Recomendaciones del año 2017[418] y entre los que debemos destacar los que siguen:

1. Procedimientos de auditoría en el contexto del procesamiento de datos personales. El sello de privacidad de auditoría de procesamiento que otorga la CNIL tiene por objeto examinar el procedimiento de auditoría y comprobar que cumplen con criterios técnicos y legales. Su emisión puede certificar procedimientos de auditoría realizados tanto por prestadores de servicios (firmas consultoras, abogados, etc.) como por organizaciones (conocidas como auditorías internas).

2. Cursos de formación en materia de protección de datos. En este caso, el sello de privacidad de la CNIL se puede entregar con la clara intención de promover cursos de formación internos a

---

[417]   A diferencia de España, en Francia, la CNIL ostenta el poder de acreditación de los organismos de certificación. Para un análisis sobre la acreditación en el RGPD y en Ley de Protección de Datos en Francia, remitimos a: Tambou O., El Impacto del Reglamento General de Protección de Datos en Francia, en: García Mahamut, R., Tomás Mallén B., (eds.), *El Reglamento General de Protección de Datos... ob. cit.*, p. 535; *ídem*, L'Introduction de la certification dans le règlement général de la protection des données personnelles: quelle valeur ajoutée?, *Revue Lamy de Droit de l'Immatériel*, mai 2016, pp. 43-48.

[418]   Agencia Europea de Seguridad de las Redes y de la Información (ENISA), Recomendaciones sobre la Certificación Europea de Protección de Datos, versión 1.0, noviembre de 2017, pp. 35-36. Accesible en: https://www.enisa.europa.eu/publications/recommendations-on-european-data-protection-certification.

una organización siempre y cuando cumplan con los requisitos descritos en la norma.

3. Los procedimientos de gobernanza de datos personales, entendiéndose como aquellas medidas, reglas y mejores prácticas para procesar y administrar los datos personales en el seno de una organización. La CNIL examina el cumplimiento de 25 criterios acumulativos relacionados con la organización interna de la gestión de datos personales; el procedimiento para verificar el cumplimiento de la tramitación con la Ley; y la gestión de denuncias e incidentes.

4. El certificado supone el reconocimiento por parte de la CNIL de que un producto o un procedimiento cumple con las disposiciones de la Ley francesa de Protección de Datos, lo cual no exime a sus titulares de los oportunos trámites administrativos.

Una vez concedido este sello –que no exige el pago de una tasa por tal concepto–, la CNIL tiene competencia para verificar en cualquier momento y por cualquier medio legal que el producto, servicio o procedimiento certificado cumple con las condiciones definidas en la norma y se encuentra, incluso, facultada para retirar su correspondiente certificación.[419]

Seguidamente, y en sintonía con los primeros pasos marcados por la AEPD, la CNIL también aprobó la certificación de habilidades del DPD conforme a su Ley de Protección de Datos. A finales de 2018 implementó dos iniciativas de certificación dirigidas a fijar las competencias y conocimientos ineludibles que debían reunir los DPD en este país. Esto incluía, por un lado, un listado de 17 habilidades y conocimientos necesarios para la obtención de esta certificación;[420] y, por otro, los requisitos de acreditación aplicables para aquellas orga-

---

[419] Para consultar las certificaciones otorgadas por la CNIL, véase: https://www.cnil.fr/fr/labels.

[420] Délibération n° 2018-318 du 20 septembre 2018 portant adoption des critères du référentiel de certification des compétences du délégué à la protection des données (DPO), JORF n°0235 du 11 octobre 2018, texte n° 51 (NOR: CNIL1827457X).

nizaciones interesadas para certificar las competencias de los DPD.[421] El funcionamiento de este sistema fue objeto de una consulta pública que finalizó el 6 de enero de 2021 y, próximamente, se darán a conocer las respectivas actualizaciones y mejoras adscritos a este esquema de certificación del DPD. [422]

En febrero de 2021, la CNIL publicó una guía de referencia que especifica aquellos criterios de certificación aplicables para proveedores de formación en protección de datos personales.[423] Esta APD dispone de una novedosa certificación que permite a estos proveedores la obtención de un sello de reconocimiento que acredita una formación de calidad basado en un conjunto de habilidades y competencias sobre contenidos actualizados.[424] Consecuentemente, los candidatos a la

---

[421]   Délibération n° 2018-317 du 20 septembre 2018 portant adoption des critères du référentiel d'agrément d'organismes de certification pour la certification des compétences du délégué à la protection des données (DPO), JORF n°0235 du 11 octobre 2018 texte n° 50 (NOR: CNIL1827455X). Para acceder al esquema de certificación, visite el siguiente enlace: https://www.cnil.fr/sites/default/files/atoms/files/cnil_certification-scheme-dpo-skills-and-knowledge.pdf.

[422]   La CNIL reconoce expresamente que cualquier modificación en el sistema no afectará las certificaciones o aprobaciones emitidas en estos últimos años. En relación con esta modalidad de certificación, remitimos a la información de la CNIL sobre condiciones y requisitos: https://www.cnil.fr/fr/certification-des-competences-du-dpo-la-cnil-adopte-deux-referentiels.

[423]   CNIL Référentiel de certification des «prestataires de formation à la protection des données à caractère personnel», diciembre de 2020. Accesible en: https://www.cnil.fr/sites/default/files/atoms/files/referentiel_de_certification_des_prestataires_de_formation_a_la_protection_des_donnees_personnelles.pdf; Annexe 2. Guide de lecture des critères du référentiel de certification des prestataires de formation à la protection des données à caractère personnel, diciembre de 2020. Disponible en: https://www.cnil.fr/sites/default/files/atoms/files/annexe_-_guide_de_lecture_des_criteres_du_referentiel_de_certification_des_prestataires_de_formation_a_la_protection_des_donnees_personnelles.pdf.

[424]   Ello, mediante un conjunto de aproximadamente 30 criterios sobre temas relacionados con cuestiones generales; el deber de información de la formación que se ofrece; la identificación de necesidades específicas; el diseño de formación; la preparación y adaptación a los alumnos; las condiciones para realizar la formación; las habilidades de los intervinientes; o las evaluaciones y el procedimiento para interponer reclamaciones. CNIL, Certificación de proveedores de formación en protección de datos: la CNIL publica una referencia de criterios, 14 de febrero de 2021. Disponible (únicamente en francés) en: https://www.cnil.fr/fr/certification-des-prestataires-de-formation-la-protection-des-donnees-la-cnil-publie-un-referentiel.

obtención de la certificación de las competencias del DPD tendrán la facultad de escoger libremente al proveedor de formación certificado para realizar la formación necesaria conforme a su correspondiente esquema.

4. *Los esquemas de certificación en Reino Unido*

En el año 2015, el Comisionado de la Información del Reino Unido (ICO), esto es, su respectiva APD nacional, anunció su intención de introducir un sello de privacidad nacional cuyo objeto pretendía centrarse en "demostrar buenas prácticas en materia de privacidad y el cumplimiento de altos estándares en la legislación de protección de datos".[425] Esta iniciativa fue pionera en Europa por cuanto pretendía no solo focalizarse en el cumplimiento de la Ley de Protección de Datos del Reino Unido, sino que también preveía la inequívoca función de implementar herramientas que demostraran eficazmente la protección de la información personal.

Esta permite englobar dentro de su ámbito de aplicación a diferentes sectores, procesos, productos o áreas de cumplimiento. Para ello, el ICO otorga al servicio de Acreditación del Reino Unido (UKAS) la facultad para determinar qué organismos de certificación en este país pueden certificar este Esquema.[426] No obstante, conserva los poderes sobre el funcionamiento ordinario del mecanismo, así como la facultad de retirar directamente su apoyo a un operador del mismo. Por lo tanto, con carácter general, pese a que esta autoridad de control delega la función de acreditación en la UKAS, lo cierto es que se reserva una serie de criterios adicionales que garantizan el control y la supervisión durante su vigencia.

En agosto de 2021, el ICO aprobó los primeros criterios del esquema de certificación del RGPD en Reino Unido,[427] que incorpora las siguientes novedades: por un lado, se coordina con ADISA, expertos

---

[425]   https://ico.org.uk/for-organisations/resources-and-support/privacy-seals/
[426]   https://www.ukas.com/.
[427]   ICO, New certification schemes will "raise the bar" of data protection in children's privacy, age assurance and asset disposal, 19 de agosto de 2021. Disponible en: https://ico.org.uk/about-the-ico/news-and-events/news-and-blogs/2021/08/ico-approves-the-first-uk-gdpr-certification-scheme-criteria/

en servicios de eliminación de activos de TI, que han desarrollado una certificación específica que garantiza que los datos personales se hayan procesado adecuadamente cuando los equipos de TI se reutilizan o destruyen. Por otro lado, se adhiere al Esquema de Certificación de Verificación de Edad (ACCS), el cual ha desarrollado criterios relacionados con la garantía de la edad y con la privacidad en línea de los niños.

El alcance del esquema de certificación en Reino Unido parece distar de aquellos que han sido impulsados recientemente en España y Francia puesto que excluye entre sus objetivos la certificación de personas como los DPD. Quizá lo más relevante radica en el hecho de que pretende disponer de un enfoque más amplio e inclusivo, englobando a una multitud de organizaciones en Reino Unido que tienen intención de certificar una operación de tratamiento o un conjunto de estas. Es por ello por lo que la ICO está cooperando con diversas organizaciones especializadas en el desarrollo de esquemas de certificación concretos a los efectos de crear, en un futuro, un esquema integral de protección de datos.

IV. CONCLUSIONES

Los mecanismos de certificación en el marco de la protección de datos de los arts. 42 y 43 del RGPD pueden considerarse como certificaciones orientadas a objetivos, es decir, su importancia no solo radica en la medida susceptible de certificación, sino en si esta resulta suficiente para garantizar el cumplimiento de la legislación de protección de datos.

De hecho, en el presente, pueden identificarse multitud de mecanismos de certificación en el marco de la privacidad y la protección de datos que están dirigidas a una amplia variedad de productos, servicios, procesos o sistemas TI. Estos están centrados en el cumplimiento de la legislación existente –principalmente RGPD y leyes nacionales– o en estándares técnicos –que engloban no solo criterios legales, sino también técnicos como la seguridad de la información, eficiencia, entre otros–. Si bien, no todos aseguran un alto nivel de eficacia en el cumplimiento de la legislación de protección de datos.

Al margen de la actualidad y gran pertinencia que supone la certificación bajo los criterios desarrollados en los estándares ISO/IEC –y que hemos abordado en otro trabajo–, la creación y desarrollo de iniciativas de certificación por las APD suponen un buen punto de partida. Estas cumplen con la misión de garantizar el efectivo cumplimiento de una serie de criterios legales definidos en los esquemas que han sido directamente aprobados por la respectiva autoridad de control nacional, lo cual supone la corrección de un grave déficit estructural de los mecanismos de certificación en el ámbito de la privacidad y de la protección de datos, esto es, su manifiesta falta de seguridad jurídica.

Una de las iniciativas más destacables y de mayor relevancia en este ámbito ha sido el sello *EuroPriSe*, cuyos criterios de certificación resultan plenamente coherentes con las disposiciones del RGPD. Sin embargo, no solo no ha sido aprobada siguiendo los parámetros del art. 42.5º RGPD, sino que tampoco ha sido acreditada como organismo de certificación de (art. 43 RGPD) hasta el momento. Por lo tanto, únicamente puede emplease como herramienta autónoma que permite a las organizaciones conocer el grado de cumplimiento con sus criterios, por cuanto siguen parámetros análogos al RGPD. A nuestro juicio, esta certificación debería ser tomada como referencia básica para elaborar una conjunta y validada por el conjunto de APD europeas y el CEPD.

Al margen de esta certificación, en este capítulo hemos podido examinar las primeras iniciativas de certificaciones relevantes que han sido impulsadas y respaldadas en sede nacional, concretamente, aquellas elaboradas por las APD de España, Francia y Reino Unido.

Por lo que se refiere a España, una de las primeras medidas que se aproxima a los actuales mecanismos de certificación tiene su origen en el ESN, que prevé dimensiones de seguridad y protección de datos susceptibles de cumplimiento por parte de las AAPP y que se encuentran especificadas a través de una serie de niveles, categorías de los sistemas, medidas de seguridad y auditorías periódicas. De este modo, al módulo de seguridad de la información se han adicionado otros criterios pertinentes y vinculantes de protección de datos, tales como la obligación de llevar un registro de actividades de tratamiento, la designación de un DPD o la notificación de brechas de seguridad en caso de producirse incidentes de entidad.

Paralelamente, no cabe obviar que la AEPD ha sido pionera en Europa en la implementación de un Esquema de Certificación de DPD. Una iniciativa no vinculante para ejercer como tal pero que la demanda del mercado parece situar como "punto de referencia mínimo" en la determinación de la cualificación y capacidad profesional necesaria para una profesión novedosa con un claro perfil técnico jurídico.

Tal ha sido el éxito de esta medida de certificación, que Francia no solo no replicó posteriormente esta modalidad de certificación, sino que recientemente ha ido más allá, contemplando otras medidas de certificación de carácter accesorio, como la relativa a la formación actualizada de los proveedores de formación en protección de datos personales. Esta documenta una serie de competencias y habilidades basadas en contenidos actualizados de manera constante, garantizando una adaptación sin precedentes a los nuevos requisitos técnico-jurídicos por parte de la CNIL –u otras autoridades relevantes como el CEPD–, así como de los pronunciamientos judiciales más inmediatos.

Es más, debe ponerse en foco de intención en la APD del Reino Unido que, a finales del año 2021, tiene intención de aprobar sus criterios del esquema de Certificación. Este pretende convertirse en la primera medida de referencia susceptible de adhesión por parte de cualquier organización en Reino Unido que opera con datos personales de personas físicas en este país y que debería fomentar, en todo caso, que el CEPD siga estos mismos pasos, creando un pionero esquema que tengan en cuenta las necesidades generales de cualquier organización que desea proteger eficazmente el procesamiento de sus datos conforme al RGPD.

Para concluir, y pese a las iniciativas tan destacables que han sido implementadas en los últimos años por las APD europeas, todavía no encontramos un esquema de certificación que goce de validez general por la totalidad de las autoridades de control. Esto puede lastrar la pertinencia de la certificación para las organizaciones que pretenden someterse a ellas, precisamente, por la carga administrativa que supone ser certificadas en cada país en el que operan y procesan datos personales de sus ciudadanos. Si bien, esto parece compensarse con la gratuidad o costes económicos sustancialmente inferiores –en comparación con las certificaciones de normas ISO/IEC y otros estándares técnicos que se encuentran en este mercado–, así como por el acceso libre a los mencionados esquemas en las respectivas páginas web de las respectivas APD –pues recordemos que, en el caso de las normas ISO/IEC, el mero acceso a la norma en cuestión exige una contraprestación económica–.

EL IMPACTO DE LAS CLÁUSULAS ABIERTAS EN LA ADMINISTRACIÓN TRIBUTARIA

Bernardo D. Olivares Olivares
Profesor de Derecho Financiero y Tributario
Universidad Complutense de Madrid

I. EL DERECHO FUNDAMENTAL A LA PROTECCIÓN DE DATOS PERSONALES EN EL ÁMBITO TRIBUTARIO

El tratamiento de los datos de carácter personal que realiza la Administración tributaria en promoción del deber de contribuir al sostenimiento de los gastos públicos, produce de manera paralela a su continuo desarrollo, situaciones de conflicto debido a su potencial carácter invasivo, debiendo realizarse con las garantías adecuadas y limitarse el tratamiento de la información personal a lo estrictamente necesario[428].

En este contexto, el derecho fundamental a la protección de datos de carácter personal[429] no es un derecho ilimitado, ni se contrapone frontalmente al deber de contribuir al sostenimiento de los gastos públicos[430]. Las facultades que otorga el contenido de este derecho no garantizan *per se* un control absoluto de los datos de carácter personal por parte de los interesados. El fundamento de dicho derecho es bien distinto. Exige que, en el cumplimiento del deber de contribuir,

---

[428]   Los resultados de investigación obtenidos han sido consecuencia de la estancia de investigación desarrollada en el *Institute for the Austrian and International Tax Law*, de la Universidad Económica de Viena, financiada por la beca Ernst Mach 2019. Parte de los resultados de investigación ha sido publicada previamente en Olivares Olivares, B. D., "Tratamiento lícito de la información y las limitaciones del derecho a la protección de datos en el ordenamiento tributario" en Merino Jara, I. (Dir.), *La protección de los derechos fundamentales en el ámbito tributario*, La Ley-Wolters Kluwer, Madrid, 2021, pp. 157-188.

[429]   Reconocido por el TC a través de la interpretación del artículo 18.4 de la CE en la STC 292/2000.

[430]   Art. 31.1 de la CE.

la información que tratan las distintas administraciones tributarias se lleve a cabo de manera lícita, leal y transparente[431]. Persigue la protección de las personas físicas ante el uso desviado que pueda realizarse de su información personal.

Por lo tanto, el derecho a la protección de datos no debe concebirse como un obstáculo a la obtención y tratamiento de la información tributaria, sino que es preciso encontrar su encaje como mandato para que los tratamientos se realicen en sintonía con los principios, derechos y deberes establecidos en la legislación sobre protección de datos. En este punto, las cláusulas abiertas tienen un impacto clave e implica, en la práctica, valorar cada operación de tratamiento que realizan las administraciones tributarias desde la aplicación de sus presupuestos legitimadores[432].

Por ello, es preciso poner de relieve que el debate entre prevalencia absoluta del deber de contribuir, sobre el derecho a la protección de datos y viceversa es un debate estéril[433]. El verdadero debate se encuentra en cómo se adecuan las garantías exigibles durante el uso de la información personal por parte de la Administración tributaria o las limitaciones a la protección de datos en función de las circunstancias del tratamiento que se lleve a cabo en cada momento[434]. Ponderando los intereses y bienes jurídicos. Buscando el equilibro. Desarrollando para cada operación de tratamiento (o conjuntos de tratamientos) la remisión que habilita el RGPD para que nuestro legislador adapte la normativa sobre protección de datos a la casuística particular.

La tradición legal en materia de protección de datos en España viene de lejos, desde la primera norma que regulaba el tratamiento automatizado de datos en 1992, la LORTAD. Sin embargo, llama la atención que casi 30 años después, la aplicación de la protección de datos siga siendo (por desgracia) la gran desconocida en el ámbito de

---

[431]   Art. 5 del RGPD.
[432]   Art. 35 del RGPD.
[433]   Véase Del Castillo Vázquez, I. C., "Protección de datos: cuestiones constitucionales y administrativas: el derecho a saber y la obligación de callar", Civitas, 2007; Troncoso Reigada, A., "La protección de datos personales. En busca del equilibrio", Tirant lo Blanch, Valencia, 2011.
[434]   Piénsese, por ejemplo, la obtención de información durante la instrucción de un procedimiento inspector.

la Administración tributaria, a pesar de los esfuerzos de la doctrina científica española por poner de relieve aquellos aspectos controvertidos y susceptibles de mejora de manera reiterada[435].

Son numerosos los retos que afrontar y los problemas pendientes de resolver en materia de protección de datos (desde la determinación de los periodos de conservación y el establecimiento de protocolos, hasta las evaluaciones de impacto en las transferencias internacionales de datos personales que, a fecha de la investigación, siguen sin realizarse por parte de la AEAT[436]).

En este capítulo analizaré el principio de licitud como exponente en el ámbito público de la necesidad de desarrollar cláusulas específicas para determinados tipos de tratamiento.

Poner de relieve la licitud de los tratamientos nos obliga a tratar qué legitima a la Administración tributaria para obtener y utilizar nuestros datos de carácter personal[437]. El nivel de protección (las garantías exigibles) es distinto dependiendo del tipo de datos que se traten. Esta cuestión, a pesar de parecer pacífica, todavía plantea algunos interrogantes que derivan de la teoría de las garantías adecuadas y sobre los que es necesario reflexionar a la luz de la jurisprudencia del TC y del TJUE.

---

[435] Entre otros, González Méndez, A., *La protección de datos tributarios y su marco constitucional*, Tirant lo Blanch, Valencia, 2003; Ortiz Liñan, J., *Derechos y garantías del contribuyente ante la utilización por la Hacienda Pública de sus datos personales*, Comares, Granada, 2003; Oliver Cuello, R., "Análisis de los derechos de los contribuyentes en la Administración electrónica", *Revista Quincena Fiscal*, n.º 18 (referencia digital Westlaw-Aranzadi BIB 2018\12479), 2018, pp.1-32.; Moreno González, S., "The Automatic Exchange of Tax Information and the Protection of Personal Data in the European Union: Reflections on the Latest Jurisprudential and Normative Advances", *EC tax review*, Vol. 25, n.º 3, 2016, págs. 146-161.

[436] Así lo acreditamos tras el ejercicio del derecho de acceso a la información pública después de la entrada en vigor del RGPD y también después de la entrega den vigor de la normativa nacional de desarrollo. Véase Olivares Olivares, B. D., *Protección de datos, Administración tributaria y tratamientos de alto riesgo en la Unión Europea*, Aranzadi, Cizur Menor, 2018.

[437] Recuérdese que un dato de carácter personal es toda información que identifique o haga identificable a una persona física (artículo 4.1 del RGPD).

Por ello, el objetivo de este capítulo consiste en analizar los mecanismos que garantizan la licitud de los datos de carácter personal en el contexto tributario y proponer propuestas de mejora.

II. LA PROYECCIÓN DE LAS CLÁUSULAS ABIERTAS SOBRE LOS PRESUPUESTOS DE LEGITIMACIÓN EN EL ÁMBITO TRIBUTARIO

Nuestro ordenamiento jurídico establece una pluralidad de presupuestos habilitantes para el tratamiento de la información de carácter personal (obtención, uso, cesión, interconexión, acceso, etc.). Con carácter general, los artículos 6-9 del RGPD regulan los presupuestos de legitimación necesarios para que, desde la perspectiva de la protección de datos, el tratamiento sea lícito[438].

Recordemos que estos presupuestos legitimadores (o bases jurídicas) son aquéllos que permiten que la Administración trate nuestra información personal en conjunción con la normativa tributaria en su caso; dejando a las proyecciones de los principios de lealtad y transparencia el cómo debe tratarse (principios de limitación de la finalidad, plazo de conservación, confidencialidad, responsabilidad proactiva, deber de informar, derechos de acceso, rectificación, supresión, limitación del tratamiento, etc.)[439].

Sin embargo, la separación absoluta entre estos principios no existe. Es decir, existe un "trinomio" entre los principios de licitud-lealtad-transparencia. Estos tres elementos se deben encontrar en equilibrio y son dependientes unos de otros. Como veremos más adelante, no sería lícito el tratamiento de información personal basada en el interés público si el órgano que realiza el uso de los datos personales no tuviera expresamente esa función asignada en la normativa o si

---

[438]   El artículo 9 del RGPD difiere respecto del 6 en que regula presupuestos habilitantes reforzados para información especialmente protegida como aquellas que revelen origen étnico o racial, opiniones políticas, convicciones religiosas o filosóficas, afiliación sindical, datos genéticos, datos biométricos, de salud o datos relativos a la vida sexual.

[439]   Nos referimos a los principios de limitación de la finalidad, de conservación de los datos, de minimización, de exactitud, de integridad y confidencialidad, y de responsabilidad proactiva (entre otros). Artículo 5 del RGPD.

tratara más información de la necesaria por la competencia que ostenta el órgano administrativo (principio de lealtad, en su vertiente de minimización).

El responsable del tratamiento, dentro del esquema organizativo de cada Administración tributaria, podrá tratar los datos cuando sean necesarios para: (i) el cumplimiento de una obligación legal[440]; (ii) el cumplimiento de una misión realizada en interés público o en el ejercicio de poderes públicos[441]; (iii) la satisfacción de intereses legítimos[442]; (iv) la ejecución de un contrato[443]; (v) legitimar el tratamiento con el consentimiento del interesado[444]; y (vi) proteger los intereses vitales del interesado o de otra persona física[445].

En el contexto de la Administración Pública y, particularmente, de la Administración tributaria, no podemos afirmar que el principio de consentimiento se consagre como el presupuesto habilitante por defecto como sí sucede con frecuencia en el ámbito privado[446]. Al contrario, el presupuesto legitimador más común en este campo tiene lugar cuando la Administración tributaria trata la información en cumplimiento de una obligación legal, o en el contexto del desarrollo de una misión de interés público.

---

[440]   Artículo 6.c) del RGPD.
[441]   Artículo 6.e) del RGPD.
[442]   Artículo 6.f) del RGPD.
[443]   Artículo 6.b) del RGPD.
[444]   Artículo 6.a) del RGPD.
[445]   Artículo 6.d) del RGPD. He decidido no tratar el interés vital de los interesados como presupuesto legitimador en el ámbito de la Administración tributaria por su escasa virtualidad. Recuérdese que el Considerando 46 del RGPD indica que dicho presupuesto puede concurrir cuando el tratamiento sea necesario para fines humanitarios, incluido el control de epidemias y su propagación, o en situaciones de emergencia humanitaria, sobre todo en caso de catástrofes naturales o de origen humano.
[446]   La situación actual del principio del consentimiento como presupuesto legitimador en el contexto de la Administración Pública ha sido criticada por Arroyo Yanes, L. M., "Principios de la protección de datos: consentimiento del afectado. Las administraciones públicas y la excepción al principio de prestación del consentimiento por parte del interesado a la recogida y tratamiento de sus datos personales (1ª parte)", en Troncoso Reigada, A. (coordinador), *Estudios y Comentarios Legislativos. Comentario a la Ley Orgánica de Protección de Datos de Carácter Personal*, Aranzadi, Pamplona, 2010, p. 3.

Esta faceta también ha sido reconocida en la CDFUE. Su artículo 8.2 establece que los datos personales únicamente podrán ser tratados "...sobre la base del consentimiento de la persona afectada o en virtud de otro fundamento legítimo previsto por la ley"[447].

A continuación, analizaremos los presupuestos legitimadores del tratamiento en el contexto de la Administración tributaria. Es preciso, antes de introducirnos en ellos, que recordemos que la licitud *per se* del tratamiento no implica que ese uso se realice totalmente de acuerdo a las exigencias de la normativa de protección de datos, sino que éste es el primer paso que permite determinar qué habilita a la Administración tributaria para usar nuestros datos.

1. En el marco de un deber específico

Nos encontramos ante una de las dos bases de legitimación por antonomasia en la Administración tributaria. La expresión "en cumplimiento de una obligación legal" contenida en el artículo 6.1.c) RGPD equivale, en la regulación española, a que la Administración tributaria, para estar legitimada, debe actuar en cumplimiento de una obligación establecida en una norma con rango de ley.

El artículo 6.2 del RGPD remite expresamente a que los aspectos relacionados con la protección de datos sean desarrollados por los Estados miembros, que *podrán* introducir "...disposiciones más específicas a fin de adaptar la aplicación de las normas del presente Reglamento (...) fijando de manera más precisa requisitos específicos de tratamiento y otras medidas que garanticen un tratamiento lícito y equitativo".

---

[447] En este mismo sentido, Blume, P., "The Public Sector and the Forthcoming EU Data Protection Regulation", *EDPL*, n.º 1, 2015, p. 33: "[i]ndividuals are often under a statutory obligation to provide personal data to the relevant authorities meaning that they lack a freedom of choice: they have to disclose personal data". En un mismo sentido, la SAN de 26 de febrero 2014, recurso contencioso-administrativo 213/2013 estableció que en su fj.2: "...resulta patente que, el tratamiento de los datos de carácter personal no requiere el consentimiento de su titular, entre otros supuestos, cuando se recojan para el ejercicio de funciones propias de las Administraciones Públicas en el ámbito de sus competencias".

A fecha de la presente investigación, llama la atención que, al menos, en el ámbito de la legislación tributaria estatal y del entorno organizativo de la AEAT, no se hayan desarrollado normas en cumplimiento de este mandato.

Que se puedan aprobar disposiciones específicas, no quiere decir que cada tratamiento individual se rija sólo por una norma. Una norma puede ser suficiente como base para varias operaciones de tratamiento de datos basadas en una obligación legal aplicable al responsable del tratamiento[448]. Y, evidentemente, una norma tributaria puede habilitar múltiples operaciones de tratamiento.

Entre las medidas indicadas por el RGPD, se incluye: el desarrollo de disposiciones que establezcan la base legitimadora; los tipos de datos objeto de tratamiento; los interesados afectados; las entidades a las que se pueden comunicar datos personales y los fines de tal comunicación; las garantías que sirvan para limitar la finalidad; los plazos de conservación de los datos; y los procedimientos del tratamiento.

Recordemos que el artículo emplea el condicional *podrán* y, por lo tanto, normativamente no se obliga a que los Estados adopten dichas medidas (al menos respecto a la información que no esté en la categoría de datos especiales). Ahora bien, a lo que sí obliga es a que la finalidad del tratamiento deberá quedar determinada en dicha base jurídica. El RGPD no indica que esta base jurídica deba ser una norma con rango de ley, como sí establece nuestra legislación[449].

Esta remisión del RGPD, al desarrollo de normas de garantía por parte del legislador nacional, ha encontrado su proyección en nuestra normativa general sobre protección de datos. El artículo 8.1 de la LOPD-GDD establece que el tratamiento de datos personales solo podrá considerarse fundado en el cumplimiento de una obligación legal exigible al responsable, cuando así lo prevea una norma de Derecho de la Unión Europea o una norma con rango de ley.

---

[448]   Véase el Considerando 40 del RGPD.

[449]   Véase el Considerando 10 del RPGP: "...para el cumplimiento de una obligación legal, para el cumplimiento de una misión realizada en interés público o en el ejercicio de poderes públicos conferidos al responsable del tratamiento, los Estados miembros deben estar facultados para mantener o adoptar disposiciones nacionales a fin de especificar en mayor grado la aplicación de las normas del presente Reglamento".

Como podemos observar, nuestro precepto se diferencia únicamente en la exigencia de que la obligación legal provenga de una
norma con rango de ley. Ahora bien, recordemos que la legitimación
debe de concretarse en esa norma, aunque la interpretación podría
entenderse en sentido amplio. Basta que la operación tenga respaldo
en la ley (finalidad del tratamiento) y que, posteriormente, una norma de carácter reglamentario regule cómo, en qué casos y sobre qué
datos se realice el tratamiento de la información con trascendencia
tributaria[450].

En la práctica, una de las dificultades que plantea la identificación
de las bases jurídicas es la distinción entre el interés público y la obligación legal, ya que la frontera entre uno y otro presupuesto legitimador no siempre es nítido. Aunque el debate sobre esta cuestión pueda
tener una importancia menor, ya que al final, con carácter general,
la Administración tributaria va a encontrarse legitimada a través de
una de las dos bases indicadas, es necesario precisar conceptualmente
cuándo debería optarse por una o por otra.

El criterio que está asumiendo la AEPD es el de vincular sistemáticamente el presupuesto legitimador de los tratamientos que realiza la
Administración al interés público, salvo cuando la obligación legal es
clara y precisa[451]. Esta posición viene aplicándose desde el Dictamen
06/2014 sobre el concepto de interés legítimo (en el que se diferencia
del interés público) del Grupo de Trabajo del Artículo 29[452].

Para que sea aplicable la obligación legal como presupuesto legitimador en el contexto de la Administración tributaria, deben de
concurrir las siguientes características:

La obligación debe estar prevista en la ley tributaria. Dicha ley
debe cumplir todas las condiciones pertinentes para que la obligación
sea válida y vinculante, y debe también cumplir la legislación de pro-

---

[450]   Ya tuvimos la ocasión de revisar esta cuestión en profundidad en Olivares Olivares, B. D., *La protección de los datos tributarios de carácter personal durante
su obtención en España*, Aranzadi, Cizur Menor, 2017.

[451]   Véase el Informe 2018-0175, disponible en: https://www.aepd.es/es/documen-
to/2018-0175.pdf (visitado el 30/11/2020).

[452]   Véase https://www.aepd.es/sites/default/files/2019-12/wp217_es_interes_legiti-
mo.pdf (visitado el 30/11/2020).

tección de datos, incluidos especialmente, los principios de minimización y limitación de la finalidad del RGPD.

Debe ser la legislación de la Unión Europea o de un Estado miembro. Las obligaciones de conformidad con las leyes de terceros países no están cubiertas por este fundamento jurídico. Para que sea válida, una obligación jurídica de un tercer país necesitaría estar oficialmente reconocida e integrada en el orden jurídico del Estado miembro en cuestión, por ejemplo, en forma de un acuerdo internacional, como sucede en el caso de los CDI.

El responsable del tratamiento no debe poder elegir si cumple o no dicha obligación. Debe ser de obligado cumplimiento.

La propia obligación legal debe estar suficientemente clara en lo que respecta al tratamiento de los datos personales que se requiere, cumpliendo el principio de transparencia del RGPD. El responsable del tratamiento no debe tener un grado indebido de discreción sobre cómo cumplir con dicha obligación jurídica.

Desde mi punto de vista, la obligación legal puede proyectarse sobre normas de desarrollo reglamentario que concreten estos aspectos (por ejemplo, tipología de información requerida)[453]. Sería un sinsentido obligar a que, mediante una norma con rango de ley, se regularan todos y cada uno de los datos personales que se requieren para el cumplimiento de la obligación tributaria.

La interpretación más garantista es a mi juicio una interpretación mixta, en la que la norma con rango de ley convive con el desarrollo reglamentario, como sucede en nuestro ámbito prácticamente para todas las obligaciones tributarias de carácter formal y/o material. Ambas normas gozan de publicidad y legitimidad, por lo tanto, ambas normas permiten ponderar la gradiente de transparencia y lealtad en el tratamiento (principios que como indicamos *ex ante*, se interrelacionan con el principio de licitud).

---

[453] Ya defendimos esta posición en el trabajo Olivares Olivares, B. D., *La protección de los datos tributarios de carácter personal durante su obtención en España*, ob. cit. Esta postura ha sido reconocida posteriormente por la doctrina del TC a través de la aplicación de la teoría de las garantías adecuadas y la adecuación reglamentaria de algunos aspectos esenciales del tratamiento. Véase la STC 76/2019, fj.6.

En el ámbito tributario el tratamiento de los datos personales con trascendencia tributaria de los ciudadanos se fundamenta en la existencia de los deberes de información y colaboración con la Administración tributaria que tiene sustento en el artículo 31.1 CE. Como indican el TC y el TS[454], la obtención de los datos con relevancia tributaria es una obligación impuesta a la generalidad de los sujetos de derecho, en manifestación de la "colaboración social en la aplicación de los tributos", que "hunde sus raíces en el deber general de contribuir del artículo 31.1 de la Constitución"[455].

Además, este deber de colaboración entre los ciudadanos y la Administración tributaria también encuentra su fundamentación en el sometimiento a la Constitución y al resto del Ordenamiento Jurídico, a través del artículo 9.1 de la CE[456], tanto de los poderes públicos como de los ciudadanos.

Por lo tanto, podemos afirmar que la Administración tributaria está constitucionalmente habilitada para exigir a la sociedad la aportación de la información ya que el cumplimiento de este deber resulta imprescindible para la eficaz aplicación del sistema tributario[457].

Con carácter general, la Administración ejerce funciones de control de la legalidad de los comportamientos de los obligados durante la aplicación de los procedimientos tributarios, sancionadores o de recaudación de otros recursos públicos[458]. Para llevar a cabo eficaz-

---

[454]   Sobre la configuración constitucional de los deberes y las potestades de la obtención de información tributaria en la jurisprudencia, véase a Sesma Sánchez, B., *La obtención de información tributaria*, Aranzadi, Navarra, 2001, pp.35-38.

[455]   Véase la STC 110/1984 de 26 de noviembre, fj.2 y la STS de 20 de noviembre de 2014, recurso de casación 3073/2012, fj.3.

[456]   Véase Ortiz Liñan, J., "Régimen jurídico de la información en poder de la Hacienda Pública", ob. cit., p.27.

[457]   Esta afirmación es una proyección del artículo 3.2 de la LGT: "[l]a aplicación del sistema tributario se basará en los principios de proporcionalidad, eficacia y limitación de costes indirectos derivados del cumplimiento de obligaciones formales y asegurará el respeto de los derechos y garantías de los obligados tributarios". Sobre este particular, véase el fj.3 de la STS de 20 de noviembre de 2014, recurso de casación 3073/2012.

[458]   Debe dejarse constancia de que la exigencia de información se ha ampliado más allá de la aplicación del sistema tributario *stricto sensu*, para imponerse como instrumento de la potestad recaudatoria de todo tipo de deudas con la Hacienda Pública. En este sentido, el RGR dispone en su artículo 10.2 que: "...los funcio-

mente ese control, es necesaria la colaboración de los administrados a través del cumplimiento de los deberes de información, que tienen como fin facilitar la obtención de los datos[459].

La STC 110/1984 de 20 de noviembre indicó, por primera vez, que los deberes de información frente a la Administración tributaria deben insertarse en el concepto genérico de los deberes de colaboración[460], y que éstos se definen como "aquellas actuaciones del administrado, voluntarias o impuestas a título fundamentalmente individual, en el que éste, sin dejar de serlo, toma parte en el procedimiento administrativo de elaboración de las decisiones sin participar en las mismas, coopera en la realización de funciones administrativas, las facilita o las hace posibles"[461].

De este modo, los artículos 29, 93, 94 y 95 de la LGT, así como las normas de cada tributo y sus correspondientes reglamentos, regulan los principales canales de suministro de información a través de los que fluyen los datos personales de los ciudadanos hacia la Administración Tributaria y desde la Administración tributaria hacia terceros. Serían un ejemplo de presupuesto legitimador todos aquellos

---

narios que desempeñen funciones de recaudación podrán realizar actuaciones de obtención de información previstas en los artículos 93 y 94 de la Ley 58/2003, de 17 de diciembre, General Tributaria".

Asimismo, el artículo 10.1 de la LGP establece que: "[s]in perjuicio de las prerrogativas establecidas para cada derecho de naturaleza pública por su normativa reguladora, la cobranza de tales derechos se efectuará, en su caso, conforme a los procedimientos administrativos correspondientes y gozará de las prerrogativas establecidas para los tributos en la Ley General Tributaria, y de las previstas en el Reglamento General de Recaudación".

[459] Véase a Ortiz Liñan, J., *"Derechos y garantías del contribuyente ante la utilización por la Hacienda Pública de sus datos personales"*, ob. cit., p.7.

[460] Véase Soler Roch, M.ª T., "Deberes tributarios y derechos humanos", *Técnica Tributaria*, n.º 30, 1995; "New Spanish Regulation on Taxpayer's Protection", *International Tax Review*, vol. 26, 1998; y Bently, D., *"Taxpayers Rights: Theory, Origin and Implementation"*, ob. cit., p. 2: "...the tax law was increasingly used to facilitate tax administration. New managment techniques and computerization changed the way the system was administered. Voluntary compilance completely transformed the approach to tax administration".

[461] Véase Lucas Durán, M.: "Secreto fiscal y Constitución: algunas reflexiones en torno al artículo 113.1 LGT", *Jurisprudencia Tributaria Aranzadi*, 1998, documento bibliográfico digital Westlaw-Aranzadi BIB 1998\269, pp.1-26 y LÓPEZ MARTÍNEZ, J.: *"Los deberes de información tributaria"*, ob. cit., p.42 y ss.

tratamientos relacionados con las obligaciones por suministro de información previstas en la normativa tributaria (autoliquidaciones, declaraciones informativas, comunicaciones de datos, etc.).

También serían un ejemplo de esta base jurídica las operaciones de tratamiento en aplicación de las directivas y reglamentos de la UE, de los mecanismos de asistencia mutua que derivan de los CDI y las demás normas supranacionales relacionadas con el intercambio de información internacional. Eso sí, siempre que los preceptos cumplieran taxativamente los requisitos de previsibilidad que indicaba tanto el GT 29, como la AEPD. En caso contrario, nos encontraríamos ante el interés público como base de legitimación.

2. En el desarrollo de una misión en interés público

Junto al cumplimiento de una obligación legal, el segundo presupuesto legitimador por importancia y/o asiduidad, tiene lugar cuando el tratamiento es necesario para alcanzar el interés público. En nuestro caso, la aplicación del sistema tributario en sentido amplio (incluida la imposición de sanciones y la revisión de actos). Sin embargo, recuérdese que la protección de datos afecta a toda la información personal en poder de la Administración tributaria (esté o no afecta a la aplicación del sistema tributario).

El artículo 6.1.e) del RGPD legitima el tratamiento de datos cuando sea "necesario para el cumplimiento de una misión realizada en interés público o en el ejercicio de poderes públicos conferidos al responsable del tratamiento".

Como vemos, deben concurrir dos requisitos: (i) debe existir un interés público y (ii) la operación debe poder llevarse a cabo en el contexto de esos poderes públicos conferidos al responsable.

Es decir, *debe* de existir una vinculación material y formal entre el *poder* del órgano para desarrollar el tratamiento y el objetivo. *Debe* cohonestarse especialmente el principio de licitud con el principio de lealtad. Y el Órgano administrativo *debe* estar facultado expresamente para el desarrollo de dicho tratamiento. Esta triple vinculación tiene que cumplirse siempre.

Como venimos indicando, esto no quiere decir que todo tratamiento de datos por una Administración tributaria esté amparado por este presupuesto, tan sólo se considera lícito un tratamiento de datos personales sobre la base de dicho precepto si, además, el mismo es necesario. Por ejemplo, un requerimiento de información al contribuyente en el marco de un procedimiento de comprobación limitada en el que se obtengan datos (sin) trascendencia tributaria. Ésta sería una operación que no podría estar legitimada en el interés público. Y junto a la nulidad del requerimiento, también conllevaría la vulneración de los principios de licitud y de minimización de los datos.

Por ello, si el tratamiento no es necesario para el cumplimiento de la misión realizada en interés público o en el ejercicio de los poderes públicos conferidos por el ordenamiento jurídico, dicho tratamiento carecería de base jurídica legitimadora.

En relación con este presupuesto legitimador, el Informe 2018-0175 de la AEPD indica que la misión de interés público "debe interpretarse en un sentido amplio de forma que permita a las Administraciones, incluso en el ámbito del Derecho Privado, los tratamientos de datos personales necesarios para las finalidades legítimas que el ordenamiento les concede o permite"462. Y continúa: "[s]i el tratamiento de datos es necesario, en un sentido amplio, de modo que sin dicho tratamiento no podría llevarse a cabo el ejercicio de la competencia o potestad atribuida a la Administración, entonces dicho tratamiento de datos estaría amparado en la letra e) del art. 6.1. Si el tratamiento no fuere necesario no podría considerarse amparado en dicha base jurídica"463.

Esta postura de la AEPD concuerda con la posición del TJUE y de la Abogada General en el caso de la STJUE de 27 de septiembre de 2017, C-73/16 (Peter Puskar). La licitud del tratamiento debe cohonestarse con la delegación de funciones al responsable y tiene que comprender el fin de ese tratamiento de datos. Por lo tanto, la finalidad del tratamiento está indisolublemente ligada a las funciones delegadas de los órganos administrativos464.

Por último, cabe destacar que el artículo 8.2 de la LOPD-GDD, en desarrollo del RGPD, establece que "el tratamiento de datos persona-

---

462 Página 10 del citado Informe de la AEPD.
463 Página 11 del citado Informe de la AEPD.
464 Apartado 106 de las conclusiones del Abogado General.

les solo podrá considerarse fundado en el cumplimiento de una misión realizada en interés público o en el ejercicio de poderes públicos conferidos al responsable, en los términos previstos en el artículo 6.1 e) del Reglamento (UE) 2016/679, cuando derive de una competencia atribuida por una norma con rango de ley". De nuevo, la única diferencia entre la regulación estatal y aquella recogida en el RGPD es la necesidad de que la competencia esté atribuida por una norma con rango de ley.

3. El cumplimiento de convenios

Junto a los presupuestos legitimadores anteriores, el artículo 6.1.b) del RGPD permite el tratamiento de los datos de carácter personal cuando éste sea "necesario para la ejecución de un contrato en el que el interesado es parte o para la aplicación a petición de este de medidas precontractuales".

La AEPD establece la posibilidad de que las administraciones puedan basar sus tratamientos en contratos, bien de derecho público o de derecho privado. Sin embargo, "en ambos casos dicha potestad de contratar ha de venir establecida por ley, en cuanto que regula la competencia y las facultades del órgano para contratar, pero nada impide que en estos casos el tratamiento pueda basarse en una base jurídica distinta, como es la del art. 6.1.b) RGPD, esto es, que el tratamiento sea necesario para la ejecución de un contrato"[465].

Podríamos pensar que son ejemplos que se sirven de esta base de legitimación, los tratamientos derivados de la Ley 9/2017, de 8 de noviembre, de Contratos del Sector Público. Por ejemplo, las encomiendas de gestión o la consolidación de la licitación de determinados servicios. Piénsese en el ámbito de la Administración tributaria, en las plataformas tecnológicas externas que le prestan servicios y tratan por cuenta de la Administración datos de carácter personal.

Sin embargo, no podemos compartir esta postura, aun cuando el concepto de contrato fuera extensible, para poder aplicar esta base de legitimación, el responsable tiene que tener contrato en vigor precisamente con el titular de los datos cuyo tratamiento se propone

---

[465]   Informe 2018-0175.

legitimar y no con un tercero como sería el supuesto para la mayor parte de los casos que recaen en la Ley 9/2017.

El RGPD no dice expresamente que el vínculo deba ser directo entre el responsable del tratamiento y el interesado (sólo dice que el interesado debe ser "parte"), pero se podría argumentar que el artículo 6 del RGPD tampoco se refiere expresamente en el resto de las bases legitimadoras al "responsable" (no se indica que el interesado diera su consentimiento al responsable, ni que el tratamiento del responsable es necesario para proteger intereses vitales del interesado...).

Si el hecho de la formalización de un convenio, sirve al responsable del tratamiento para tratar los datos de cientos de interesados porque "es necesario" para cumplir el contrato, cabría prácticamente todo tratamiento.

En este mismo sentido se posiciona la EDPB en su dictamen "Directrices 2/2019 sobre el tratamiento de datos personales en virtud del artículo 6, apartado 1, letra b), del RGPD en el contexto de la prestación de servicios en línea a los interesados", p. 9:

> "El responsable del tratamiento podrá invocar la primera opción del artículo 6, apartado 1, letra b), para tratar datos personales cuando, en consonancia con su obligación de responsabilidad proactiva prevista en el artículo 5, apartado 2, pueda demostrar que el tratamiento tiene lugar en el contexto de un contrato válido con el interesado y que el tratamiento es necesario para la *ejecución de dicho contrato particular con el interesado*. Cuando el responsable del tratamiento no pueda demostrar que a) el contrato existe, b) el contrato es válido en virtud del derecho nacional aplicable en materia de contratos y c) el tratamiento es necesario desde un punto de vista objetivo para la ejecución del contrato, deberá tener en cuenta otro fundamento jurídico para el tratamiento."

También la autoridad irlandesa de protección de datos en "Guidance Note: Legal Bases for Processing Personal Data" (versión 2019), p. 11:

> "*The legal basis of 'contract' (also referred to as 'contractual necessity' or 'contractual performance') is another relatively commonly utilised legal basis for the processing of personal data, in contexts where there is a contractual relationship between the data subject and the controller. Article 6(1)(b) and Recital 44 GDPR set out that processing may be lawful where necessary for performing or initiating a valid contract*".

Por todo ello, dicha base de legitimación en el ámbito tributario sólo abarcaría los tratamientos en los que el interesado forma parte de la relación contractual directamente.

4. La voluntad de los interesados

Como ya hemos examinado en la introducción a este apartado, el consentimiento es una base jurídica residual en la Administración tributaria. Ni si quiera tiene virtualidad en la aportación de documentos, tras la reforma del artículo 28 de la Ley 39/2015[466].

La postura de la AEPD es contraria a la utilización del consentimiento en el ámbito de la Administración Pública. En el Informe 2018-0175 indica que no es válido el consentimiento como fundamento jurídico para el tratamiento de datos por una Administración Pública, dado que no puede garantizarse que el consentimiento se haya dado libremente[467].

Así mismo aclara la Agencia que, incluso cuando el interesado concurre voluntariamente a un procedimiento administrativo no se considera el consentimiento como base jurídica suficiente: "[e]llo no quiere decir, se aclara, que no pueda existir "consentimiento" del interesado a que la Administración trate sus datos, porque incluso puede proporcionarlos voluntariamente; pero dicho consentimiento no puede servir, según el RGPD, de base jurídica suficiente al tratamiento, ya que si no existiera un fundamento legal (obligación legal, interés público, atribuido mediante ley), la Administración carecería de "competencia" para el tratamiento que pretende realizar, y si desde el punto de vista del ordenamiento administrativo sus actos serían nulos o anulables, según el caso (arts. 47 y 48 Ley 39/2015)".

Tratamientos específicos

Tras examinar los presupuestos legitimadores que garantizan la licitud de los tratamientos en el contexto de la Administración tributaria, a continuación, expondré algunos casos específicos que retratan

---

[466]   Modificación operada por la Disposición Final 12 de la LOPD-GDD.
[467]   Pp.16-17 del citado Informe.

la necesidad de concatenar el presupuesto legitimador con garantías adicionales[468].

En estos supuestos (no es una lista exhaustiva de los tratamientos específicos que tienen lugar en la Administración tributaria) se pone de relieve si cabe, con mayor intensidad, el trinomio que conformas los principios de licitud-lealtad-transparencia. Me refiero a los casos en los que se tratan categorías especiales de datos, aquellos supuestos en los que la Administración tributaria capta (por ejemplo, mediante un requerimiento) datos con trascendencia tributaria de manera masiva o los tratamientos que se legitiman en la normativa de asistencia mutua o los CDI.

El artículo 9.1 del RGPD establece una prohibición general de tratamiento de los datos de carácter personal especialmente protegidos. Esta forma de enunciar los supuestos en los que es lícito tratar esta categoría de datos, pone de manifiesto la idea-fuerza de protección adicional que rodea al tratamiento de las categorías especiales. El tratamiento se permite, pero sólo en casos tasados y con las garantías debidas.

Se consideran datos especiales aquellos que revelen: (i) el origen étnico o racial; (ii) opiniones políticas; (iii) convicciones religiosas o filosóficas; (iv) afiliación sindical; (v) datos genéticos; (vi) datos biométricos; (vii) informaciones sobre la salud; (viii) y datos relativos a la vida sexual o las orientaciones sexuales.

En primer lugar, para tratar estos datos, no debemos acudir a los presupuestos de legitimación del artículo 6 del RGPD. Si en el marco de la Administración tributaria se trataran, debemos encontrar su encaje en el artículo 9.2 del RGPD como regla general.

La justificación del tratamiento de estas informaciones en el marco de los procedimientos tributarios será habitualmente el artículo 9.2.g) del RGPD. Es decir, cuando el tratamiento es necesario por razones de un interés público esencial (ámbito fiscal, financiero o monetario como reconoce el artículo 23.1.e) del RPGP), sobre la base del Derecho de la Unión o de los Estados miembros.

---

[468]   Sin ánimo de ser exhaustivo por la limitación editorial.

El RGPD establece que obligatoriamente, el tratamiento de los datos que se realicen debe: (i) ser proporcional al objetivo perseguido; (ii) respetar el derecho a la protección de datos; (iii) establecer medidas adecuadas para proteger los intereses y los derechos fundamentales del interesado.

Además, el artículo 9.2 de la LOPD-GDD, adicionalmente requiere que estos tratamientos deberán estar amparados en una norma con rango de ley, que *podrá* establecer requisitos adicionales relativos a su seguridad y confidencialidad.

Llama la atención que el desarrollo normativo de nuestro legislador establezca los mismos requisitos de legitimación (que esté previsto en una norma con rango de ley el tratamiento), que respecto del uso de la restante información. También, en un defecto de técnica legislativa, se utiliza en el artículo 9.2 de la LOPD-GDD el término *podrá*, mientras que el artículo 9.2.g) del RGPG indica que se *establecerán* medidas adecuadas.

Es preciso destacar que la jurisprudencia (tanto del TJUE, como el TC[469]) viene aplicando la teoría de las garantías adecuadas para los tratamientos de información personal. La necesidad de disponer de garantías adecuadas es especialmente importante cuando el tratamiento afecta a categorías especiales de datos, pues su uso es susceptible de comprometer con mayor intensidad bienes jurídicos como la dignidad, la libertad y el libre desarrollo de la personalidad.

La STC 76/2019, de 22 de mayo, marca un punto de inflexión por su claridad y concreción. Ante un supuesto de tratamiento de una categoría especial de datos (opiniones políticas), indica que la falta de garantías específicas que establezcan expresamente cómo tratar las categorías especiales de datos no puede ser suplida por vía interpretativa a partir de la LOPD-GDD o la normativa que legitima el tratamiento. Es decir, no es válida una remisión genérica a las reglas de tratamiento comunes. Fórmulas muy utilizadas en la Administración como una remisión sistemática a las normas del ENS (Anexo II) o incluso sólo a las garantías previstas en el RGPD o la LOPD-GDD

---

[469]   STJUE, asuntos acumulados C-293/12 y C-594/12 y la STC 76/2019, de 22 de mayo.

no son válidas[470]. Tampoco puede ser colmada por la interpretación que realice la AEPD. Ni si quera la remisión implícita a la normativa sobre protección de datos resultaría coherente con el marco regulador europeo[471].

El RGPD establece garantías mínimas, generales a todo tipo de tratamientos. Es decir, no establece por sí mismo el régimen jurídico aplicable a los tratamientos de categorías especiales de datos. Por lo tanto, no fija las garantías adecuadas a los riesgos (de diversa probabilidad y gravedad como indica el TC) que pudieran existir en cada caso[472].

Por ello, la ausencia de garantías adecuadas para la protección de las categorías especiales de datos supondría una insuficiencia manifiesta que afectaría al contenido mínimo exigible del derecho fundamental. Recordemos que el derecho fundamental a la protección de datos es un derecho de configuración legal. Esta situación de falta de regulación de las garantías adecuadas, afecta a la certeza y previsibilidad que debe tener la norma de desarrollo.

De lo anterior, el TC concluye en este caso que la injerencia en el derecho fundamental se produce porque[473]:

- La ley no ha identificado la finalidad de la injerencia para cuya realización se habilita a los partidos políticos.
- No ha delimitado los presupuestos ni las condiciones de esa injerencia.
- No ha establecido las garantías adecuadas que para la debida protección del derecho fundamental a la protección de datos personales.

---

[470]   El TC deja claro en el fj. 8 de la STC 76/2019 que: "...ese establecimiento de medidas adecuadas y específicas solo puede ser expreso. Si la norma interna que regula el tratamiento de datos personales (...) no prevé esas garantías adecuadas, sino que, todo lo más, se remite implícitamente a las garantías generales contenidas en el Reglamento general de protección de datos, no puede considerarse que haya llevado a cabo la tarea normativa que aquel le exige".

[471]   Véase el fj.8 de la STC 76/2019.

[472]   Véase el fj.8 de la STC 76/2019.

[473]   Véase el fj.9 de la STC 76/2019.

Por estas tres vulneraciones se declara inconstitucional la norma que regula el tratamiento.

Esta doctrina supone un profundo posicionamiento de carácter garantista. Las conclusiones alcanzadas por el TC son plenamente trasladables al ámbito tributario. También vienen siendo una consecuencia lógica de la aplicación de la normativa sobre protección de datos; ponen de relieve un aspecto que ya fue anunciado durante el proceso de elaboración del RGPD: a pesar de tener la naturaleza jurídica de Reglamento de la UE, la cantidad de remisiones al desarrollo por parte del legislador nacional hacen que "parezca" una Directiva[474] y, en consecuencia, requiere una intensa actividad de adaptación normativa caso por caso. Y, como suele ser habitual (en el contexto de la Administración Pública, no sólo en el contexto de la Administración tributaria) existe un vacío respecto a la regulación de dichas garantías, a pesar del mandato que hemos estudiado del RGPD para que los Estados las desarrollen expresamente sobre la base de los tratamientos del artículo 9.2.g) del RGPD.

Ello plantea una necesidad. En el contexto de las categorías especiales de datos, el legislador, asesorado por comisiones técnicas, debe adaptar la legislación para alcanzar las medias necesarias para alcanzar un nivel aceptable de garantías en los tratamientos. Esta realidad también implica a los propios responsables del tratamiento en el ámbito de la Administración tributaria que deben hacer todo lo posible por implantar en su marco organizativo las garantías que viene reclamando el RGPD para el tratamiento de la información personal.

Otro tratamiento que requiere un análisis especial es la transmisión de información de carácter personal con relevancia tributaria entre autoridades públicas (en el contexto nacional, de la UE o internacional). Piénsese, por ejemplo, en un requerimiento de información a la AEAT en la que solicita a una Universidad la información sobre la residencia efectiva de sus estudiantes para, posteriormente, detectar alquileres no declarados por los propietarios de bienes inmuebles e

---

[474] Véase García Mahamut, R. y Tomás Mallén, B. y García Mahamut, R. (coordinadoras editoras), *El Reglamento General de Protección de Datos: un enfoque nacional y comparado. Especial referencia a la LO 3/2018 de Protección de Datos y garantía de los derechos digitales*, Tirant lo Blanch, 2019, Valencia.

iniciar los correspondientes procedimientos[475]. ¿Es lícito este tratamiento?, ¿requiere garantías adicionales?

Al margen de la habilitación general que establece el artículo 94 de la LGT, es preciso indicar que el RGPD somete este tipo de tratamientos a garantías adicionales. En principio la Administración tributaria está legitimada en la medida en que el requerimiento lo realiza una autoridad pública en virtud de un precepto legal para el ejercicio de las funciones que tiene atribuidas[476]. Además, esas funciones han de ser necesarias para llevar a cabo una investigación concreta de interés general regulada por el Derecho de la Unión o de los Estados (artículo 94 de la LGT). Junto a ello, las autoridades públicas receptoras no tienen la condición de destinatarios en el sentido del RGPD, con lo que se exime al cedente del deber de informar a los interesados de que se realiza la cesión[477].

Sin embargo, es preciso tener presente que el RGPD, en su Considerando 31, establece una serie de requisitos sobre la forma, el contenido y el alcance de las mismas al disponer que: "[l]as solicitudes de comunicación de las autoridades públicas siempre deben presentarse por escrito, de forma motivada y con carácter ocasional, y no deben referirse a la totalidad de un fichero ni dar lugar a la interconexión de varios ficheros".

En consecuencia, el requerimiento de información debe precisar cuál es la investigación para la que son necesarios, su amparo legal, qué autoridad la está llevando a cabo y especificando lo más detalladamente posible qué datos personales solicita que se le comuniquen, justificando su necesidad para los fines de la investigación, teniendo en cuenta que en ningún caso puede admitirse una solicitud referida a

---

[475] La problemática sobre captación de información personal previa al procedimiento ya ha sido extensamente tratada en Olivares Olivares, B. D., "La captación de información personal de abogados y procuradores: ¿dónde quedan las garantías jurídicas?", *Quincena Fiscal*, número 4/2018, págs. 21-46; Trigueros Martín, M.ª J.: "Límites a las actuaciones de obtención de información realizadas por la Inspección", *Revista de Contabilidad y Tributación*, n.º 401-402, 2016, págs. 5-51.

[476] En este apartado el Considerando 31 del RGPD no es claro. Incluye el término obligación legal para el ejercicio de su misión oficial. Mezclando ambos presupuestos legitimadores.

[477] Considerando 31 del RGPD.

la totalidad de un fichero (ni por supuesto, la interconexión de ficheros). La motivación de este tipo de requerimientos es trascendental y cohonesta de nuevo los principios de licitud y lealtad del artículo 5 del RGPD.

Por otra parte, la entidad cedente está obligada a documentar y conservar, a efectos de acreditar el cumplimiento del RGPD, la solicitud, la decisión sobre la misma y qué datos personales ha comunicado a la Administración tributaria.

Además, las cesiones masivas de datos junto con la puntualidad de la cesión y la prohibición del establecimiento de una interconexión, deben de ser la única vía para obtener la información que se solicita. A mi juicio esta modalidad de obtención de información, por su naturaleza, debería restringirse a los casos estrictamente necesarios. Es decir, en el caso expuesto al inicio, si la AEAT tiene otros mecanismos para detectar los alquileres (no declarados por los arrendadores) sin requerir esa información de los estudiantes, no debería utilizar esta vía. Por lo tanto, el requerimiento podría ser desproporcionado si existen otras vías de obtención de información.

En este caso, la AEAT tiene los datos sobre los consumos de agua/ luz, etc. de todos los bienes inmuebles en ZÚJAR, prácticamente en tiempo real. La AEAT podría hacer un cruce de información con viviendas no habituales y los consumos, sin necesidad de solicitar dicha información a la Universidad. Aunque el TS viene permitiendo cierto margen en la actuación hacia determinados grupos de contribuyentes en el marco de los planes de actuación anuales que se marquen.

La clave en estos casos, junto a la aplicación del Considerando 31 suele ser la aplicación del principio de minimización de los datos y el principio de limitación de la finalidad al milímetro. La AEPD viene limitando el concepto amplio de trascendencia tributaria caso por caso. Prohibiendo la obtención masiva de datos cuando habría otras formas de obtener información conducente al mismo resultado[478].

Como hemos examinado en los presupuestos legitimadores, la transmisión de la información a otras Administraciones tributarias

---

[478]   Véanse entre otros, los Informes de la AEPD: 0174/2005, 0025/2005, 0174/2005, 0619/2009, 0635/2009, 0190/2010, 0242/2010, 0333/2010, 0331/2014, 0257/2013 y 0026/2014.

está legitimada en base a una disposición legal o en el contexto del desarrollo de una misión de interés público. Piénsese en el intercambio de información a través de los múltiples mecanismos de cooperación administrativa o incluso mediante el cumplimiento de las obligaciones que emanan para las partes de los CDI[479].

Es preciso recordar que el derecho fundamental a la protección de datos, no sólo ha sido expresamente reconocido por nuestro TC a partir de la interpretación del artículo 18.4 de la CE, también es reconocido en los artículos 16 del TFUE y 8 de la CDFUE; gozando de un instrumento de desarrollo propio a través del RGPD.[480] Queremos destacar que esta ubicación y desarrollo normativo implica que, el derecho fundamental, debe tener un reconocimiento pleno en el seno de los Estados durante los intercambios de información[481]. Tuvimos

---

[479] Sobre el derecho a la protección de datos y su evolución en el contexto de los intercambios, véanse Moreno González, S., "El intercambio automático de información tributaria y la protección de datos personales en la Unión Europea. Reflexiones al hilo de los últimos progresos normativos y jurisprudenciales", *Quincena Fiscal*, n.º 12, 2016, documento bibliográfico digital westlaw-aranzadi BIB 2016\21227 págs.1-29; "The Automatic Exchange of Tax Information and the Protection of Personal Data in the European Union: Reflections on the Latest Jurisprudential and Normative Advances", *EC tax review*, vol. 25, n.º 3, 2016, pp. 146-161; "El intercambio automático de información tributaria y la protección de los datos personales en la Directiva 2011/16/UE. Avances y temas pendientes", en Serrano Acitores, A. y Chico De La Cámara, P. (dir.): *Temas de actualidad en materia de tributación internacional, Instituto de Estudios Fiscales*, Madrid, 2017.

[480] Véase De Hert, P., "Data Protection as Bundles of Principles, General Rights, Concrete Subjective Rights and Rules. Piercing the Veil of Stability Surrounding the Principles of Data Protection", *European Data Protection Law Review*, n.º 2, 2017, págs. 173-179.

[481] Lynskey, O.: "From Market-Making Tool to Fundamental Right: The Role of the Court of Justice in Data Protection's Identity Crisis", en Gutwirth, S., Leenes, R., De Hert, P. y Poullet, Y. (editors): *European Data Protection: Coming of Age*, Springer, London, 2013, págs.59-84, Diepvens, N. y Debelva, F.: "The Evolution of the Exchange of Information in Direct Tax Matters: The Taxpayer's Rights under Pressure", *EC Tax Review*, n.º 4, 2015, pág.217 y Allevi, L. y Celesti, C.: "10th GREIT Annual Conference on EU BEPS; Fiscal Transparency, Protection of Taxpayer Rights and State Aid and 7th GREIT Summer Course on Tax Evasion, Tax Avoidance & Aggressive Tax Planning", *INTERTAX*, vol. 44, n.º 1, 2016, pág.81. Además, recordemos que el RGPD debe gozar de un nivel de implementación homogéneo respecto a sus garantías. Esto permite su estudio en el contexto normativo de la UE, brindándonos la posibilidad de analizar, por su

la ocasión de examinar en profundidad en otro trabajo la legislación aplicable a los supuestos de intercambio de información tributaria[482].

La Disposición adicional decimotercera de la LOPD-GDD establece una precisión sobre las transferencias internacionales (o transnacionales) de datos tributarios. Indica que: "…las transferencias de datos tributarios entre el Reino de España y otros Estados o entidades internacionales o supranacionales, se regularán por los términos y con los límites establecidos en la normativa sobre asistencia mutua entre los Estados de la Unión Europea, o en el marco de los convenios para evitar la doble imposición o de otros convenios internacionales, así como por las normas sobre la asistencia mutua establecidas en el Capítulo VI del Título III de la Ley 58/2003, de 17 de diciembre, General Tributaria".

El contenido de esta disposición de remisión parece una deslegalización de la normativa sobre protección de datos, aplicando sólo "los términos y límites" regulados en los CDI y la normativa de asistencia mutua. Evidentemente, toda regulación específica sobre protección de datos prevista a en la normativa de asistencia mutua o los CDI será de aplicación preferente a la legislación general, siempre que el legislador aplique la teoría de las garantías adecuadas (que hemos examinado en parte para las categorías especiales de datos), respete el contenido esencial del derecho fundamental y regule los aspectos relacionados con la protección de datos (material y formalmente) de acuerdo con el RGPD.

En caso de que la interpretación anterior no fuera la esperada por la *ratio legis*, esta Disposición sería una manifestación más que pone de relieve el (des)conocimiento del legislador. El desconocimiento del legislador respecto al fundamento del derecho fundamental como una garantía y no la concepción que parece manejar en el contexto tributario, esto es, como un "impedimento" para el ejercicio efectivo

---

conexión y ámbito de aplicación, las implicaciones de la nueva regulación durante los intercambios de información tributaria entre los Estados Miembros.

[482] Olivares Olivares, B. D., *Protección de datos, Administración tributaria y tratamientos de alto riesgo en la Unión Europea*, Aranzadi, Cizur Menor, 2018, págs. 78-84; Wöhrer, V., *Data Protection and Taxpayers' Rights: Challenges Created by Automatic Exchange of Information*, IBFD (WU)- Michael Lang Series, Ámsterdam 2018, págs. 199-282.

de las funciones de la Administración tributaria. El desconocimiento también, aún más grave, de las reglas de localización y aplicación normativa a los tratamientos.

Los artículos 2 y 3 del RGPD establecen que la competencia normativa recae para estos casos en el RGPD. El uso de esta información personal, no recae en ninguno de los presupuestos de exclusión. Por lo tanto, todos los tratamientos que vienen realizándose desde la entrada en vigor del RGPD caen bajo su amparo, esto incluye tanto a los CDI (con las excepciones que se establecen en la teoría de los *treaty override*), como a la normativa de asistencia mutua[483]. A mi juicio, la remisión que propicia la Disposición adicional es incoherente e innecesaria.

Además, es preciso tener en cuenta el efecto *expansivo* que produce la legislación sobre protección de datos, como ha quedado patente con las SSTJUE en los casos *Schrems I* (C-311/18) y *Schrems II* (C-362/14).

III. SOBRE LA NECESIDAD DE DESARROLLAR LAS CLÁUSULAS ABIERTAS EN EL CONTEXTO TRIBUTARIO

Como hemos examinado en el trabajo, la Administración tributaria tiene un largo recorrido para adecuar su actuación a algunos de los aspectos exigidos por el RGPD y la LOPD-GDD. Es preciso un cambio conceptual en el seno del desarrollo de la normativa y actuación tributaria. El derecho fundamental refuerza las garantías para que el tratamiento de la información de los datos personales de los obligados tributarios sea lícito, leal y transparente; no es un derecho

---

[483] Esta cuestión ha sido analizada extensamente, Olivares Olivares, B. D., *Protección de datos, Administración tributaria y tratamientos de alto riesgo en la Unión Europea*, Aranzadi, Cizur Menor, 2018; "Hacia un nuevo marco de transparencia durante los intercambios transnacionales de datos tributarios de carácter personal: el deber de informar", *Revista Vasca de Administración Pública*, número 111, 2018, pp. 157-193; Moreno Gonzalez, S., *The Council Directive 2011/16/EU in the Global Context of Tax Transparency and Automatic Exchange of Information*, Lefebvre, 2018.

que tenga por objeto impedir o dificultar la actividad administrativa. Lamentablemente, si este paradigma no se interioriza por la Administración tributaria y el propio legislador, continuaremos observando las carencias a las que hemos aludido a lo largo de la investigación.

En el marco de la licitud de los tratamientos destaca la necesidad de aplicar, en aquellos que impliquen categorías especiales de datos, la teoría de las garantías adecuadas que demanda nuestro TC y también el TJUE. "También es necesario desarrollar las disposiciones de remisión para que nuestro legislador establezca en detalle las garantías de los tratamientos". Hasta la fecha esto no ha tenido lugar. La protección de datos de carácter personal requiere una adaptación específica, concreta a cada sector de actividad. Todo ello exige y requiere un trabajo de planificación, coordinación y adaptación entre las distintas administraciones tributarias que está por desarrollar.

VIRTUALIDAD Y EFICACIA DEL DERECHO A LA DESCONEXIÓN DIGITAL: LAGUNAS, IMPRECISIONES Y PRÁCTICAS PARA SU INTEGRACIÓN

Guillermo García González
Profesor Titular Derecho del Trabajo y de la Seguridad Social
Universidad Internacional de La Rioja (UNIR)

I. INTRODUCCIÓN

La actual sociedad interconectada ha supuesto un cambio en los tradicionales esquemas analógicos que venían cimentando nuestro modelo de organización social. Junto con las innegables ventajas que las tecnologías de la información y comunicación (TIC) han generado, su consolidación como instrumentos de trabajo ha dibujado un escenario plagado de retos y de riesgos. La posibilidad de trabajar en cualquier tiempo y lugar ha difuminado la separación entre el ámbito personal y el laboral, fomentando un modelo de organización social en el que el trabajo se convierte en un fenómeno móvil, acompañando en todo momento al individuo. Esta realidad de deslocalización tecnológica del trabajo ha suscitado innumerables interrogantes jurídicos, a los que el marco regulador tradicional de las relaciones laborales solo ha sabido dar respuesta de modo fragmentario y, esencialmente, reactivo. Así, y frente a la digitalización del trabajo experimentada en las últimas décadas, el legislador no ha sido capaz de articular un planteamiento jurídico integral y sistemático que permita reformular los clásicos elementos analógicos sólidos -tiempo y lugar de trabajo- que desde su origen han venido sustentando el marco de ordenación de las relaciones laborales.

La relativa inacción legislativa frente a las transformaciones digitales del trabajo se vio corregida, si bien de forma extemporánea y deficiente, por la Ley Orgánica 3/2018, de 5 de diciembre, de Protección de Datos Personales y Garantías de los Derechos Digitales (LOPDGDD), que, en sus arts. 87 a 91, regula determinados derechos digitales de aplicación directa al ámbito laboral. Entre ellos, el art. 88 LOPDGDD consagra para los trabajadores el derecho a la desconexión digital, derecho con límites difusos y alto nivel de abstracción, cuyas inconsistencias y déficits se han visto evidenciados en toda su amplitud con la crisis del covid-19. Pese a la incardinación del precepto en el texto de una ley orgánica, el derecho a la desconexión digital ha de entenderse regulado por una ley de carácter ordinario *ex*. disposición final 1ª LOPDGDD.

La necesidad de regular el derecho a la desconexión digital ha suscitado un intenso debate dogmático. La doctrina mayoritaria ha considerado que era innecesario un reconocimiento expreso a la desconexión digital, puesto que la normativa general sobre tiempo de trabajo y sobre prevención de riesgos laborales ya amparaba este derecho, garantizando la no obligatoriedad a la permanente conexión o disponibilidad[484]. El hecho de que la regulación específica del derecho a la desconexión digital no se produjera hasta el año 2018, con su positivización en el art. 88 LOPDGDD, no quiere decir que ya con carácter previo no existieran en nuestro sistema jurídico previsiones normativas sobre el derecho de los trabajadores a desconectar de su trabajo fuera de su jornada laboral. No nos encontramos, por tanto, ante un nuevo derecho laboral, sino ante una nueva y expresa manifestación de algunos de los derechos laborales ya existentes[485]. Con todo, ha de valorarse positivamente el reconocimiento legislativo expreso del derecho a la desconexión digital en nuestro ordenamiento jurídico, al constituir su regulación un ejemplo de adaptación de las

---

[484]   Mantienen esta postura, entre otros, Molina Navarrete, C., "Jornada laboral y tecnologías de la info-comunicación: «desconexión digital», garantía del derecho al descanso", *Temas Laborales: Revista Andaluza de Trabajo y Bienestar Social*, n.º 138 (2017), pp. 249-283; y Vallecillo Gámez, Mª.R., "El derecho a la desconexión: «Novedad digital» o esnobismo del «viejo» derecho al descanso?", *Revista de Trabajo y Seguridad Social*, n.º 408 (2017), pp. 167-178.

[485]   Serrano Olivares, R., "Los Derechos digitales en el ámbito laboral: comentario de urgencia a la Ley Orgánica 3/2018, de 5 de diciembre, de Protección de Datos Personales y Garantía de los Derechos Digitales", *Iuslabor*, n.º 3 (2018), pp. 216-229.

estructuras normativas a las nuevas realidades surgidas en el marco de la sociedad de la información[486].

Con independencia de la anterior consideración, lo cierto es que el legislador interno incorpora por primera vez a nuestro ordenamiento jurídico de forma específica el derecho de los trabajadores y de los empleados públicos a la desconexión digital en el art. 88 LOPDGDD. La propia norma, en sus disposiciones finales 13ª y 14ª, introduce modificaciones en el Real Decreto Legislativo 2/2015, de 23 de octubre, por el que se aprueba el texto refundido de la Ley del Estatuto de los Trabajadores (TRET) y en el Real Decreto Legislativo 5/2015, de 30 de octubre, por el que se aprueba el texto refundido de la Ley del Estatuto Básico del Empleado Público, para reconocer expresamente este derecho a los trabajadores y a los empleados públicos.

En el ámbito laboral, el derecho a la desconexión digital queda recogido en el art. 20 bis TRET, que, bajo la rúbrica "Derechos de los trabajadores a la intimidad en relación con el entorno digital y a la desconexión", configura el derecho de los trabajadores "a la intimidad en el uso de los dispositivos digitales puestos a su disposición por el empleador, a la desconexión digital y a la intimidad frente al uso de dispositivos de videovigilancia y geolocalización en los términos establecidos en la legislación vigente en materia de protección de datos personales y garantía de los derechos digitales". Se remite de este modo el alcance y contenido de este derecho a la regulación que del mismo realiza la propia LOPDGDD en su art. 88; ordenación esta que, como se verá, resulta inconcreta y plagada de numerosas lagunas, lo que ha abonado la articulación de múltiples constructos doctrinales dirigidos a concretar la naturaleza y finalidad del derecho

---

[486] En este sentido, Alemán Páez, F., "El derecho de desconexión digital: una aproximación conceptual, crítica y contextualizadora al hilo de la Loi Travail N.º 2016-1088", *Trabajo y Derecho: nueva revista de actualidad y relaciones laborales*, n.º 30 (2017), pp. 12-33; de la Puebla Pinilla, A., "El trabajo de las mujeres en la era digital", *Trabajo y Derecho: nueva revista de actualidad y relaciones laborales*, n.º 58 (2019), pp. 15-29; Taléns Visconti, E.E., "La desconexión digital en el ámbito laboral: un deber empresarial y una nueva oportunidad de cambio para la negociación colectiva", *Revista de Información Laboral*, n.º 4 (2018), pp. 193-208; y Purcalla Bonilla, M.A., "Control tecnológico de la prestación laboral y derecho a la desconexión: claves teóricas y prácticas", *Anuario IET de trabajo y relaciones laborales*, n.º 5 (2018), p. 109.

a la desconexión digital. A analizar el alcance y contenido de este derecho se dedica el presente estudio, que se centra singularmente en las inconcreciones que su marco regulatorio presenta y en sus posibles vías de integración.

II. EL DERECHO A LA DESCONEXIÓN DIGITAL Y SU COMPLEJA NATURALEZA JURÍDICA

El art. 88 LOPDGDD positiviza en nuestro ordenamiento jurídico el derecho a la desconexión digital, al establecer en su primer apartado que "los trabajadores y los empleados públicos tendrán derecho a la desconexión digital a fin de garantizar, fuera del tiempo de trabajo legal o convencionalmente establecido, el respeto de su tiempo de descanso, permisos y vacaciones, así como de su intimidad personal y familiar".

El legislador no ofrece ninguna definición del derecho a la desconexión digital, lo que ya anticipa la imprecisión de la que adolece su marco regulatorio. Frente al silencio del legislador en este punto, ha sido la doctrina la que ha elaborado distintos constructos jurídicos que permiten ofrecer una definición del derecho a la desconexión digital. En este sentido, el derecho a la desconexión digital puede ser entendido desde una doble perspectiva. Desde la óptica del trabajador, el derecho a la desconexión implica la no recepción de comunicaciones o instrucciones fuera de su jornada de trabajo, así como la no realización de tareas laborales fuera de su jornada legal o convencionalmente pactada en virtud de las posibilidades que proporcionan las TIC. Desde la perspectiva de los empleadores, este derecho impone a estos la prohibición de comunicarse o controlar a los trabajadores mediante instrumentos digitales en su tiempo de descanso[487]. En todo caso, el derecho a la desconexión digital solo desplegará su eficacia en el tiempo de descanso del trabajador, no resultando aplicable dentro

---

[487] Altés Tárrega J.A. y Yagüe Blanco, S., "A vueltas con la desconexión digital: eficacia y garantías de *lege lata*", *Labos: Revista de Derecho del Trabajo y Protección Social*, vol. 1, n.º 2 (2020), p. 66.

del tiempo de trabajo, incluso aunque el trabajo se desarrolle fuera del horario normal del trabajador[488].

La inconcreta configuración normativa del derecho a la desconexión ha suscitado múltiples dudas sobre su naturaleza jurídica. La pluralidad de bienes jurídicos implicados y la deficiente técnica legislativa empleada han generado numerosas elaboraciones doctrinales que, en no pocas ocasiones, han contribuido a acentuar la inseguridad jurídica en lugar de clarificar el alcance y contenido del derecho a la desconexión.

La determinación de la naturaleza jurídica del derecho a la desconexión digital exige, como tarea previa, concretar el bien jurídico esencial a cuya protección se dirige. Esta labor no resulta sencilla, teniendo en cuenta que el derecho a la desconexión digital se presenta como una realidad multidimensional con innumerables aristas y connotaciones, lo que dificulta la delimitación de los bienes jurídicos a cuya garantía se dirige.

Si se atiende al literal del art. 88 LOPDGDD, el derecho a la desconexión digital parece proteger especialmente distintos bienes jurídicos de los trabajadores: el "tiempo de descanso, permisos y vacaciones", la "intimidad personal y familiar", el "derecho a la conciliación de la actividad laboral y la vida personal y familiar", y el "riesgo de fatiga informática". Así, el derecho a la desconexión se encuentra relacionado con el derecho a la intimidad, el derecho de conciliación de la vida personal y familiar y el derecho a la seguridad y salud en el trabajo[489].

---

[488]   STSJ Madrid de 4 de noviembre de 2020 (*Tol 8244073*).

[489]   Solo tangencialmente, y de modo excesivamente forzado, se asocia el derecho a la desconexión digital con el derecho de protección de datos personales del art. 18.4 de nuestra Constitución. En este sentido, Tascón López, R., "El derecho de desconexión del trabajador (potencialidades en el ordenamiento español)", *Trabajo y Derecho: nueva revista de actualidad y relaciones laborales*, n.º 41 (2018), pp. 45-63; y García Murcia, J. y Rodríguez Cardo, I.A., "La protección de datos personales en el ámbito de trabajo: una aproximación desde el nuevo marco normativo", *Nueva revista española de derecho del trabajo*, n.º 216 (2019), pp. 19-64. Con todo, no se puede excluir la posibilidad de que la AEPD pueda tener determinadas funciones de control sobre la materia. *Vid.* Mercader Uguina, J.R., "Aspectos laborales de la Ley Orgánica 3/2018, de 5 de diciembre: una aproximación desde la protección de datos", *Trabajo y Derecho: nueva revista de actualidad y relaciones laborales*, n.º 52 (2019), p. 127.

La pluralidad de bienes jurídicos a los que afecta ha llevado a considerar al derecho de desconexión como un derecho escoba, "en el sentido que tiene un contenido amplio y envolvente y a que arrastra consigo a un grupo de derechos a los que representa"[490].

Sin menoscabo de la indudable incidencia que sobre todos estos bienes jurídicos tiene la desconexión digital, en último término este derecho ha de anudarse necesariamente al art. 40.2 de nuestra Constitución, precepto que impone a los poderes públicos la obligación de velar por la seguridad y salud en el trabajo, garantizando "el descanso necesario, mediante la limitación de la jornada laboral, las vacaciones periódicas retribuidas y la promoción de centros adecuados". Así, tutelar a través del derecho a la desconexión digital unas condiciones laborales y un tiempo de trabajo determinado lleva inmediatamente a enlazar este derecho con los reconocidos constitucionalmente por el art. 40.2 de nuestra Carta Magna, y singularmente con la seguridad y salud laboral.

Partiendo de lo anteriormente expuesto, la doctrina más autorizada ha vinculado estrechamente el derecho a la desconexión digital con la prevención de riesgos laborales, y específicamente con la tutela de los riesgos psicosociales derivados de la digitalización del trabajo. En este sentido, cabe afirmar que la regulación contenida en el art. 88 LOPDGDD constituye en buena medida una norma preventiva descontextualizada[491]. Así, y pese a que lo deseable hubiera sido que el

---

[490]   Muñoz Ruiz, A.B., "El derecho a la desconexión laboral: un derecho estrechamente vinculado con la prevención de riesgos laborales", en Correa Carrasco, M. y Quintero Lima, Mª.G. (coords.), *Los nuevos retos del trabajo decente: la salud mental y los riesgos psicosociales (Objetivos de Desarrollo Sostenible 3, 5, 8, 10)*, Universidad Carlos III, Madrid, 2020, p.114.

[491]   Avala esta interpretación la doctrina *iuslaboralista* más autorizada. Por todos, Miñarro Yanini, M., "La desconexión digital en la práctica negocial: más forma que fondo en la configuración del derecho", *Revista de Trabajo y Seguridad Social*, n.º 440 (2019), pp. 5-18; Igartua Miró, Mª.T., "El derecho a la desconexión en la Ley orgánica 3/2018, de 5 de diciembre, de protección de datos personales y garantía de los derechos digitales", *Revista de Trabajo y Seguridad Social*, n.º 432 (2019), pp. 61-84; Serrano Argüeso, M., "Digitalización, tiempo de trabajo y salud laboral", *Iuslabor*, n.º 2 (2019), pp. 8-31; y Arrieta Idiakez, F.J., "La desconexión digital y el registro de la jornada diaria en España como mecanismos para garantizar el descanso, la salud y el bienestar de los trabajadores digitales a distancia", *Lan Harremanak: Revista de Relaciones Laborales*, n.º 42 (2019),

derecho a la desconexión digital se insertara en la Ley 31/1995, de 8 de noviembre, de Prevención de Riesgos Laborales (LPRL), el alcance y significado del mismo lo asocia indefectiblemente a la prevención de los riesgos psicosociales. La inadecuada disposición sistemática de la regulación del derecho a la desconexión no obsta su consideración como norma preventiva; y ello, por cuanto el carácter preventivo de una norma no depende "de su ubicación sistemática ni de su plasmación en la LPRL", conforme a lo que dispone el art. 1 de esta última norma[492]. Acogiendo esta perspectiva preventiva, el derecho a la desconexión se presenta como un derecho instrumental que protege a los trabajadores y empleados públicos frente a los riesgos psicosociales derivados de la hiperconectividad laboral y se inserta de lleno en el complejo y disperso derecho de la prevención de riesgos laborales.

La incardinación del derecho a la desconexión en el ámbito preventivo, como a continuación se argumentará, resuelve muchas de las lagunas que de forma aparente presenta la exigua regulación legal de la LOPDGDD. Así, además de clarificar la naturaleza jurídica del derecho y su dinámica, permite instrumentalizar la tutela del derecho a través del complejo sistema de responsabilidades que conforma nuestro ordenamiento jurídico en relación con la seguridad y la salud laboral. Por otra parte, la consideración del art. 88 LOPDGDD como una norma preventiva *ex* art. 1.1 LPRL determina una necesaria relectura de las obligaciones preventivas desde una óptica psicosocial; extremo este que dota al precepto de una indudable trascendencia en el ámbito de la seguridad y salud laboral, teniendo en cuenta la

---

pp. 89-126. La vertiente preventiva del derecho a la desconexión también ha sido confirmada por la "Resolución del Parlamento Europeo, de 21 de enero de 2021, con recomendaciones destinadas a la Comisión sobre el derecho a la desconexión".

[492]   Igartua Miró, Mª.T., "La obligación de seguridad 4.0.", *Temas Laborales: Revista Andaluza de Trabajo y Bienestar Social*, n.º 151 (2020), p. 336. Dispone el art. 1 LPRL que la "normativa sobre prevención de riesgos laborales está constituida por la presente Ley, sus disposiciones de desarrollo o complementarias y cuantas otras normas, legales o convencionales, contengan prescripciones relativas a la adopción de medidas preventivas en el ámbito laboral o susceptibles de producirlas en dicho ámbito".

preocupante carencia que nuestro ordenamiento jurídico manifiesta en el ámbito de la ordenación específica de los riesgos psicosociales[493].

Con base en las anteriores consideraciones, y acogiendo como finalidad esencial del derecho a la desconexión la garantía de la seguridad y la salud de los trabajadores, en particular en lo que se refiere a los riesgos psicosociales, la naturaleza jurídica del derecho a la desconexión digital resulta compleja, pudiendo delimitarse con base en tres dimensiones que conforman una única realidad jurídica[494]:

a) Derecho de todos los trabajadores. El derecho a la desconexión se configura como un derecho de todos los trabajadores (art. 20 bis TRET), sin que a los efectos de la titularidad del derecho afecte la modalidad contractual que una al trabajador con el empresario. El trabajador tiene derecho a no atender sus obligaciones derivadas de su contrato mediante dispositivos electrónicos fuera de su jornada laboral, sin que el ejercicio del derecho a la desconexión le pueda suponer ningún tipo de perjuicio económico o profesional. Consecuencia lógica de lo anterior, resultan ineficaces aquellas instrucciones o resoluciones de la empresa que impongan a "todos los empleados, sin distinción, el deber de estar conectados al correo electrónico sin límite temporal alguno o de horario, para recibir comunicaciones de todo tipo en cualquier tiempo"[495]. El derecho a la desconexión digital es oponible *erga omnes*, lo que implica que el trabajador podrá esgrimir

---

[493]   *Vid.* Rojas Rivero, G.P., "Los llamados riesgos emergentes de carácter psicosocial vinculados al trabajo", en AAVV, *Accidentes de trabajo y enfermedades profesionales. Experiencias y desafíos de una protección social centenaria* (II), Ediciones Laborum, Murcia, 2020, p. 193; Igartua Miró, Mª.T., "Los riesgos psicosociales: evaluación y prevención. El caso Caixabank", *Trabajo y Derecho: nueva revista de actualidad y relaciones laborales*, n.º 27, (2017), pp. 44-64; UGT, *Guía. Propuestas normativas en prevención de riesgos psicosociales en el trabajo*, Secretaría de Salud Laboral y Medio Ambiente UGT-CEC, Madrid, 2019, pp. 111 y ss. Las lagunas normativas en esta materia tampoco han sido cubiertas de forma eficaz por la negociación colectiva. En este sentido, *vid.* el exhaustivo estudio de UGT, *Guía. Identificación y análisis de las cláusulas incluidas en la negociación colectiva en materia de riesgos psicosociales*, Secretaría de Salud Laboral y Medio Ambiente UGT-CEC, Madrid, 2018, pp. 20 y ss.

[494]   *Vid.* Purcalla Bonilla, M. A., "Control tecnológico de la prestación laboral y derecho a la desconexión: claves teóricas y prácticas", *op. cit.*, p. 108.

[495]   SJCA n.º 1 de Santander 16/2020, de 3 de febrero de 2020 (n.º procedimiento 315/2019).

su derecho a desconectar no solo frente a la acción directa del empleador, sino también frente a la indirecta desarrollada por compañeros o terceros relacionados con la prestación de sus servicios. En este último caso, parece lógico que sea también la empresa la obligada a tutelar el derecho a la desconexión de los trabajadores frente a injerencias de terceros, implementado las medidas adecuadas *ex* art. 88, apartados 2 y 3, LOPDGDD[496]. Dos últimas consideraciones que, aunque parezcan obvias, conviene siquiera mencionar en este punto. En primer lugar, el derecho a la desconexión es un derecho subjetivo perfecto, sin que requiera desarrollo convencional colectivo o individual para su invocación[497]. En segundo lugar, el derecho a la desconexión no es un derecho absoluto y el trabajador "no puede invocarlo de manera ilimitada frente a decisiones que impongan otros principios y valores constitucionalmente dignos de defensa. En estos casos de colisión, lo que la doctrina del TC aplica es la ponderación bajo el prisma del juicio de proporcionalidad de las medidas: necesidad, utilidad y proporcionalidad en sentido estricto"[498].

b) Deber de todos los trabajadores. Un sector doctrinal considera que el derecho a la desconexión digital resulta de ejercicio potestativo, un "derecho de libertad", decidiendo cada trabajador "cómo y cuándo desconectar"[499]. Desde esta perspectiva, el trabajador es libre para decidir si, fuera de su jornada laboral, envía o no correos electrónicos, los contesta, recibe o realiza llamadas, o se conecta con su trabajo fuera de la jornada legal o convencionalmente establecida.

---

[496] Megino Fernández, D. y Lanzadera Arencibia, E., "El derecho a la desconexión digital: delimitación y análisis: Aplicación práctica en la Administración Pública", *Revista Vasca de Gestión de Personas y Organizaciones Públicas*, n.º 18 (2020), p. 68.

[497] Se acoge la postura mantenida por Igartua Miró, M.ª T., "El derecho a la desconexión en la Ley orgánica 3/2018, de 5 de diciembre, de protección de datos personales y garantía de los derechos digitales", *op. cit.*, pp. 61-84. En idénticos términos, Barrios Baudor, G. L., "La desconexión digital en la negociación colectiva de 2020: un análisis práctico", *Revista Galega de Dereito Social*, n.º 11 (2020), pp. 110-111. *Vid.* STSJ Madrid de 4 de noviembre de 2020 (*Tol 8244073*).

[498] SJCA n.º 1 de Santander 16/2020, de 3 de febrero de 2020 (n.º procedimiento 315/2019).

[499] Megino Fernández, D. y Lanzadera Arencibia, E., "El derecho a la desconexión digital: delimitación y análisis: Aplicación práctica en la Administración Pública", *op. cit.*, p. 70.

Esta construcción doctrinal, sin embargo, no resulta compatible con la perspectiva preventiva del derecho a la desconexión digital por dos motivos fundamentales. En primer lugar, el derecho a la seguridad y salud se configura como un derecho esencialmente irrenunciable (arts. 2 y 3 LPRL y arts. 3.5, 4.2 d) y 19.1 TRET), no pudiendo en consecuencia el trabajador disponer válidamente sobre el mismo salvo en los términos recogidos por el propio art. 88 LOPDGDD. En este sentido, el derecho a la desconexión digital se puede considerar como irrenunciable en su titularidad, aunque relativamente disponible en su ejercicio; y ello, en tanto en cuanto el art. 88.2 LOPDGDD atribuye a la autonomía colectiva la capacidad para acomodar el ejercicio del derecho en función de la naturaleza y objeto de la prestación. En segundo lugar, constituye una obligación de los trabajadores observar las normas de seguridad y salud laboral (art. 5 b) TRET y art. 29 LPRL), lo que implica que el trabajador habrá de respetar las normas sobre desconexión pactadas de forma colectiva o, en su caso, el protocolo de desconexión establecido por la empresa. De acuerdo con este razonamiento, la desconexión digital no se conforma como un derecho de ejercicio facultativo por el empleado, sino como un derecho-deber de este.

c) Obligación empresarial. Cualquier derecho atribuido legalmente al trabajador implica necesariamente un correlativo deber por parte del empresario[500]. Así, el derecho a la desconexión digital del empleado supone necesariamente la atribución a las entidades empleadoras de obligaciones dirigidas a garantizar el pacífico disfrute del derecho reconocido legalmente desde una doble perspectiva[501]. Desde una óptica negativa, el derecho a la desconexión comporta implícitamente un deber de abstención del empresario, que tiene su necesario reflejo en la obligación que le corresponde de evitar o impedir las comunicaciones de contenido laboral fuera de la jornada legal o convencionalmente establecida. Si no se considerara incluido el deber

---

[500]   Taléns Visconti, E. E., "El derecho a la desconexión digital en el ámbito laboral", *Revista Vasca de Gestión de Personas y Organizaciones Públicas*, n.º 17 (2019), p. 157.

[501]   Megino Fernández, D. y Lanzadera Arencibia, E., "El derecho a la desconexión digital: delimitación y análisis: Aplicación práctica en la Administración Pública", *op. cit.*, p. 67.

de abstención del empresario en el derecho a la desconexión digital, este derecho quedaría vacío de contenido[502]. Desde una perspectiva positiva, y como posteriormente se examinará, las empresas deberán implementar la política interna de desconexión en los términos recogidos en el art. 88.3 LOPDGDD, erigiéndose este protocolo en una auténtica obligación preventiva.

III. ALCANCE Y LIMITACIONES DE LA AUTONOMÍA COLECTIVA COMO FUENTE DE INTEGRACIÓN DEL DERECHO A LA DESCONEXIÓN DIGITAL

Como ya ha sido apuntado, el art. 88 LOPDGDD regula el derecho a la desconexión digital de forma vaga e imprecisa. Más allá de su reconocimiento, el precepto apenas concreta su alcance y contenido y atribuye a la autonomía colectiva la función de delimitar las condiciones y términos de su ejercicio efectivo. A esta finalidad obedece el art. 88.2 LOPDGDD cuando dispone que "las modalidades de ejercicio de este derecho atenderán a la naturaleza y objeto de la relación laboral, potenciarán el derecho a la conciliación de la actividad laboral y la vida personal y familiar y se sujetarán a lo establecido en la negociación colectiva o, en su defecto, a lo acordado entre la empresa y los representantes de los trabajadores". Este precepto evidencia que la propia conformación legal del derecho a la desconexión digital requiere para su plena efectividad de su concreción mediante la negociación colectiva; negociación colectiva que podrá tener tanto carácter estatuario como extraestatutario[503].

La relevante función que el art. 88.2 LOPDGDD atribuye a la autonomía colectiva en la integración del derecho a la desconexión

---

[502]   *Vid.* Gutiérrez Colominas, D., "La desconexión digital de los trabajadores. Reflexiones a propósito de su calificación como derecho y su instrumentación", *IDP. Revista de Internet, Derecho y Política*, n.º 31 (2020), pp. 1-13; e Igartua Miró, Mª.T., "El derecho a la desconexión en la Ley orgánica 3/2018, de 5 de diciembre, de protección de datos personales y garantía de los derechos digitales", *op. cit.*, pp. 61-84.

[503]   *Vid.* Morato García, Mª.R., "Derecho a la desconexión digital en la negociación colectiva, los planes de igualdad y los protocolos empresariales", *Trabajo y Derecho: nueva revista de actualidad y relaciones laborales*, n.º extra. 11 (2020).

digital se ve reforzada con lo dispuesto en el art. 91 del mismo cuerpo legal, que faculta a los convenios colectivos para "establecer garantías adicionales de los derechos y libertades relacionados con el tratamiento de los datos personales de los trabajadores y la salvaguarda de derechos digitales en el ámbito laboral". Este precepto permite no solo incrementar la intensidad de protección de las garantías legales, sino conformar nuevas garantías adicionales no previstas en la escasa regulación legal[504].

El ejercicio del derecho a la desconexión digital se anuda de esta forma a lo que se pacte colectivamente, sin que la norma prevea una regulación de carácter supletorio en defecto de convenio o acuerdo colectivo. Este hecho permite, sin lugar a dudas, adaptar el derecho a la desconexión digital a la realidad sectorial o empresarial en la cual ha de ser ejercido[505]. Sin embargo, la ausencia de regulación supletoria legal que resulte aplicable en defecto de convenio o acuerdo colectivo puede generar que el derecho a la desconexión digital quede sin contenido efectivo, convirtiéndose en un derecho meramente programático[506]. Con el fin de evitar este eventual vacío, parece que hubiera sido deseable que el legislador hubiera establecido un régimen

---

[504]   Sepulveda Gómez, M., "Negociación colectiva y derechos digitales en el empleo público", *Revista General de Derecho del Trabajo y de la Seguridad Social*, n.º 54 (2019), p. 146; y Sierra Hernáiz, E., "El papel de la negociación colectiva en el tratamiento de los datos personales de los trabajadores", *Temas Laborales: Revista Andaluza de Trabajo y Bienestar Social*, n.º 152 (2020), pp. 129 y ss. Se deriva de este precepto también la intención del legislador de reforzar la negociación colectiva como fuente regulatoria del derecho a la desconexión digital, constituyendo un llamamiento "a las partes negociadoras para que se sienten a negociar". *Vid.* Terradillos Ormaetxea, M. E., "El derecho a la desconexión digital en la ley y en la incipiente negociación colectiva española: la importancia de su regulación jurídica", *Lan Harremanak: Revista de Relaciones Laborales*, n.º 42 (2019), p. 71.

[505]   *Vid.* Pérez Campos, A. I., "La desconexión digital en España: ¿un nuevo derecho laboral?", *Anuario Jurídico y Económico Escurialense*, n.º 52 (2019), p. 116; y Gordo González, L., "El derecho del trabajo 2.0: La necesidad de actualizar el marco de las relaciones laborales a las nuevas tecnologías", *Revista de Información Laboral*, n.º 12 (2017), pp. 171-182.

[506]   Vallecillo Gámez, M.ª R., "El derecho a la desconexión: «Novedad digital» o esnobismo del «viejo» derecho al descanso?", *op. cit.*, pp. 167-178. En análogos términos, Fernández Orrico, F. J., "Protección de la intimidad del trabajador frente a los dispositivos digitales: análisis de la Ley Orgánica 3/2018, de 5 de

jurídico supletorio en defecto de regulación convencional. Además, y teniendo en cuenta el esencial papel de la autonomía colectiva en la materia, el derecho a la desconexión digital se debería haber incluido entre los contenidos mínimos que necesariamente han de integrar la negociación colectiva en los términos del art. 85 TRET[507]. Ello no obsta para que, como ya ha sido advertido anteriormente, nos encontremos ante un derecho subjetivo perfecto que puede ser invocado por el empleado aun en ausencia de desarrollo convencional[508].

Respecto al contenido de la regulación convencional, el literal del art. 88.2 LOPDGDD se limita a establecer que ha de contemplar las modalidades de ejercicio del derecho a la desconexión digital en atención a la naturaleza y objeto de la relación laboral o funcionarial, y que, en esta labor normativa, la negociación colectiva ha de potenciar la conciliación de la vida laboral, personal y familiar. Con esta dicción tan genérica y ambigua el legislador opta por no ejemplificar acciones o medidas concretas dirigidas a hacer efectivo el derecho a la desconexión digital, apelando a la creatividad de los negociadores colectivos[509]; creatividad que en los ejemplos que la negociación colectiva nos ofrece es más bien escasa, tanto en el ámbito empresarial como en el sectorial[510].

No constituye el objeto del presente estudio profundizar en la concreta actividad que la negociación colectiva ha desplegado en este ámbito, extremo este que ha sido analizado con exhaustividad en

---

diciembre", *Nueva revista española de derecho del trabajo*, n.º 222 (2019), pp. 31-76.

[507] Terradillos Ormaetxea, M. E., "El derecho a la desconexión digital en la ley y en la incipiente negociación colectiva española: la importancia de su regulación jurídica", *op. cit.*, p. 70.

[508] STSJ Madrid de 4 de noviembre de 2020 (*Tol 8244073*). *Vid.* Igartua Miró, Mª.T., "El derecho a la desconexión en la Ley orgánica 3/2018, de 5 de diciembre, de protección de datos personales y garantía de los derechos digitales", *op. cit.*, p. 76.

[509] Altés Tárrega J.A. y Yagüe Blanco, S., "A vueltas con la desconexión digital: eficacia y garantías de *lege lata*", *op. cit.*, p. 74.

[510] *Vid.* Miñarro Yanini, M., "La desconexión digital en la práctica negocial: más forma que fondo en la configuración del derecho", *op. cit.*, pp. 5-18; y Terradillos Ormaetxea, M. E., "El derecho a la desconexión digital en la ley y en la incipiente negociación colectiva española: la importancia de su regulación jurídica", *op. cit.*, pp. 75-76.

distintos trabajos doctrinales[511]. Sin perjuicio de ello, sí que resulta
oportuno realizar algunas consideraciones de trascendencia jurídica que se pueden extraer con carácter general de los instrumentos
colectivos que han sido negociados en relación con el derecho a la
desconexión digital. A estos efectos, cabe subrayar las que siguen:

a) Con carácter general, la negociación colectiva se ha mostrado
    poco creativa en la regulación del derecho a la desconexión
    digital. La mayor parte de convenios colectivos se limitan a
    reproducir el escueto contenido legal del art 88 LOPDGDD,
    teniendo un carácter meramente programático y sin aportar,
    en consecuencia, apenas concreción que permita articular efi-
    cazmente el ejercicio del derecho a la desconexión digital[512].
    Con todo, desde el año 2019 se aprecia una ligera mejora en la
    depuración técnica en algunos de los instrumentos colectivos
    que han ordenado la desconexión digital[513].

b) Las controversias sobre la naturaleza jurídica del derecho a la
    desconexión digital que han sido señaladas en el anterior epí-
    grafe, han tenido su reflejo en la conformación convencional
    que del derecho se ha realizado por los actores colectivos. En
    este sentido, la mayor parte de los instrumentos convencionales
    conforman el derecho a la desconexión como un derecho del
    trabajador y no como una obligación empresarial, llegando in-

---

[511] Por todos, vid. Requena Montes, O., "Derecho a la desconexión digital: un
       estudio de la negociación colectiva", Lex Social: Revista jurídica de los Derecho
       Sociales, vol. 10, n.º 2 (2020), pp. 541-560; Terradillos Ormaetxea, M.E., "El
       derecho a la desconexión digital en la ley y en la incipiente negociación colectiva
       española: la importancia de su regulación jurídica", op. cit., pp. 75 y ss.; y Ba-
       rrios Baudor, G. L., "La desconexión digital en la negociación colectiva de 2020:
       un análisis práctico", op. cit., pp. 105-165.
[512] En este sentido, Miñarro Yanini, M., "La desconexión digital en la práctica
       negocial: más forma que fondo en la configuración del derecho", op. cit., pp.
       5-18; y Barrios Baudor, G.L., "La desconexión digital en la negociación colectiva
       de 2020: un análisis práctico", op. cit., pp. 145-146. Cfr. Requena Montes, O.,
       "Derecho a la desconexión digital: un estudio de la negociación colectiva", op.
       cit., pp. 550-551.
[513] Morato García, M.ª R., "Derecho a la desconexión digital en la negociación
       colectiva, los planes de igualdad y los protocolos empresariales", op. cit.

cluso algunos de ellos a negar cualquier tipo de obligación de la empresa en la materia[514].

c)	La amplia remisión que el art. 88.2 LOPDGDD realiza a la negociación colectiva como fuente de integración del derecho a la desconexión, unida a la ausencia de un régimen supletorio legal que pueda actuar como modelo de contenido regulatorio, ha generado una excesiva heterogeneidad en la perspectiva con que ha sido abordado este derecho digital por la autonomía colectiva. La propia ubicación sistemática que el derecho a la desconexión tiene en los instrumentos colectivos refleja esta disparidad de enfoques, insertándose el derecho en apartados tan diversos como jornada de trabajo, registro de jornada, teletrabajo, conciliación, planes de igualdad, responsabilidad social corporativa o seguridad y salud en el trabajo[515].

d)	Derivado de la imprecisa remisión legal a la negociación colectiva precitada, la autonomía colectiva puede regular una multiplicidad de contenidos en relación con el derecho a la desconexión digital. Entre otros, el tipo de herramienta tecnológica que se va a emplear para garantizar el derecho a la desconexión digital, las compensaciones que se han de abonar a los trabajadores que hayan de permanecer conectados por razones justificadas, o el régimen disciplinario de aquellos trabajadores que vulneren el derecho a la desconexión digital de sus subalternos o de otros compañeros.

e)	La función de acomodación atribuida legalmente posibilita que la negociación colectiva restrinja el ejercicio del derecho a la desconexión digital desde una doble perspectiva. Desde la dimensión subjetiva, la autonomía colectiva podrá limitar el derecho a la desconexión de ciertos empleados en atención a "la naturaleza y objeto de la relación laboral", pero únicamente

---

[514]	Barrios Baudor, G. L., "La desconexión digital en la negociación colectiva de 2020: un análisis práctico", *op. cit.*, p. 129.

[515]	Morato García, M.ª R., "Derecho a la desconexión digital en la negociación colectiva, los planes de igualdad y los protocolos empresariales", *op. cit.*; y Terradillos Ormaetxea, M. E., "El derecho a la desconexión digital en la ley y en la incipiente negociación colectiva española: la importancia de su regulación jurídica", *op. cit.*, pp. 79-81.

cuando el tipo de prestación por ellos desarrollada así lo justifique. En este sentido, parece lógico que el derecho a la desconexión digital se module, por ejemplo, en relación con aquellos empleados cuya prestación implica un régimen de localización, en aquellos trabajos en los que prima la flexibilidad horaria, o en los supuestos de teletrabajo. Desde un enfoque objetivo, la función de acomodación de la negociación colectiva también posibilita que los instrumentos colectivos puedan excepcionar en situaciones extraordinarias o urgentes el ejercicio del derecho a la desconexión digital.

f) El amplio margen regulador de la negociación colectiva en relación con el derecho a la desconexión digital ha de ajustarse a los límites, explícitos e implícitos, que se derivan de la conformación legal del derecho. En este sentido, no pueden considerarse válidas aquellas cláusulas convencionales que excluyen el carácter de obligación empresarial del derecho a la desconexión[516], ni aquellas otras que, tras reconocer el derecho de los trabajadores, exigen para su ejercicio su notificación a las estructuras empresariales[517]. Tampoco serán eficaces las modulaciones convencionales del derecho a la desconexión con un alcance tal que impliquen que todo un colectivo de trabajadores, por la naturaleza de la tarea que realicen y sin distinción alguna, tengan "el deber de estar conectados al correo electrónico sin límite temporal alguno o de horario, para recibir comunicaciones de todo tipo en cualquier tiempo"; y ello, aunque los servicios que presenten sean esenciales. Así, y en referencia al colectivo de la policía local, los órganos jurisdiccionales han resuelto que el hecho de que el servicio de policía sea un servicio esencial "que se presta las 24 horas del día los 365 días del año" y que no pueda detenerse, "no significa que toda la plantilla trabaje o esté de servicio las 24 horas del día 365 días al año (...) Y para ello se regulan periodos de guardia, ya sea de presencia o de localización. Ésta, implica el deber de estar comunicado,

---

[516]   Barrios Baudor, G. L., "La desconexión digital en la negociación colectiva de 2020: un análisis práctico", *op. cit.*, p. 129.
[517]   Requena Montes, O., "Derecho a la desconexión digital: un estudio de la negociación colectiva", *op. cit.*, p. 553.

ciertamente y ello no infringe el derecho a la desconexión digital. Pero tal deber se impone, no a todos los miembros a la vez (salvo circunstancias excepcionales), ni para todo tipo de asuntos, ni sin límite temporal"[518]. De este modo, la capacidad de limitar el derecho a la desconexión por medio de la negociación colectiva no puede amparar la anulación total del derecho para un colectivo de trabajadores con carácter genérico, sino que las limitaciones han de anudarse necesariamente a causas justificativas concretas y específicas. Por idéntico razonamiento, tampoco podrán considerarse eficaces aquellas limitaciones del derecho a la desconexión por razones extraordinarias o urgentes que, sin haber sido concretadas por la negociación colectiva, no obedezcan a una causa justificada y razonable[519].

Del somero examen realizado, y singularmente de la última consideración que ha sido expuesta, se deduce que, en la práctica, el papel regulador fundamental que la negociación colectiva está llamada a desempeñar en el derecho a la desconexión digital no ha tenido, por ahora, la efectividad que hubiera sido deseable. La concurrencia de cláusulas genéricas y programáticas, la reproducción de contenidos legales vacíos de virtualidad y eficacia, y la existencia de cláusulas convencionales que desbordan los escuetos límites con los que el legislador acota el derecho a la desconexión digital, no hacen sino evidenciar que la autonomía colectiva, aun pudiendo ser un ámbito idóneo para la integración del derecho a la desconexión digital desde un plano teórico, no ha podido desempeñar eficazmente la tarea que el legislador le encomienda. El escaso lapso de tiempo transcurrido entre la promulgación de la norma y el análisis efectuado aconseja tomar la anterior consideración de modo provisional y cauteloso, si bien invita a reflexionar sobre la pertinencia y virtualidad de la política legislativa, cada vez más frecuente en el ámbito de las relaciones laborales, que, frente a escenarios ambiguos y plagados de inseguridad jurídica,

---

[518]   SJCA n.º 1 de Santander 16/2020, de 3 de febrero de 2020 (n.º procedimiento 315/2019).

[519]   Barrios Baudor, G. L., "La desconexión digital en la negociación colectiva de 2020: un análisis práctico", *op. cit.*, p. 154.

se limita a procrastinar el problema remitiendo su resolución a un plano diferente, en este caso convencional.

IV. LA INTEGRACIÓN DEL DERECHO A LA DESCONEXIÓN DIGITAL A TRAVÉS DE LA AUTORREGULACIÓN EMPRESARIAL

El art. 88.3 LOPDGDD regula la que a juicio de la doctrina ha sido la mayor aportación normativa al régimen jurídico de la desconexión digital: la obligación empresarial de diseñar e implementar una política interna en relación con el derecho a la desconexión[520]. De acuerdo con el referido artículo: "el empleador, previa audiencia de los representantes de los trabajadores, elaborará una política interna dirigida a trabajadores, incluidos los que ocupen puestos directivos, en la que definirán las modalidades de ejercicio del derecho a la desconexión y las acciones de formación y de sensibilización del personal sobre un uso razonable de las herramientas tecnológicas que evite el riesgo de fatiga informática. En particular, se preservará el derecho a la desconexión digital en los supuestos de realización total o parcial del trabajo a distancia, así como en el domicilio del empleado vinculado al uso con fines laborales de herramientas tecnológicas".

La fisonomía del precepto plantea distintos interrogantes que han de ser resueltos a la luz de su fisiología: la garantía de la seguridad y salud de los trabajadores. En este sentido, el protocolo de desconexión no deja de ser una concreta obligación de contenido preventivo que, pese a su deficiente ubicación sistemática, ha de seguir el mismo régimen jurídico que el resto de obligaciones que integran el deber de seguridad y salud del empresario de acuerdo con los arts. 1 y 14 LPRL[521]. Desde esta óptica, el protocolo interno de desconexión ha de ser considerado como una singular medida preventiva dirigida a tutelar a los trabajadores frente a los riesgos psicosociales derivados

---

[520]   Blázquez Agudo, E. M.ª, "Novedades laborales en la nueva Ley Orgánica de Protección de Datos", *Trabajo y Derecho: nueva revista de actualidad y relaciones laborales*, n.º 50 (2019), pp. 89-102.

[521]   Miñarro Yanini, M., "La desconexión digital en la práctica negocial: más forma que fondo en la configuración del derecho", *op. cit.*, p. 7.

del uso intensivo y extensivo de las TIC en el entorno de la prestación de sus servicios, debiendo insertarse en el plan de prevención de riesgos de la empresa[522].

La elaboración de la política interna de desconexión resulta obligatoria para el empresario. De este modo, ha de realizarse en todo caso y no solo en ausencia de regulación convencional del derecho a la desconexión[523]; y ello, sin perjuicio de que si existiera regulación convencional al respecto la política interna haya de amoldarse a la misma. Esta interpretación resulta la más ajustada si se atiende al literal de la norma y a la finalidad última del derecho a la desconexión, la salvaguarda de la seguridad y salud de los trabajadores.

A pesar de su carácter obligatorio, nuestro ordenamiento jurídico no prevé expresamente ningún tipo de sanción frente al incumplimiento empresarial de la elaboración del protocolo, lo que puede ser considerado como uno de los aspectos más deficientes de la regulación contenida en el art. 88.3 LOPDGDD, pues no cabe duda que esta omisión desincentiva la efectiva implementación de las políticas internas de desconexión[524].

El protocolo de desconexión tiene un ámbito de aplicación universal, afectando a toda clase de empresa y trabajador. Desde la perspectiva empresarial, cualquier tipo de organización resulta obligada a implantar una política interna de desconexión. Esta generalización no parece excesivamente acertada, pues la desconexión digital tiene dispar trascendencia en las organizaciones productivas en atención al uso que de los dispositivos digitales se realice en su dinámica productiva

---

[522]   Altés Tárrega J. A. y Yagüe Blanco, S., "A vueltas con la desconexión digital: eficacia y garantías de *lege lata*", *op. cit.*, p. 81.

[523]   *Vid.* Igartua Miró, M.ª T., "El derecho a la desconexión en la Ley orgánica 3/2018, de 5 de diciembre, de protección de datos personales y garantía de los derechos digitales", *op. cit.*, pp. 61-84; y Quílez Moreno, J. M.ª, "La garantía de derechos digitales en el ámbito laboral: el nuevo artículo 20 bis del Estatuto de los Trabajadores", *Nueva revista española de derecho del trabajo*, n.º 217 (2019), pp. 127-152. En contra, *cfr.* Fernández Orrico, F. J., "Protección de la intimidad del trabajador frente a los dispositivos digitales: análisis de la Ley Orgánica 3/2018, de 5 de diciembre", *op. cit.*, pp. 31-76.

[524]   Gutiérrez Colominas, D., "La desconexión digital de los trabajadores. Reflexiones a propósito de su calificación como derecho y su instrumentación", *op. cit.*, p. 9.

y laboral. En este sentido, se ha señalado que hubiera sido deseable una mayor concreción legislativa en este punto, discriminando normativamente el alcance del protocolo de desconexión en función de la tipología de las empresas en las que deba ser aplicado[525]. Atendiendo a los trabajadores, el protocolo resulta aplicable a todos ellos con independencia del tipo de contrato que les una con su empleador; y ello, por el propio alcance universal con que el art. 3 LPRL dota a la normativa preventiva. Específicamente, el literal del art. 88.3 LOPDGDD acentúa la aplicación de la política de desconexión a dos tipos de trabajadores que, por la singularidad de su prestación, resultan más expuestos a los riesgos psicosociales derivados de la hiperconectividad: los que ocupen puestos directivos[526] y aquellos que realicen de forma total o parcial su trabajo a distancia o en fórmulas de teletrabajo[527].

En el proceso de elaboración de la política interna de desconexión el empresario deberá dar "previa audiencia" a los representantes de los trabajadores. Teniendo en cuenta la dimensión netamente preventiva del protocolo interno de desconexión, parece lógico entender que los representantes más idóneos para participar en su elaboración sean los delegados de prevención o los órganos específicos que, en su caso, se establezcan conforme a lo previsto en el art. 35.4 LPRL. Pese a que la previa audiencia no puede asimilarse *prima facie* al derecho de consulta del art. 33 LPRL, una interpretación sistemática de nuestro ordenamiento jurídico ha de llevar a entender que, por los contenidos del protocolo de desconexión, la participación de los trabajadores en este punto debería articularse en forma de consulta, al estar compro-

---

[525]   *Ibídem*, p. 10.

[526]   La dicción legal "puestos directivos" plantea dudas sobre las concretas ocupaciones que se insertan en dicha expresión, y especialmente sobre si debe considerarse incluido en la misma el personal vinculado con un contrato de alta dirección. En relación con esta última cuestión, parece que el personal de alta dirección ha de quedar excluido del protocolo de desconexión en virtud de lo dispuesto en el art. 3 del Real Decreto 1382/1985, de 1 de agosto, por el que se regula la relación laboral de carácter especial del personal de alta dirección, no resultándole aplicable en principio el nuevo art. 20 bis TRET, salvo que así se establezca específicamente en el contrato del alto directivo. *Cfr.* Pérez Amorós, F., "Derecho de los trabajadores a la desconexión digital: *mail on holiday*", *Ius: revista del Instituto de Ciencias Jurídicas de Puebla*, n.º 45 (2020), p. 268.

[527]   *Vid. ut infra* epígrafe 5.

metidos en la política de desconexión aspectos sobre los que necesariamente debe consultar el empresario *ex.* art. 33 LPRL[528].

Sin perjuicio de lo anterior, la mera audiencia de la representación legal de los trabajadores exigida por la ley se ha visto superada en la práctica en los escasos ejemplos de protocolos de desconexión que han sido elaborados hasta la fecha, principalmente en empresas de gran tamaño, que han sido fruto de la negociación entre empresa y trabajadores[529].

En el caso de que la empresa carezca de representación legal de los trabajadores, circunstancia esta de común concurrencia en nuestro tejido productivo, la norma no plantea ningún tipo de alternativa para el trámite de audiencia. Parece deseable que, en estos casos, la audiencia se articule a través de comisiones *ad hoc*, en análogos términos a los que nuestro ordenamiento jurídico contempla para otras materias. Con todo, la ausencia de pronunciamiento legal sobre este extremo dificulta acoger una interpretación con este alcance[530].

Respecto al contenido material del protocolo de desconexión, la LOPDGDD se limita a señalar que deberá incluir "las modalidades de ejercicio del derecho a la desconexión" y "las acciones de formación y de sensibilización del personal sobre un uso razonable de las herramientas tecnológicas que evite el riesgo de fatiga informática". Ha de entenderse que el contenido contemplado legalmente constituye el mínimo exigible, sin que impida que el protocolo incluya otros aspectos de trascendencia preventiva conexos. Por otra parte, el hecho de que el legislador atribuya la ordenación de estos concretos elementos a la política interna de desconexión no supone que la negociación colectiva no los pueda abordar en los términos contenidos en el art. 88.2 LOPDGDD. En ese caso, el protocolo de desconexión del empleador habrá de ajustarse a lo previsto convencionalmente.

---

[528]   García González, G., "El derecho a la desconexión digital de los empleados públicos: alcance y significado de un derecho emergente en el contexto de la crisis sanitaria", *Revista Catalana de Dret Públic*, n.º especial (2020), pp. 63-64. *Cfr.* Miñarro Yanini, M., "La desconexión digital en la práctica negocial: más forma que fondo en la configuración del derecho", *op. cit.*, p. 7.

[529]   *Vid.* Morato García, M.ª R., "Derecho a la desconexión digital en la negociación colectiva, los planes de igualdad y los protocolos empresariales", *op. cit.*

[530]   *Cfr.* SAN de 10 de diciembre de 2019 (*Tol 7708367*).

Como ya se ha apuntado, el protocolo de desconexión ha de incluir necesariamente "las modalidades de ejercicio del derecho a la desconexión", sin que, a diferencia de lo dispuesto en el art. 88.2 LOPDGDD, se permita su acomodación en atención "a la naturaleza y objeto de la relación laboral". De la dicción legal parece deducirse que la negociación colectiva sí que puede proceder a excepcionar o adaptar el derecho a la desconexión en función de la naturaleza de la prestación (art. 88.2 LOPDGDD), prohibiéndose esta acomodación al protocolo de desconexión. Ello resulta lógico teniendo en cuenta que la política interna de desconexión se presenta como unilateral y no negociada, no constituyendo una fuente normativa válida para modular el disfrute del derecho[531].

De acuerdo con el segundo contenido contemplado legalmente, el protocolo de desconexión ha de incluir "las acciones de formación y de sensibilización del personal sobre un uso razonable de las herramientas tecnológicas que evite el riesgo de fatiga informática". Sin abandonar la dimensión preventiva, se anuda este elemento a las obligaciones de información y formación de los arts. 18 y 19 LPRL, debiendo el empleador formar e informar a sus empleados sobre los riesgos psicosociales y las medidas preventivas relacionadas con el uso de los dispositivos tecnológicos con fines laborales y, singularmente, sobre el riesgo de hiperconectividad. El alcance y contenido de la obligación de formación e información en este punto ha de corresponderse con el previsto por la LPRL para el resto de materias preventivas, siguiendo su mismo régimen jurídico. Ello implica necesariamente que el protocolo de desconexión digital del empleador se fundamente en una labor preventiva previa, pues difícilmente podrán cumplirse las obligaciones de información y formación sin antes haber evaluado y planificado los riesgos ligados al uso de las TIC y, específicamente, el riesgo de hiperconectividad. Se liga de este modo el protocolo interno de la entidad empleadora con su plan de prevención, pues resulta inviable realizar una labor de formación y sensibilización efectiva "sobre un uso razonable de las herramientas tecnológicas que evite el riesgo de fatiga informática" a los empleados, sin previamente haber

---

[531]   Altés Tárrega J. A. y Yagüe Blanco, S., "A vueltas con la desconexión digital: eficacia y garantías de *lege lata*", *op. cit.*, p. 82.

evaluado y planificado los riesgos existentes conforme a lo dispuesto en el art. 16 LPRL. Siguiendo este hilo argumental, cualquier entidad que proporcione a sus empleados instrumentos electrónicos para realizar su trabajo deberá evaluar los riesgos asociados al empleo de los mismos y planificar las medidas preventivas para eliminarlos o, en su caso, controlarlos. Solo desde esta labor preventiva previa el protocolo interno de desconexión digital puede resultar efectivo y garantizar la seguridad y salud de los empleados frente a los riesgos psicosociales derivados de la conexión digital. En atención a la evaluación de riesgos, los contenidos de la formación e información abarcarán aspectos relacionados con el uso racional de medios digitales, buenas prácticas, gestión de la multitarea, autogestión del tiempo de trabajo o prevención del tecnoestrés.

El enlace preventivo de la política interna incide también sobre el propio ejercicio del derecho a la desconexión. En este sentido, ha de tenerse presente que los principios de la acción preventiva son plenamente aplicables al protocolo de desconexión, debiendo, entre otros elementos, anteponer las medidas de protección colectivas frente a las individuales (art. 15.1 h) LPRL). Ello ha llevado a parte de la doctrina a defender la prioridad de determinadas medidas de alcance colectivo, como el bloqueo automático de comunicaciones o el desvío de correos y llamadas, sobre "cualquier otra que requiera la voluntad del trabajador para garantizar su propio derecho a la desconexión"[532].

Por otra parte, la inserción de la política de desconexión en el ámbito del plan de prevención hace cuestionarse qué sujetos o entidades resultan capacitados para su elaboración e implementación efectiva. El protocolo de desconexión solo tiene sentido en el marco de una acción integrada de prevención de riesgos laborales, acción que nuestro legislador asocia necesariamente a las modalidades de organización preventiva[533]. Si se admite que el protocolo de desconexión forma

---

[532]   Altés Tárrega J. A. y Yagüe Blanco, S., "A vueltas con la desconexión digital: eficacia y garantías de *lege lata*", *op. cit.*, p. 83.

[533]   *Cfr.*, *servata distantia*, respuesta de la Subdirección General de Ordenación Normativa de 7 de febrero de 2014 (DGE-SGON-479AV) y respuesta de la Dirección General de Trabajo a la consulta formulada por la Dirección General de la Inspección de Trabajo y de Seguridad Social de 23 de julio de 2018 (DGE-SGON-943AV-CRA II). *Vid.* Quílez Moreno, J. M.ª, "La garantía de derechos

parte del deber de seguridad empresarial, imbricando las principales obligaciones preventivas específicas, es lógico concluir que solo las modalidades de organización preventiva podrán realizar dicho protocolo con fundamento en las funciones que el art. 31.3 LPRL asigna de forma exclusiva a los servicios de prevención; entendido este último concepto en su acepción amplia[534].

V. LA DESCONEXIÓN DIGITAL EN LA NUEVA REGULACIÓN DEL TELETRABAJO

La crisis ocasionada por la pandemia del covid-19, en la que las fórmulas de teletrabajo se han generalizado, ha situado en primer plano del debate público las deficiencias que nuestro modelo de relaciones laborales ha venido presentando en la práctica para atender a los problemas jurídicos que de esta forma de organización del trabajo se derivan. Consecuencia en buena medida de la situación creada por el trabajo remoto forzado impuesto en el contexto de la crisis sanitaria, se aprueba el Real Decreto-ley 28/2020, de 22 de septiembre, de trabajo a distancia (RDTD)[535].

El RDTD se dicta en plena crisis sanitaria del covid-19, escenario marcado por la legislación de emergencia y poco apropiado para regular un fenómeno, como el teletrabajo, que, más allá de la pandemia, llevaba demandando una ordenación singular y específica desde hace años. La norma da respuesta de forma urgente y poco sosegada a uno de los retos jurídicos más importantes de la ordenación de las

digitales en el ámbito laboral: el nuevo artículo 20 bis del Estatuto de los Trabajadores", *op. cit.*, pp. 127-152.

[534] Entre las funciones que el art. 31.3 LPRL atribuye a los servicios de prevención se encuentran el diseño, implantación y aplicación de un plan de prevención de riesgos laborales que permita la integración de la prevención, la evaluación de riesgos, la planificación de la actividad preventiva, la información y formación de los trabajadores, y la vigilancia de la salud en relación con los riesgos derivados del trabajo.

[535] *BOE*, 23 de septiembre de 2020. Un análisis exhaustivo de la norma en García González, G., "La nueva regulación del trabajo a distancia y del teletrabajo: entre lo simbólico y lo impreciso", *Trabajo y Derecho: nueva revista de actualidad y relaciones laborales*, n.º 72 (2020).

relaciones laborales[536]. Así, la que estaba llamada a ser el punto de partida del Estatuto de los Trabajadores del s. XXI[537], se ha convertido, en la práctica, en una norma de trascendencia más simbólica que real, que poco aporta frente a la regulación preexistente (más allá de la confusión que genera), y que cede todo el protagonismo regulador a la negociación colectiva; ámbito este que hasta ahora tampoco se ha mostrado especialmente creativo en la materia, con excepción de algunos acuerdos empresariales y, en mucha menor medida, sectoriales[538].

Pese a que la exposición de motivos de la norma la autoproclama como "regulación suficiente, transversal e integrada", el RDTD contempla solo una concreta modalidad de teletrabajo, aquel por cuenta ajena que sea desarrollado con carácter regular. Así, se entiende por trabajo a distancia la "forma de organización del trabajo o de realización de la actividad laboral conforme a la cual esta se presta en el domicilio de la persona trabajadora o en el lugar elegido por esta, durante toda su jornada o parte de ella, con carácter regular"; y, como teletrabajo "aquel trabajo a distancia que se lleva a cabo mediante el uso exclusivo o prevalente de medios y sistemas informáticos, telemáticos y de telecomunicación" (art. 2 RDTD).

Se introduce por primera vez en nuestro ordenamiento jurídico el concepto de regularidad como elemento constitutivo del trabajo a distancia y del teletrabajo, presentándose como un componente esencial que debe acompañar a esta modalidad de trabajo para que tenga relevancia jurídica a los efectos del RDTD. Se entenderá que es regular "el

---

[536] El proceso de elaboración de la norma, en el marco del diálogo social, apenas superó los tres meses. La regulación del teletrabajo adquiere la dudosa forma de real decreto-ley con base en una extemporánea extraordinaria y urgente necesidad, el teletrabajo en la crisis del covid-19; necesidad cuya satisfacción, paradójicamente, queda fuera del ámbito regulador que el propio RDTD configura.

[537] *Vid.* Mercader Uguina, J. R., "Nuevos escenarios para el Estatuto de los Trabajadores del siglo XXI: digitalización y cambio tecnológico", *Trabajo y Derecho: nueva revista de actualidad y relaciones laborales*, n.º 63 (2020).

[538] *Vid.* Mella Méndez, L., "Las cláusulas convencionales en materia de trabajo a distancia: contenido general y propuestas de mejora", *Revista de Derecho Social y Empresa*, n.º 6 (2016), pp. 110-111; y Valle Muñoz, F. A., "La regulación de las tecnologías de la información y de la comunicación por la negociación colectiva", *Temas Laborales: Revista Andaluza de Trabajo y Bienestar Social*, n.º 149 (2019), pp. 19-23.

trabajo a distancia que se preste, en un periodo de referencia de tres meses, un mínimo del treinta por ciento de la jornada, o el porcentaje proporcional equivalente en función de la duración del contrato de trabajo" (art. 1 RDTD)[539].

Entrando en el concreto objeto de estudio, la regulación que el RDTD contiene en relación con el derecho a la desconexión no parece *a límine* demasiado novedosa si se compara con la ordenación del art. 88 LOPDGDD. No obstante, esta supuesta intrascendencia decae, siquiera parcialmente, si se atiende al decidido posicionamiento que el legislador mantiene en lo que se refiere a dos elementos que han sido objeto de numerosos debates doctrinales y que ya han sido apuntados a lo largo del presente estudio. Por una parte, el engarce del derecho a la desconexión digital con el derecho a la seguridad y salud laboral; y, por la otra, la configuración del derecho a la desconexión como una obligación empresarial específica inserta, por lo anteriormente expuesto, en el genérico deber de seguridad empresarial.

En relación con el primer elemento aludido, el art. 16.1 RDTD dispone que "la evaluación de riesgos y la planificación de la actividad preventiva del trabajo a distancia deberán tener en cuenta los riesgos característicos de esta modalidad de trabajo, poniendo especial atención en los factores psicosociales, ergonómicos y organizativos. En particular, deberá tenerse en cuenta la distribución de la jornada, los tiempos de disponibilidad y la garantía de los descansos y desconexiones durante la jornada". Se entronca de este modo directamente el derecho a la desconexión con el deber de seguridad empresarial y con la tutela de los riesgos psicosociales.

En lo que atañe al segundo de los aspectos anunciados, el art. 18 RDTD regula el derecho a la desconexión digital de las personas que trabajan a distancia, "particularmente en teletrabajo", remitiéndose al art. 88 LOPDGDD y reproduciendo literalmente parte de sus contenidos. El precepto aleja cualquier duda sobre la naturaleza jurídica del derecho a la desconexión, entendiendo que el mismo implica un

---

[539] El porcentaje del 30% de la jornada establecido en el art. 1 RDL 28/2020 constituye una norma de derecho necesario relativo, pudiendo los convenios o acuerdos colectivos determinar "un porcentaje o periodo de referencia inferiores (...) a los efectos de calificar como «regular» esta modalidad de ejecución de la actividad laboral" (DA1ª RDTD).

"deber empresarial de garantizar la desconexión", lo que "conlleva una limitación del uso de los medios tecnológicos de comunicación empresarial y de trabajo durante los periodos de descanso, así como el respeto a la duración máxima de la jornada y a cualesquiera límites y precauciones en materia de jornada que dispongan la normativa legal o convencional aplicables". Por último, se reitera que la negociación colectiva constituye el ámbito idóneo para el establecimiento de "los medios y medidas adecuadas para garantizar el ejercicio efectivo del derecho a la desconexión en el trabajo a distancia y la organización adecuada de la jornada, de forma que sea compatible con la garantía de tiempos de descanso". Será también la autonomía colectiva la que pueda delimitar "las posibles circunstancias extraordinarias de modulación del derecho a la desconexión" (DA 1ª RDTD).

Fuera de las dos aportaciones que han sido reseñadas, el RDTD no profundiza en la integración normativa del derecho a la desconexión digital. La norma no define el derecho ni perfila su contenido mínimo, limitándose a remitirse o a reproducir el ya de por sí ambiguo art. 88 LOPDGDD. Se consolida de este modo en nuestro ordenamiento jurídico la abstracción e inconcreción que acompaña la regulación del derecho a la desconexión digital[540].

VI. A MODO DE CONCLUSIONES

La pandemia del covid-19 ha situado al derecho de desconexión digital en el centro del debate público tanto a nivel nacional como europeo[541]. La crisis sanitaria derivada del covid-19, en la que el legislador ha obligado a los empleadores a implementar fórmulas de trabajo remoto, ha revelado los efectos negativos que sobre la salud de los trabajadores puede representar el uso inadecuado de los dispositivos tecnológicos en el ámbito laboral. Durante el transcurso de la pandemia, las iniciales ventajas percibidas del trabajo remoto

---

[540]   Thibault Aranda, X., "Toda crisis trae una oportunidad: el trabajo a distancia", *Trabajo y Derecho: nueva revista de actualidad y relaciones laborales*, n.º extra. 12 (2020).

[541]   *Vid.* "Resolución del Parlamento Europeo, de 21 de enero de 2021, con recomendaciones destinadas a la Comisión sobre el derecho a la desconexión".

Guillermo García González

forzado impuesto –flexibilidad, ambiente personalizado de trabajo y conciliación– fueron mutando y evidenciando los inconvenientes que la interconectividad digital plantea en el ámbito productivo: hiperconectividad, sobrecarga de trabajo, elevado nivel de exigencia en la realización de tareas, problemas de conciliación de la vida familiar y profesional, presión de plazos de entrega, o disponibilidad horaria total con largas jornadas de trabajo; aspectos todos ellos desencadenantes de estrés y agotamiento emocional.

El último informe de progreso sobre la Agenda 2030 en España recoge perfectamente esta idea: "uno de los pocos aspectos potencialmente positivos que nos deja esta pandemia es el salto cualitativo que ha supuesto la extensión de la experiencia del trabajo a distancia, en una realidad laboral como la de nuestro país en la que la implantación de esta modalidad aún mostraba resistencias. El teletrabajo puede servir para facilitar la conciliación de la vida laboral con la personal, así como para generar una mayor autonomía y libertad en la persona trabajadora en cuanto a la organización de su jornada laboral. Pero también tiene importantes riesgos que es preciso regular para salvaguardar los derechos laborales, entre otros el derecho (...) a la desconexión"[542].

La generalización por motivos sanitarios de las fórmulas de teletrabajo y trabajo a distancia ha implicado que los trabajadores se hayan visto obligados repentinamente a desempeñar sus funciones telemáticamente de forma forzada, sin medios materiales suficientes y, lo que aún es más grave, sin habilidades ni reglas previas que les permitieran desempeñar sus funciones con las debidas garantías de seguridad y salud. La crisis sanitaria vivida ha generado en los trabajadores situaciones de exceso de trabajo, sobreexposición tecnológica, permanente disponibilidad y situación de hiperconectividad, que reflejan la cara más nociva del trabajo mediante dispositivos electrónicos. Es cierto que la situación vivida resulta excepcional, pero no es menos cierto que muestra de forma indubitada los negativos efectos

---

[542] Ministerio de Derechos Sociales y Agenda 2030, *Reconstruir lo común. La implementación de la agenda 2030 en España. Informe de Progreso 2020*, Gobierno de España, Madrid, 2020, p. 122.

que puede producir sobre los trabajadores la ausencia de una política de desconexión digital.

En relación con lo anterior, la crisis del covid-19 ha evidenciado la inexistencia de instrumentos negociados colectivos efectivos y de protocolos de desconexión, visibilizando la inactividad que en esta materia ha venido caracterizando a nuestro modelo de relaciones laborales. Todo apunta a que la situación vivida servirá como punto de inflexión en lo que se refiere al derecho a la desconexión, que a raíz del covid-19 ha pasado de ser considerado como un derecho abstracto y secundario a situarse como un derecho imprescindible en la agenda política.

Como se ha venido exponiendo a lo largo del estudio, la regulación de la desconexión digital contiene numerosas lagunas e imperfecciones que han fomentado prolijos debates doctrinales. La inconsistencia y labilidad de la ordenación legal del derecho a la desconexión digital no representa, no obstante, un hecho aislado en la tarea legislativa; la creciente complejidad y transversalidad de la realidad que precisa de regulación hace que el legislador, cada vez más, opte por emplear normas abiertas y flexibles que se aproximan al *soft law*. En este escenario ambiguo y plagado de inseguridad jurídica, el legislador acostumbra a procrastinar el problema remitiendo su resolución a un plano diferente: reglamentario, convencional o judicial. Se genera, en consecuencia, un contexto óptimo para sesudos constructos doctrinales o pronunciamientos jurisprudenciales contradictorios que no hacen sino ahondar en las propias indefiniciones legislativas.

En este entorno de incerteza, desde las instituciones europeas se ha iniciado el camino para consolidar un marco regulatorio del derecho a la desconexión digital que permita conformar un contexto de relativa homogeneidad en el ámbito comunitario. La "Resolución del Parlamento Europeo, de 21 de enero de 2021, con recomendaciones destinadas a la Comisión sobre el derecho a la desconexión" parece abrir nuevas vías de concreción e integración del derecho a la desconexión digital; solo el tiempo permitirá conocer si la intención regulatoria que trasluce dicha resolución queda definitivamente plasmada en una ordenación que consagre el derecho a la desconexión digital como un derecho efectivo y real, de insoslayable concurrencia en el marco de la sociedad interconectada.

DECISIONES AUTOMATIZADAS BASADAS EN ALGORITMOS Y PROTECCIÓN DE DATOS PERSONALES

Ana Garriga Domínguez
Profesora Titular de Filosofía del Derecho
Universidade de Vigo

I. EL CONTEXTO TECNOLÓGICO: BIG DATA Y HUELLA DIGITAL

Nuestra vida se encuentra constantemente infiltrada por las tecnologías de información y la comunicación (TIC). Nosotros mismos facilitamos el seguimiento continuo de nuestra actividad a través del Smartphone, que nos acompaña a cualquier lugar al que vayamos y desde el que realizamos muchas acciones cotidianas además de comunicarnos con otros. No resulta exagerado referirnos a nuestro mundo como de sociedad del control[543] o sociedad de la transparencia[544] y se han normalizado las expresiones vigilancia masiva o vigilancia total. El 70% del universo digital es generado por nosotros mismos a través de nuestra interacción con los diferentes servicios de la red como los motores de búsqueda, las redes sociales, los *sitios* que visitamos en Internet, las compras que realizamos, los Smartphone, el correo electrónico, etc.[545] Nuestra interacción en el mundo virtual, pero también en el físico, es seguida y monitorizada por diversos «vigilantes», que por diferentes razones e intereses, recogen y analizan nuestra actividad en los distintos servicios y redes de la Sociedad de la Información, pero también a través de diferentes dispositivos perteneciente el mundo

---

[543]   Deleuze G., "*Postscript on the Societies of Control*", October, Vol. 59. (Winter, 1992), pp. 3-7.
        http://links.jstor.org/sici?sici=0162-2870%28199224%2959%3C3%3APOTS
        OC%3E2.0.CO%3B2-T.
[544]   Byung-Chul H., *La sociedad de la transparencia*, Herder, Barcelona, 2013.
[545]   Vid. Craig T. y Ludloff M., *Privacy and Big Data*, O'Really, 2011, Sebastopol (California), p. 4.

del Internet de las cosas[546], que permiten registrar, por ejemplo, nuestros desplazamientos, número de pasos, pautas de sueño, pulsaciones, tensión arterial, temperatura, uso de electrodomésticos, etc.[547] En el mundo de la vigilancia líquida[548] cada uno de nuestros comentarios, acciones o intereses es susceptible de pasar a engrosar alguno de los muchos centros de datos que los Estados, pero sobre todo las entidades privadas, poseen y que en numerosas ocasiones constituyen su activo y objeto de negocio principal.

Como ha señalado Castells, en el último tercio del siglo XX se produce un cambio de paradigma[549] que afecta a todos los aspectos de la sociedad postindustrial. En la sociedad de la información o sociedad informatizada[550] *"la generación, el procesamiento y la transformación de información se convierten en las fuentes fundamentales de productividad y poder"*[551]. Esta afirmación está más vigente que nunca; hoy la información es la materia prima y las tecnologías son para actuar sobre ella y nuestra existencia individual y colectiva está directamente modelada por la tecnología[552] y, finalmente, *"nuestras vidas han sido transferidas unilateralmente, traducidas ya en datos, expropiadas para su reconversión en medios destinados a nuevas formas de control social"*[553].

---

[546]   Vid. Mcewen A., y Cassimally H., *Internet de las cosas. La tecnología revolucionaria que todo lo conecta*, Anaya Multimedia, Madrid, 2014, p. 27.

[547]   Vid. Swan M., *"Sensor Mania! The Internet of Things, Wearable Computing, Objective Metrics, and the Quantified Self 2.0"*, Journal of Sensor and Actuator Netwowoks, n.º 1(3), pp. 217-253, 2012. También, Grupo de Trabajo del artículo 29, *Opinion 8/2014 on the on Recent Developments on the Internet of Things*, adoptado el 16 de septiembre de 2014.

[548]   Bauman Z., y Lyon D., *Vigilancia líquida*, traducción de Alicia Capel Tejer, Paidós, Barcelona, 2013.

[549]   Castells M., *La era de la información*, Alianza Editorial, tercera edición, Madrid, 2008, p. 103 y ss.

[550]   Frosini V., *Il guirista e le tecnologie dell'informazione*, seconda edizione, Bulzoni Editore, Roma, 2000, p. 79.

[551]   Marí Sáez V. M,. *Globalización, nuevas tecnologías y comunicación*, Ediciones de la Torre, Madrid, 1999, p. 34.

[552]   Castells M., *La era de la información*, ob. cit., p. 103 y ss.

[553]   Zuboff S., *La era del capitalismo de la vigilancia*, Paidós, Barcelona, 2020, p. 81.

El propio medio digital fomenta la *"exposición pornográfica de la intimidad y de la esfera privada"*[554] y cada vez son mayores las posibilidades de reelaboración de esa información que los usuarios hacen disponible[555]. Cuando navegamos por Internet dejamos rastros de forma inconsciente[556], que junto con otras herramientas y tecnologías, formarían parte del conjunto de lo que ya ha sido denominado como el «panóptico digital»[557]. A los sistemas basados en la utilización de *cookies* o programas rastreadores o *sniffers*[558], que posibilitan el funcionamiento de las denominadas *redes de seguimiento* a través de las cuales es posible seguir al usuario a medida que navega por la red, hay que sumar actualmente las tecnologías *fingerprinting*, que permite *"una recopilación sistemática de información sobre un determinado dispositivo remoto con el objetivo de identificarlo, singularizarlo y, de esta forma, poder hacer un seguimiento de la actividad del usuario del mismo con el propósito de perfilarlo"*[559]. Nuestro rastro

---

[554]   Byung-Chul H., *En el enjambre*, Herder Editorial, Barcelona, 2014, p. 14.

[555]   Vid., entre otros, Cobo Romaní C., y Pardo Kuklinski H., *Planeta Web 2.0. Inteligencia colectiva o medios fast food*, Grup de Recerca d'Interaccions Digitals, Universitat de Vic -Flacso México, Barcelona / México DF, 2007, p. 21.

[556]   Vid. Recomendación 3/97, del el 3 de diciembre de 1997, sobre *El anonimato de Internet*; Dictamen 4/2012, de 7 de junio de 2012, sobre *La exención del requisito de consentimiento de cookies* y Dictamen 9/2014, de 25 de noviembre de 2014, sobre *La aplicación de la Directiva 2002/58 a la identificación de dispositivos* del Grupo de Trabajo del Artículo 29.

[557]   Byung-Chul H., *La sociedad de la transparencia*, ob. cit., p. 89.
        Vid. Gandy O. H., *The Panoptic Sort: A Political Economy of Personal Information*, Boulder, CO, Westview Press, 1993. Asimismo, Norris C., *"From personal to digital: CCTV, the panopticon, and the technological mediation of suspicion and social control"*, en Lyon D., (ed.); *Surveillance as Social Sorting*, Routledge, Londres y Nueva York, 2005. Asimismo, Reiman J. H., *"Driving to the panopticon: a philosophical exploration of the risks to privacy posed by highway technology of the future"*, en E. Barendt (ed.). *Privacy*, Dartmouth Publishing Company, Aldershot, 2001.

[558]   Vid. Téllez Aguilera. A., *Nuevas tecnologías, intimidad y protección de datos*, Edisofer, Madrid, 2001, p. 83 y ss.

[559]   Agencia Española de Protección de Datos (AEPD), *Estudio fingerprinting o Huella digital del dispositivo*, 2019 p. 4. En: https://www.aepd.es/sites/default/files/2019-09/estudio-fingerprinting-huella-digital.pdf. Vid., asimismo, Grupo de Trabajo, *Recomendación 1/99 sobre el tratamiento invisible y automático de datos personales en Internet efectuado por software y hardware*, aprobada por el el 23 de febrero de 1999.

digital puede reunirse e interrelacionarse, con la consiguiente *"transformación de datos en principio irrelevantes en un perfil peligrosamente público del ciudadano"*[560].

La cantidad de información personal disponible nos sitúa por sí misma ante una nueva revolución tecnológica, el *Big Data*, que *"no se cifra en las máquinas que calculan los datos, sino en los datos mismos y en cómo los usamos"*[561]. Pues, no sólo es relevante a efectos del rastro digital, el tipo de información que ponemos a disposición de otros en Internet, sino que otro factor importantísimo es el de su cantidad, que va suponer por sí mismo un nuevo tipo de riesgo para los derechos. Los avances en la minería y análisis de datos y el aumento masivo de la capacidad informática de procesamiento y almacenamiento han ampliado exponencialmente la información que se encuentra al alcance de las empresas, los gobiernos y los individuos. Asimismo, el número creciente de gente, dispositivos y sensores que están conectados por redes digitales ha revolucionado la capacidad de generar, comunicar, compartir y acceder a los datos[562]. Denominamos *Big Data*, por un lado, a la gran cantidad de datos disponibles y, por otro, aludimos al conjunto de tecnologías cuyo objetivo es tratar grandes cantidades de información[563], empleando complejos algoritmos y estadística con la finalidad de hacer predicciones, extraer información oculta o correlaciones imprevistas y, en último término, favorecer la toma de decisiones. Para analizar estas inmensas cantidades de datos han surgido un conjunto de técnicas que hacen referencia a los sistemas de información y *"que pertenecen al campo de la inteligencia artificial (y) recibe el nombre de «minería de datos»"*[564] y que, utilizando la ingente cantidad de datos disponibles los analizan buscando patrones recurrentes y correlaciones. Pero el *Big Data* es

[560]   Drummond V., *Internet, privacidad y datos personales*, traducción de I. Espín Alba, Reus, Madrid, 2004, p. 118.
[561]   Mayer-Schönberger V., y Cukier K., *Big Data. La revolución de los datos masivos*, Turner Noema, 2013, p. 18.
[562]   Tene O., y Polonetsky J., *"Privacy in the age of Big Data: a time for big decisions"*, Stanford Law Review Online, n.º 63, Febrero de 2012, p. 63.
[563]   Beltrán Pardo M., y Sevillano Jaén F., *Cloud computing, tecnología y negocio*, Paraninfo, Madrid, 2013, p. 16 y ss.
[564]   Ramos Bernal A., *Reflexiones sobre economía cuántica*, ECU (Editorial Club Universitario), Alicante, 2012, p. 186.

algo más; puede ser definido como un fenómeno cultural, tecnológico y académico, que se apoya en la interacción de la tecnología a través de la maximización de la potencia de cálculo y precisión algorítmica y que utiliza estos análisis para identificar patrones en esos grandes volúmenes de datos, que sirven hacer reivindicaciones económicas, sociales, técnicas y legales; pero asimismo aportaría un elemento mitológico, entendido como la creencia generalizada de que los grandes conjuntos de datos ofrecen una forma superior de la inteligencia y que su conocimiento puede generar ideas que antes eran imposibles, con el aura de la verdad, la objetividad y la precisión[565]. Es, precisamente este aura de objetividad y verdad, unida a la falta de transparencia que acompaña a las decisiones basadas en esta tecnología, lo que plantea más problemas para los derechos de las personas[566].

II. PREDICCIONES Y CORRELACIÓN BASADAS EN GRANDES CANTIDADES DE DATOS

Muchos de los más populares servicios de Internet registran información referente a las acciones, intereses, estado de ánimo[567], interacciones y reacciones a los distintos estímulos a los que los usarios

---

[565]   Boyd, D. y Crawford, K., *"Critical questions for Big Data. Provocations for a cultural, technological, and scholarly phenomenon"*, Information, Communication & Society, Vol. 15, Número 5, Junio de 2012, p. 662 y 663.

[566]   Vid. O'Neil C., *Armas de destrucción matemática. Cómo el Big Data aumenta la desigualdad y amenaza la democracia*, Capitán Swing, Madrid, 2017. Cathy O'Neil analiza el impacto real que han tenido en la vida de millones de personas los algoritmos predictivos basado en *Big Data* en campos tan diferentes como la prevención de la delincuencia, la contratación y los despidos de trabajadores, o su papel en la crisis económica de 2008.
Vid., asimismo, Monasterio Astobiza A., *"Ética algorítmica: Implicaciones éticas de una sociedad cada vez más gobernada por algoritmos"*, Dilemata, año 9 (2017), n.º 24, pp. 185-217.

[567]   A través de la informaciones que los usuarios suben a las redes sociales es posible hacer gráficas de sus emociones, sentimientos y estados de ánimo. Por ejemplo, Twitter *"permite la datificación de pensamientos, estados de ánimo e interacciones de la gente"* y ha llegado a acuerdos con dos empresas para comercializar el acceso a esos datos. En Mayer-Schönberger V., y Cukier K., *Big Data. La revolución de los datos masivos*, ob. cit., p. 116 y 117.

son expuestos[568] y son, ellos mismos, *"los que crean una gran base de datos cualitativos y cuantitativos, propios y ajenos con información relativa a edad, sexo, localización e intereses"*[569]. La combinación de estos datos, que el usuario aporta sobre el mismo y sobre terceros, permite la obtención de un perfil muy preciso de sus intereses y actividades y, estos datos o el resultado de su procesamiento, podrán ser utilizados con distintos fines, entre ellos, comerciales y de publicidad[570]. Estos servicios tecnológicos se caracterizan porque se ofrecen bajo la falsa creencia de que se trata de un servicio gratuito, cuando realmente se financian sobre todo a través de la utilización secundaria de los datos personales comercializándolos con fines de marketing personalizado, puesto que la información obtenida a través de las redes sociales y por los buscadores *"es susceptible de ser utilizada para ofrecer publicidad basada en personas e intereses de una manera muy efectiva"*[571]. Además, pueden inferir otra mucha información sobre las personas y los grupos, incluso sensible. Por ejemplo, se puede deducir la orientación sexual del usuario, incluso en el caso de los denominados «perfiles en la sombra», relativos a personas que no tienen cuenta en una red social[572], o su perfil ideológico, económico, etc. La publicidad comportamental se basa en la observación continuada del comportamiento de los individuos para desarrollar un perfil específico, que permite proporcionar anuncios a medida de los intereses extraídos del comportamiento del usuario. A través del análisis de cada individuo, los anunciantes podrán dirigir a ese usuario *"aquella publicidad que coincida con los gustos e intereses deducidos*

---

[568]   Se explica con detalle en Lanier J., *Diez razones para borrar tus redes sociales de inmediato*, Editorial Debate, Barcelona, 2018.

[569]   Ortiz López P., *"Redes sociales: funcionamiento y tratamiento de información personal"*, en Rallo Lombarte A. y Martínez Martínez R., *Derecho y redes sociales*, Civitas, Madrid, 2010, p. 24.

[570]   Vid. 30 Conferencia Internacional de Autoridades de Protección de Datos y privacidad. Resolución sobre *Protección de la privacidad en los servicios de redes sociales*, aprobada en Estrasburgo los días 15 a 17 de octubre de 2008.

[571]   Suárez Sánchez-Ocaña A., *Desnudando a Google. La inquietante realidad que no quieren que conozcas*, Deusto, Barcelona, 2012, p. 252.

[572]   Sarigol E., García D. y Schweitzer F., *"Online Privacy as a Collective Phenomenon"*, Proceedings of the second edition of the ACM conference on Online social networks, ACM, octubre de 2014, p. 105. Puede consultarse en: http://arxiv.org/pdf/1409.6197.pdf.

de dicho rastreo y análisis, incrementando así su eficacia"[573]. Como señala Javier Echeverría, al entrar en la caverna digital, pagamos un peaje publicitario, más o menos explícito y las empresas distribuyen gratuitamente productos tecnológicos sofisticados porque han conseguido seducir a tantos usuarios y tienen su modelo de negocio basado en los anuncios[574].

Esta inmensa capacidad para buscar, agregar y realizar referencias cruzadas de los grandes conjuntos de datos[575], que permiten extraer patrones de comportamiento y perfiles personales y que informan acerca de lo que somos y lo que hacemos[576] hace posible una peligrosa y nueva filosofía de la anticipación, cuyo extremo sería el de las predicciones preventivas[577]. Una de las consecuencias de la publicidad comportamental o dirigida es que puede influir en los deseos de nuevas maneras, pero también puede mediar en los comportamientos reales de ciertos grupos sociales que, como los individuos, son alentados por retroalimentación para ajustarse a los patrones esperados[578]. La libertad de elección y decisión de los individuos se verá directamente afectada, en la sociedad de consumo, sociedad sinóptica de adictos compradores/espectadores, *"la obediencia al estándar (...) tiende a lograse por medio de la seducción, no de la coerción... y aparece bajo el disfraz de la libre voluntad, en vez de revelarse como una fuerza externa"*[579]; pero, también la elaboración de perfiles y el establecimiento de correlaciones y predicciones permite visibilizar *"modelos colectivos de comportamiento"*[580] y posibilita la clasificación social de los individuos y los grupos y la adopción de determinadas decisiones sobre ellos.

---

[573]   Ibídem.
[574]   Echeverría J., *Entre cavernas. De Platón al cerebro pasando por Internet*, Triacastela, Madrid, 2013, p. 173.
[575]   Boyd D. y Crawford K., *Critical questions for Big Data...*, *ob. cit.*, p. 662.
[576]   Boyd D. y Crawford K., *Critical questions for Big Data...*, *ob. cit.*, p.6.
[577]   Kerr I., y Earle J., *Prediction, preemption, presumption: how Big Data threatens big picture privacy*, Stanford Law Review, online 65, Septiembre de 2013.
[578]   Lyon D., *Surveillance Studies. An overview*, Polity Press, Malden, 2014, p. 101.
[579]   Bauman Z., *Modernidad líquida*, Fondo de Cultura Económica, Buenos Aires, 2013, p. 92.
[580]   Byung-Chul H., *En el enjambre...*, *ob. cit.*, p. 109.

La evolución del proceso de segmentación de mercados en *marketing* ha supuesto el paso de la segmentación por grupos, sociogeográfica, por ejemplo a través del código postal, a la segmentación de individuos a través de las técnicas de *microtargeting*. Éste puede definirse como una segmentación psicográfica avanzada que se basa en un algoritmo que determina una serie de rasgos demográficos y de actitud que permite distinguir a cada individuo para cada segmento objetivo y que permite hacer predicciones precisas de la reacción de la audiencia objetiva[581]. La cantidad y calidad de la información personal que se encuentra en las redes sociales, permite a los anunciantes mejorar el alcance e impacto de su publicidad al dirigirse a grupos específicamente seleccionados y estructurados o, incluso, a individuos concretos para influir en su conducta[582]. Obviamente, estas técnicas pueden utilizarse para vender un producto determinado, pero también para favorecer una determinada ideología. El uso de perfiles permite determinar la información a la que vamos a tener acceso, limitando también nuestro derecho a recibir información veraz o siendo objeto de auténticas manipulaciones. A través de los distintos algoritmos utilizados por las plataformas sociales unos usuarios tienen acceso a un tipo de información y otros, en función de sus intereses o de su perfil ideológico[583], a otros contenidos diferentes. Estos servicios utilizan algoritmos que personalizan las noticias u otros contenidos para cada usuario; puesto que *"los parámetros de medición basados en afinidades digitales delimitan, para el usuario, ventanas de visibilidad que tienen el color de su red social"*[584]. Asimismo, pueden suponer que no se vea expuesto a informaciones que no encajen con su ideología. A través de los hilos de contenido personalizado, que se optimizan para captar a cada usuario, *"a menudo utilizando potentes estímulos emocionales que conducen a la adicción a las personas"*[585], se las puede

---

[581]   Barbu O., *"Advertising, Microtargeting and Social Media"*, Procedia–Social and Behavioral Sciences 163 (2014), pp. 44-45.

[582]   *Ibídem*, p. 46.

[583]   Vid. Bakshy E., S. Messing y Adamic L. A., *"Exposure to ideologically diverse news and opinion on Facebook"*, Science, Junio de 2015, Vol. 348, n.º 6239, p. 1130-1132.

[584]   Cardon D., *Con qué sueñan los algoritmos: nuestras vidas en el tiempo de los Big Data*, Dado Ediciones, Madrid, 2018, p. 43.

[585]   Lanier J., *Diez razones para borrar tus redes sociales de inmediato*, ob. cit., p. 48.

manipular sin que sean conscientes de ello[586]. Se trata de modelos de negocio que, como los motores de búsqueda, basan sus ingresos en la venta de publicidad y por lo tanto necesitan captar la atención del usuario por lo que los algoritmos utilizados priorizarán aquellos contenidos que consigan este objetivo de forma más eficiente y el incremento de esta atención se consigue mejor a través de la amplificación de las emociones negativas frente a las positivas[587].

Por otra parte, en la actualidad, la privacidad debe concebirse, cada vez más como un concepto colectivo ya que, su exposición va a depender, no solo del comportamiento del propio individuo, sino sobre todo del comportamiento en la red que tengan los relacionados con él a través de las conexiones e interacciones con los demás usuarios[588]. Desde el momento en que los usuarios comparten su lista de contactos, aunque estos no estén en la red social, es posible colegir información privada sobre ellos y *"dado el hecho de que esta dependencia está presente bajo la interacción social generalizada, debemos considerar la privacidad como un concepto colectivo, donde las políticas de privacidad individuales no son suficientes para controlar la información privada"*[589]. Es decir, cuando un usuario sube información propia y de terceros a una red social está generando riesgos no sólo para su vida privada sino también directamente para aquellos cuyos datos sube, con o sin su consentimiento, e, indirectamente, para todos sus contactos en la medida en que se pueden inferir informaciones sobre ellos, incluso sensibles, a través de correlaciones.

---

[586]   En ocasiones, bajo la coartada del experimento sociológico, se realiza sin tapujos una directa manipulación emocional de los usuarios. A lo largo de una semana durante el año 2012, Facebook experimentó con 689.000 usuarios sin su consentimiento para analizar su comportamiento alterando el algoritmo que selecciona las noticias que se ven de los amigos y, a través del tipo de noticias que mostraba a unos u a otros, positivas o negativas, para estudiar como influía en su estado de ánimo. En Kramer, A., Guillory J. E. y Hancock J. T., *"Experimental evidence of massive-scale emotional contagion through social networks"*, Proceedings of the National Academy of Sciences of Unites States of America, vol. 11, n.º 24, marzo de 2014.

[587]   Lanier J., *Diez razones para borrar tus redes sociales de inmediato*, ob. cit., p. 42.

[588]   Sarigol E., García D., y Schweitzer F., *Online Privacy as a Collective Phenomenon*, ob. cit., p. 105.

[589]   *Ibídem.*

En todo caso, debe señalarse que el impacto de la elaboración de perfiles no se limita al derecho a la privacidad. Son muchos los valores y derechos afectados; así por ejemplo, las libertades de expresión e información, la libertad ideológica o los mismo valores democráticos. En este contexto y en la medida en que la exposición a noticias, opiniones e información cívica ocurre cada vez más a través de las redes sociales[590] en las que la decisión sobre los contenidos o sobre cómo se presentan se toma en base a perfiles personalizados, los agentes políticos se ven compelidos a utilizar también estos medios, por su eficacia y para conseguir una mayor visibilidad[591]. Ahora bien, no es lo mismo el debate de ideas o la publicidad legítima, que la propagación de noticias falsas y los fenómenos de desinformación que utilizan el potencial del *Big Data* y de la micro-segmentación para conseguir sus objetivos económicos o políticos[592]. Las posibilidades actuales de micro-segmentación y manipulación *online* basadas en las tecnologías de *Big Data* e inteligencia artificial que permiten la recolección, el almacenamiento, la combinación y el análisis de ingentes cantidades de datos personales hacen que el riesgo para los derechos de las personas sea hoy mucho más real y elevado. Como ha señalado el Supervisor Europeo de Protección de Datos existe una amenaza para los valores democráticos y los derechos fundamentales derivados de la incesante vigilancia a la que son sometidas las personas en el espacio digital por empresas y Estados y, esta disminución de su espacio íntimo tiene como consecuencia *"un efecto alarmante sobre la capacidad y voluntad de las personas de expresarse y establecer relaciones con libertad, también en*

---

[590] Bakshy, Messing y Adamic. *Exposure to ideologically ...*, ob. cit., p. 1130.
[591] Sobre esta cuestión vid. J. Echeverría. *Entre cavernas*, ob. cit., especialmente pp. 175 y ss.
[592] Vid. *Disinformation and 'fake news': Final Report"*, p. 11. https://publications.parliament.uk/pa/cm201719/cmselect/cmcumeds/1791/1791.pdf y *High Level Expert Group on Fake News and Online Disinformation*, "*A multi-dimensional approach to disinformation*". Final report, 12 de marzo de 2018. https://ec.europa.eu/digital-single-market/en/news/final-report-high-level-expert-group-fake-news-and-online-disinformation. Asimismo, Parlamento Europeo, *Resolución de 25 de octubre de 2018, sobre la utilización de los datos de los usuarios de Facebook por parte de Cambridge Analytica y el impacto en la protección de los datos* (2018/2855(RSP).

la esfera cívica, tan esencial para la salud de la democracia"[593]. La
libre circulación de opiniones e informaciones se ve obstaculizada
y, consiguientemente, el debate electoral, cuando se aplican "bur-
bujas de filtro". Como ya he señalado, la recopilación masiva de
datos personales permite elaborar un perfil preciso que servirá para
que los algoritmos que utilizan los servicios de noticias establezcan
correlaciones *"de todo lo que hacemos con lo que hacen casi todos
los demás"* y se diseñan estímulos individualizados para modificar
nuestra conducta[594]. La nueva generación de filtros de internet *"son
máquinas de predicción cuyo objetivo es crear y perfeccionar constantemente una teoría acerca de quién eres, lo qué harás y lo qué
desearás a continuación"*[595] formando una burbuja de filtros invisible, que nos aísla y que no elegimos. Además al desconocer la forma
y los criterios según los cuales los servicios filtran la información
que entra y sale, *"es prácticamente imposible ver lo sesgada que
es"*[596]. Como consecuencia de ello, cuando el entorno *online* se encuentra personalizado y micro-segmentado, los ciudadanos estamos
expuestos a informaciones que refuerzan los sesgos ideológicos y es
más difícil encontrar opiniones diferentes, lo que lleva *"a una mayor
polarización política e ideológica"*[597]. En este sentido, también el
Parlamento Europeo[598] ha analizado los riesgo de la elaboración de
perfiles utilizando *macrodatos* y, entre otras consideraciones, insta
a la *"Comisión y a los Estados miembros que velen por que las
tecnologías basadas en los datos no limiten o discriminan el acceso
a un entorno mediático pluralista sino que fomenten la libertad de
los medios de información y el pluralismo"*. En su Informe de enero
de 2018, el Grupo Consultivo sobre Ética del Supervisor Europeo

---

[593] Supervisor Europeo de Protección de Datos, *Opinion 3/2018 on online manipulation and personal data*, adoptada el 13 de marzo de 2018, p. 3.
[594] Lanier J., *Diez razones para borrar...*, ob. cit., pp. 18-19.
[595] Pariser E., *El filtro burbuja: como la web decide lo que leemos y lo que pensa-
mos*, Taurus, Madrid, 2017, p. 18.
[596] *Ibídem.*
[597] *Opinion 3/2018, on online manipulation and personal data*, p. 7.
[598] Parlamento Europeo, Resolución del 14 de marzo de 2017, *sobre las implicaciones de los macrodatos en los derechos fundamentales: privacidad, protección de
datos, no discriminación, seguridad y aplicación de la ley.*

de Protección de Datos[599] señalaba, entre las amenazas para la autonomía individual, la difusión algorítmica o humana de noticias falsas que debilita la capacidad de los individuos para discriminar entre lo que es información fiable y lo que no lo es y, así también, los procesos democráticos estarían en riesgo de debilitarse a través de las prácticas de marketing político basadas en técnicas de micro-segmentación y elaboración de perfiles psicográficos[600]; *pues, las técnicas de micro-segmentación en el ámbito electoral cambia las reglas del discurso político, reduciendo el espacio para el debate y el intercambio de ideas*[601].

La toma de decisiones basadas en el tratamiento de la información personal afecta a un número cada vez mayor de servicios y ámbitos. Así por ejemplo en la banca, para valorar la aptitud crediticia de una persona a través de la asignación de una puntuación determinada calificándola, en el ámbito de los seguros para calcular el riesgo, su interés como cliente potencial o el precio final del seguro, en el ámbito de la policía preventiva o de la prevención del fraude, etc. En consecuencia, el establecimiento de perfiles y la toma decisiones automatizadas puede afectar a las oportunidades vitales de las personas, que dependen de la categoría en la que las hayan situado, en diferentes ámbitos: en el empleo[602], en las posibilidades de contratar un seguro o de acceder a un préstamo, en el precio de los bienes y servicios que se ofrecen en función del perfil, en la obtención de un visado, en el acceso a una prestación o subvención y la prevención del

---

[599]   EAG; Report 2018: https://edps.europa.eu/sites/edp/files/publication/18-01-25_eag_report_en.pdf (consultado el 23 de noviembre de 2018).

[600]   *Ibídem*, p. 18.

[601]   *Ibídem*, p. 28.

[602]   Así, por ejemplo, Amazon decidió prescindir de un algoritmo que discriminaba a las mujeres en el acceso al empleo. Esta herramienta de inteligencia artificial *basándose en los archivos de los últimos 10 años de la compañía, aprendió que los hombres eran preferibles y empezó a discriminar a las mujeres.* En El País: *Amazon prescinde de una inteligencia artificial de reclutamiento por discriminar a las mujeres,* 12 de octubre de 2018. (https://elpais.com/tecnologia/2018/10/11/actualidad/1539278884_487716.html).

fraude[603], en la vigilancia policial[604] o en la imposición de sanciones penales[605]. Pero, lo que es más importante, se trata de procesos que, en muchos casos, se caracterizan por su falta de transparencia, neutralidad y objetividad que utilizan los algoritmos que incorporan los prejuicios humanos sobre le sexo o el género, la raza, la nacionalidad o el origen socioeconómico[606].

En el mundo contemporáneo, en el que las posibilidades de vigilancia de nuestras acciones cotidianas online y of line son tan reales, para clasificar a los individuos en función de su peligrosidad o riesgo[607], en función de su valor económico o su potencial como posibles compradores[608] o como consumidores fallidos[609], que entrelaza el mundo digital y el mundo físico cada vez más estrechamente de forma que los operadores de vigilancia tendrán incluso la capacidad de desencadenar eventos y acciones desde la distancia, la tendencia es a mudar desde una «arquitectura de la

---

[603]   Por ejemplo, en el ámbito europeo, el sistema SYRI (*System Risk Indication*), que se utilizaba con el fin de predecir la probabilidad de que solicitantes de beneficios estatales defraudaran en sus contribuciones a la seguridad social como en el pago de impuestos. Este sistema, que se probó sesgado hacía determinados colectivos desfavorecidos de la sociedad, ha sido declarado contrario al artículo 8 (derecho a la vida privada) del Convenio Europeo de Derechos Humanos de 1950 por un tribunal de los Países Bajos, dictaminado que el algoritmo, que señalaba a los ciudadanos con menos renta y a grupos de población de origen inmigrante, no respetaba su derecho a la vida privada. En https://elpais.com/tecnologia/2020/02/12/actualidad/1581512850_757564.html.

[604]   Así, en Australia (Nueva Gales del Sur): una herramienta conocida como «Plan de Gestión de Objetivos Sospechosos» (STMP, por sus siglas en inglés), que, utilizando un algoritmo, evalúa el riesgo de reincidencia de una persona una vez ha cometido su primer delito. https://www.nobbot.com/general/autralia-policia-minority-report/.

[605]   Monasterio Astobiza: A., *Ética algorítmica: Implicaciones éticas de una sociedad cada vez más gobernada por algoritmos*, ob. cit., p. 202.

[606]   Vid., entre otros, Caliskan A., Bryson J.J. y Narayanan A., «*Semantics derived automatically from language corpora contain human-like biases*". Science 14 Apr 2017, Vol. 356, pp. 183-186. En http://science.sciencemag.org/cgi/doi/10.1126/science.aal4230.

[607]   Bigo D., "*Security, exception, ban and surveillance*, cit., p. 46 y ss.

[608]   Vid. Gandy O. H., *The Panoptic Sort: A Political Economy of Personal Information*, ob. cit.

[609]   Bauman Z., *Vida de consumo*, Fondo de Cultura Economica de España, Madrid, 2007, p. 82.

observación» a una «arquitectura de control», lo que tendrá un enorme impacto negativo en la autonomía de los individuos y de los grupos[610]. En el mundo de la vigilancia ubicua se almacena información sobre determinados individuos por sus propias características o incluso por sus relación con otros que se consideran peligrosos, con independencia de que se *trate de menores de edad y de los riesgos de exclusión, discriminación y estigmatización que conlleva*[611]. *En el Estado vigilante se está operando un cambio en el modelo de las políticas públicas de seguridad y lucha contra la delincuencia pasando de un modelo basado en la sanción de las conductas infractoras de las normas jurídicas a un modelo basado en «categorías sospechosas»*[612] en el que se tiende *"al control de riesgos sociales a través de «adelantamiento de la punibilidad», un modelo en el que la perspectiva del ordenamiento jurídico-penal es prospectiva, es decir, cuyo punto de referencia es, cada vez más, el hecho futuro"*[613]. Como consecuencia del desarrollo tecnológico, es previsible que, cada vez más, la vida diaria estará bajo vigilancia constante: los seres humanos estarán rodeados, inmersos en la informática y las tecnologías en red desde el amanecer hasta el atardecer y en cada lugar concebible[614].

---

[610]   Schermer B. W., *Surveillance and Privacy in the Ubiquitous Network Society*, Amsterdam Law Forum, Vol. 1, No. 4, Septiembre de 2009, p. 67 y 68.

[611]   Vid. House of Lords: *Second Report , Surveillance: Citizens and the State:* *"Moves are already underway to try to identify children who may grow up into one of the 20% of adults who are believed to commit 80% of the crime. This involves analysing circumstantial risk factors such as family members' criminal records. This runs the real risk that children are stigmatised from an early age and however well behaved they may be are treated with suspicion."* El informe puede consultarse en: http://www.publications.parliament.uk/pa/ld200809/ldselect/ldconst/18/1802. htm

[612]   Vid. Bauman Z., *Miedo líquido. La sociedad contemporánea y sus temores*, trad. de Albino Santos Mosquera, Paidós, Barcelona, 2007, p. 159.

[613]   Nieto Martín A. y Maroto Calatayud M., *Redes sociales en Internet y «data mining» en la prospección en investigación de comportamientos delictivos*, en Rallo Lombarte A., y Martínez Martínez R., (Coord.). *Derecho y redes sociales*,ob. cit., p. 210.

[614]   Lyon D., *Surveillance Studies. An overwiew*, ob. cit., p. 1.

III. LA REGULACIÓN DE LA ADOPCIÓN DE DECISIONES AUTOMATIZADAS Y DE LA ELABORACIÓN DE PERFILES EN EL REGLAMENTO EUROPEO GENERAL DE PROTECCIÓN DE DATOS

Los riesgos para los derechos de las personas para su libertad de elección, ante las posibilidades de discriminación y exclusión, o ante las consecuencias de predicciones erróneas o inexactas, se tratan de conjurar en el Reglamento General de Protección de Datos (RGPD)[615] a través de la específica regulación de la elaboración de perfiles y el derecho a no ser objeto de decisiones basadas únicamente en trata-miento automatizados en su artículo 22.

Podemos considerar como antecedentes de esta regulación, ade-más del artículo 15 de la Directiva 95/46/CE[616], la Recomendación (2010)13 sobre la protección de las personas con respecto al trata-miento automatizado de datos de carácter personal en el contexto de la creación de perfiles del Comité de Ministros del Consejo de Europa. En la Recomendación se señala que en la era del Big Data, cuando el desarrollo actual de las TIC permite *"la recopilación y el tratamiento de datos a gran escala, incluidos datos de carácter personal, en los sectores tanto público como privado"*, los datos son tratados *"por programas de cálculo, de comparación y de correlación estadística, con el objetivo de crear perfiles que puedan utilizarse de diversas for-mas para diferentes fines y usos"*. Si bien es cierto, que en determina-dos ámbitos *"la creación de perfiles puede obrar en el interés legítimo tanto de la persona que la utiliza como de aquella a la que se aplica, por ejemplo, al conducir a una mejor segmentación de los mercados, permitir un análisis de los riesgos y del fraude, o adaptar la oferta a la demanda mediante la prestación de unos mejores servicios"*, y, por lo tanto, tener ventajas para los usuarios, la economía y la sociedad en

---

[615]   Reglamento (UE) 2016/679 del Parlamento Europeo y del Consejo de 27 de abril de 2016 relativo a la protección de las personas físicas en lo que respecta al tratamiento de datos personales y a la libre circulación de estos datos y por el que se deroga la Directiva 95/46/CE (Reglamento general de protección de datos).

[616]   Directiva 95/46/CE del Parlamento Europeo y del Consejo, de 24 de octubre de 1995, relativa a la protección de las personas físicas en lo que respecta al trata-miento de datos personales y a la libre circulación de estos datos.

general, la Recomendación identifica los posibles problemas que esta tecnología implica para los derechos y la dignidad de las personas.

En primer lugar, a través de la conexión de un gran número de datos individuales, incluso anónimos, la técnica de creación de perfiles puede conducir a incluir a las personas en categorías predeterminadas sin que tengan conocimiento de ello. Esta falta de transparencia en los procesos de creación de perfiles y en su posterior aplicación, así como *"la falta de precisión que puede derivarse de la aplicación automática de reglas de inferencia preestablecidas, pueden suponer graves amenazas para los derechos y libertades de las personas"*. Por otra parte, la atribución de perfiles a una persona determinada puede generar nuevos datos personales, que no son los que el interesado había proporcionado. En consecuencia podría verse afectado el control de la propia identidad de la persona interesada, se le podría privar de manera arbitraria del acceso a ciertos bienes o servicios violando, como consecuencia, el principio de no discriminación. Los efectos de estas operaciones serán especialmente graves cuando se realicen correlaciones utilizando datos sensibles, lo que supondrá *"exponer a las personas a riesgos particularmente elevados de discriminación y de atentados contra sus derechos personales y su dignidad"*. También serán especialmente graves estas prácticas cuando la creación de perfiles se refiera a niños, ya que podrían tener graves consecuencias para ellos a lo largo de toda su vida.

Ahora bien, los riesgos no devienen solo para la vida privada y el derecho a no ser discriminado; como ya he señalado, la propia esencia de la democracia se encuentra amenazada por la clasificación y manipulación constante a la que nos podemos ver sometidos, así como la libre circulación de opiniones e informaciones.

Finalmente, la Recomendación fija una serie de principios para garantizar los derechos fundamentales ante tales prácticas que van desde la adopción del principio de privacidad desde el diseño hasta garantizar la neutralidad y la transparencia de estos procedimientos[617].

---

[617]   Resulta relevante recordar los principios expresados en Resolución de Varsovia sobre *profiling* de la de la XXXV Conferencia Internacional de Autoridades de Protección de datos y Privacidad que incidían en la necesidad del establecimiento de garantías adecuadas, de la necesaria aplicación de las normas que regulaban la calidad de los datos y que garantizaban los derechos de los interesados, en

En su artículo 22, el Reglamento garantiza el derecho del interesado *a no ser objeto de una decisión basada únicamente en el tratamiento automatizado, incluida la elaboración de perfiles, que produzca
efectos jurídicos en él o le afecte significativamente de modo similar.*
Como sucedía en la Directiva, se limitan las decisiones basadas únicamente en el tratamiento automatizado, es decir, aquellas que *"representan la capacidad de tomar decisiones por medios tecnológicos sin
la participación del ser humano"*[618].

En el propio RGPD, en el artículo 4.4, se indica que debe entenderse por *«elaboración de perfiles»: toda forma de tratamiento automatizado de datos personales consistente en utilizar datos personales para
evaluar determinados aspectos personales de una persona física, en
particular para analizar o predecir aspectos relativos al rendimiento
profesional, situación económica, salud, preferencias personales, intereses, fiabilidad, comportamiento, ubicación o movimientos de dicha
persona física*[619]. En este precepto se recogen los tres elementos que
determinan que estemos ante una elaboración de perfiles: que se trate
de un tratamiento automatizado, que se evalúen aspectos personales
de una persona física y que ese tratamiento automatizados se base en
datos personales.

El artículo 22 se aplica tanto a la elaboración de perfiles como a la
adopción de decisiones automatizadas, estén o no basadas en perfiles.

---

especial el derecho a ser informado y la transparencia de estos procesos y la necesidad de validar continuamente los perfiles y los algoritmos subyacentes, con
el fin de permitir la mejora de los resultados y la reducción de los falsos positivos
o falsos negativos.

[618] Grupo de Trabajo del Artículo 29, *Directrices sobre decisiones individuales automatizadas y elaboración de perfiles a los efectos del Reglamento 2016/679,*
adoptadas el 3 de octubre de 2017 y revisadas por última vez y adoptadas el 6
de febrero de 2018, p. 8.

[619] En el Considerando 71 se ofrecen ejemplos de decisiones automatizadas y de
perfiles, como respecto de las primeras pueden ser: *"la denegación automática
de una solicitud de crédito en línea o los servicios de contratación en red en los
que no medie intervención humana alguna";* y respecto de la elaboración de perfiles: aquellos tratamientos de datos personales que evalúen *"aspectos personales
relativos a una persona física, en particular para analizar o predecir aspectos
relacionados con el rendimiento en el trabajo, la situación económica, la salud,
las preferencias o intereses personales, la fiabilidad o el comportamiento, la situación o los movimientos del interesado".*

Como ya se ha explicado, la elaboración de perfiles implica la recogida de información sobre una persona o un conjunto de personas y la evaluación de sus características o patrones de comportamiento con el fin de clasificarlas, asignarlas a una determinada categoría o grupo con el objetivo de analizar o hacer predicciones sobre sus características, intereses, capacidades o comportamiento futuro.

Sin embargo, como señala el Comité Europeo de Protección de Datos, *"las decisiones automatizadas tienen un ámbito de aplicación distinto y pueden solaparse parcialmente con la elaboración de perfiles o derivarse de esta"*[620], ya que pueden llevarse a cabo con o sin elaboración de perfiles.

De acuerdo con la interpretación del Comité Europeo de Protección de Datos, el artículo 22 del RGPD contiene una prohibición general de tomar decisiones individuales basadas únicamente en el tratamiento automatizado, incluida la elaboración de perfiles, que produzcan efectos jurídicos o efectos significativamente similares, si bien existen excepciones a esta norma general y, dichas excepciones cuando se apliquen, exigirán la adopción de medidas específicas para garantizar los derechos y libertades del interesado, así como sus intereses legítimos[621]. Como ya he mencionado, las decisiones automatizadas, incluida la elaboración de perfiles, pueden tener graves consecuencias para las personas y, en este sentido, la aplicabilidad del artículo 22 dependerá de que se produzcan o se puedan derivar esas consecuencias relevantes para la persona; es decir, cuando produzca efectos jurídicos que afecten al interesado (por ejemplo, afecte a sus derechos, se le deniegue una prestación, produzca efectos en un contrato en el que sea parte) o le afecte significativamente de modo similar, es decir que sea suficientemente importante, como por ejemplo, que se le deniegue un crédito, que le afecte a su acceso a determinados servicios, en el acceso o promoción en el empleo, etc.

Ahora bien, en determinados casos en los que es posible la elaboración de perfiles o la adopción de decisiones automatizadas de acuerdo con lo previsto en el artículo 22 del RGPD. Para que esos

---

[620] *Directrices sobre decisiones individuales automatizadas y elaboración de perfiles a los efectos del Reglamento 2016/679*, p. 8.
[621] *Ibídem*, p. 16.

tratamiento sean lícitos, obviamente han de contar con una base de legitimación válida y habrán de cumplir todos los principios relativos al tratamiento, si bien con las restricciones y garantías previstas en dicho precepto.

Un principio que parece especialmente relevante en este ámbito es el principio de transparencia, ya que estos procesos suelen ser opacos para las personas o a éstas les cuesta comprender su funcionamiento y la relevancia de sus aplicaciones y consecuencias. En el Reglamento las referencias al principio de transparencia son constantes, al menos en su parte expositiva. Son muchos los Considerando que recogen la obligación de que se facilite al interesado de forma sencilla, fácilmente accesible y en un lenguaje claro y sencillo, toda la información relevante para él en el proceso de tratamiento de sus datos. En el Reglamento esta obligación es especialmente pertinente *"en situaciones en las que la proliferación de agentes y la complejidad tecnológica de la práctica hagan que sea difícil para el interesado saber y comprender si se están recogiendo, por quién y con qué finalidad, datos personales que le conciernen, como es en el caso de la publicidad en línea"*[622].

El principio de transparencia está íntimamente ligado al derecho a recibir una información completa, clara y sencilla relativa a todos los aspectos relevantes de un tratamiento de datos personales y a las posibles consecuencias que se podrían derivar de ese tratamiento. Esta exigencia de transparencia se conecta con el establecimiento de un contenido pormenorizado del derecho de información y de las correlativas obligaciones informadoras del responsable del tratamiento. Así se recoge en el artículo 13 del RGPD, que obliga al responsable del tratamiento a adoptar las medidas oportunas para facilitar al interesado toda información relevante relativa al tratamiento de sus datos personales incluida la existencia de decisiones automatizas y la elaboración de perfiles así como *información significativa sobre la lógica aplicada, la importancia y las consecuencias previstas de dicho tratamiento para el interesado.* Igualmente, el principio de transparencia obliga al responsable del tratamiento a garantizar que se le informa aún cuando los datos no se hayan obtenido directamente de interesado en los términos previstos en el artículo 14 y a garantizar el derecho

---

[622] Considerando 58.

de acceso, en el artículo 15, a la información relativa a la existencia de decisiones automatizadas, incluida la elaboración de perfiles, a que se refiere el artículo 22, apartados 1 y 4, y, al menos en tales casos, información significativa sobre la lógica aplicada, así como la importancia y las consecuencias previstas de dicho tratamiento.

El cumplimiento de este principio es de la mayor importancia para garantizar uno de los derechos previstos en el artículo 22, la impugnación de la decisión automatizada basada en un perfil, cuando esta esté permitida. La impugnación de las decisiones fundamentadas exclusivamente en un tratamiento de datos personales, tratan de contrarrestar los efectos perjudiciales que pueden derivarse para un individuo en sus relaciones públicas o privadas, de la reconstrucción artificial de su perfil personal, en base al tratamiento de sus datos.

Finalmente, es necesario destacar que la obligación de transparencia se configura como *"una expresión del principio de lealtad en relación con el tratamiento de los datos personales plasmado en el artículo 8 de la Carta de Derechos Fundamentales de la Unión Europea"*[623]. Así se expresa también en el Considerando 39 del RGPD que exige que cualquier tratamiento de datos personales deberá de ser lícito y leal de forma que al interesado le ha de quedar totalmente claro que se están recogiendo y utilizando sus datos y en la medida en que éstos son o serán tratados de forma que, como señala el Comité Europeo de Protección de Datos, las personas no se vean sorprendidas *"en un momento posterior del uso que se ha dado a sus datos personales"*[624].

Pero no solamente se debe aplicar el principio de transparencia en la elaboración de perfiles; es necesario también el máximo rigor en la aplicación de los demás principios relativos al tratamiento (minimización, limitación de la finalidad, exactitud y veracidad, etc.)[625]. También las obligaciones derivadas del principio de responsabilidad proactiva. En este sentido, en el Considerando 71 se establece la necesidad de que el responsable del tratamiento utilice procedimientos

---

[623] Grupo de Trabajo del Artículo 29, *Directrices sobre la transparencia en virtud del Reglamento (UE) 2016/679*, adoptadas el 29 de noviembre de 2017 y revisadas por última vez y adoptadas el 11 de abril de 2018, p. 5.
[624] *Ibídem*, p. 8.
[625] Vid. *Directrices sobre decisiones individuales automatizadas y elaboración de perfiles a los efectos del Reglamento 2016/679*, en especial, p. 10 y ss.

matemáticos o estadísticos adecuados para la elaboración de perfiles, aplicando medidas técnicas y organizativas apropiadas para garantizar *"que se corrigen los factores que introducen inexactitudes en los datos personales y se reduce al máximo el riesgo de error, asegurar los datos personales de forma que se tengan en cuenta los posibles riesgos para los intereses y derechos del interesado y se impidan, entre otras cosas, efectos discriminatorios en las personas físicas por motivos de raza u origen étnico, opiniones políticas, religión o creencias, afiliación sindical, condición genética o estado de salud u orientación sexual, o que den lugar a medidas que produzcan tal efecto"*.

El derecho recogido en el artículo 22 no es absoluto, estableciéndose una serie de excepciones. Este derecho no se aplicará cuando la decisión esté autorizada por el Derecho de la Unión o de los Estados miembros que se aplique al responsable del tratamiento, sea necesaria para la celebración o la ejecución de un contrato entre el interesado y un responsable del tratamiento o se base en el consentimiento explícito del interesado. En estos dos últimos supuestos el art. 22.3 exige que el responsable del tratamiento establezca medidas adecuadas para salvaguardar los derechos y libertades y los intereses legítimos del interesado. Expresamente se establecen tres garantías o derechos para el interesados:

1. El derecho a obtener intervención humana por parte del responsable;

2. A expresar su punto de vista; y

3. El derecho a impugnar la decisión.

Señala el Comité Europeo de Protección de Datos que dicha intervención humana ha de ser significativa, es decir, la *"revisión debe ser llevada a cabo por una persona con la autorización y capacidad adecuadas para modificar la decisión. El revisor debe llevar a cabo una evaluación completa de todos los datos pertinentes, incluida cualquier información adicional facilitada por el interesado"*[626].

---

[626]   *Ibídem*, p. 30.

Finalmente, en el art. 22 se establece, además, una limitación en razón de la naturaleza de los datos personales prohibiéndose la adopción de decisiones automatizadas basadas en datos sensibles o especialmente protegidos (origen étnico o racial, opiniones políticas, convicciones religiosas o filosóficas, afiliación sindical, datos genéticos, datos biométricos, datos relativos a la salud o datos relativos a la vida sexual o las orientación sexuales) salvo que el interesado haya prestado su consentimiento explícito y esta posibilidad no esté prohibida por el Derecho de la Unión o de los Estados miembros o cuando el tratamiento sea necesario por razones de un interés público esencial, sobre la base del Derecho de la Unión o de los Estados miembros, que debe ser proporcional al objetivo perseguido, respetar en lo esencial el derecho a la protección de datos y establecer medidas adecuadas y específicas para proteger los intereses y derechos fundamentales del interesado. En ambos casos deberán tomarse medidas adecuadas para salvaguardar los derechos y libertades y los intereses legítimos del interesado.

Además de las previsiones del art. 22, en relación con esta cuestión, el RGPD contiene otras garantías importantes respecto de los derechos de las personas. Así por ejemplo, en las disposiciones que regulan el derecho de oposición del artículo 21, se garantiza la posibilidad de oponerse a la elaboración de perfiles en cualquier momento, por motivos relacionados con su situación particular, si el tratamiento se basa en lo dispuesto en el artículo 6, apartado 1, letras e) o f) y, en cualquier caso y sin condición, el interesado tendrá derecho a oponerse, en todo momento, al tratamiento de los datos personales que le conciernan, cuando el tratamiento de datos personales tenga por objeto la mercadotecnia directa, incluida la elaboración de perfiles en la medida en que esté relacionada con la citada mercadotecnia.

Asimismo se prevén otras garantías como la exigencia del artículo 35.2.a) de la realización de una evaluación de impacto relativa a la protección de datos cuando un tratamiento de datos personales suponga la *"evaluación sistemática y exhaustiva de aspectos personales de personas físicas que se base en un tratamiento automatizado, como la elaboración de perfiles, y sobre cuya base se tomen decisiones que produzcan efectos jurídicos para las personas físicas o que les afecten significativamente de modo similar".*

IV. LA REGULACIÓN DE LA ADOPCIÓN DE DECISIONES AUTOMATIZADAS Y DE LA ELABORACIÓN DE PERFILES EN LA LOPDGDD

Por último, es necesario mencionar las previsiones de la Ley Orgánica 3/2018, de 5 de diciembre, de Protección de Datos Personales y garantías de los derechos digitales (en adelante LOPDGDD) sobre esta cuestión.

La ley española contiene referencias específicas a la elaboración de perfiles en varios preceptos. Así, en el artículo 11, que regula la transparencia e información al afectado, estableciendo que cuando los datos personales del interesado tuvieran como objeto la elaboración de perfiles, deberá incluirse en la información básica esta circunstancia. Igualmente se prevé que el interesado sea informado de su derecho a oponerse a la adopción de decisiones individuales automatizadas que produzcan efectos jurídicos sobre él o le afecten significativamente de modo similar. Como ya se ha analizado, una de las garantías importantes frente a estas prácticas es la de garantizar una información sencilla y completa al interesado para que las personas sean conscientes de estos procesos y puedan prever sus consecuencias.

En el artículo 18 sobre derecho de oposición se incluye la referencia a los derechos previstos en el RGPD respecto de las decisiones automatizadas y la elaboración de perfiles.

También, respecto de las obligaciones del responsable y del encargado del tratamiento, en virtud del principio de responsabilidad proactiva, se incluyen especificaciones al respecto reiterando la necesidad de realizar de la evaluación de impacto en la protección de datos bajo determinadas circunstancias y, en su caso, la consulta previa a la Agencia Española de Protección de Datos (AEPD) cuando el tratamiento implique una evaluación de aspectos personales de los afectados con el fin de crear o utilizar perfiles personales de los mismos, en particular mediante el análisis o la predicción de aspectos referidos a su rendimiento en el trabajo, su situación económica, su salud, sus preferencias o intereses personales, su fiabilidad o comportamiento, su solvencia financiera, su localización o sus movimientos (artículo 28) o regulando la obligación de nombrar un Delegado de Protección de Datos para los prestadores de servicios de la sociedad de la información cuando elaboren a gran escala perfiles de los usuarios del servicio (artículo 34).

Estas normas de la LOPDGDD completarían el conjunto de garantías y prevenciones previstas en el RGPD para que las personas puedan hacer frente a una práctica potencialmente tan sensible para sus derechos y libertades, así como para la propia esencia de la democracia.

V. CONSIDERACIONES FINALES

El procesamiento de la información sobre personas posibilita su clasificación social y la adopción de determinadas decisiones que le afectan. El uso del perfil informático podrá significar su discriminación en muchas de las actividades de la vida cotidiana. De hecho, el mayor de los riesgos en la omnipresente vigilancia que nos rodea no es para la erosión de la privacidad, sino para la igualdad, ya que las técnicas de clasificación y la elaboración de perfiles favorecen y confirman la formación de estereotipos sociales determinando, tanto la atribución de privilegios y derechos, como la exclusión social[627].

La obtención del *perfil* supone establecer una correlación entre la posesión de determinadas características y comportamientos concretos. Es decir, implica encuadrar a una persona en un determinado grupo con particularidades determinadas, cuya utilización en la toma de decisiones, que afecten a los sujetos de tales operaciones, pueden suponer una valoración desfavorable de sus rasgos y características personales, lo que al final supondría su discriminación en el acceso a determinados bienes o servicios o la harían acreedora de una especial vigilancia y control al encajar en el perfil del posible delincuente o terrorista, del consumidor fallido, o del disidente de la ideología mayoritaria. Por otra parte, el uso de perfiles puede determinar incluso la información a la que vamos a tener acceso, limitando también nuestro derecho a recibir información veraz o siendo objeto de auténticas manipulaciones.

---

[627] Lyon D., *Surveillance Studies. An overview*, ob. cit., p. 184 y 185.

A través de la elaboración del perfil se predice el comportamiento futuro y en función de ese posible comportamiento o reacción del individuo se adoptarán decisiones, favorables o desfavorables, pero potencialmente discriminatorias. Es, precisamente el aura de objetividad y verdad, unida a la falta de transparencia que acompaña a las decisiones basadas en esta tecnología, lo que plantea más problemas para los derechos de las personas; pues, "como señala Cathy O'Neil, muchos ámbitos de *nuestras vidas están cada vez más en manos de unos modelos secretos que blanden castigos arbitrarios"*[628].

En el ámbito del mercado, el sistema banóptico de consumo basado en la construcción de perfiles tiene como consecuencia la «desmarketización» de los consumidores y en los demás sistemas banópticos que abundan en los espacios urbanos, puede tener como consecuencia que se impida *"el acceso a los servicios esenciales a las poblaciones proscritas conforme a sus perfiles personales"* [629], o en determinados casos que se valoricen *"algunos distritos y se demonicen otros"*[630].

El establecimiento de perfiles afecta a las oportunidades vitales de las personas, que dependen de la categoría en la que las hayan situado. Esta realidad hace muy importante el principio de transparencia para poder conocer quién diseña esas categorías, quién decide sus significado y quién decide bajo qué circunstancias esas categorías serán decisivas[631].

El uso desviado de la tecnología de tratamiento de datos personales supone claros peligros para la libertad, para el derecho a nos ser discriminado y, asimismo, para la propia dignidad personal. El perfilado instaura un determinismo incompatible con la autodeterminación, la presión del «juicio universal permanente»[632] puede producir mermas intolerables en la libertad individual; pues, que las decisiones que nos afecten se tomen en base a un precipitado automatizado de la

---

[628] O'Neil C., *Armas de destrucción matemática. Cómo el Big Data aumenta la desigualdad y amenaza la democracia*, ob. cit., p. 23.
[629] Bauman Z., y Lyon D., *Vigilancia líquida*, ob. cit. p. 133 y 134.
[630] *Ibídem.*
[631] Lyon D., *Surveillance Studies. An overview*, ob. cit., p. 186.
[632] Vid. Pérez Luño A. E., *Vittorio Frosini y los nuevos derechos de la sociedad tecnológica*, en Informatica e Diritto, 1-2, Edizioni Scientifiche Italiane, 1992, p. 104

personalidad supone, no solamente ser juzgado sin poder contradecir el resultado y sus consecuencias, sino también la posibilidad de ser discriminado y excluido. El ser humano pasa a ser mero objeto de información, dejando de ser un ser dotado de dignidad y sujeto de derechos fundamentales.

Por todo lo anterior, la protección de los datos personales en las nuestras sociedades debe perseguir, además de la genérica protección de la dignidad, la libertad y el disfrute de los derechos fundamentales de los ciudadanos, *"el equilibrio entre poderes y situaciones que es condición indispensable para el correcto funcionamiento de una comunidad democrática de ciudadanos libres e iguales"*[633] y, en la época de los datos masivos, deberemos sustraernos a la dictadura de los datos ya que corremos el riesgo de fetichizar, tanto la información, como el resultado de su análisis. Pues, manejados de forma responsable los datos masivos servirán para adoptar decisiones racionales; pero *"empleados equivocadamente, pueden convertirse en un instrumento de poder, que algunos pueden convertir en una fuente de represión, bien simplemente frustrando a consumidores y empleados, o bien –y es peor- perjudicando a los ciudadanos"*[634].

En el capitalismo de la vigilancia, afirma Shoshana Zuboff, son las exigencias de las diversas formas de modificación conductual las que orientan todas las operaciones hacia la búsqueda de unas totalidades de información y control. Se crearía *"así el marco propicio para un poder instrumentario sin precedentes y sus implicaciones sociales consiguientes"*[635]. Los actuales niveles y sistemas de vigilancia, así como sus objetivos, en los que las tecnologías digitales y los datos personales ocupan un lugar fundamental en orden a la clasificación de las personas, producen peligros profundos para la democracia y las posibilidades de participación democrática, la crítica o disensión ética y los movimientos sociales alternativos[636]. Por ello, se hace impres-

---

[633] Pérez Luño A. E., *Sobre el arte legislativo de birlibirloque. La LOPRODA y la tutela de la libertad informática en España*, Anuario de Filosofía del Derecho, Tomo XVIII, 2001, p. 361.
[634] Mayer-Schönberger V. y Cukier K., *Big Data. La revolución de los datos masivos*, ob. cit., p. 188.
[635] Zuboff S., *El capitalismo de la vigilancia*, ob. cit., p. 97-98.
[636] Lyon D., *Surveillance Studies. An overwiew*, ob. cit., p. 5 y ss.

cindible garantizar que en los procesos de decisiones automatizadas sobre personas se extremen al máximo las garantías legales y se adopten rigurosamente los principios de transparencia y consentimiento del interesado, así como que los procesos se diseñen desde el inicio de acuerdo con los principios de protección de datos personales.

LA POSICIÓN DEL TRIBUNAL DE JUSTICIA DE LA UNIÓN EUROPEA ANTE LA ANONIMIZACIÓN DE DATOS PERSONALES EN EL ÁMBITO JUDICIAL

Beatriz Tomás Mallén
Profesora Titular de Derecho Constitucional
Universitat Jaume I

I. INTRODUCCIÓN

En un capítulo en el que pretende abordarse la evolución de la jurisprudencia comunitaria en materia de anonimización de datos personales en el terreno judicial conviene comenzar precisando que nos referimos a la del Tribunal de Justicia de la Unión Europea como institución compuesta actualmente, como es sabido, por dos jurisdicciones internas, a saber, el Tribunal de Justicia (TJUE) y el Tribunal General (TGUE) –en el que se han integrado, desde el 1 de septiembre de 2016, los miembros del desaparecido Tribunal de la Función Pública (instaurado en 2004), que a su vez sustituyó en su día al Tribunal de Primera Instancia (creado en 1988)–.

En la primera parte (apartado II) nos aproximaremos a los perfiles difusos de la anonimización de datos personales en el ámbito judicial en la inicial vía pretoriana de protección de los derechos fundamentales, tomando como punto de partida el caso *Stauder* y el débil interés por la anonimización que en él emerge (algo comprensible al configurarse esta como parte integrante del reciente y «nuevo» derecho a la protección de datos de carácter personal), así como otros supuestos en donde la cuestión del anonimato se ha suscitado tenue e indirectamente en relación con la tutela judicial y los derechos de defensa.

En una segunda parte (apartado III) abordaremos la evolución protectora de la anonimización de datos en el marco más específico de la ya derogada Directiva 95/46/CE, tomando en consideración la dimensión crecientemente autónoma de la anonimización bajo el prisma de la protección de datos personales.

A continuación (apartado IV), examinaremos algunos perfiles jurisdiccionales más avanzados de la anonimización tras la vigencia de la Carta de Derechos Fundamentales de la Unión Europea (CDFUE) y tendremos en cuenta la propia praxis anonimizadora de las configuraciones del sistema judicial comunitario, para finalmente (apartado V) esbozar algunos retos bajo la óptica de la tensión dialéctica del binomio anonimización–publicidad judicial tras el nuevo Reglamento General de Protección de Datos (RGPD).

II. LOS INICIOS: LA «VIEJA» POSICIÓN DEL TRIBUNAL DE JUSTICIA, A PROPÓSITO DEL CASO *STAUDER* Y POSTERIORES

Como ya se ha avanzado, el análisis de la construcción pretoriana del Tribunal de Justicia en materia de derechos fundamentales puede causar cierta perplejidad, al menos si se hace desde los parámetros actuales de la era tecnológica y digital y desde la perspectiva del reciente y novedoso derecho a la protección de datos personales y sus perfiles *anonimizadores*.

Basta reparar en uno de sus *leading cases* o *historic decisions*, en concreto, el caso *Stauder* (Sentencia de 12 de noviembre de 1969, asunto 29/69) donde paradógicamente ni siquiera se anonimizaron los datos personales del demandante pese a versar sobre la compatibilidad con el Derecho comunitario europeo (concretamente, con la Decisión 69/71/CEE de la Comisión, de 12 de febrero de 1969) de la identificación (con nombre y dirección) de los beneficiarios de determinadas ayudas sociales y la obligación de comunicar sus datos a los vendedores. En particular, el recurrente, en su condición de beneficiario de una ayuda para las víctimas de guerra, tenía derecho a comprar mantequilla a precio reducido y consideró ilegal que se subordinara dicha compra a la obligación de que en el talonario de bonos o cupones (en la matriz de la cartilla o talonario) figurara su nombre, razón por la que demandó a la Oficina de Servicios Sociales del Ayuntamiento de Ulm como entidad gestora del régimen de esa ayuda (*Stadt Ulm – Sozialamt*) ante el Tribunal Administrativo (*Verwaltungsgericht*) de Stuttgart. Dicha jurisdicción contencioso-administrativa alemana planteó la correspondiente cuestión prejudicial al Tribunal de Justicia[637]. En su Sentencia, la Corte de Luxemburgo tuvo presente la finalidad de la mencionada Decisión de la Comisión (que para favorecer la comercialización de las cantidades de mantequilla excedentarias en el mercado común, autorizaba a los Estados miembros «a poner a disposición de ciertas categorías de consumidores, beneficiarios de la asistencia social, mantequilla a un precio inferior al normal»), tomando en consideración asimismo el establecimiento de requisitos «para, entre otras cosas, asegurarse de que el producto así comercializado no sea utilizado para fines distintos de los previstos» (apartado 2 de la Sentencia), entre ellos que los beneficiarios presenten «un bono que mencione su nombre» o un «bono individualizado», según las diversas versiones en las entonces lenguas oficiales de las Comunidades Europeas. Lo cierto es que, más allá de ocuparse de esa diversidad lingüística y de inaugurar la vía pretoriana de su jurisprudencia al afirmar que los derechos fundamentales formaban parte de los principios generales del Derecho comunitario (y se inspiraban igualmente en las tradiciones constitucionales comunes de los Estados miembros), por lo que ahora nos interesa, el Tribunal de Justicia llega a la paradoja (apartados 3 a 5 de la sentencia) de decir que apuesta por una aplicación uniforme para todo el territorio comunitario y, al tiempo, se decanta por una «interpretación menos rígida» que, a la postre, no será la interpretación más favorable para el disfrute de los derechos fundamentales (en este supuesto, la privacidad y la protección de los datos personales), sino «que la disposición impugnada debe interpretarse en el sentido de que no impone –aunque tampoco prohíbe– la identificación nominal de los beneficiarios», pudiendo entonces cada uno de los Estados miembros «elegir entre los diversos métodos de individualización» (apartado 6). Y, de tal forma, concluye que «interpretada de este modo, la disposición controvertida no ha revelado ningún elemento que permita cuestionar los derechos fundamentales de la persona subyacentes en los principios generales

---

[637]   La pregunta estaba redactada en estos términos: «¿Puede considerarse como compatible con los principios generales del Derecho comunitario en vigor el hecho de que la Decisión de la Comisión de las Comunidades Europeas de 12 de febrero de 1969 (69/71/CEE) supedite el suministro de mantequilla a precio reducido a los beneficiarios de determinados regímenes de asistencia social a la divulgación del nombre del beneficiario a los vendedores?».

Beatriz Tomás Mallén

del Derecho comunitario, cuyo respeto garantiza el Tribunal de Justicia» (apartado 7)[638]. Quedaba vislumbrada así la problemática, todavía vigente y tal vez de tendencia creciente en algunos ámbitos, acerca
de la relegación de los derechos fundamentales frente al objetivo de la
armonización[639]; la cual, en ocasiones, provoca que resurja la teoría
de los contra-límites desde algunas jurisdicciones constitucionales[640].

Como balance del caso *Stauder*: resulta a todas luces incoherente,
incluso en la época de los hechos (e inconcebible en la actualidad),
que se pretendiera por el demandante la no revelación de sus datos

---

[638] Esa conclusión se refleja en el fallo: «1) El segundo guión del art. 4 de la Decisión 69/71/CEE, de 12 de febrero de 1969, que fue rectificado mediante la
Decisión 69/244/CEE, debe interpretarse en el sentido de que sólo impone la
individualización de los beneficiarios de las medidas dispuestas en la misma,
pero sin imponer o prohibir su identificación nominativa a efectos de control. 2)
El examen de la cuestión prejudicial que el Verwaltungsgericht Stuttgart planteó
al Tribunal de Justicia no ha revelado ningún elemento que pueda afectar a la
validez de la disposición de que se trata».

[639] Véase la postura mantenida en la STJUE de 26 de febrero de 2013 (asunto
C-399/11, *Melloni*), mediante la que «parece apostarse con carácter preferente
por la armonización en detrimento de la profundización en la protección de
derechos fundamentales, confirmando así una posición *comunitarista* (confirmada con STC 26/2014, de 13 de febrero) que reconfortaba al TJUE haciendo
prevalecer la dinámica de la integración a través de la armonización en la materia controvertida; lo cual, desde el punto de vista interno, significaba realzar la
eficacia integradora del art. 93 CE relegando el juego del art. 10.2 CE»: Jimena
Quesada, L., «Reforma constitucional y estándares internacionales de derechos
humanos», en Aláez Corral, B. (Coord.), *Reforma constitucional y defensa de la
democracia*, Centro de Estudios Políticos y Constitucionales, Madrid, 2020, pp.
168-169.

[640] Como sucedió, persiguiéndose eventualmente un estándar interno más favorable que el armonizador europeo, con la STJUE *Taricco II* de 5 de diciembre de
2017 (*M.A.S., M.B.*, asunto C-42/17), en contraste con la previa STJUE *Taricco
I* de 8 de septiembre de 2015 (*Taricco y otros*, asunto C-105/14). Sobre el particular, Ugartemendia Eceizabarrena, J. I., «La saga Taricco: últimas instantáneas
jurisdiccionales sobre la pugna acerca de los derechos fundamentales en la Unión
Europea», *Revista General de Derecho Constitucional*, n.º 27, 2018, pp. 25-26.
En cualquier caso, la controversia no se suscita exclusivamente en términos de
potencial colisión entre jurisdicción comunitaria y jurisdicción constitucional,
pues no puede quedar excluido del diálogo el TEDH, como han subrayado Gor-
dillo Pérez, L., y Tapia Trueba, A., «Diálogos, monólogos y tertulias. Reflexiones
a propósito del caso Melloni», *Revista de Derecho Constitucional Europeo*, n.º
22, 2014, p. 269.

personales en vía administrativa y, en cambio, no se procediera a la anonimización ni por las jurisdicciones nacionales (en este caso, el órgano remitente, el Tribunal Administrativo de Stuttgart), ni por el propio Tribunal de Justicia[641]. A nadie escapará que el demandante se encontraba en una situación de vulnerabilidad cuya identificación podía suponer una carga de estigmatización; y, sobre este punto, repárese en que, por ejemplo, el art. 13 de la Carta Social Europea (ya desde su versión originaria de 1961) establece que las Partes Contratantes deben garantizar el ejercicio efectivo del derecho a la asistencia social y, a tal efecto, han de «velar por que las personas que se beneficien de tal asistencia no sufran por ese motivo disminución alguna en sus derechos políticos y sociales», incluido consiguientemente el no menoscabo de la protección de sus datos personales. Conviene hace notar que el señor Stauder, como consta en la exposición de los hechos y del procedimiento de la Sentencia del Tribunal de Justicia, además de recurrir contra el Ayuntamiento de Ulm ante el Tribunal Administrativo de Sttutgart (el 22 de mayo de 1969) –que plantearía la cuestión prejudicial el 18 de junio de 1969–, había intentado la formulación de un recurso de amparo (enviado el 22 de abril de 1969) ante el Tribunal Constitucional Federal (*Bundesverfassungsgericht*) invocando, entre otros, los arts. 1 (dignidad) y 3 (igualdad y no discriminación) de la Ley Fundamental (*Grundgesetz*).

Más tarde, ya en la década de los setenta del siglo pasado, el Tribunal de Justicia dictó una interesante sentencia (*Suiker Unie y otras/Comisión*)[642], en fecha 16 de diciembre de 1975, que resolvió diversos recursos de anulación contra la Decisión de la Comisión de imputación a varias empresas de prácticas concertadas de falseamiento de la competencia (por abuso de posición dominante) en los mercados del azúcar en varios países (Alemania, Italia y Países Bajos). Y resulta interesante porque se evocó por una de las empresas afectadas

---

[641]   En efecto, se identifican las partes en el litigio (con nombre y dirección del demandante) «*entre Erich Stauder, 79 Ulm, Marienweg 15, parte demandante y Stadt Ulm – Sozialamt, parte demandada*» tanto en el procedimiento contencioso-administrativo en Alemania como en la sentencia europea de 1969, accesible en versión impresa en el *Recueil* y, posteriormente, a través de Internet (https://eur-lex.europa.eu/legal-content/ES/TXT/?uri=CELEX%3A61969CJ0029).

[642]   Asuntos acumulados 40/73 a 48/73, 50/73, 54/73 a 56/73, 111/73, 113/73 y 114/73.

Beatriz Tomás Mallén

la relevancia procesal del anonimato en las pruebas utilizadas por la Comisión para imputar los hechos litigiosos[643]; en otras palabras, se vislumbra la perspectiva de la equidad procedimental tanto en el ámbito administrativo como judicial, luego conformada de manera más novedosa como derecho a una buena administración[644] (y su proyección procesal como «derecho a una buena justicia»[645]). Análogas cuestiones se suscitaron en otro asunto (*Symmenthal*)[646], resuelto mediante Sentencia de 6 de marzo de 1979, donde se abordó la equidad de un procedimiento de licitación y, en particular, «la falta de anonimato de las proposiciones en el marco de la licitación regulada por las Decisiones impugnadas»[647].

En el mismo orden de consideraciones, el Tribunal de Justicia resolvió mediante Sentencia de 7 de noviembre de 1985 otro asunto de indudable interés (*Adams/Comisión*)[648], que tiene su origen en un procedimiento de responsabilidad extracontractual por daños causados

---

[643] Apartados 430 a 433.

[644] Tomás Mallén, B., «El derecho a una buena administración. Nuevos perfiles de una vieja aspiración ciudadana», en Peces-Barba Martínez, G. y otros (Coords.), *Historia de los Derechos Fundamentales, Tomo IV (Siglo XX), Volumen VI (El derecho positivo de los derechos humanos), Libro III (Los derechos económicos, sociales y culturales)*, Dykinson, Madrid, 2013, pp. 2171-2234. Y, con anterioridad, más exhaustivamente, Tomás Mallén, B., *El derecho fundamental a una buena administración*, Instituto Nacional de Administración Pública, Madrid, 2004.

[645] Efectivamente, el art. 47 CDFUE (tutela judicial efectiva) se inspira directamente en los arts. 13 y 6.1 CEDH y se relaciona en tal medida con el derecho a una buena administración del art. 41 CDFUE que se ha llegado a señalar que aquél podría haberse titulado, por simetría, «derecho a una buena justicia»: así, Braybant, G.: *La Charte des droits fondamentaux de l'Union européenne*, Éditions du Seuil, Paris, 2001, p. 235. También apuntan esta relación entre los arts. 41 y 47 CDFUE Ferrari Bravo, L., Di Majo, F., y Rizzo, A., *Carta dei diritti fondamentali dell'Unione europea commentata con la giurisprudenza della Corte di giustizia CE e della Corte europea dei diritti dell'uomo e con i documenti rilevanti*, Giuffrè Editore, Milano, 2001, p. 178.

[646] Asunto 92/78. No se trata de la otra (anterior y más famosa) sentencia *Symmenthal* (asunto 106/77) resuelta mediante Sentencia de 9 de marzo de 1978, en donde el Tribunal de Justicia apuntaló el principio de primacía del Derecho comunitario (apartado 17).

[647] Apartado 47. La resolución de este punto controvertido, en sentido desestimatorio, se concreta en los apartados 101 a 103 de la sentencia.

[648] Asunto 145/83.

por personal al servicio de la Comisión y que tuvo un claro enfoque de derechos fundamentales. Efectivamente, el demandante reprochaba a la Comisión el haber procedido a la divulgación, incumpliendo la obligación de guardar secreto, de datos que permitieron su identificación como autor de las informaciones que condujeron a la Comisión a imponer una multa al antiguo empresario del demandante, la sociedad suiza Hoffmann-La Roche, por determinadas prácticas contra la competencia; y, además, denunciaba a la Comisión por «no haber informado al demandante de la posibilidad que tenía de recurrir a la Comisión Europea de Derechos Humanos con motivo del proceso penal entablado contra él por las autoridades suizas a causa de sus actividades como informador de la Comisión»[649].

A este respecto, lo cierto es que el demandante llegó a recurrir también ante la desaparecida Comisión Europea de Derechos Humanos, que no obstante declaró su demanda inadmisible por extemporánea[650]. Ciertamente, habría sido interesante conocer una resolución de admisibilidad y fondo de la Comisión de Estrasburgo y un eventual pronunciamiento posterior del TEDH; pero, por otra parte, ese contencioso paralelo podría, quizá, haber abocado a un criterio divergente en Estrasburgo y Luxemburgo, suscitando la controversia en torno a las sinergias y la todavía frustrada adhesión de la UE al CEDH[651]. En cualquier caso, el Tribunal de Justicia estimó parcialmente el recurso otorgando una indemnización al demandante[652].

En este sentido, el núcleo argumentativo del Tribunal se contiene en los apartados 40 a 44 de la Sentencia, en los que sucesivamente se

---

[649]   Apartado 2 de la sentencia. En todo caso, el Tribunal de Justicia desestima la pretensión de que sobre la Comisión pesara semejante deber de aconsejar al demandante sobre la posibilidad de valerse del CEDH (apartados 45 a 47 de la sentencia).

[650]   Véase apartado 19 de la sentencia.

[651]   A lo que no ha sido ajena la controvertida posición del propio TJUE, tal como ha sido criticado en la doctrina: entre otros, Fernández Rozas, J. C., «La compleja adhesión de la Unión Europea al Convenio Europeo de Derechos Humanos y las secuelas del Dictamen 2/2013 del Tribunal de Justicia», La Ley Unión Europea, n.° 23, 2014, pp. 40-56, y Martín y Pérez de Nanclares, J., «El TJUE pierde el rumbo en el Dictamen 2/13: ¿merece todavía la pena la adhesión de la UE al CEDH?», Revista de Derecho Comunitario Europeo, n.° 52, 2015, pp. 825-869.

[652]   Punto dispositivo 1 del fallo.

constata la falta de diligencia de la Comisión para evitar la identificación y consiguientes consecuencias negativas para el Sr. Adams[653], para obtener el consentimiento previo del demandante a efectos de revelar su identidad[654], para ser coherente con la obligación positiva de adoptar incluso medidas preventivas tendentes a evitar un perjuicio –por poco probable que pareciere– al demandante[655], para evitar asimismo romper la conocida como «cadena de anonimización» o «cadena de confidencialidad» propiciando una re-identificación del Sr. Adams[656], y, en suma, para no incurrir en responsabilidad[657].

III. LA EVOLUCIÓN PROTECTORA BAJO LA PERSPECTIVA DE LA YA DEROGADA DIRECTIVA 95/46/CE

La jurisprudencia comunitaria evolutiva sobre anonimización de datos en ámbito judicial cuenta con un pronunciamiento relevante en la Sentencia del Tribunal de Justicia de 20 de mayo de 2003 (*Österreichischer Rundfunk y otros*, asuntos acumulados C-465/00, C-138/01 y C-139/01). Mediante ella se plantearon varias cuestiones prejudiciales por el Tribunal Constitucional y el Tribunal Supremo austríacos[658], a propósito de la interpretación de la Directiva 95/46/CE, en el marco de litigios entre el *Rechnungshof* (Tribunal de Cuentas) y un gran número de organismos sujetos a su control, por una parte, y, por otra, entre la Sra. Neukomm y el Sr. Lauermann, y su empleador, el *Österreichischer Rundfunk* («ÖRF», organismo público de radiodifusión), sobre la obligación de las entidades públicas sujetas al control del *Rechnungshof* de comunicar a éste las retribuciones y pensiones superiores a un nivel determinado que tales entidades abonan a sus empleados y pensionistas, así como el nombre de los beneficiarios, con objeto de elaborar un informe anual que ha de transmitirse al

---

653   Apartado 40.
654   Apartado 41.
655   Apartado 42.
656   Apartado 43.
657   Apartado 44.
658   Concretamente, tres cuestiones planteadas por el *Verfassungsgerichtshof* (asunto C-465/00) y por el *Oberster Gerichtshof* (asuntos C-138/01 y C-139/01) de Austria.

Nationalrat (Cámara baja del Parlamento), al *Bundesrat* (Cámara alta del Parlamento) y a los *Landtagen* (Parlamentos de los Länder) y ponerse a la disposición del público en general. Se trata de una obligación litigiosa prevista por la normativa federal austríaca que exceptúa la anonimización en dicho ámbito[659], cuya interpretación y aplicación se confronta precisamente con la Directiva 95/46/CE.

En este sentido, el Tribunal de Justicia observó preliminarmente que los datos personales que eran objeto de controversia y su tratamiento entraban en el ámbito de aplicación de los arts. 1.a) y 2.b) de la referida Directiva, añadiendo que dicho tratamiento debía ser conforme con los principios relativos a la calidad de datos y a la legitimación del tratamiento enunciados en los arts. 6 y 7 de dicha Directiva[660]. No obstante, el propio Tribunal de Luxemburgo advertía que, «con arreglo al art. 13, letras e) y f), de la mencionada Directiva, los Estados miembros puedan establecer excepciones, en concreto, al art. 6, apartado 1, de la misma cuando sea necesario respectivamente para salvaguardar "un interés económico y financiero importante de un Estado miembro o de la Unión Europea, incluidos los asuntos monetarios, presupuestarios y fiscales" o "una función de control, de inspección o reglamentaria relacionada, aunque sólo sea ocasionalmente, con el ejercicio de la autoridad pública", en determinados casos»[661].

Lo relevante a nuestros efectos es que el Tribunal avanzó su proceder argumental aclarando que iba a ponderar el alcance de «las disposiciones de la Directiva 95/46, en la medida en que regulan el tratamiento de datos personales que pueden atentar contra las libertades fundamentales y, en particular, contra el derecho a la intimidad», «a la luz de los derechos fundamentales que, según una reiterada jurisprudencia, forman parte de los principios generales del Derecho cuyo respeto garantiza el Tribunal de Justicia»[662]. Y trae a colación a renglón seguido, especialmente, la relevancia del CEDH a través de la

---

[659]   Se trataba del entonces vigente art. 8 de la *Bundesverfassungsgesetz über die Begrenzung von Bezügen öffentlicher Funktionäre* (Ley federal constitucional sobre la limitación de la retribución de funcionarios públicos, BGBl. I 1997/64).
[660]   Apartados 64 y 65.
[661]   Apartado 67.
[662]   Apartado 68.

remisión efectuada ya entonces por el art. 6.2 TUE[663]. Es más, como quiera que la CDFUE (con su art. 7 y, sobre todo, art. 8) no estaba todavía vigente en la época de los hechos, el Tribunal de Justicia ni siquiera la mencionó[664],pero sí realizó un análisis análogo al que suele efectuar el TEDH, partiendo de la redacción del art. 8 CEDH[665] y el juego de sus dos apartados: «Así, para la aplicación de la Directiva 95/46 y, en particular, de sus arts. 6, apartado 1, letra c), 7, letras c) y e), y 13, procede comprobar, en primer lugar, si una normativa como la controvertida en los asuntos principales prevé una injerencia en la vida privada y, en su caso, si tal injerencia está justificada a la luz del art. 8 CEDH»[666]. Desde esta óptica, haciéndose eco expresamente de la jurisprudencia del TEDH en la materia[667], obtuvo como primera conclusión «que, aunque la mera memorización, por el empresario, de datos nominales relativos a las retribuciones abonadas a su personal no puede, como tal, constituir una injerencia en la vida privada, la comunicación de tales datos a un tercero, en el caso de autos, a una autoridad pública, lesiona el derecho al respeto de la vida privada de los interesados, sea cual fuere la utilización posterior de los datos comunicados de este modo, y presenta el carácter de una injerencia en el sentido del art. 8 CEDH»[668].

En cuanto a la segunda conclusión, esto es, si la injerencia estaba justificada (tanto en la ley federal austriaca aplicada como en la propia praxis litigiosa), el Tribunal de Justicia analizó la cuestión secundando asimismo las pautas del TEDH a propósito del test legitimador de las restricciones previstas en el apartado 2 del art. 8 CEDH[669]. Con

---

[663] Apartado 69.
[664] En realidad, se menciona en una sola ocasión, en el apartado 56, para referirse al recordatorio realizado por el Gobierno del Reino Unido acerca de la impertinencia de considerar un instrumento meramente proclamado en diciembre de 2000. Y lo mismo sucede en las Conclusiones del Abogado General Antonio Tizzano (presentadas el 14 de noviembre de 2002), en cuyo cuerpo se menciona (apartado 2) como fuente de pertinente consideración el art. 8 CEDH, relegándose a una aislada cita (la nota 3) la constatación de la existencia de los arts. 7 y 8 CDFUE.
[665] Apartado 71.
[666] Apartado 72.
[667] Apartado 73 (el TJUE trae a colación las SSTEDH *Amann c. Suiza* de 16 de febrero de 2000 y *Rotaru c. Rumanía* de 4 de mayo de 2000).
[668] Apartado 74.
[669] Dice así en el apartado 76.

tal proceder, y haciéndose eco nuevamente de la jurisprudencia del TEDH[670] para alcanzar su conclusión definitiva, el Tribunal de Justicia pondera: por una parte, «el interés de la República de Austria en garantizar la utilización óptima de los fondos públicos y, en particular, el mantenimiento de los salarios dentro de unos límites razonables con la gravedad de la lesión al derecho de las personas afectadas al respeto de su intimidad»[671]; y, por otra parte, correlativamente, «la cuestión de si la indicación del nombre de las personas afectadas junto con los ingresos que perciben es proporcionada a la finalidad legítima perseguida y si los motivos invocados ante el Tribunal de Justicia para justificar tal divulgación resultan pertinentes y suficientes»[672].

Con semejante ponderación, el Tribunal de Justicia concluye haciendo una especie de guiño al margen de apreciación nacional, en este sentido: «Procede declarar que la injerencia derivada de la aplicación de una normativa nacional como la controvertida en los asuntos principales solamente puede justificarse, al amparo del art. 8, apartado 2, del CEDH, en la medida en que la amplia divulgación no sólo del importe de los ingresos anuales, cuando éstos superan un límite determinado, de las personas empleadas por entidades sujetas al control del Rechnungshof, sino también de los nombres de los beneficiarios de dichos ingresos, sea a la vez necesaria y apropiada para lograr el objetivo de mantener los salarios dentro de unos límites razonables, extremo que ha de ser examinado por los órganos jurisdiccionales remitentes»[673]. En suma, el Tribunal de Justicia venía a avalar las restricciones o excepciones a la anonimización de datos personales en casos graves exigidos por la protección de los intereses financieros públicos, lo que, indudablemente, recuerda a parecidas excepciones previstas en los ordenamientos nacionales en materia de lucha contra estafas y delitos fiscales[674].

---

[670] Apartados 77-83
[671] Apartados 84 y 85.
[672] Apartado 86.
[673] Apartado 90, así como apartado 94 y primer punto dispositivo del fallo.
[674] En el caso de España, la Ley Orgánica 10/2015, de 10 de septiembre, por la que se regula el acceso y publicidad de determinada información contenida en las sentencias dictadas en materia de fraude fiscal.

372 Beatriz Tomás Mallén

Por lo demás, la solución dada por el Tribunal de Justicia a la segunda cuestión que se planteaba, acerca de la invocabilidad directa de la Directiva, también resulta de interés pues respondió positivamente sobre la base del carácter claro, incondicional y suficientemente preciso de las disposiciones pertinentes de la Directiva[675]. Lo que, dicho sea de paso, explica en buena medida que la Directiva haya sido susceptible de derogación y sustitución por un Reglamento, justamente el RGPD.

En realidad, en algunos supuestos que precedieron a la vigencia de la CDFUE, la cuestión de la anonimización se planteó de manera accesoria en cuanto a la protección de datos personales, sin referencia siquiera la Directiva 95/46/CE. Un buen ejemplo de ello lo proporciona la Sentencia del Tribunal de Justicia de 10 de julio de 2001 (*Ismeri Europa/Tribunal de Cuentas*, asunto C-315/99 P), mediante la que se desestimó el recurso de casación interpuesto contra la previa Sentencia del Tribunal de Primera Instancia (TPI) de 15 de junio de 1999 desestimatoria de la demanda formulada por la recurrente solicitando la reparación del perjuicio que decía haber sufrido a causa de las supuestas críticas difamatorias de que había sido objeto en el Informe especial n.º 1/16 del Tribunal de Cuentas europeo de 30 de mayo de 1996 relativo a la gestión financiera de los Programas MED.

En lo que ahora nos interesa, Ismeri alegaba que el TPI había declarado equivocada e inmotivadamente «que no había existido difamación, a pesar de que la publicación de referencias nominales a un tercero, con alusiones a una eventual responsabilidad penal, es contraria, sin necesidad, en primer lugar, a la regla del anonimato aceptada, salvo en casos excepcionales, por el Tribunal de Primera Instancia; en segundo lugar, al principio de confidencialidad, que, en virtud de los principios generales del Derecho, debe prevalecer cuando se inicia un procedimiento penal, y, en tercer lugar, al principio de proporcionalidad, que obliga a las instituciones comunitarias a no modificar la situación subjetiva de los particulares más allá de lo necesario para conseguir el objetivo que persiguen»[676].

---

[675] Véanse apartados 98 a 101 y segundo punto dispositivo del fallo.
[676] Apartado 37.

En su apreciación, tras advertir que «la referencia de Ismeri a un hipotético principio de discreción constituye, en cualquier caso, una novedad»[677], el Tribunal de Justicia ya vislumbraba (sin referencia a la Directiva 95/46/CE ni al art. 8 CEDH) la solución que más tarde alcanzaría en su Sentencia, antes examinada, de 20 de mayo de 2003 (*Österreichischer Rundfunk y otros*), avalando las restricciones a la anonimización «con carácter excepcional, en particular en caso de disfunciones graves que afecten seriamente a la legalidad y a la regularidad de los ingresos y gastos o a las necesidades de una buena gestión financiera, a denunciar de forma completa los hechos constatados y, en consecuencia, a mencionar nominalmente a los terceros directamente implicados»[678]. Y, en definitiva, «corresponde al juez comunitario que conoce del recurso apreciar en tal caso si la designación nominal era necesaria y proporcionada en relación con el objetivo perseguido con la publicación del informe»[679]; sobre este punto, como se comprobará, subyace la tensión dialéctica entre anonimización y publicidad (del control contable y, por extensión, de la Justicia).

Esa solución del asunto *Ismeri Europa* volvió a secundarse al año siguiente por el Tribunal de Justicia en su Sentencia de 22 de octubre de 2002 (*Roquette Frères*, asunto C-94/00), en la que reafirmó que «la capacidad de la Comisión para garantizar el anonimato de algunas de sus fuentes de información tiene una importancia capital para la prevención y represión eficaces de las prácticas contrarias a la competencia prohibidas»[680]. Este caso presenta el ingrediente añadido de abonar el terreno, explotado en la reseñada Sentencia de 20 de mayo de 2003 (*Österreichischer Rundfunk y otros*), para ponderar la situación litigiosa de conformidad con el CEDH[681], tanto más importante cuanto que en esta ocasión una de las dos cuestiones prejudiciales formuladas por el órgano remitente (Corte de Casación francesa) apuntaba directamente a interpretar la jurisprudencia del Tribunal de Justicia a la luz del art. 8 CEDH y de la jurisprudencia del TEDH: en concreto, si bien en la Sentencia *Hoechst/Comisión* de 21 de sep-

---

[677] Apartado 38 *in fine*.
[678] Apartado 39.
[679] Apartado 41.
[680] Apartados 64 y 65.
[681] Apartados 23-25.

tiembre de 1989 (asuntos acumulados 46/87 y 227/88), el Tribunal de Luxemburgo «reconoció que la exigencia de una protección contra las intervenciones de los poderes públicos en la esfera de actividad privada de cualquier persona, sea física o jurídica, que sean arbitrarias o desproporcionadas constituye un principio general del Derecho comunitario»[682], no extendió, en cambio, a las empresas el derecho fundamental a la inviolabilidad el domicilio e incluso sostuvo que «no puede extraerse conclusión diferente del art. 8 CEDH»[683]. Ahora bien, a la vista de la nueva jurisprudencia del Tribunal de Estrasburgo (posterior a la Sentencia *Hoechst/Comisión*) que sí extendió tal derecho a las personas jurídicas (Sentencia *Niemietz c. Alemania*, de 16 de diciembre de 1992)[684], el Tribunal de Luxemburgo dijo querer alinearse con el criterio más favorable del TEDH[685]; lo que resulta crucial para evitar divergencias entre ambas instancias jurisdiccionales europeas hasta tanto se verifique la ya mencionada adhesión de la UE al CEDH.

Y un último supuesto interesante para cerrar el presente apartado lo suministra la Sentencia del Tribunal de Justicia de 25 de enero de 2007 (*Salzgitter Mannesmann/Comisión*, asunto C-411/04 P), dictada en el marco de un recurso de casación contra una previa sentencia del ya desaparecido TPI que había desestimado el recurso interpuesto por la entidad recurrente (Mannesmann) frente a la

---

[682]   Apartado 19 de la Sentencia *Hoechst/Comisión* y apartado 27 de la Sentencia *Roquette Frères*.

[683]   Apartados 17 y 18 de la Sentencia *Hoechst/Comisión*.

[684]   Apartado 20 de la Sentencia *Roquette Frères*.

[685]   Según el apartado 29 de la Sentencia *Roquette Frères*: «A la hora de determinar el alcance jurídico del citado principio, por lo que respecta a la protección de los locales comerciales de las sociedades, hay que tener en cuenta la jurisprudencia del Tribunal Europeo de Derechos Humanos posterior a la sentencia Hoechst/Comisión, antes citada, jurisprudencia de la que se desprende, por un lado, que la protección del domicilio a que se refiere el art. 8 del CEDH puede ampliarse, en determinadas circunstancias, a los referidos locales (véase, en particular, Tribunal Europeo de Derechos Humanos, sentencia Colas Est y otros/Francia, de 16 de abril de 2002, aún no publicada en el *Recueil des arrêts et décisions*, apartado 41), y, por otro lado, que el derecho de injerencia autorizado por el art. 8, apartado 2, del CEDH "podría muy bien ir más lejos en el caso de los locales o actividades profesionales o comerciales que en otros casos" (sentencia Niemietz/Alemania, antes citada, apartado 31)».

resolución sancionadora de la Comisión por práctica colusoria contraria a las reglas de competencia. Lo relevante, a nuestros efectos,
es que la empresa recurrente planteó la posible vulneración del derecho al proceso equitativo y a la igualdad de armas por, una vez más,
la utilización de pruebas de origen anónimo, lo que no fue acogido
por el Tribunal de Justicia. Dicha relevancia deriva del hecho de que
la sociedad recurrente invocó el CEDH (en este caso, el art. 6) y la
jurisprudencia del TEDH[686], así como las disposiciones equivalentes
de la CDFUE[687]; por el contrario, el Tribunal de Justicia justificó la
actuación de la Comisión[688] y del TPI en torno a la anonimización
en el marco del procedimiento (sancionador administrativo y luego
judicial)[689] y, por lo demás, descartó pronunciarse acerca de la entonces todavía no vinculante CDFUE[690]. Precisamente de ella nos
ocuparnos en el apartado siguiente.

IV. ALGUNOS APUNTES JURISPRUDENCIALES MÁS AVANZADOS TRAS LA VIGENCIA DE LA CARTA DE LOS DERECHOS FUNDAMENTALES DE LA UNIÓN EUROPEA

Hemos comprobado en el apartado anterior el *self-restraint* del
Tribunal de Justicia, bien para no mencionar siquiera la CDFUE, bien
para no pronunciarse sobre ella antes de su vigencia (recuérdese, a
partir del 1 de diciembre de 2009, con la entrada en vigor del Tratado
de Lisboa), pese a ser incitada a ello por las partes recurrentes (con el

---

[686] Apartado 32.
[687] Apartado 33.
[688] Apartado 37.
[689] Apartado 45.
[690] Apartado 50.

correlativo reproche por las partes recurridas[691]) y a la postura comedida de los Abogados Generales[692].

Pues bien, tras la entrada en vigor de la CDFUE, el Tribunal de Justicia empezó a utilizarla tímidamente en algunas ocasiones con apoyo en el derecho a la protección de datos de carácter personal (art. 8) y a mayor abundamiento con respecto a la Directiva 95/46/CE, por ejemplo en su Sentencia de 12 de diciembre de 2013 (*X*, asunto C-486/12), relativa al pago de una tasa por expedición de un certificado conforme que contiene datos personales[693]. Y, en otras ocasiones, la utilizó más decididamente para desprender de ella (y del concreto art. 8) aportaciones novedosas como el derecho al olvido (a modo de jurisprudencia evolutiva o pretoriana que luego se plasmaría en el RGPD), a partir de la famosa Sentencia de 13 de mayo de 2014 (*Google Spain y Google*, asunto C-131/12)[694].

---

[691]   Ya hemos aludido anteriormente al apartado 56 de la Sentencia de 20 de mayo de 2003 (*Österreichischer Rundfunk y otros*, asuntos acumulados C-465/00, C-138/01 y C-139/01), en donde puede leerse: «El Gobierno del Reino Unido, por su parte, sostiene que, para responder a la primera cuestión, no son pertinentes las disposiciones de la Carta de los derechos fundamentales de la Unión Europea, proclamada en Niza el 18 de diciembre de 2000 (DO C 364, p. 1), Carta a la que el Verfassungsgerichtshof se refirió brevemente».

[692]   Léanse asimismo las Conclusiones del Abogado General (Antonio Tizzano) en el marco de esos asuntos referidos en la nota anterior (presentadas el 14 de noviembre de 2002), en donde se limitó a citar la CDFUE en una nota (la 3) que añade, a título ilustrativo en el apartado 2 de sus Conclusiones cuando menciona como de pertinente consideración el art. 8 CEDH, pero no la CDFUE. Por otra parte, cabe recordar asimismo que la postura entusiasta al citar la CDFUE sí la tuvo el Tribunal Constitucional español, no únicamente con anterioridad a su vigencia, sino incluso antes de ser proclamada en diciembre de 2000, y curiosamente en relación con la protección de datos personales: véase STC 292/2000, de 30 de noviembre, FJ 8. Por lo demás, es cierto que, no únicamente el art. 8 CDFUE, sino ahora y sobre todo el nuevo RGPD, tienen una proyección nada desdeñable en la definición del canon constitucional en cada país, como ha puesto de manifiesto respecto de España R. García Mahamut en «El derecho fundamental a la protección de datos: El Reglamento (UE) 2016/679 como elemento definidor del contenido esencial del art. 18.4 de la Constitución», *Corts. Anuario de Derecho Parlamentario*, n.º 31, 2018, pp. 76-77.

[693]   Apartados 14 y 29.

[694]   En la doctrina, se ha enfocado el derecho al olvido como una «subsunción» del derecho de cancelación: así, Rallo Lombarte, A., *El derecho al olvido en Internet. Google versus España*, Centro de Estudios Políticos y Constitucionales, Madrid,

De hecho, la Sentencia *Google Spain* ha dado pie a otros pronunciamientos significativos poniendo en conexión el derecho al olvido con la anonimización de datos personales: como ilustración, vale la pena mencionar la Sentencia de 9 de marzo de 2015 (*Manni*, asunto C-398/15), dictada en el marco de un litigio relacionado con la negativa de la Cámara de Comercio de Lecce (Italia) a eliminar del registro de sociedades ciertos datos personales relativos al Sr. Manni, con objeto de no poner en juego su reputación al vincularle con una empresa (de la que había sido administrador único y liquidador) declarada en concurso de acreedores. En su fallo, el Tribunal de Justicia no acogía sustancialmente la pretensión (estimada inicialmente por el Tribunal de Lecce, pero recurrida por la Cámara de Comercio ante la Corte de Casación italiana, que planteó la cuestión prejudicial), pues venía a condicionar esa anonimización, (que «incumbe apreciar a los Estados miembros») a comprobar (según el fallo) «sobre la base de una apreciación caso por caso, si está excepcionalmente justificado, por razones preponderantes y legítimas relacionadas con su situación particular». En otras palabras, en supuestos como el de autos, la anonimización se configuraría como la excepción sacrificándose en aras de los prevalentes intereses económicos[695]; el fallo del Tribunal de Justicia secundaba así la propuesta avanzada por el Abogado General[696].

Por otra parte, con anterioridad a la vigencia del RGPD[697], el Tribunal de Justicia emitió algunos otros pronunciamientos de interés en donde, si bien la anominización de datos no se planteaba directamente en el terreno judicial, sí presentaba una proyección indirecta en dicho campo. Como ejemplo, cabe mencionar la Sentencia de 21

2014, p. 43, o más tarde Berrocal Lanzarot, A. I., *El derecho de supresión de datos o derecho al olvido*, Reus, Madrid, 2017, p. 233.

[695] Martínez López-Sáez, M., «Los nuevos límites al derecho al olvido en el sistema jurídico de la Unión Europea: la difícil conciliación entre las libertades económicas y la protección de datos personales», *Estudios de Deusto*, vol. 65, n.º 2, 2017, p. 157.

[696] Conclusiones del Abogado General Yves Bot presentadas el 8 de septiembre de 2016.

[697] Recordemos que el RGPD, de conformidad con su art. 99 (*entrada en vigor y aplicación*), entró en vigor a los veinte días de su publicación en el Diario Oficial de la Unión Europa (4 de mayo de 2016), siendo de aplicación «a partir del 25 de mayo de 2018».

de diciembre de 2016 (*Tele2 Sverige*, asuntos acumulados C-203/15 y C-698/15), a propósito de la compatibilidad con el Derecho de la UE[698] de la normativa sueca y británica que imponía a los proveedores de servicios de comunicaciones electrónicas, en aras de la lucha contra la delincuencia, la obligación de conservación generalizada e indiferenciada de los datos de tráfico y de localización de los usuarios sin control previo por parte de un órgano jurisdiccional o una autoridad administrativa independiente. Al evaluar dicha compatibilidad, el Tribunal de Luxemburgo concluyó: por un lado, que la pertinente legislación de la UE «debe interpretarse en el sentido de que se opone a una normativa nacional que establece, con la finalidad de luchar contra la delincuencia, la conservación generalizada e indiferenciada de todos los datos de tráfico y de localización de todos los abonados y usuarios registrados en relación con todos los medios de comunicación electrónica»; y, por otro lado, que dicha normativa europea «debe interpretarse en el sentido de que se opone a una normativa nacional que regula la protección y la seguridad de los datos de tráfico y de localización, en particular el acceso de las autoridades nacionales competentes a los datos conservados, sin limitar dicho acceso, en el marco de la lucha contra la delincuencia, a los casos de delincuencia grave, sin supeditar dicho acceso a un control previo por un órgano jurisdiccional o una autoridad administrativa independiente, y sin exigir que los datos de que se trata se conserven en el territorio de la Unión».

Para alcanzar dicha conclusión (justificar la obligación de eliminar o anonimizar o, por el contrario, la de conservar los datos personales), el Tribunal de Justicia se inspiró explícitamente en la jurisprudencia del TEDH[699]; y, desde dicha óptica, parece lógico que inadmitiera (punto dispositivo tercero del fallo) la cuestión prejudicial planteada por el Tribunal de Apelación británico (Inglaterra y País de Gales,

---

[698]   Concretamente, con la Directiva 2002/58/CE del Parlamento Europeo y del Consejo, de 12 de julio de 2002, relativa al tratamiento de los datos personales y a la protección de la intimidad en el sector de las comunicaciones electrónicas (en su versión modificada por la Directiva 2009/136/CE del Parlamento Europeo y del Consejo, de 25 de noviembre de 2009), en relación con los arts. 7, 8, 11 y 52, apartado 1, de la CDFUE.

[699]   Apartados 119 y 120.

Sección de lo Civil) suscitando divergencias entre los Tribunales Europeos de Luxemburgo y Estrasburgo, en torno a si la Sentencia del Tribunal de Justicia de 8 de abril de 2014 (*Digital Rights Ireland y otros*, asuntos C-293/12 y C-594/12) ampliaba el alcance de los arts. 7 y 8 CDFUE más allá del ámbito de aplicación del art. 8 CEDH consagrado en la jurisprudencia del TEDH[700].

Para completar el presente apartado, reviste interés acercarse a cuatro asuntos resueltos por el ya desparecido Tribunal de la Función Pública (TFP) en relación con el estatuto del funcionariado público comunitario.

El primero tiene que ver con un supuesto de acoso psicológico sufrido por un agente temporal (el Sr. Timo Allgeier) de la Agencia de los Derechos Fundamentales de la UE (FRA, por sus siglas en inglés). Se trata de la Sentencia del TFP de 18 de septiembre de 2012 (*Allgeier/FRA*, asunto F-58/10) en donde, como puede apreciarse, no se solicitó la anonimización de la parte recurrente (en cambio, sí aparecen anonimizados los nombres de los denunciados como acosadores), sino que el meollo del litigio tuvo un cariz básicamente procesal, referente a que la falta de anonimato de los testigos produjo una irregularidad procedimental conculcando los derechos de defensa[701]. Mediante su demanda, el recurrente Sr. Allgeier solicitó la anulación de la decisión de la FRA por la que se desestimó su solicitud de asistencia y de condena a la FRA al pago de una indemnización a su favor (el Sr. Allgeier alegaba haber sido víctima de acoso psicológico por «los Sres. M y A. y solicitaba a la FRA la adopción

---

[700]　De hecho, en los apartados 126 a 133, el TJUE apela a la defensa de su autonomía con respecto al CEDH y no encuentra ocioso recordar que la UE todavía no se ha adherido al CEDH, ausencia de adhesión a la que, por cierto, no es ajeno el propio TJUE con la postura reticente mantenida en su Dictamen 2/13 de 18 de diciembre de 2014.

[701]　Estos casos de acoso (y de ciberacoso) ya habían sido objeto de preocupación por parte del Supervisor Europeo de Protección de Datos, quien ya en febrero de 2001 elaboró unas líneas directrices en las que abordaba, entre otras cuestiones, el alcance de la anonimización de las partes implicadas: *Guidelines concerning the processing of personal data during the selection of confidential counsellors and the informal procedures for cases of harassment in European institutions and bodies*; accesible en: https://edps.europa.eu/sites/edp/files/publication/11-02-18_harassment_guidelines_en.pdf; véanse, en especial, las recomendaciones incluidas en el apartado 4 (*Conservation of data*), pp. 7-8.

de las medidas necesarias para poner fin a esta situación» –apartado 24– que había motivado su situación de baja por enfermedad –apartado 28–). Como se avanzaba, en la investigación administrativa previa, el demandante puso en entredicho «la cuestión relativa al anonimato de los testigos» (apartado 30), cuestión que lógicamente volvió a suscitar ante el TFP, esgrimiendo la falta de imparcialidad del investigador y «la ilegalidad de la negativa de éste a garantizar el anonimato de los testigos» (apartado 51), lo que habría provocado que «determinadas personas se negaran a testificar o que testificaran sin la suficiente sinceridad por temor a represalias» (apartado 53) frente a la argumentación de la FRA que exponía «que las circunstancias del asunto no exigían el anonimato de los testigos y añade que, en cualquier caso, habida cuenta del reducido tamaño de la Agencia, el anonimato no hubiera supuesto una garantía para los testigos» (apartado 56). Ante esas posturas adversas, el TFP acogió la mantenida por el recurrente (apartados 68-78), llamando la atención no obstante que su razonamiento presenta una apariencia de juicio de equidad pues no cita normas concretas (por ejemplo, el art. 47 CDFUE sobre tutela judicial efectiva), limitándose a argumentar que «en estas circunstancias, el Tribunal considera que la negativa del investigador a garantizar el anonimato a los testigos no le permitió realizar un análisis completo de las circunstancias del asunto y, en consecuencia, determinó la irregularidad de la investigación» (apartado 76), de suerte que la decisión impugnada debe considerarse que «está viciada de ilegalidad» (apartado 77), concluyéndose así la condena a la FRA a pagar al Sr. Allgeier la cantidad de 5.000 euros por el perjuicio moral sufrido.

En el segundo supuesto (Sentencia de 13 de marzo de 2013, asunto F-91/10, *AK/Comisión*), el TFP resolvió un nuevo asunto sobre acoso psicológico alegado por AK (antigua funcionaria de la Comisión Europea) en conexión con el daño moral padecido por la pérdida de una oportunidad de promoción profesional por la falta de elaboración de los preceptivos informes sobre la evolución de su carrera en el seno de la Comisión. El TFP condenó a la Comisión a pagar a AK 15.000 euros por el daño moral sufrido y 4.000 euros por la pérdida de una oportunidad de promoción al haber sido evaluada extemporáneamente. Realmente, la única cuestión atinente a nuestro objeto de estudio es que en el presente asunto la recurrente sí se acogió a la anonimización[702].

De igual manera, el tercer caso resuelto por el TFP (mediante Sentencia de 7 de mayo de 2013, *Robert McCoy/Comité de las Regiones*, asunto F-86/11) presenta el interés de acercarnos a la praxis en cuanto a la postura del recurrente, que en este caso rechazó la anonimización en el procedimiento ante el TFP pese a versar sobre la negativa del Comité de las Regiones a reconocer el origen profesional de la enfermedad de la que resultó su invalidez[703].

Por el contrario, el cuarto y último supuesto resuelto por el TFP (a través de Sentencia de 17 de marzo de 2015, *AX/Banco Central Europeo* –BCE–, asunto F-73/13) se asemeja más bien al primero, en el sentido de plantear los problemas del anonimato bajo la perspectiva del respeto de los derechos de defensa, diferenciándose sin embargo del primero en dos aspectos: por un lado, el demandante (antiguo miembro del personal del BCE) sí se acogió al anonimato ante el TFP; y, por otro lado, se desestimó la demanda formulada contra la decisión del Comité Ejecutivo del BCE por la que se le imponía la sanción disciplinaria de despido, rechazándose consiguientemente su petición indemnizatoria por el supuesto perjuicio moral sufrido, no otorgándose en consecuencia virtualidad como prueba de cargo al hecho de haberse preservado el anonimato del miembro del personal del BCE que fue el «denunciante de irregularidades» (*whistleblower*) atribuidas al recurrente[704]. Ahora bien, en lo atinente a este segundo elemento, este cuarto pronunciamiento guarda semejanza con el primer mencionado del TFP en la medida en que el ya desaparecido órgano jurisdiccional comunitario alude a la no vulneración del derecho de defensa sin alusión alguna a la base habilitante del art. 47 CDFUE (o, si se prefiere, del derecho a una buena administración del

---

[702]   Apartado 19: «Mediante escrito de 30 de septiembre de 2010, adjunto a su demanda, la demandante solicitó guardar el anonimato en el presente asunto, reiterando esta solicitud el 7 de mayo de 2012, pese al contexto particular del recurso».

[703]   Apartado 52: «Mediante escrito de 26 de julio de 2012, la Secretaría del Tribunal indicó al demandante que el Tribunal contemplaba la posibilidad de atribuirle el anonimato de oficio. El demandante respondió el 16 de agosto de 2012 que no deseaba beneficiarse del anonimato».

[704]   Apartado 52.

art. 41 CDFUE en cuanto a la fase de la investigación administrativa previa)[705].

En resumen, esos apuntes sobre la anonimización, aunque más avanzados, han seguido adoleciendo de cierta tibieza al apelar a la CDFUE, pese a su vigencia tras el 1 de diciembre de 2009 a través del Tratado de Lisboa.

En cambio, la adopción del RGPD parece haber dado un impulso y mayor determinación, tanto a la invocación de la CDFUE como a la propia praxis del TJUE y del Tribunal General (TG), si bien la anonimización sigue comportando todo un reto en tensión dialéctica con la publicidad judicial, como pasamos a analizar en el siguiente apartado.

V. LOS RETOS: LA ANONIMIZACIÓN VERSUS LA PUBLICIDAD DE LA JUSTICIA TRAS EL NUEVO REGLAMENTO GENERAL DE PROTECCIÓN DE DATOS

Enlazando con los últimos asuntos del desaparecido TFP analizados en el apartado anterior, conviene empezar por un supuesto resuelto por el Tribunal de Justicia mediante Sentencia de 25 de junio de 2020 (*HF/Parlamento Europeo*, asunto C-570/18 P) en el que aparecía anonimizada la recurrente en casación (contra sentencia previa del TG desestimatoria del recurso interpuesto para la anulación de la decisión del Parlamento Europeo que denegó asistencia a HF, empleada con arreglo a distintas categorías contractuales y profesionales en la Unidad de Medios Audiovisuales de la Dirección General de Comunicación de la Eurocámara) para protegerla de su supuesto acosador. Pues bien, lo interesante de este supuesto no radica únicamente en que el Tribunal de Justicia apoyó explícitamente su razonamiento en los derechos de defensa bajo el ángulo de la buena administración del art. 41 CDFUE, sino que además intentó conciliar la publicidad de las actas controvertidas relativas a esa investigación sobre acoso psicológico en aras de la efectividad de la Justicia (precisamente bajo el prisma del art. 41 CDFUE) con las exigencias de la anonimización y el correlativo uso de técnicas al efecto (pese a que, desde este pun-

---

[705] Apartado 136.

to de vista, no se llegó a mencionar la protección de datos del art. 8 CDFUE). En este sentido, el Tribunal de Justicia hubo de ponderar los argumentos enfrentados de las partes: así, por un lado, «la recurrente considera que la sentencia recurrida adolece de una falta de motivación y de una contradicción en la medida en que el Tribunal General consideró que las actas de los interrogatorios de los testigos no debían comunicarse a la recurrente a fin de proteger el anonimato de dichos testigos» (apartado 40), mientras que, por otro, «el Parlamento subraya que la anonimización de un interrogatorio, esto es, la supresión del nombre de los testigos, no basta para garantizar que sea imposible identificar a la persona que presta testimonio, dado que también se la puede identificar contrastando información y, en particular, por los propios hechos que atestigua» (apartado 49).

Terciando en el debate, el Tribunal de Justicia pondera la compatibilidad entre las exigencias de la anonimización y los imperativos de la Justicia arguyendo de entrada que «con el fin de garantizar la confidencialidad de los testimonios y los objetivos que esta protege, al tiempo que se asegura que se oye eficazmente a la recurrente antes de que se adopte en su contra una decisión desfavorable, *puede recurrirse (...) a determinadas técnicas como la anonimización*, o incluso la divulgación del contenido esencial de los testimonios en forma de resumen, o también el ocultamiento de determinadas partes del contenido de los testimonios»[706]. Es más, el Tribunal de Justicia llama la atención sobre la contradicción en la que habría incurrido el TG en su valoración, puesto que «unas técnicas como las mencionadas en el apartado 66 de la presente sentencia se utilizaron precisamente en el procedimiento ante el Tribunal General, que ordenó al Parlamento que presentara una versión anonimizada de las actas controvertidas con ocultaciones parciales»[707]. En consecuencia, concluye que el TG «incurrió en error de Derecho al no declarar que era contrario a las exigencias dimanantes del art. 41 de la Carta el hecho de que no se hubiera comunicado a la recurrente, al menos, un resumen anonimizado de las declaraciones de los diferentes testigos y que no se la hubiera podido oír en relación con estas, de modo que no se le

---

[706] Apartado 66, en el que se trae a colación la misma doctrina ya expresada en la Sentencia de 4 de abril de 2019 (*OZ/BEI*, asunto C-558/17 P, apartado 59).
[707] Apartado 68.

había dado la oportunidad de formular eficazmente observaciones sobre su contenido antes de que el Director General de Personal adoptara la decisión controvertida, que la afectaba desfavorablemente», por todo lo cual estima el recurso de casación interpuesto por HF[708].

Con anterioridad a esa Sentencia de 25 de junio de 2020, el Tribunal de Justicia había dictado otra el 5 de septiembre de 2019 (*AH y otros*, asunto C-377/18) en donde la cuestión de la anonimización ya se había planteado, pero no tanto en clave de protección de datos personales (de hecho, no se trae a colación siquiera el art. 8 CDFUE ni el RGPD), sino de tensión dialéctica con determinados dictados de publicidad judicial en relación con la presunción de inocencia del art. 48 CDFUE. En concreto, la petición de decisión prejudicial (que tiene por objeto la interpretación de la Directiva (UE) 2016/343 del Parlamento Europeo y del Consejo, de 9 de marzo de 2016, por la que se refuerzan en el proceso penal determinados aspectos de la presunción de inocencia y el derecho a estar presente en el juicio) se formuló por el Tribunal Penal Especial de Bulgaria en el contexto de un procedimiento penal seguido contra AH, PB, CX, KM y PH por su supuesta pertenencia a un grupo de delincuencia organizada (los cinco habían sido acusados de ello, así como MH), habiéndose planteado la problemática de la identificación de todos ellos a raíz del acuerdo celebrado entre la fiscalía y MH (reconociendo éste su culpabilidad con objeto de conseguir una reducción de la pena). Ahora bien, los primeros cinco acusados, si bien manifestaron su consentimiento procesal en relación con la celebración de dicho acuerdo entre MH y la fiscalía, habían indicado «expresamente que ello no implicaba el reconocimiento de su culpabilidad ni que renunciaran a su derecho a declararse no culpables» (apartado 20).

Se suscitó entonces la problemática de la anonimización, esto es, el modo en que aparecían identificados esos cinco acusados en el acuerdo suscrito por MH con la fiscalía: «De la descripción de los hechos contenida en el acuerdo celebrado entre el fiscal y MH resulta que este último formaba parte de un grupo criminal organizado junto con las cinco personas acusadas. Todos los acusados quedan identificados en dicho acuerdo de la misma manera, es decir, por su nombre, su

---

[708] Apartados 69-70.

patronímico, su apellido y su número nacional de identidad. La única diferencia relativa a la identificación de estas personas radica en que, en el caso de MH, también se indican su fecha y lugar de nacimiento, dirección, nacionalidad, etnia, situación familiar y antecedentes penales» (apartado 21). Ante ello, el órgano jurisdiccional remitente «se pregunta si es conforme con el art. 4, apartado 1, de la Directiva 2016/343 que en el texto del acuerdo objeto del litigio principal las cinco personas acusadas que no han celebrado ese acuerdo y respecto de las cuales el asunto continúa mediante el procedimiento penal ordinario sean mencionadas de forma expresa y obvia como miembros del grupo criminal organizado en cuestión y queden identificadas por su nombre, su patronímico, su apellido y su número nacional de identidad» (apartado 23).

Evaluando la problemática suscitada, lo cierto es que el Tribunal de Justicia reconduce la solución a la garantía de la presunción de inocencia en el sentido de dejar claro que los acusados no son culpables «mientras su culpabilidad aún no ha sido declarada legalmente», pero no pone obstáculo a que dichas personas sean mencionadas e identificadas, quedando por tanto relegada a un segundo plano la pretensión de anonimización[709].

Sobre el particular, conviene añadir que esa solución se inspira en la jurisprudencia del TEDH[710], especialmente en la sentencia dictada el 23 de febrero de 2016 en el caso *Navalnyy y Ofitserov c. Rusia*, en donde si bien la Corte de Estrasburgo únicamente declaró la violación del apartado 1 del art. 6 CEDH (por la arbitrariedad e inequidad del

---

[709]   Este es el contenido del fallo: «El art. 4, apartado 1, de la Directiva (UE) 2016/343 (...) debe interpretarse en el sentido de que no se opone a que un acuerdo en el que la persona acusada reconoce su culpabilidad a cambio de una reducción de la pena, que debe ser aprobado por un órgano jurisdiccional nacional, mencione expresamente como coautores de la infracción penal en cuestión, no solamente a esta persona, sino también a otras personas acusadas, que no han reconocido su culpabilidad y que están acusadas en un procedimiento penal distinto, siempre que, por una parte, esta mención sea necesaria para la calificación de la responsabilidad jurídica de la persona que ha celebrado dicho acuerdo y, por otra parte, ese mismo acuerdo indique claramente que estas otras personas están acusadas en un procedimiento penal distinto y que su culpabilidad aún no ha sido declarada legalmente».

[710]   Especialmente, apartados 40 a 44.

proceso penal al que fueron sometidos) y entendió innecesario pronunciarse además sobre la violación del apartado 2 del propio art. 6 CEDH (presunción de inocencia), esta última cuestión estuvo presente en su razonamiento al suscitarse aspectos análogos al asunto del que trae origen la sentencia de la Corte de Luxemburgo, como bien recuerda el Abogado General en sus conclusiones (párrafo 86): «En el asunto que dio lugar a la sentencia *Navalnyy y Ofitserov c. Rusia*, la sentencia dictada contra X en el marco de un procedimiento de reconocimiento de culpabilidad mencionaba que este había cometido la infracción que se le imputaba junto con otras dos personas. Si bien el nombre de estas fue objeto de anonimización, la sentencia mencionaba las labores profesionales que esas personas desempeñaban en el Gobierno o en empresas destacadas, así como su papel en la comisión de dicha infracción. El Tribunal Europeo de Derechos Humanos condenó los términos empleados en la sentencia, en la medida en que no cabía ninguna duda sobre la identidad de los acusados y sobre su participación en la infracción por la que se había condenado a X»[711]. Por lo demás, en la STEDH *Navalnyy y Ofitserov c. Rusia* tampoco se suscitó la cuestión de la anonimización bajo el prisma de la protección de datos y a la luz del art. 8 CEDH; con la diferencia, no obstante, de que en el asunto ante el TJUE las partes aparecen anonimizadas, mientras en el caso ante el TEDH los demandantes figuran identificados.

En este escenario, resta por ver si se producirá una evolución de la relación entre anonimización y publicidad de la Justicia desde la perspectiva de la protección de datos personales tras la vigencia y aplicación del nuevo RGPD, no tanto porque este se ocupe de la anonimización de datos judiciales[712], sino por la nueva cultura de protección de datos generada a través del RGPD y, más específicamente, a causa de la entrada en vigor (el 11 de diciembre de 2018) del Reglamento (UE) 2018/1725 del Parlamento Europeo y del Consejo, de 23 de octubre de 2018, relativo a la protección de las personas físicas en lo que respecta al tratamiento de datos personales por las instituciones, órganos

---

[711] Conclusiones del Abogado General Sr. Henrik Saugmandsgaard Øe, presentadas en el asunto C-377/18 el 13 de junio de 2019, apartado 86.

[712] Véase considerando 20 RGPD y, en conexión, los arts. 23.1.f), 37.1.a) y 55.3 RGPD, así como los considerandos 97 y 111.

y organismos de la Unión, y a la libre circulación de esos datos[713] (que es consecuencia directa de la adaptación impuesta por el RGPD)[714]. En cualquier caso, no ha sido sino hasta la elaboración (y posterior adopción, entrada en vigor y aplicación) del RGPD cuando tanto el Tribunal de Justicia como el Tribunal General han adaptado sus prácticas y sus Reglamentos respectivos a esas exigencias de la anonimización. En efecto, como se recuerda en la propia web del TJUE[715], en el ejercicio de sus funciones jurisdiccionales, ambos Tribunales comunitarios «recogen y tratan datos personales con el fin de garantizar el adecuado desarrollo del procedimiento judicial y, en particular, de comunicar los documentos procesales a las partes del procedimiento. Estos tratamientos de datos tienen también por objeto hacer posible la difusión de información útil relativa a los procedimientos judiciales, pendientes o concluidos, con arreglo al principio de publicidad de la justicia»[716].

En lo que concierne más precisamente al Tribunal de Justicia, en el escenario de actividad más frecuente y que más ha hecho avanzar el «nuevo Derecho europeo de protección de datos», esto es, los procedimientos prejudiciales[717], su práctica es mantener la anonimización cuando el órgano jurisdiccional nacional remitente haya decidido

---

[713]　Y por el que se derogan el Reglamento (CE) n.º 45/2001 del Parlamento Europeo y del Consejo, de 18 de diciembre de 2000, y la Decisión n.º 1247/2002/CE del Parlamento Europeo, del Consejo y de la Comisión, de 1 de julio de 2002, relativa al estatuto y a las condiciones generales de ejercicio de las funciones de Supervisor Europeo de Protección de Datos.

[714]　Véase el art. 2.3 RGPD, así como los considerados 17 y 172 del propio RGPD. En el mismo sentido, el considerando 5 del Reglamento (UE) 2018/1725.

[715]　https://curia.europa.eu/jcms/jcms/p1_2699100#protection_donnees_juridictionelles

[716]　Se trata de la información prevista, respectivamente, en el Protocolo sobre el Estatuto del Tribunal de Justicia de la Unión Europea, en los Reglamentos de Procedimiento de los órganos jurisdiccionales y en los textos adoptados en aplicación de los mismos. Estos textos pueden consultarse en las siguientes páginas dedicadas a la materia: para la aplicación del anonimato en los procedimientos judiciales ante el Tribunal de Justicia https://curia.europa.eu/jcms/upload/docs/application/pdf/2015-11/tra-doc-es-div-c-0000-2015-201508723-05_00.pdf, y ante el TG https://curia.europa.eu/jcms/upload/docs/application/pdf/2015-11/tra-doc-es-div-c-0000-2015-201508724-05_00.pdf

[717]　Así lo ha destacado Rallo Lombarte, A., «El nuevo Derecho de protección de datos», *Revista Española de Derecho Constitucional*, n.º 116, 2019, p. 59.

aplicarla; y, si tal no fuera el caso, una vez presentada la petición de decisión prejudicial, el Tribunal de Justicia puede asimismo proceder · a la anonimización de oficio o a instancias del órgano jurisdiccional remitente o de una parte del litigio principal (art. 95 del Reglamento de Procedimiento)[718]. Así, a partir del 1 de julio de 2018 –por tanto, incluso antes de la entrada en vigor del Reglamento (UE) 2018/1725–, el Tribunal de Justicia decidió consolidar la práctica de sustituir, en todas las publicaciones realizadas en el marco de un asunto prejudicial, el nombre de las personas físicas por unas iniciales aleatorias y, cuando sea necesario, neutralizar igualmente los datos adicionales del asunto que permitan identificar a los interesados[719]. Por otro lado, en los recursos de casación contra las resoluciones del TG, cuando éste haya decidido aplicar el anonimato en un asunto recurrido en vía casacional, el Tribunal de Justicia respetará en principio el anonimato en el procedimiento pendiente ante él pudiendo además, si lo estima necesario (a petición debidamente motivada de una parte del litigio o de oficio), sustituir el nombre de una o varias personas físicas mencionadas en el litigio por unas iniciales aleatorias[720].

---

[718]		Reglamento de Procedimiento del Tribunal de Justicia, de 25 de septiembre de 2012 (DO L 265 de 29.9.2012), en su versión modificada el 18 de junio de 2013 (DO L 173 de 26.6.2013, p. 65), el 19 de julio de 2016 (DO L 217 de 12.8.2016, p. 69), el 9 de abril de 2019 (DO L 111 de 25.4.2019, p. 73) y el 26 de noviembre de 2019 (DO L 316 de 6.12.2019, p. 103). Para el Tribunal General, véase el equivalente art. 66 de su Reglamento de Procedimiento de 4 de marzo de 2015 (DO 2015, L 105, p. 1), en su versión modificada el 13 de julio de 2016 (DO 2016, L 217, pp. 71-73) y el 31 de julio de 2018 (DO 2018, L 240, pp. 67-68): «*Anonimato y omisión de ciertos datos frente al público*. En los documentos concernientes a un asunto a los que el público tenga acceso, el Tribunal General podrá omitir, de oficio o a instancia motivada de parte, presentada mediante escrito separado, el nombre de una de las partes del litigio o el de otras personas mencionadas en el procedimiento, o incluso ciertos datos, si existen razones legítimas que justifiquen mantener la confidencialidad en cuanto a la identidad de esas personas o al contenido de esos datos».

[719]		Esta protección se aplica a todas las publicaciones que puedan realizarse en el transcurso de la tramitación del asunto, desde su planteamiento hasta su conclusión (comunicaciones al Diario Oficial, conclusiones del Abogado General, sentencia), así como a la propia denominación del asunto y a los metadatos asociados. El Tribunal de Justicia conserva no obstante la facultad de excluir la aplicación de estas orientaciones si así lo solicita expresamente el interesado o las circunstancias particulares del asunto lo justifican.

[720]		Art. 190, apartado 3, del Reglamento de Procedimiento del Tribunal de Justicia.

Por lo demás, según establece el Reglamento (UE) 2018/1725, en lo que atañe a las cuestiones relativas a la anonimización cuando el Tribunal de Justicia actúe en ejercicio de su función judicial (y para preservar su independencia), esas operaciones de tratamiento de datos personales se regirán por un mecanismo interno de supervisión independiente en el seno del propio Tribunal y de conformidad con el art. 8.3 CDFUE[721]. Por el contrario, cuando el Tribunal de Justicia lleve a cabo actuaciones no judiciales, será operativa respecto de ellas la competencia en la materia del Supervisor Europeo de Protección de Datos (SEPD)[722].

A pesar de las consideraciones previas resulta evidente que la práctica no está exenta de dificultades interpretativas. Como ejemplo de ello pueden mencionarse dos recientes e interesantes autos del TG.

El primero es el Auto (Sala Sexta) de 28 de junio de 2018 (*TL/SEPD*, asunto T-452/17), de inadmisión del recurso de anulación basado en el art. 263 TFUE por el que se solicita la anulación de la decisión del SEPD de 16 de mayo de 2017 mediante la que se inadmitió la reclamación que tenía por objeto, por un lado, que el SEPD procediera a un nuevo análisis de su competencia en relación con la difusión en Internet por el Tribunal de Justicia de la Unión Europea del nombre de una parte de un procedimiento y, por otro lado, que el SEPD ordenara la anonimización de la sentencia; por lo que ahora nos interesa, el TG declaró que no es susceptible de recurso la petición de anonimización y de supresión de Internet de una sentencia de cualquiera de las jurisdicciones del TJUE (pues impediría, la publicidad de la jurisprudencia

---

[721] Véase Decisión del Tribunal de Justicia, de 1 de octubre de 2019, por la que se establece un mecanismo interno de supervisión en materia de tratamiento de datos personales efectuado en el marco de las funciones jurisdiccionales del Tribunal de Justicia. En conexión con ello, véase asimismo el art. 20, apartado 3, del Reglamento de Procedimiento del Tribunal de Justicia, que prevé las competencias de la Secretaría en cuanto a las publicaciones del Tribunal (incluida la Recopilación de Jurisprudencia), debiendo dirigirse a ella las solicitudes relativas a tratamientos de datos personales de personas físicas que hayan sido efectuados en el marco de las publicaciones relacionadas con un procedimiento judicial. En cuanto al Tribunal General, véase su análoga Decisión de 16 de octubre de 2019, así como arts. 35 a 38 del Reglamento de Procedimiento del TG.

[722] Véase considerando 74 del Reglamento (UE), así como sus arts. 10.2.f), 57.1.a), 58.4, 64, 81.2, 82.4 *in fine* y 84.3.

del Tribunal de Justicia o del TG), siendo incompetente el SEPD «para controlar la difusión en el sitio Curia del nombre de las partes en los procedimientos ante una jurisdicción de la Unión (...) incluida la anonimización del nombre de las partes de la sentencia TL»[723].

El segundo es el Auto TG (Sala Tercera) de 27 de junio de 2019 (*CJ/TJUE*, asunto T-1/19), mediante el que se inadmitió la petición de la parte demandante (en virtud del art. 265 TFUE) solicitando al TG que «declare contraria a los Tratados la no anonimización por parte de la demandada de documentos procesales que se referían al demandante por su nombre y que fueron publicados en Internet por el Tribunal General y el antiguo Tribunal de la Función Pública y, con carácter subsidiario, su negativa a hacer inaccesibles para los buscadores de Internet las versiones nominativas de los antedichos documentos». En apoyo de su recurso, la parte demandante esgrimía básicamente (alegando infracción de los arts. 8 y 20 CDFUE) que, al publicarse los documentos procesales referentes a los recursos (formulados ante el desaparecido TFP y ante el TG) contra su antiguo empleador con mención de su nombre y ser accesibles en los buscadores de Internet (como, por ejemplo, Google), se habría facilitado el conocimiento del perfil del demandante por cualquier usuario de Internet en el mundo, incluido su actual empleador o cualquier posible empleador, aumentándose así el riesgo de sufrir discriminación. En todo caso, tras recordarse en el auto que el TJUE decidió anonimizar por defecto los documentos procesales publicados referentes a todas las peticiones de decisión prejudicial relativas a personas físicas recibidas después del 1 de julio de 2018, el TG argumenta que la anonimización de documentos procesales publicados en el sitio Curia depende de la facultad discrecional de los órganos jurisdiccionales de la UE[724] y, en consecuencia, no puede ser acogida la carencia por abstención u omisión prevista en el art. 265 TFUE.

En conclusión, los retos de la anonimización en su confrontación con la publicidad de la Justicia no quedan totalmente solucionados tras el nuevo RGPD. Dichos retos se insertan, a su vez, en el contexto del más general desafío de digitalización de la Justicia en el seno de la UE, y se recogen en la reciente Comunicación de la Comisión de 2 de

---

[723]   Apartado 46 del auto (versión francesa).
[724]   Apartados 12 y 13 (versiones en francés e inglés).

diciembre de 2020 en la materia[725]. Desde luego, la anonimización de datos judiciales en el seno del TJUE (como en el ámbito de cualquier jurisdicción nacional e internacional) constituye una tarea especialmente compleja a causa del desarrollo de los motores de búsqueda en Internet y del hecho de cualquier persona pueda acceder en segundos a la información relativa a un procedimiento judicial sustanciado ante las instancias de Luxemburgo, por lo que la tarea de las secretarías de los tribunales (dejando aparte la propia diligencia de las partes procesales a la hora de solicitar lo antes posible la anonimización), incluso con el apoyo de los servicios informáticos, es enorme; si se nos permite la comparación, lo es casi tanto como el cribado de noticias falsas que circulan por la red[726].

---

[725]   Versión en inglés: *Communication from the Commission to the European Parliament, the Council, the European Economic and Social Committee and the Committee of the Regions on Digitalisation of Justice in the European Union. A toolbox of opportunities* {SWD(2020) 540 final}, Brussels, 2.12.2020, COM(2020) 710 final. En esa Comunicación se señala explícitamente que «el diseño e implementación de la digitalización de la justicia debe asegurar el pleno respeto de los derechos fundamentales, tal como se reconocen en la CDFUE», citándose en primer lugar (nota a pie 11 del documento) la protección de los datos personales, así como el derecho a la tutela judicial efectiva y a un recurso efectivo, tomando en consideración a aquellas personas mayores o en situación de desventaja que no tengan acceso a las herramientas digitales o las habilidades necesarias para utilizarlas. En todo caso, puede accederse a todos los documentos relacionados con dicha Comunicación de la Comisión (incluido el más amplio documento de trabajo de la Comisión –*Commission Staff Working Document*–, así como aportaciones de diversos gobiernos de países miembros de la UE, de entidades asociativas, empresariales, universitarias, etc.) en el siguiente enlace: https://ec.europa.eu/info/law/better-regulation/have-your-say/initiatives/12547-Digitalisation-of-justice-in-the-EU.

[726]   Sobre esta cuestión, *mutatis mutandis*, como bien ha apuntado C. Pauner Chulvi: «El algoritmo puede ser un instrumento que debe complementarse, como mínimo, con un equipo humano de verificación. El fact-checking automático y automatizado no puede sustituir a las personas puesto que estas son mejores que la informática para analizar mensajes cargados de contextos, juicios o afirmaciones vagas. Pero la informática tiene la ventaja competitiva de peinar la red, evaluando afirmaciones sencillas. En otras palabras, la informática puede separar lo blanco de lo negro dejando que las personas se centren en los matices del gris. Por eso entendemos que la combinación de fórmulas algorítmicas y equipos humanos de verificación constituyen un montaje adecuado para el cribado de noticias falsas», «Noticias falsas y libertad de expresión e información. El control de los contenidos informativos en la Red», *Teoría y Realidad Constitucional*, n.º 41, 2018, p. 315.

EL TRIBUNAL EUROPEO DE DERECHOS HUMANOS ANTE LA ANONIMIZACIÓN DE DATOS PERSONALES EN EL ÁMBITO JUDICIAL

Luis Jimena Quesada
Catedrático de Derecho Constitucional
Universitat de València
Juez ad hoc en el TEDH

I. INTRODUCCIÓN: SOMERA APROXIMACIÓN AL ENFOQUE EVOLUTIVO DE LA JURISPRUDENCIA DE ESTRASBURGO EN MATERIA DE ANONIMIZACIÓN DE DATOS PERSONALES EN EL TERRENO JUDICIAL

Como es obvio, la anonimización de datos personales en el ámbito judicial, tanto nacional como ante el aparato judicial europeo con sede Estrasburgo, ha sido una de las materias que ha propiciado la evolución del CEDH de 1950 como "instrumento vivo"[727], al tener

---

[727] Así lo subrayaron ya tanto la Comisión como el Tribunal europeos de derechos humanos en los años setenta del siglo pasado: por ejemplo, STEDH *Tyrer c. Reino Unido* de 25 de abril de 1978, párrafo 31. Con motivo del Seminario judicial que se celebró en noviembre de 2020 con ocasión del 50° aniversario del CEDH se volvió a enfatizar ese enfoque, tal como se recoge en el documento preparado por la Secretaría del TEDH: *Background paper for the Judicial Seminar 2020: The Convention as a Living Instrument at 70* (https://echr.coe.int/Documents/ Seminar_background_paper_2020_ENG.pdf, última visita el 20 de marzo de 2021) p. 4: "Para ver si los derechos y libertades consagrados por el Convenio deben evolucionar, el Tribunal puede acercarse a los desarrollos producidos en los sistemas jurídicos nacionales que muestren un enfoque común o una tendencia evolutiva entre los Estados Contratantes en una concreta materia. Eso se conoce como la búsqueda de un 'consenso europeo' o una 'tendencia emergente'." Más recientemente, ha abundado en ello López Guerra, L., *El Convenio Europeo de Derechos Humanos. Según la jurisprudencia del Tribunal de Estrasburgo*, Tirant lo Blanch, Valencia, 2021, p. 188-189: "La vida privada defendida por el art. 8 del Convenio protege también, según el Tribunal, a las relaciones del individuo con los demás. Ello da lugar a que la protección de ese artículo se

que adaptarse las originarias cláusulas convencionales a los más recientes desafíos de la protección de datos personales en la era digital (sobre la base del art. 8 CEDH) y al impacto de la propia digitalización de la Justicia (en conexión con las exigencias y garantías del proceso equitativo del art. 6 CEDH). De hecho, esa anonimización en el terreno judicial se ha desenvuelto básicamente en las coordenadas de una interacción, impregnada más o menos de sinergias y de tensión dialéctica, entre el alcance y proyección de ambas disposiciones convencionales.

Con tales parámetros preliminares (I), nos acercaremos en primer término (apartado II) a ese recorrido evolutivo de la jurisprudencia europea de Estrasburgo partiendo del inicio de su andadura con las apreciables aportaciones de la antigua Comisión Europea de Derechos Humanos. Esas aportaciones, que se enmarcaron en un inicial dispositivo de compleja conciliación entre la publicidad (o no) de sus propias decisiones e informes y el tratamiento anónimo (o no, y eventualmente anonimizado) de las demandas individuales, suministraron los primeros apuntes jurisprudenciales vanguardistas sobre la protección de datos personales (fundados tanto indirectamente con relación a las garantías de proceso justo bajo la óptica del art. 6 CEDH, como directa o autónomamente con apoyo en el art. 8 CEDH), ulteriormente desarrollados por el TEDH.

Es precisamente esa evolución protectora de la jurisprudencia del TEDH en materia de datos personales en el campo judicial la que acometeremos en el siguiente apartado (III). Examinaremos entonces la complicada praxis de la anonimización desde el punto de vista de las cláusulas convencionales indirectas por referencia esencial al art. 6 CEDH (cuyo ámbito de aplicación ha dado pie tanto para avalar institucionalmente la publicidad del proceso como para limitarla a través del anonimato en el caso concreto en aras del respeto de los derechos de defensa y la presunción de inocencia), así como desde la perspectiva más específica del art. 8 CEDH (y su exégesis extensiva a la luz del Convenio n.º 108 de 1981).

---

proyecte sobre lo que podrían denominarse círculos concéntricos, a partir de la persona individual, y englobando espacios cada vez más amplios, relativos a la vida social: familia, relaciones laborales y medio ambiente, en una jurisprudencia evolutiva".

Esa complicada praxis nos ha llevado a evaluar (apartado IV) algunas luces y sombras que se ciernen sobre la anonimización como contrapeso más o menos justificado del crucial imperativo de la publicidad y la ejemplaridad de la Justicia. De tal suerte, nos adentraremos en las zonas de penumbra con las que se ha enfrentado la Corte de Estrasburgo en un delicado equilibrio hermenéutico, según se pusiera el énfasis en una anonimización judicial susceptible de ponerse del lado de la víctima de las violaciones de los derechos y libertades o, diversamente, decantando la balanza procesal a favor del infractor (a quien se extienden asimismo las garantías convencionales).

Teniendo en mente los referidos planteamientos, la parte final (apartado V) acometerá los desafíos a los que se enfrenta el TEDH al contrastar de manera proporcionada la anonimización judicial y la publicidad de la Justicia tras el nuevo Convenio n.º 108+ de 2018. Se enfocarán así, no únicamente las condiciones en las que opera el prurito de la anonimización frente a la regla general de la publicidad ante el propio TEDH, sino asimismo la ponderación de esa tensión (anonimización *versus* publicidad) cuando afecte a personas en situación de mayor vulnerabilidad.

II. LOS INICIOS: LA "VIEJA" POSICIÓN DE LA DESAPARECIDA COMISIÓN EUROPEA DE DERECHOS HUMANOS, ENTRE JUSTICIA ANÓNIMA Y ANONIMIZACIÓN JUDICIAL

Por supuesto, no procede detenernos en el presente trabajo en los pormenores de la instauración de la Comisión y del Tribunal Europeo de Derechos Humanos en el mecanismo inicial de garantía previsto por el CEDH de 1950 (inicial art. 19). Procede recordar, sin embargo, que la antigua Comisión tenía por misión no únicamente actuar de filtro de la admisibilidad de las demandas mediante la correspondiente decisión, sino asimismo ejercer de "guardiana" de las disposiciones convencionales pronunciándose eventualmente (mediante el correspondiente informe) sobre el fondo del asunto declarando si se había producido o no violación de los derechos invocados (tras haber resultado fallido o no el intento de arreglo amistoso); y esto último podía provocar divergencias con el criterio último sobre el fondo pronunciado por el TEDH, un doble empleo (y mayor duración del procedimiento ante ambas instancias de Estrasburgo) que lógicamente podía restar credibilidad al conjunto del sistema de salvaguardia, razón que explica la desaparición de la Comisión y su fusión con el TEDH mediante el Protocolo n.° 11, firmado en Estrasburgo el 11 de mayo de 1994 y vigente desde el 1 de noviembre de 1998. Hasta entonces, empero, la Comisión avanzó unos apuntes jurisprudenciales nada desdeñables[728], de relevancia asimismo para comprender el alcance de la anonimización de datos personales en el terreno judicial, que vale la pena tener en cuenta y que sintetizaremos a continuación.

Es cierto que el procedimiento ante la Comisión se concibió "a puerta cerrada", tanto en el CEDH de 1950 (art. 33) como en su Reglamento interno inicial (adoptado el 2 de abril de 1955), una especie de "Justicia anónima" que ponía el contrapeso a la virtud principal del texto convencional de erigir a la persona en sujeto de Derecho internacional reconociéndole legitimación activa para demandar a un Estado por violación de derechos humanos[729]; de hecho, esa regla de no publicidad judicial fue criticada, justificándose alternativamente su existencia "por la misión de conciliación que le confía el Convenio y que cuenta con más posibilidades de tener éxito si se desarrolla discretamente. Subsidiariamente, la puerta cerrada se explica igualmente por el deseo de los autores del Convenio de evitar que se dé una publicidad exagerada a las demandas maliciosas o malintencionadas"[730]. Con el mismo espíritu, se subrayó que el papel primordial de la Comisión residía en la conciliación de dos preocupaciones antagónicas, a saber, la de autorizar a los particulares la defensa de sus derechos y,

---

[728] Recuérdese que, antes de la versión electrónica de la jurisprudencia en la base oficial de datos en internet (*Hudoc*), las publicaciones de la Comisión Europea de Derechos Humanos se contuvieron en el *Recueil des décisions de la Commission européenne des Droits de l'Homme/ Collection of Decisions of the European Commission on Human Rights*, tomos 1 a 46 (de 1959 a 1974), así como *Décisions et rapports/Decisions and Reports* [DR], tomos 1 a 94B (de 1975 à 1998).

[729] Jimena Quesada, L., y Salvioli, F., "The individual, human rights and international instruments: focus on the Council of Europe", *The Elsa Law Review*, n.° 2, 1994, pp. 109-127.

[730] Vasak, K., "La Convention européenne des Droits de l'Homme. Complément utile des Conventions de Genève", *International Review of the Red Cross*, vol. 47, n.° 560, 1965, p. 367-368.

correlativa, la de no despertar ferozmente las susceptibilidades nacionales; y a ello responde que se reconociera inicialmente el derecho de demanda individual y, al tiempo, quedara condicionado a la facultad estatal de reconocer o no la jurisdicción de la Comisión al efecto[731].

En todo caso, el eventual informe de la Comisión sobre la violación o no del CEDH era comunicado a los Estados interesados (que, a tenor del original art. 31, no tenían la facultad de publicarlo) y transmitido al Comité de Ministros, el cual disponía de un amplio margen de discreción (en caso de no someterse el asunto al TEDH en el plazo de tres meses previsto en el art. 32 CEDH) para darle o no seguimiento en el supuesto de haberse constatado violación y exigir las medidas pertinentes al Estado condenado; evidentemente, si el Comité de Ministros decidía publicar el informe de la Comisión ello ya comportaba "sacarle los colores" al Estado como mecanismo sancionador[732]. Ese alcance lo ilustra el importante informe de la Comisión de 14 de diciembre de 1973 (caso *Asiáticos de África Oriental c. Reino Unido*)[733], que proyectaba implicaciones muy negativas para el Estado demandado y que lamentablemente se publicó más de dos décadas después, en 1994[734].

En realidad, aunque la Comisión se constituyó el 18 de mayo de 1954, no empezó a recibir las demandas individuales previstas en el apartado 1 del originario art. 25 hasta que seis Altas Partes Contratantes reconocieron su competencia al efecto (apartado 4 de dicho artículo), lo cual se produjo a partir del 5 de julio de 1955. Y, aunque ni el propio CEDH ni el Reglamento interno primitivo de la Comisión y sus modificaciones previeron la anonimización de datos personales[735], lo bien cierto es que esa fue su praxis desde el inicio si lo solicitaba el

---

[731]   Eissen, M. A., "La Cour européenne des Droits de l'Homme: de la convention au règlement", *Annuaire français de droit international*, vol. 5, 1959, p. 620.

[732]   Vasak, K.: *op.cit.*, p. 375.

[733]   Demandas números 4403/70-4419/79, 4422/70, 4423/70, 4434/70, 4443/70, 4476/70-4478/70, 4486/70, 4501/70 y 4526/70-4530/70.

[734]   Dicho informe vio la luz en virtud de la Resolución DH (94) 30, adoptada por los Delegados de los Ministros el 21 de marzo de 1994, mediante la cual se decidió la publicación en DR 78-B, septiembre 1994, pp. 5-70.

[735]   Eissen, M. A., "Le nouveau règlement intérieur de la Commission européenne des Droits de l'Homme", *Annuaire français de droit international*, vol. 6, 1960. pp. 774-790.

398 Luis Jimena Quesada

demandante o ella misma lo sugería de oficio en caso de estar implicadas personas menores u otras en situación de vulnerabilidad:
lo ejemplifica ya la primera demanda (n.º 1/55, *M. R. c. Alemania*),
presentada el propio día 5 de julio de 1955 por un maestro de educación primaria que denunciaba haber sido revocado de su puesto
como consecuencia de una condena por sus actitudes antinazis; la
decisión, de fecha 23 de septiembre de 1955, fue de inadmisibilidad
ratione temporis, porque los hechos denunciados se remontaban a un
período anterior a la vigencia del CEDH con respecto a Alemania.
Por consiguiente, son numerosos los asuntos en los que la Comisión
ha anonimizado a las personas demandantes en la praxis pese a la ausencia de reglas explícitas[736], una reglamentación que responde a preocupaciones (en verdad, la anonimización como cierto prurito) más
recientes que han aflorado una vez la Comisión ya había desparecido
(y que para el TEDH, como veremos más tarde, datan ya de 2010).

Expuesto lo anterior, nos parece que no cabe desmerecer la jurisprudencia de la antigua Comisión Europea de Derechos Humanos
puesto que, por las características del procedimiento en Estrasburgo
antes de su desaparición con la vigencia del Protocolo n.º 11, era ella
la que avanzaba la interpretación evolutiva del CEDH y sus Protocolos en ámbitos importantes: así sucedió, por ejemplo, no únicamente
en materias de "última generación" como la protección ambiental (*ex*
art. 8 CEDH) a través del famoso caso "López Ostra"[737], sino asimismo en el terreno de la protección de datos personales (de la "era
tecnológica"); y, a este respecto, la cuestión de la anonimización se
ha planteado tanto indirectamente en relación con las garantías del
proceso equitativo bajo el ángulo del art. 6 CEDH, como directa o
autónomamente con respecto a la protección de datos personales desde el prisma del art. 8 CEDH. Por añadidura, resulta curioso que, en
ambos casos, la elaboración jurisprudencial de la Comisión se iniciara
con sendas decisiones de idéntica fecha (4 de mayo de 1979).

---

[736] A título de ejemplo, decisión de 1 de octubre de 1965 (*X. c. Bélgica*, demanda
n.º 2145/64), mediante la que la Comisión declaró la inadmisibilidad *ratione
materiae* en un supuesto en el que el demandante denunciaba la vulneración de
sus derechos procesales como consecuencia de procedimientos tributarios.
[737] STEDH *López Ostra c. España* de 9 de diciembre de 1994.

En particular, la anonimización bajo el prisma del art. 6 CEDH se ha suscitado en supuestos de intervención de testigos anónimos (incluidos los confidentes de la policía). El punto de arranque interesante viene dado por la decisión de 4 de mayo de 1979 (*X. c. Bélgica*)[738], relativo a la condena del demandante como autor de un incendio voluntario provocando la muerte de una persona; el recurrente denunciaba no haber podido defenderse adecuadamente en el curso del procedimiento penal al ignorar la identidad del informador de la policía que se había encargado del caso. Analizando las circunstancias del caso a la luz del CEDH, la Comisión tomó como premisa que su art. 6.3.d) reconoce a toda persona acusada el derecho "a interrogar o hacer interrogar a los testigos que declaren en su contra y a obtener la citación e interrogatorio de los testigos que declaren en su favor en las mismas condiciones que los testigos que lo hagan en su contra", tratándose de una disposición que pretende asegurar la igualdad de armas procesales. Ahora bien, la Comisión añade que el art. 6.3.d) no puede ser interpretado en el sentido de garantizar al acusado un derecho absoluto o ilimitado a obtener la citación judicial de testigos para un interrogatorio contradictorio, de manera que, "en el marco de sus funciones, los oficiales de policía judicial pueden verse llevados, en efecto, a recopilar confidencias de personas que tengan un interés legítimo en guardar el anonimato; si dicho anonimato fuese rechazado y tales personas estuviesen obligadas a comparecer en juicio, muchas informaciones necesarias para la represión de las infracciones penales no serían nunca puestas en conocimiento de las autoridades responsables de su persecución"[739]. Con tales presupuestos, la Comisión declaró la inadmisibilidad de la demanda.

Esta decisión de 4 de mayo de 1979 en el caso *X c. Bélgica* ha sido tomada como referencia por la Comisión en otras resoluciones de inadmisión relativas a la intervención de testigos anónimos, si bien no siempre desde la óptica del apartado 3.d) del art. 6 CEDH, sino desde el punto de vista de la equidad del proceso del apartado 1 o de la presunción de inocencia del apartado 2 del propio art. 6 CEDH. Así, en la decisión de inadmisibilidad de 8 de noviembre de 1989

---

[738]   Demanda n.º 8417/78.
[739]   Fundamento jurídico único de la decisión.

(*N.N. c. Bélgica*)[740] se consideró que no había suficiente fundamento para entender vulnerados esos apartados 1, 2 y 3.d) del art. 6 CEDH, que el demandante (condenado por tráfico de estupefacientes) había invocado al no haber podido utilizar en el juicio declaraciones de un informador anónimo. A tal efecto, la Comisión trae a colación el extracto reseñado de la decisión *X c. Bélgica* de 4 de mayo de 1979, pero afina un poco más la argumentación señalando que la condena del recurrente no se habría basado exclusivamente en las declaraciones de ese testigo anónimo[741]. Semejante interpretación, con referencias jurisprudenciales precedentes análogas, se confirmó en otras decisiones de inadmisibilidad posteriores (asimismo sobre tráfico de estupefacientes como telón de fondo), como la de 10 de febrero de 1993 (*R.K. c. Países Bajos*)[742] o la de 11 de enero de 1995 (*Escobar Londono y otros c. Bélgica*)[743].

Pasemos ahora al examen de la jurisprudencia de la Comisión fundada en el concreto art. 8 CEDH. A este respecto, en la decisión de 4 de mayo de 1979 (*X c. Austria*)[744], la Comisión consideró que el hecho de que las autoridades policiales hubieran compilado información sobre el demandante (estudiante que había participado en una manifestación antifascista ante la Facultad de Derecho de la Universidad de Viena) y la hubieran transmitido a la jurisdicción penal en conexión con presuntos delitos entraba en el ámbito de aplicación del art. 8 CEDH al constituir una injerencia en el respeto de la vida privada; no obstante, concluyó que dicha interferencia estaba prevista por la ley y era necesaria en una sociedad democrática para la persecución

---

[740]   Demanda n.º 13304/87.
[741]   En el mismo fundamento jurídico único de la decisión, la Comisión añade en tal dirección: "La Comisión recuerda, además, que recientemente ha considerado que el derecho a un proceso equitativo no es respetado cuando las pruebas producidas ante el tribunal son exclusivamente declaraciones anónimas que no vienen corroboradas por alguna otra prueba (cf. *Kostovski c. Países Bajos*, informe de la Comisión de 12.5.88, pár. 48-51, y *W. c. Austria*, informe de la Comisión de 12.7.1989, pár. 32)".
[742]   Demanda n.º 18312/91.
[743]   Demanda n.º 19171/91.
[744]   Demanda n.º 8170/78.

de las infracciones penales en virtud del apartado 2 del propio art. 8 CEDH, por lo que declaró finalmente inadmisible la demanda[745].

De igual manera, en el mismo año en que se adoptó el Convenio n.º 108 del Consejo de Europa, pero con anterioridad a su vigencia[746], mediante la decisión sobre la admisibilidad de 7 de mayo de 1981 (*X. c. Alemania*)[747], la Comisión declaró con relación a un expediente nominativo referente al demandante (un informe de la policía elaborado en 1969 sobre la tentativa de suicidio del recurrente que iba acompañado de documentos de carácter privado sobre su situación psiquiátrica, informe que fue conservado por la policía y remitido por esta a la jurisdicción penal en el marco de una investigación criminal que implicaba al interesado) que dicho punto litigioso ("determinar si estaba justificado que la policía conservara el expediente hasta 1978, fecha en la que lo transmitió al tribunal") planteaba "efectivamente una cuestión de protección de datos que entra en el amplio ámbito del art. 8 del Convenio"[748].

Por el contrario, la Comisión declaró inadmisible la demanda por falta de agotamiento de los recursos internos, en la medida en que el recurrente no había contestado ante las jurisdicciones penales la utilización del controvertido informe judicial. Desde luego, pese a la ausencia de desarrollo jurisprudencial en tal sentido, no deja de ser interesante que la Comisión analizara ese motivo impugnatorio bajo el ángulo de la vida privada y la protección de datos personales del art. 8 CEDH en lugar de enfocarlo bajo el prisma procesal del art. 6 CEDH[749]. En todo caso, parecían atisbarse, a caballo entre ambas

---

[745]　Párrafos 22 a 28 de la fundamentación jurídica.
[746]　Entró en vigor el 1 de octubre de 1985, tras alcanzarse el número de cinco ratificaciones exigidas por su art. 22.2.
[747]　Demanda n.º 8334/78.
[748]　Párrafo 2.c) de la fundamentación jurídica.
[749]　En efecto, la Comisión dejó algunos apuntes (en el párrafo 2.a y en el párrafo 2.b) que deberían ser desarrollados ulteriormente en cada caso: así, de un lado, sostuvo con respecto al apartado 1 del art. 8 CEDH que la obligación de someterse a un examen psiquiátrico constituye una injerencia en el ejercicio del derecho al respeto de la vida privada, así como que la conservación en los expedientes de la policía de un informe y fotocopias como los controvertidos en los autos entraban en el campo de aplicación de dicha disposición; pero, de otro lado, afirmó igualmente que esa obligación podría, "en su caso", ser considerada

disposiciones convencionales, apuntes de un "olvido" en sede policial y judicial que trascendía la *mera* praxis de la anonimización del demandante ante la propia Comisión.

De hecho, un avance de ese desarrollo jurisprudencial sí vino de la mano del caso *Leander*, cuyo origen trae causa de la demanda del recurrente (carpintero de profesión) ante la Comisión el 2 de noviembre de 1980 denunciando que se le vetó para ocupar un puesto permanente tras trabajar como interino en un puesto de técnico en el Museo Naval de la ciudad sueca de Karlskrona (ubicado junto a la base naval de dicha localidad, zona militar prohibida), además de haber sido despedido de su trabajo temporal debido a información secreta que presuntamente le presentaba como un riesgo para la seguridad, lo cual le habría infligido además un perjuicio para su reputación sin posibilidad de defenderse ante los tribunales, invocando los arts. 6, 8, 10 y 13 CEDH.

Concretamente, mediante la decisión de 10 de octubre de 1983 (*Torsten Leander c. Suecia*)[750] se inadmitió la denuncia basada en el art. 6 CEDH, declarándose en cambio la admisibilidad de los demás motivos impugnatorios (los fundados en los arts. 8, 10 y 13 CEDH). Admitido lo cual, el informe de la Comisión de 17 de mayo de 1985 concluyó que no había violación del art. 8 CEDH ni se suscitaba cuestión alguna distinta bajo el ángulo del derecho a recibir información del art. 10 CEDH, rechazándose asimismo que hubiera infracción del art. 13 CEDH. Por lo demás, la STEDH *Leander c. Suecia* de 26 de marzo de 1987 confirmó esas mismas conclusiones.

Pese a ello, conviene observar que, en la propia decisión de 10 de octubre de 1983, la Comisión había afirmado que resultaba relevante bajo el ángulo del art. 8 CEDH "el hecho de que una autoridad pública [la policía nacional] conserve en un registro secreto informaciones sobre una persona y comunique algunas de ellas a otra autoridad pública [fuerzas armadas]", y que dicha relevancia se extendía asimismo al ámbito de aplicación del art. 10 CEDH en cuanto al "hecho de que el interesado no pueda obtener la comunicación de datos personales

---

como necesaria para la prevención de las infracciones penales a la luz del apartado 2 del propio art. 8 CEDH.
[750]   Demanda n.º 9248/81.

que le conciernan conservados por otra autoridad pública"[751]. Esas afirmaciones no dejan de tener relevancia a los efectos del ulterior desarrollo jurisprudencial, sobre todo del art. 8 CEDH, por más que en el caso concreto se considerara justificada la restricción a la luz del apartado 2 de dicha disposición en aras de la protección de la seguridad nacional[752].

Por lo demás, esta jurisprudencia de la Comisión se ha confirmado en otras decisiones posteriores, de inadmisibilidad asimismo, pero interesantes para ponderar el alcance de la protección de datos personales bajo el prisma del art. 8 CEDH. Baste mencionar tres de ellas: la decisión de 1 de diciembre de 1985 (*Lundvall c. Suecia*)[753], la de 28 de febrero de 1996 (*Martin c. Reino Unido*)[754] y la 20 de mayo de 1998 (*Brandt c. Suiza*)[755]. Por último, conviene ilustrar la praxis de la Comisión por referencia a una de las últimas decisiones de inadmisibilidad antes de su desaparición como consecuencia de la entrada en vigor el ya referido 1 de noviembre de 1998 del Protocolo n.° 11. Se trata de la decisión de 27 de octubre de 1998 (*H.N. c. Italia*)[756]: si,

---

[751] Párrafos 2 y 3, respectivamente, de la fundamentación jurídica.

[752] Párrafo 80 del informe de la Comisión. Por otra parte, en los párrafos 52 a 67 de la STEDH *Leander c. Suecia* de 1987 se confirmaba la justificación de esa injerencia bajo el ángulo del apartado 2 del art. 8 CEDH (no considerándose desproporcionada ni ilegítima en virtud del fin perseguido), avalándose de tal suerte el margen de apreciación en la materia; pese a lo cual, el propio TEDH advertía que él mismo "debe convencerse de la existencia de garantías adecuadas y suficientes contra los abusos, pues un sistema de vigilancia secreta destinado a proteger la seguridad nacional crea un riesgo de socavar, e incluso de destruir, la democracia con el pretexto de defenderla (sentencia *Klass y otros* de 6 de septiembre de 1978, serie A n.° 28, pp. 23-24, párrafos 49-50)".

[753] Demanda n.° 10473/83.

[754] Demanda n.° 27533/95.

[755] Demanda n.° 30039/96.

[756] Demanda n.° 18902/91, European Commission of Human Rights/Commission européenne des Droits de l'Homme, *Decisions and Reports/Décisions et rapports*, 94-B, Strasbourg, octubre 1998, pp. 21 y ss. Otro ejemplo típico de la praxis de anonimización de los demandantes tiene que ver lógicamente con la protección de menores: en este sentido puede verse el Informe de la Comisión Europea de Derechos Humanos de 11 de abril de 1997 (*asunto S.P., D.P. y A.T. c. Reino Unido*) establecido en aplicación del entonces art. 28.2 CEDH (arreglo amistoso), en el que se denunciaba la vulneración de los arts. 6.1 y 8 CEDH con relación a la duración de un procedimiento sobre guarda de menores y las

por una parte, constatamos que el demandante aparece anonimizado, por otra parte comprobamos que la Comisión no encontró fundada su denuncia sobre la presunta vulneración de sus derechos de defensa, por cuanto se entendió que si bien la noción de proceso equitativo implica en principio la facultad del acusado de asistir a los debates (como parte integrante de la publicidad del proceso), ello no es obstáculo para aceptar la renuncia al ejercicio de tal derecho convencional cuando la misma se haya efectuado de modo inequívoco (como habría sido el caso de autos -el demandante habría sido juzgado en rebeldía como consecuencia de la contumacia provocada por él mismo dificultando el procedimiento de notificación de las comunicaciones procesales-, según la Comisión, trayendo a colación la jurisprudencia en la materia del propio TEDH a la luz del art. 6.3 CEDH, sobre lo que volveremos en el apartado III, *infra*).

III. LA EVOLUCIÓN PROTECTORA DE LA JURISPRUDENCIA DEL TEDH EN MATERIA DE ANONIMIZACIÓN DE DATOS PERSONALES EN EL ÁMBITO JUDICIAL

1. Desde la perspectiva de cláusulas convencionales indirectas

Sin lugar a duda, el mayor exponente de la jurisprudencia evolutiva del TEDH a través de cláusulas convencionales indirectas para proveer a la anonimización de datos personales en el ámbito judicial ha venido de la mano del art. 6 CEDH. A decir verdad, esta disposición se ha revelado útil tanto para justificar institucionalmente la publicidad del proceso como para restringir dicha publicidad a nivel individual (la anonimización como excepción al carácter público del proceso) en aras del respeto de los derechos de defensa y la presunción de inocencia; y en esa dimensión individual ha seguido los apuntes jurisprudenciales ofrecidos por la Comisión Europea de Derechos Humanos anteriormente estudiados.

---

repercusiones sobre ellos: *Decisions and Reports/Décisions et rapports*, 89-B, Strasbourg, mayo 1997, pp. 31 y ss.

Por lo que se refiere a esa faceta institucional, en dos sentencias ya clásicas de 8 de diciembre de 1983 (caso *Pretto y otros c. Italia*, y caso *Axen c. Alemania*) el TEDH sostuvo que la publicidad del procedimiento de los órganos judiciales establecida en el apartado 1 del art. 6 CEDH protege a las partes procesales contra una justicia secreta que escape al control público, constituyendo así uno de los medios para preservar la confianza en Juzgados y Tribunales[757]. Esa afirmación de principio, en efecto, se contiene en la primera frase del citado apartado 1 del art. 6 CEDH, a tenor del cual "toda persona tiene derecho a que su causa sea oída equitativa, *públicamente* y dentro de un plazo razonable, por un Tribunal independiente e imparcial, establecido por ley, que decidirá los litigios sobre sus derechos y obligaciones de carácter civil o sobre el fundamento de cualquier acusación en materia penal dirigida contra ella"; dicho postulado, que se concreta a renglón seguido agregando de entrada en la segunda frase que "la sentencia debe ser pronunciada públicamente", añade una serie de excepciones ("pero el acceso a la sala de audiencia puede ser prohibido a la prensa y al público durante la totalidad o parte del proceso en interés de la moralidad, del orden público o de la seguridad nacional en una sociedad democrática, cuando los intereses de los menores o la protección de la vida privada de las partes en el proceso así lo exijan o en la medida en que sea considerado estrictamente necesario por el tribunal, cuando en circunstancias especiales la publicidad pudiera ser perjudicial para los intereses de la justicia").

Como cabe apreciar, algunas de esas excepciones a la publicidad de la Justicia presentan la reseñada faceta institucional (moralidad, orden público, seguridad nacional o intereses de la justicia), mientras otras tienen una dimensión individual (intereses de los menores o protección de la vida privada de las partes procesales), siendo cabalmente estas últimas las que dan pie a la anonimización tanto desde la

---

[757] Dicha faceta institucional ya fue realzada por nuestra Jurisdicción Constitucional, justamente haciéndose eco de esa jurisprudencia europea: por ejemplo, en la STC 96/1987, de 10 de junio, FJ 2, que se ha reiterado en pronunciamientos posteriores (entre ellos, SSTC 65/1992, de 29 de abril, FJ 2; 56/2004, de 19 de abril, FJ 5; 57/2004, de 19 de abril, FJ 7; 159/2005, de 20 de junio, FFJJ 3 y 4; 83/2019, de 17 de junio, FJ 3; 94/2019, de 15 de julio, FJ 3; o 95/2019, de 15 de julio, FJ 3).

perspectiva indirecta procesal examinada en el presente apartado como desde la óptica autónoma de la protección de datos personales. A decir verdad, la publicidad se refiere tanto a los debates o audiencias procesales como al pronunciamiento de las resoluciones judiciales y, consecuentemente, ambas facetas de la publicidad pueden verse limitadas.

Así, por ejemplo, el TEDH ha recordado que el derecho a una audiencia pública no está vinculado exclusivamente con el hecho de poder oír oralmente a testigos, sino que ha considerado igualmente importante que el justiciable disponga de la posibilidad de exponer oralmente sus pretensiones ante las jurisdicciones internas, a menos que circunstancias excepcionales justifiquen dispensar dicha publicidad[758] (circunstancias que tienen que ver con las restricciones previstas en la citada segunda frase del art. 6.1 CEDH)[759], en la medida en que ese derecho a la audiencia constituye uno de los elementos subyacentes en el principio de igualdad de armas entre las partes procesales[760]. Más precisamente, entre esas circunstancias que permitirían prescindir de una audiencia el TEDH ha incluido los supuestos en que no existan cuestiones de credibilidad o hechos contestados y sea posible resolver equitativa o razonablemente sobre la base del expediente[761], casos que planteen cuestiones meramente técnicas o de alcance restringido y sin complejidad particular[762], o incluso aspectos altamente técnicos[763]. Al contrario, el TEDH ha juzgado indispensable la celebración de audiencia cuando se trate de verificar que los hechos han sido correctamente establecidos por las autoridades[764], o

---

[758]　SSTEDH *Fredin c. Suecia* de 23 de febrero de 1994, párrafo 21; *Fischer c. Austria* de 26 de abril de 1995, párrafo 44, o *Göç c. Turquía* de 11 de julio de 2002, párrafos 46-47.

[759]　Véanse, entre otras, SSTEDH *Diennet c. Francia* de 26 de septiembre de 1995, párrafo 34, o *Martinie c. Francia* de 12 de abril de 2006, párrafos 39-42.

[760]　STEDH *Margaretić c. Croacia* de 5 de junio de 2014, párrafos 127-128.

[761]　SSTEDH *Döry c. Suecia* de 12 de noviembre de 2002, párrafo 37, o *Saccoccia c. Austria* de 18 de diciembre de 2008, párrafo 73.

[762]　SSTEDH *Allan Jacobsson c. Suecia* (n.º 2) de 19 de febrero de 1998, párrafo 49, o *Mehmet Emin Şimşek c. Turquía* de 28 de febrero de 2012, párrafos 29-31, así como decisiones de inadmisibilidad *Varela Assalino c. Portugal* de 25 de abril de 2002, o *Speil c. Austria* de 5 de septiembre 2002.

[763]　Por ejemplo, en materia de seguridad social: STEDH *Schuler-Zgraggen c. Suiza* de 24 de junio de 1993, párrafo 58.

[764]　STEDH *Malhous c. República Checa* de 12 de julio de 2001, párrafo 60.

cuando las circunstancias exijan que el tribunal deba tener su propia impresión sobre la explicación por el justiciable de su situación personal (directamente o a través de su representante)[765], habiendo tomado en consideración si el tribunal de apelación puede remediar la ausencia de audiencia en instancias inferiores (en función de si aquél puede conocer los hechos nuevamente con plenitud[766] o, inversamente, su cognición es limitada[767]).

Por otro lado, en lo que concierne al pronunciamiento público de las decisiones judiciales, es posible exceptuarlo si la publicidad se asegura por otros medios, como la obtención de una copia de la sentencia en la secretaría del órgano jurisdiccional o su publicación ulterior en una compilación de jurisprudencia[768]. Por añadidura, el TEDH ha admitido que el justiciable pueda renunciar a la publicidad del procedimiento, siempre que dicha renuncia sea efectuada de manera inequívoca[769].

En cualquier caso, al margen de los perfiles de la anonimización examinados bajo la perspectiva de los apartados 1 y 3.d) del art. 6 CEDH[770], la praxis anonimizadora ha sido objeto de profundización en la jurisprudencia del TEDH bajo el prisma de la presunción de

---

[765] STEDH *Miller c. Suecia* de 8 de febrero de 2005, párrafo 34, o *Andersson c. Suecia* de 7 de diciembre de 2010, párrafo 57.

[766] STEDH *Buterlevičiūtė c. Lituania* de 12 de enero de 2016, párrafos 52-54.

[767] STEDH *Gautrin y otros c. Francia* de 20 de mayo de 1998, párrafo 42.

[768] Por ejemplo, STEDH *Sutter c. Suiza* de 22 de febrero de 1984, párrafo 34.

[769] STEDH *Häkansson y Sturesson c. Suecia* de 21 de febrero de 1990, párrafo 66: "Ni la letra ni el espíritu del art. 6.1 impiden a una persona renunciar a ello voluntariamente de manera expresa o tácita, pero dicha renuncia debe ser inequívoca y no chocar con ningún interés público importante".

[770] Así, STEDH *Saïdi c. Francia* de 20 de septiembre de 1993 en materia de intervención de testigos anónimos [violación de los apartados 1 y 3.d) del art. 6 CEDH; al contrario, no violación de dichos apartados en la STEDH *S.N. c. Suecia* de 2 de julio de 2002, en donde se consideró justificado que S.N. no hubiera podido interrogar directamente al menor M., que había sido objeto de agresiones sexuales por el demandante], STEDH *T. c. Reino Unido* de 16 de diciembre de 1999 (violación del art. 6.1 CEDH en relación con el proceso seguido contra un menor y los problemas creados por la publicidad del juicio, párrafo 86) u otras más recientes como la STEDH *Ramos Nunes de Carvalho e Sá c. Portugal* de 6 de noviembre de 2018 (violación del art. 6.1 CEDH a propósito de la ausencia de audiencia pública y otras irregularidades procesales en relación con procedimientos disciplinarios iniciados por el Consejo Superior de la Magistratura con-

inocencia del apartado 2 del mismo art. 6 CEDH. A este respecto, en la significativa STEDH *Karaman c. Alemania* de 27 de febrero de 2014 se sostuvo que la presunción de inocencia se vería conculcada si en una resolución judicial referente a un acusado se contuviera una declaración clara, realizada sin que exista una condena definitiva, según la cual esa persona habría cometido la infracción litigiosa; y, a tal efecto, la Corte de Estrasburgo resaltó la importancia de la elección de los términos empleados por las autoridades judiciales y de las circunstancias particulares en las que estos fueron formulados, así como de la naturaleza y del contexto del procedimiento en cuestión[771]. Ello es la lógica consecuencia del claro enunciado del apartado 2 del art. 6 CEDH a tenor del cual "toda persona acusada de una infracción se presume inocente hasta que su culpabilidad haya sido legalmente declarada".

A mayor abundamiento, el TEDH se ha pronunciado en relación con dichos factores y las implicaciones para la presunción de inocencia en el supuesto de enjuiciamiento de coacusados en procedimientos separados. La ilustración más emblemática viene suministrada por la STEDH *Navalnyy y Ofitserov c. Rusia* de 28 de febrero de 2016, en donde se mantuvo que la autoridad judicial está obligada a ponderar el papel concreto y las intenciones de todas las personas que puedan estar implicadas en la comisión de un delito. De tal manera que, en los procedimientos penales complejos que involucren a diferentes acusados no susceptibles de ser juzgados conjuntamente, si bien es posible que el órgano jurisdiccional nacional se vea abocado necesariamente, para apreciar la culpabilidad de los acusados, a mencionar la participación de terceros que eventualmente serán juzgados separadamente con posterioridad, dicha mención debe efectuarse en términos que evite un potencial juicio prematuro sobre la culpabilidad de dichos terceros.

---

tra la demandante y su posterior control judicial, ante la Sala de lo Contencioso-Administrativo del Tribunal Supremo de Justicia).

[771]   Párrafo 63.

2. *Bajo el ángulo del específico artículo 8 CEDH y el Convenio n.° 108 de 1981*

Como hemos visto en el anterior apartado, la protección de la anonimización de datos personales en el terreno judicial ha venido de la mano *indirecta* de las restricciones a la publicidad derivadas de la equidad del proceso previstas en el apartado 1 del art. 6 CEDH, tanto de una perspectiva institucional (del apartado judicial o del servicio público de la Justicia) como de las propias garantías procesales (o, si se prefiere, de ese derecho a un proceso justo o equitativo, concretado a través de la presunción de inocencia del apartado 2 o de los "subderechos" del apartado 3).

Dicho de otro modo, la anonimización ha venido asegurada por esas vías indirectas en vez de por la vía directa de la protección de los datos personales bajo el ángulo del art. 8 CEDH (que, consiguientemente, constituye un cauce protector o garantista más reciente). Expresado lo cual, este último enfoque viene ilustrado, especialmente, por dos asuntos contra nuestro país, concretamente las SSTEDH *C.C. c. España* de 6 de octubre de 2010 y *Vicent Del Campo c. España* de 6 de noviembre de 2018.

2.1. La STEDH C.C. c. España de 6 de octubre de 2010

Este asunto trae origen de la denuncia por parte del demandante de la violación de su derecho a la vida privada del art. 8 CEDH como consecuencia de la divulgación de su identidad con respecto a su estado de salud en la resolución judicial de primera instancia (en el marco de un procedimiento iniciado a instancia del recurrente contra una compañía de seguros que había rechazado indemnizarle por haber ocultado todas las circunstancias atinentes a su salud, especialmente si estaba o no afectado por el virus VIH), que no procedió a su anonimización. Esta circunstancia motivó que su seropositividad fuera hecha pública, a pesar de haber pedido expresamente que su identidad permaneciera confidencial.

Más concretamente, el demandante estaba infectado por el SIDA y sufría otra enfermedad grave. El 27 de enero de 2000, suscribió una póliza de seguro de vida con una compañía de seguros. Más tarde, el 21 de octubre de 2002, fue declarado en situación de incapacidad permanente absoluta y reclamó a dicha compañía la indemnización prevista en su póliza. En razón del rechazo del pago de la compañía de seguros de los importes reclamados, el demandante presentó una demanda civil en contra de aquella ante el Juzgado de primera instancia n.º 4 de Salamanca. La entidad demandada solicitó que el expediente médico completo del demandante fuera reclamado al Hospital Universitario de Salamanca y a la Seguridad Social y fuera incluido en el expediente del procedimiento. El Juzgado accedió a dicha petición. Ante ello, entendiendo que dicha forma de proceder podía atentar contra su derecho a la intimidad personal, el demandante pidió el 9 de diciembre de 2003 al Juzgado que estimara que el contenido del expediente médico no era objeto del proceso y que suprimiera su identidad y toda referencia al VIH en los documentos que figuraban en el expediente, así como en las actuaciones judiciales; por otro lado, solicitó que la audiencia se desarrollara a puerta cerrada y que su nombre no fuera citado en las resoluciones judiciales.

Sin embargo, mediante un auto de 24 de diciembre de 2003, el Juzgado de primera instancia rechazó las pretensiones del actor, esgrimiendo que no se daría ninguna publicidad a las informaciones médicas fuera del procedimiento judicial. El demandante recurrió entonces dicho auto en fecha 9 de enero 2004 (invocando explícitamente para postular su anonimato el art. 138.2 LEC, así como el art. 18 CE en conexión con los arts. 8 CEDH y 12 de la Declaración Universal de Derechos Humanos). El caso es que, mediante la sentencia controvertida de 20 de mayo de 2004, el Juzgado de primera instancia desestimó el recurso también en cuanto al fondo, además de citar la identidad del demandante, arguyendo que en el momento de la suscripción de la póliza del seguro ni posteriormente, éste no había declarado que ya estaba enfermo al habérsele diagnosticado un linfoma y que estaba infectado por el SIDA.

La apelación formulada por el recurrente ante la Audiencia Provincial de Salamanca fue desestimada mediante sentencia de 28 de septiembre de 2004, sin por el contrario asociar la identidad del demandante a la infección por el VIH. Tras lo cual, el demandante acudió al TC para solicitar el amparo por vulneración del art. 18.1 CE en cuanto a la revelación de su identidad por parte del Juzgado de primera instancia. La Jurisdicción Constitucional española rechazó el recurso en fecha 20 de junio de 2005, argumentando que los derechos fundamentales no son absolutos ni ilimitados y que, en el caso del derecho a la salud del interesado, el secreto de las informaciones que le afectaban no podía ser opuesto a la compañía de seguros, añadiendo que el Juzgado de primera instancia había precisado, de manera motivada y no arbitraria, que esas informaciones no serían utilizadas fuera del marco del procedimiento judicial.

Una vez agotados los recursos internos y sometido el caso ante el TEDH, tras el examen de las circunstancias del caso, la Corte de Estrasburgo efectúa igualmente un ponderado análisis de los estándares normativos y la praxis pertinentes en España en materia de anonimización de resoluciones judiciales[772]. En la apreciación del caso, el TEDH empezó constatando que la injerencia por parte de las autoridades públicas estaba prevista por la ley. Por otra parte, la finalidad de la injerencia era asimismo legítima, puesto que el acceso al expediente médico por parte de la compañía aseguradora y de las jurisdicciones nacionales estaba directamente relacionado con el procedimiento tendente a determinar si dicha compañía debía o no abonar al recurrente una indemnización en razón de su incapacidad laboral permanente y absoluta; en otras palabras, las medidas litigiosas estaban destinadas a asegurar el buen desarrollo del procedimiento y se orientaban a "la protección de derechos y libertades de terceros", en concreto, de la parte adversa. Por el contrario, el TEDH entendió que la divulgación de la identidad no constituía una medida necesaria en una sociedad democrática.

En este orden de consideraciones, el TEDH recuerda a título preliminar el papel fundamental que juega la protección de los datos con carácter personal, incidiendo en la importancia de las informaciones médicas o sobre el estado de salud, cuyo carácter confidencial constituye un principio esencial del sistema jurídico de todas las Partes contratantes del CEDH, no sólo para proteger la vida privada de los enfermos, sino igualmente para preservar su confianza en el cuerpo médico y los servicios de salud en general. Desde esta óptica, trayendo a colación la STEDH *Z. c. Finlandia* de 25 de febrero de 1997, se advierte por la Corte de Estrasburgo que, en ausencia de semejante protección, las personas necesitadas de cuidados médicos podrían verse

---

[772]   Párrafos 15 a 20.

disuadidas de proporcionar las informaciones de carácter personal e íntimo necesarias para la prescripción del tratamiento apropiado, o incluso de acudir a consultar a un médico, lo que podría poner en peligro su salud y, en el caso de enfermedades transmisibles, la de la comunidad.

En esta línea, el marco jurídico nacional debe impedir toda comunicación o divulgación de datos personales relativos a la salud para no contrariar el art. 8 CEDH, lo cual debe predicarse especialmente de la protección de la confidencialidad de las informaciones relativas a la seropositividad, dado que ello puede tener consecuencias devastadoras en la vida privada y familiar de la persona concernida y en su situación social y profesional, pudiendo exponerle al oprobio y a un riesgo de exclusión. Razón por la cual, toda medida adoptada por un Estado para obligar a comunicar o a divulgar semejante información sin el consentimiento de la persona concernida, exige el más riguroso examen por parte del TEDH, por más que en las cuestiones referentes al acceso público de los datos de carácter personal se otorgue a las autoridades nacionales un cierto margen de apreciación a la hora de establecer un justo equilibrio entre la publicidad de los procedimientos judiciales para preservar la confianza en los órganos jurisdiccionales (se cita la STEDH *Pretto y otros c. Italia* de 8 de diciembre de 1983) y los intereses de la parte directamente afectada o de terceros (se cita asimismo la STEDH *Leander c. Suecia* de 26 de marzo de 1987)[773].

Así las cosas, el TEDH toma en consideración que, según el ordenamiento español, el juzgado de primera instancia podría haber procedido a la anonimización borrando el nombre del demandante en los documentos que mencionaran que padecía el SIDA. Tiene en cuenta asimismo que "la práctica consistente en omitir la identificación de ciertas personas en sus decisiones, es la seguida hasta por el Tribunal Constitucional español", así como por el propio TEDH a tenor de los arts. 33 y 47.3 de su Reglamento interno, en virtud de los cuales, "a pesar de que la regla general del procedimiento ante el TEDH sea la publicidad", cabe exceptuarla, entre otras razones, para proteger la vida privada de las partes o de cualquier otra persona afectada, autorizando o acordando el anonimato incluso de oficio. En conclu-

---

[773] Párrafos 33 a 35.

sión, "a la vista de las circunstancias particulares del presente caso y señaladamente habida cuenta del principio de protección especial de la confidencialidad de las informaciones relativas a la seropositividad, el TEDH estima que la publicación de la identidad del demandante con todas las letras, asociada a su estado de salud en la sentencia pronunciada por el juez de primera instancia, no estaba justificada por ningún motivo imperioso", por lo que "la publicación de estos elementos ha atentado contra su derecho a su vida privada y familiar, garantizado por el art. 8 del Convenio"[774].

En puridad, a diferencia del más meticuloso análisis acerca de la anonimización de resoluciones judiciales en la STEDH *Vicent del Campo c. España* de 6 de noviembre de 2018 que analizaremos a continuación, en la STEDH *C.C. c. España* recién analizada "curiosamente, el TEDH sobrevoló, sin pronunciamiento explícito alguno, la pretensión esgrimida por el demandante de su supresión de su nombre en los actos procesales accesibles al público en los que se asociara su enfermedad", por más que el TEDH condenara finalmente a España "por no anonimizar la sentencia del juez de primera instancia permitiendo la asociación de la identidad personal con datos de salud tan sensibles como la enfermedad del SIDA"[775].

2.2. La STEDH Vicent del Campo c. España de 6 de noviembre de 2018

En la segunda de las sentencias (*Vicent del Campo c. España*), la Corte de Estrasburgo concluyó la vulneración del art. 8 CEDH, en la medida en que el nombre del demandante había sido mencionado explícitamente en una sentencia de un tribunal doméstico en el que, sin ser parte procesal, figuraba como autor de acoso psicológico infligido supuestamente a una colega de trabajo en un centro público de enseñanza. La resolución interna litigiosa fue la Sentencia n.º 2491/2011 de 2 de noviembre de 2011 (recurso n.º 575/2007), de la Sala de lo Contencioso-Administrativo del Tribunal Superior de Justicia (TSJ) de Castilla y León (Valladolid), que condenó a las

---

[774]   Párrafos 37 a 41.
[775]   Rallo Lombarte, A., *El derecho al olvido en Internet. Google versus España*, Centro de Estudios Políticos y Constitucionales, Madrid, 2014, p. 90.

autoridades regionales educativas en procedimiento de responsabilidad patrimonial de la administración por no haber adoptado las medidas exigidas para evitar el denunciado acoso psicológico, tras rechazarse tener por parte interesada en el procedimiento al señor Del Campo.

En dicha Sentencia del TSJ, tal como se recoge en el párrafo 10 de la Sentencia del TEDH, "en relación con el demandante, (...) a menudo se identificaba por su nombre". El caso es que el demandante había tenido conocimiento de la sentencia a través de la prensa (en el *Diario de León*), reclamando infructuosamente ante el TSJ que se le diera acceso al expediente y se le tuviera por parte en el procedimiento. El rechazo del TSJ, fundado en motivos procedimentales, tampoco encontró amparo ante el Tribunal Constitucional español, que inadmitió el recurso del demandante por falta de especial trascendencia constitucional, quedando de tal forma agotados los recursos internos y expedita la vía ante el TEDH.

Pues bien, mediante la Sentencia *Vicent Del Campo c. España* de 6 de noviembre de 2018, el TEDH concluyó "que la injerencia en el derecho del demandante al respeto de su vida privada, provocada por la sentencia del Tribunal Superior de Justicia, no estaba suficientemente fundamentada por las circunstancias concretas del caso y que, a pesar del margen de discrecionalidad del tribunal nacional en esta materia, fue desproporcionada en relación con los objetivos legítimos perseguidos. En consecuencia, se ha producido una vulneración del art. 8 del Convenio"[776]. De tal suerte, tras concluir esa conculcación sustancial del art. 8 CEDH, estimó prescindible u ocioso examinar con carácter añadido las otras pretensiones impugnatorias basadas en los arts. 6 y 13 CEDH[777].

Por supuesto, en esa STEDH Vicent del Campo de 2018 ya se apuntaban algunas pinceladas jurisprudenciales precedentes relativas al art. 8 CEDH[778]. Pero, adicionalmente, desde la perspectiva del *ha-*

---

[776]   Párrafo 56.
[777]   Párrafos 57 a 60 (apartado II, bajo la rúbrica "Otras supuestas vulneraciones del Convenio").
[778]   Se mencionan a tal efecto las SSTEDH *S. y Marper c. Reino Unido* de 4 de diciembre de 2008, párrafo 66, o *Axel Springer AG c. Alemania* de 7 de febrero de 2012, párrafo 83.

beas data, el TEDH afirma que la noción de "vida privada" del art. 8 CEDH "incluye la información personal que los individuos pueden legítimamente esperar que no se publique sin su consentimiento"[779]. Y seguidamente resalta la Corte de Estrasburgo que, aunque el objetivo esencial del art. 8 CEDH sea proteger a las personas contra la injerencia arbitraria de las autoridades públicas, dicha disposición impone asimismo al Estado obligaciones positivas para garantizar el respeto efectivo de los derechos protegidos por dicha disposición convencional, incluso en las relaciones *horizontales* de los individuos entre sí, sin perjuicio del margen público de discreción y de una justa ponderación entre los intereses contrapuestos *verticalmente* entre el individuo y la comunidad en su conjunto[780].

Con estos parámetros interpretativos, el TEDH se adentra en la aplicación de ellos al caso de autos, concluyendo lo siguiente: de un lado, "que la inclusión por el TSJ de la identidad del demandante, junto con la declaración de sus actos como parte de su propio razonamiento en la sentencia, comportó una injerencia en el derecho del demandante al respeto de su vida privada, garantizado por el art. 8.1 del Convenio"[781]; y, de otro lado, bajo el ángulo del apartado 2 del art. 8 CEDH, que esa injerencia fue desproporcionada y no necesaria en una sociedad democrática, por la trascendencia de la manera en la que se estigmatizaba al demandante (afectando "significativamente" a su situación personal y profesional, así como a su honor y reputación)[782], considerando en suma que "divulgar el nombre completo del demandante junto con la declaración de sus acciones en la sentencia del TSJ como parte de su propio razona-

---

[779] Se traen a colación, entre otras, las SSTEDH *Flinkkilä y otros c. Finlandia* de 6 de abril de 2010, párrafo 75, o *Saaristo y otros c. Finlandia* de 12 de octubre de 2010, párrafo 61.

[780] Párrafos 37 y 38, en los que se citan, entre otras, las SSTEDH *Evans c. Reino Unido* de 10 de abril de 2007, párrafo 75; *Palomo Sánchez y otros c. España* de 12 de septiembre de 2011, párrafo 62; *Fernández Martínez c. España* de 12 de junio de 2014, párrafo 114; *Hämäläinen c. Finlandia* de 16 de julio de 2014, párrafos 62 y 108, o *Bărbulescu c. Rumanía* de 5 de septiembre de 2017, párrafo 108.

[781] Párrafo 42, citándose en apoyo, entre otras, las SSTEDH *Z. c. Finlandia* de 25 de febrero de 1997, párrafo 71, o *C.C. c. España* de 6 de octubre de 2009, párrafo 26.

[782] Párrafo 48.

miento no se apoyó en ningún motivo convincente", y dado que "la protección de los datos personales reviste una importancia fundamental para que una persona disfrute de su derecho al respeto a su vida privada y familiar"[783].

Esta última consideración es interesante en las coordenadas de nuestro estudio, puesto que el TEDH perfila su razonamiento con un reproche constructivo a las instancias nacionales, aconsejando la anonimización en este sentido: "el TSJ podría haber adoptado medidas de protección para preservar el anonimato del demandante y decidir de oficio no revelar su identidad o eliminar sus datos identificativos para la protección de sus derechos y libertades, que podría haberse logrado, por ejemplo, refiriéndose a él simplemente por sus iniciales. Dicha medida habría limitado en buena parte el efecto de la sentencia en el derecho a la reputación y a la vida privada del demandante. No queda claro para este Tribunal el motivo por el que el TSJ no adoptó medidas para proteger la identidad del demandante, sobre todo teniendo en cuenta que éste no era parte en el procedimiento ni había sido citado a comparecer en él"[784].

Para cerrar el presente apartado cabe añadir que, en puridad, la jurisprudencia reseñada del TEDH en torno a la anonimización de datos personales en el terreno judicial basada en la vía directa o autónoma del art. 8 CEDH no se ha visto interpelada por el parámetro del Convenio del Consejo de Europa de 28 de enero de 1981 para la protección de las personas con respecto al tratamiento automatizado de datos de carácter personal (Convenio n.º 108); así lo acredita el caso posiblemente más paradigmático en la materia, la ya analizada STEDH *Vicent Del Campo c. España* de 6 de noviembre de 2018, en donde ni siquiera es mencionado ese importante instrumento del Consejo de Europa.

---

[783] Párrafo 49.
[784] Párrafo 51.

IV. ALGUNAS LUCES Y SOMBRAS: ANONIMIZACIÓN VERSUS PUBLICIDAD Y EJEMPLARIDAD JUDICIALES

Llegados a este punto, tras el análisis de la jurisprudencia del TE-DH referente a la anonimización de datos personales en el ámbito judicial (apartado III anterior) y a la luz de la propia praxis anonimizadora de la Corte de Estrasburgo (que abordaremos con un poco más de detalle en el apartado V, final), comprobamos que la solución del anonimato no es fácilmente asumible por unanimidad al confrontarla con los imperativos de la publicidad de la Justicia y, más aún, de la ejemplaridad de ella.

A este respecto, como una afirmación de principio, la propia jurisprudencia europea (por ejemplo, STEDH *Fressoz y Roire c. Francia* de 21 de enero de 1999[785]) ha señalado en un delicado ejercicio guiado por el control de proporcionalidad de los datos personales, que los relativos a la intimidad de la persona, a la salud, a la vida familiar o a la sexualidad serían susceptibles de mayor protección que los referentes a los ingresos y a los impuestos que, si bien revisten asimismo un carácter personal, afectarían en menor medida a la identidad de la persona y, por ende, serían menos sensibles.

Ciertamente, semejante aproximación de principio vendría avalada por las exigencias de ejemplaridad asociadas a algunas de las injerencias previstas en el apartado 2 del art. 8 CEDH (especialmente, "el bienestar económico del país", e incluso "la prevención del delito" de tipo económico o financiero e, indirectamente, "la protección de los derechos y libertades de los demás" si tomamos en consideración que el erario público se nutre con nuestro esfuerzo tributario), como sucede con la existencia de amplio consenso en torno a la publicación, sin anonimización, de las sentencias condenatorias por estafa o por fraude fiscal. Diversamente, esas exigencias de ejemplaridad no serían menores, sino seguramente todo lo contrario para una buena parte de la ciudadanía, en el supuesto de esas (de nuevo, "la prevención del delito" y "la protección de los derechos y libertades de los demás") y otras de las injerencias previstas en ese mismo apartado 2 del art. 8 CEDH (entre ellas, "la seguridad pública" o la "defensa del orden"),

---

[785]   Párrafo 65.

lo cual suscitaría razonablemente la publicación asimismo, sin anonimización (lógicamente, de los autores del delito, preservando en cambio el anonimato de las víctimas), de las sentencias condenatorias por crímenes graves contra la vida, integridad o la libertad sexual de las personas.

En otras palabras, en el caso de los verdugos de esos crímenes execrables, condenados por sentencia firme, sin entrar ahora en el juego de la duración de la pena y de los antecedentes penales, puede resultar poco ejemplar a los ojos de la ciudadanía su anonimización en el ámbito judicial nacional y ante el propio TEDH. Desde este punto de vista, la Corte de Estrasburgo ha puesto luz a la protección de las víctimas restringiendo una desproporcionada consideración de la libertad de comunicación o de las garantías procesales a propósito de delincuentes que hallan inmunidad (y, a lo peor, impunidad) en el anonimato.

Una primera ilustración de ello la ofrece la STEDH *K.U. c. Finlandia* de 2 de diciembre de 2008, en la que se hallaba en juego la protección de menores frente a la pedofilia. El TEDH concluyó que se había violado el derecho a la protección de la vida privada (art. 8 CEDH) del demandante (un menor a quien unos desconocidos habían suplantado e identificado colocando un anuncio -con su fotografía, sus características físicas, su fecha de nacimiento y sus datos de contacto- en un sitio de citas de Internet)[786], en la medida en que las autoridades finlandesas habían omitido el cumplimento de sus obligaciones positivas al escudarse en un marco normativo que a la sazón permitía que el proveedor del servidor rechazara divulgar la identidad de la persona que había colgado el anuncio so pretexto del secreto de las comunicaciones[787]. Para llegar a dicha conclusión, el TEDH parte de reconocer

---

[786]   Tal como se recoge en los párrafos 7 y 8, el recurrente se enteró del anuncio de Internet (en el que se afirmaba que el demandante, que tenía 12 años en aquel momento, buscaba una relación íntima con un chico de su edad o mayor "para enseñarle cómo se hacía") al recibir un correo electrónico de un hombre que le ofreció conocerse y "así ver qué quieres".

[787]   Lo cual plantea asimismo la compleja conciliación entre el respeto de la vida privada y la denominada excepción periodística, máxime ante la fragmentación de las normativas nacionales en la materia, una heterogeneidad a la que pretende poner coto armonizador el nuevo RGPD en el ámbito de la UE, como ha destacado Pauner Chulvi, C.: "La libertad de información como límite al derecho a

que los autos concernían al disfrute del art. 8 CEDH, al referirse "a una cuestión de 'vida privada', noción que comprende la integridad física y moral de la persona, (...) teniendo en cuenta el riesgo físico y moral que la situación litigiosa podía comportar para el demandante y la vulnerabilidad debida a su joven edad"[788]. Y añade que, pese al margen de apreciación nacional en la elección de las medidas para asegurar el respeto del art. 8 CEDH, las obligaciones positivas únicamente son cumplimentadas en estos casos a través de "disposiciones penales eficaces" que aseguren "una disuasión efectiva contra actos graves que pongan en juego valores fundamentales y aspectos esenciales de la vida privada"[789], lo cual ciertamente debe comportar en ocasiones la identificación de los responsables por encima del prurito de la anonimización[790].

Lo anterior, por lo demás, no conduce al TEDH a descuidar los mecanismos protectores que brinda el CEDH incluso a quienes hayan podido perpetrar esas graves acciones criminales[791], unas garantías

---

la protección de datos personales: la excepción periodística", *Teoría y Realidad Constitucional*, n.º 36, 2015, p. 393-394.

[788]   Párrafo 41, en el que se cita la relevante STEDH *X e Y c. Países Bajos* de 26 de marzo de 1985 (párrafo 22), en donde la vulneración del art. 8 tuvo su origen en la ausencia de sanción penal efectiva ante la violación de una menor con discapacidad.

[789]   Párrafo 43.

[790]   Párrafo 46, en donde se cita la STEDH *Stubbings y otros contra Reino Unido* de 22 octubre 1996, párrafo 64)".

[791]   Un claro ejemplo de ello viene dado por la STEDH *Trabajo Rueda c. España* de 30 de mayo de 2017, que concluyó con la vulneración del art. 8 CEDH a causa de los avatares procesales que afectaron al demandante (un individuo investigado por pornografía infantil), por cuanto había mediado un acceso de la policía a ficheros de contenido pedo-pornográfico sin autorización judicial. Con relación a este tipo de pronunciamientos, hemos podido comentar que "es curioso comprobar supuestos jurisprudenciales en los que, como correlato de las garantías procesales de las personas investigadas, el resultado paradójico viene a proyectar un perjuicio indirecto para las víctimas": Jimena Quesada, L., "La protección de datos y las personas vulnerables en el Consejo de Europa", en García Mahamut, R. y Tomás Mallén, B. (Eds.): *El Reglamento General de Protección de Datos: Un enfoque nacional y comparado. Especial referencia a la LO 3/2018 de protección de datos y garantía de los derechos digitales*, Tirant lo Blanch, Valencia, 2019, p. 597. De hecho, el fallo de la STEDH fue adoptado por seis votos contra uno, introduciendo una crítica contundente a la mayoría el voto particular discrepante del magistrado Dmitry Dedov, en donde concluye:

que deben indudablemente cohonestarse (relativizándose, en su caso, un abuso de la garantía del anonimato que no ensombrezca la proyección del aparato convencional europeo) con los derechos y libertades fundamentales de las personas perjudicadas[792]. Esta última fue, en suma, la vía que hizo prevalecer el TEDH en este caso *K.U. c. Finlandia*, optando por reconducir la tutela del demandante menor a la protección directa, autónoma y sustancial del art. 8 CEDH, considerando ocioso el examinar además el núcleo litigioso bajo la perspectiva procedimental e indirecta del derecho a un recurso efectivo del art. 13 CEDH.

Esa opción argumental la ha corroborado en otro relevante asunto, resuelto a través de la STEDH *X c. Eslovenia* de 28 de mayo de 2015, mediante la que se acogieron las alegaciones de la demandante (haciendo valer los arts. 3, 8 y 13 CEDH[793]) según las cuales el procedimiento penal relativo a las violencias sexuales que se le habían infligido siendo menor (14 años) tuvo una duración excesiva y había adolecido de parcialidad, además de haberle hecho vivir experiencias traumatizantes contrarias al respeto de su integridad personal.

En este supuesto, el TEDH concluyó, por una parte, que los períodos de inactividad en la investigación penal de las agresiones sexuales sufridas por la demandante comportaron una violación por parte del Estado demandado de sus obligaciones procedimentales bajo el ángulo del derecho a no sufrir un trato inhumano y degradante del art. 3 CEDH[794], tras haber considerado que esta era la única disposición convencional de pertinente examen al entender ocioso analizar esa problemática igualmente bajo el prisma del art. 13 CEDH[795]. Por

---

"creo que el demandante ha abusado de su derecho de recurso individual ante el Tribunal. Sin embargo, el Tribunal ha preferido proteger el derecho a la vida privada, pese a que ese modo de vida 'protegido' sea de naturaleza criminal. En efecto, un buen eslogan para la presente sentencia podría ser el siguiente: «*Fiat justitia, et pereat mundus*»".

[792] Párrafo 48.
[793] Párrafo 73.
[794] Párrafo 100.
[795] Párrafo 74. Cf. STEDH *Rotaru c. Rumanía* de 4 de mayo de 2000, en donde la conclusión de violación del art. 8 CEDH (párrafos 60-63) no fue obstáculo para que se concluyera asimismo la vulneración del art. 13 CEDH (párrafos 71-73) al impedirse por las normas y las autoridades domésticas el recurrir frente al alma-

otro lado, el TEDH llegó también a la conclusión de violación del art.
8 CEDH, a la vista del efecto acumulativo y negativo sobre la integridad personal de la demandante que desplegaron los factores que
envolvieron el desarrollo de las audiencias públicas y la dinámica de
los interrogatorios, factores que conllevaron un agravio muy superior
para la víctima de las agresiones sexuales (la demandante) en comparación con las garantías procesales de su agresor y, por tanto, esos
factores negativos para la demandante "no pueden consiguientemente
quedar justificados por las exigencias de un proceso equitativo"[796].
Dicho de otro modo, el TEDH concluye "que la manera en que se ha
desenvuelto el procedimiento penal en el caso de autos no ha asegurado a la demandante una protección apta para establecer un justo
equilibrio entre sus derechos e intereses protegidos por el art. 8 del
Convenio y los derechos de defensa garantizados a X. (su agresor
sexual) por el art. 6", produciendo por tanto una violación del art. 8
CEDH[797].

Esta conclusión no nos parece nada despreciable, reflejando esa
tensión entre las luces y las sombras que se proyectan al ponderar,
por un lado, el peso de la anonimización (de hecho, repárese en que
el agresor permanece arropado por la sombra de la anonimización,
como X, en la sentencia del TEDH) y, por otro lado, el alcance de
la publicidad y ejemplaridad judiciales (que en este caso arroja más
luz sobre la víctima que sobre su agresor). Es interesante, finalmente, constatar que el TEDH se siente interpelado a hacer explícito semejante enfoque, al observar que "en los asuntos que el Tribunal se
había visto llamado a conocer hasta el presente, la cuestión de si las
autoridades internas habían logrado un justo equilibrio entre los intereses de la defensa, en particular el derecho del acusado de citar a testigos para interrogarlos enunciado por el art. 6§3, y los derechos de
la víctima protegidos por el art. 8, siempre había sido planteada por

cenamiento por parte de ellas de datos sobre la vida privada del demandante y
a la veracidad de esas informaciones (además de la infracción del art. 6 CEDH,
por haberse omitido por parte del tribunal de apelación doméstico examinar la
correspondiente petición de indemnización formulada por el recurrente (párrafos 78-79).
[796]   Párrafo 114.
[797]   Párrafos 115-116.

el acusado. Por el contrario, en los presentes autos el Tribunal debe examinar esta cuestión desde el punto de vista de la presunta víctima. A tal fin, se propone tener en cuenta los criterios establecidos en los instrumentos internacionales pertinentes. A este respecto, toma nota de que el Convenio del Consejo de Europa para prevenir y combatir la violencia contra la mujer y la violencia doméstica establece la obligación de que las Partes Contratantes adopten las medidas legislativas u otras necesarias para proteger derechos e intereses de las víctimas, incluidas medidas para amparar a las víctimas frente a los riesgos de intimidación y revictimización, para permitirles que sean escuchadas y expongan sus opiniones, necesidades y preocupaciones, con objeto de que estas sean examinadas y tengan la posibilidad, si el Derecho interno aplicable lo autoriza, de declarar sin la presencia del autor de la presunta infracción"[798].

V. LOS DESAFÍOS: LA ANONIMIZACIÓN VERSUS LA PUBLICIDAD DE LA JUSTICIA TRAS EL NUEVO CONVENIO N.º 108+

Como parece comprensible, la cuestión de la anonimización en el terreno judicial y ante el propio TEDH constituye un desafío reciente vinculado a la protección de datos personales en el contexto de la era tecnológica (de hecho, la propia jurisprudencia del TEDH no es ajena a ensayos vinculados con la inteligencia artificial, las redes neuronales y la justicia predictiva)[799], un reto que colisiona con el permanente imperativo de la publicidad y ejemplaridad de la Justicia en una sociedad democrática al tiempo clásica y avanzada. Por tal motivo, con ocasión de la adopción del CEDH en 1950 se advirtió que el texto convencional quedó mudo en esta materia, pues mientras trataba sobre la publicidad de los informes de la Comisión (en los arts. 30 a 32, por más que sus sesiones fuesen a puerta cerrada a tenor del art. 33),

---

[798]   Párrafo 104.
[799]   A título de ejemplo, Chalkidis, I., Androutsopoulos, I. y Aletras, N.: "Neural Legal Judgment Prediction in English", *Proceedings of the 57th Annual Meeting of the Association for Computational Linguistics*, Florencia, Association for Computational Linguistics, 2019, pp. 4317-4323 (https://www.aclweb.org/anthology/P19-1424.pdf).

no contenía ninguna cláusula comparable con respecto al TEDH, y ello pese a la exigencia de publicidad en lo atinente a las jurisdicciones internas en el propio art. 6.1 CEDH[800]. Ahora bien, se observó igualmente que, como quiera que las reglas que rigen la publicidad de los trabajos de los órganos jurisdiccionales constituye un factor de autoridad de sus resoluciones, el TEDH acometió la problemática por vía reglamentaria, inspirándose en las soluciones aportadas por "las más sanas tradiciones judiciales"[801]: en tal sentido, el Reglamento inicial del TEDH previó en el art. 18 que "la audiencia es pública, a menos que el Tribunal decida lo contrario en razón de circunstancias excepcionales", mientras el art. 51.2 estableció que toda sentencia "es leída en audiencia pública por el Presidente en una de las dos lenguas oficiales".

Trasladados al momento presente, es asimismo el Reglamento del TEDH el que ha previsto las condiciones actuales de la anonimización en la praxis de la propia Corte de Estrasburgo, precisamente en el contexto de la ya analizada STEDH *Vicent Del Campo c. España* de 6 de noviembre de 2018. En estas coordenadas, tras recordar la previsión de la legislación española en materia de anonimización y la consiguiente praxis de las jurisdicciones ordinarias[802], así como que "el propio Tribunal Constitucional sigue también la costumbre de no revelar la identidad de determinadas personas en sus sentencias", añade que el propio TEDH "también sigue la misma costumbre. Aunque la regla general es que todos los documentos deben ser accesibles al público, el Presidente de Sala puede decidir lo contrario restringiendo el acceso del público a un documento o a cualquier parte del mismo cuando 'la protección de la vida privada de las partes o de cualquier interesado así lo requiera' (art. 33 del Reglamento del Tribunal). Además, el Tribunal puede autorizar el anonimato o concederlo de oficio (art. 47.4 del Reglamento del Tribunal)"[803].

Sea como fuere, la anonimización ante el propio TEDH se concibe como excepción (a la que facultan los citados arts. 33 y 47.4 de su

---

[800]   Eissen, M. A., "La Cour européenne des Droits de l'Homme: de la convention au règlement", cit., p. 633.
[801]   *Ibídem.*
[802]   Párrafo 50.
[803]   Párrafos 52 y 54.

Reglamento)[804], siendo la publicidad y consiguiente identificación de las partes procesales la regla general. A tal efecto, para ponderar el modo en que enfoca la Corte de Estrasburgo el prurito de la anonimización, resulta insoslayable aludir a la Instrucción práctica dictada el 14 de enero de 2010 por el Presidente a la sazón del TEDH en virtud del art. 32 del Reglamento[805]. En dicha Instrucción se recuerda preliminarmente a las partes, como *principios generales* "que, salvo derogación acordada en virtud de los arts. 33 o 47 del Reglamento, los documentos relativos a los procedimientos seguidos ante el Tribunal son públicos. Así, todas las informaciones registradas en relación con una demanda, ya sean en el marco del procedimiento escrito o en el del procedimiento oral, incluidas las informaciones que se refieran al demandante o a terceros, son accesibles al público"; además, las partes deben saber que "las exposiciones de los hechos, las decisiones y las sentencias del Tribunal normalmente son publicadas en *Hudoc* (http://hudoc.echr.coe.int) en el sitio internet del Tribunal (art. 78 del Reglamento)".

Aclaradas estas reglas generales, la Instrucción concreta las posibles derogaciones o excepciones. En primer lugar, con relación a las demandas formuladas en los asuntos pendientes, "todo demandante que desee conservar el anonimato, debe solicitarlo en el momento en el que cumplimente el formulario de demanda o lo antes posible si lo hace después. Tanto en un caso como en el otro, debe exponer los motivos de su solicitud y precisar el impacto que podría tener sobre él una divulgación de su identidad". En segundo término, revisten interés las reglas referentes a solicitudes retroactivas de anonimización, es decir, cuando un demandante desee solicitar el anonimato con relación a un asunto o a asuntos publicados en Hudoc antes del 1 de enero de 2010, en cuyo caso "debe enviar a la Secretaría una carta exponiendo los motivos de su solicitud y precisar el impacto que podría tener sobre él una divulgación de su identidad"; además, "debe explicar por qué no solicitó el anonimato mientras el asunto

---

[804] La versión actual del Reglamento del TEDH (en el momento de cerrar el presente trabajo), tras su última modificación, está vigente desde el 1 de enero de 2020.

[805] Según dicho art. 32, "el presidente del Tribunal puede dictar instrucciones prácticas, especialmente en relación con cuestiones tales como la comparecencia en las audiencias o el registro de observaciones escritas o de otros documentos".

estaba pendiente ante el Tribunal"; para resolver sobre tal solicitud, "el Presidente tiene en cuenta las explicaciones proporcionadas por el demandante, el grado de publicidad que la decisión o la sentencia ya haya tenido y la oportunidad o no, especialmente desde el punto de vista práctico, de acoger la solicitud"; en caso de acogerla, el Presidente determinará igualmente "las medidas a tomar para evitar que el demandante sea identificado. Podrá así decidir, por ejemplo, que la decisión o la sentencia relativa al demandante sea retirada del sitio Internet del Tribunal o que los elementos de identificación personal del interesado sean suprimidos de los documentos publicados". En fin, se faculta al Presidente del Tribunal para adoptar, "en relación con todo documento publicado por el Tribunal, cualquier otra medida que estime necesaria o pertinente para garantizar el derecho al respeto de la vida privada".

En definitiva, y a la vista de todo lo reseñado, cabe comprobar que la praxis general del TEDH consiste en aplicar la "regla normal" de publicidad de la Justicia (explicitada en el art. 47.4 del Reglamento: "règle normale" en la versión francesa y "normal rule" en la versión inglesa), considerando como excepción el "prurito de la anonimización", tal como adicionalmente hemos analizado al abordar la evolución de la jurisprudencia del propio TEDH en torno al art. 8 CEDH. En otras palabras, la anonimización dejará de ser un mero prurito para entrar en la catalogación de esa aludida medida "necesaria o pertinente para garantizar el derecho al respeto de la vida privada", especialmente en el supuesto de personas en situación de mayor vulnerabilidad; semejante enfoque viene avalado asimismo por la modernización o actualización del Convenio n.º 108 mediante su Protocolo de 2018[806] (conocido como Convenio 108+), que ha profundizado en la redacción inicial del art. 6 del Convenio de 1981 para ocuparse de categorías particulares de datos intentando mejorar la salvaguardia de datos sensibles en clave de vulnerabilidad y no discriminación.

---

[806] Adoptado el 18 de mayo de 2018 y abierto a la firma en Estrasburgo el 10 de octubre de 2018. España depositó el instrumento de ratificación del Convenio 108+ el 28 de enero de 2020.

APUNTES SOBRE LA DETERMINACIÓN DE LA COMPETENCIA JUDICIAL INTERNACIONAL EN SUPUESTOS INTERNACIONALES DE INFRACCIÓN DE DATOS PERSONALES. EL BINOMIO LEGAL ENTRE EL REGLAMENTO EUROPEO Y LA LEY ORGÁNICA ESPAÑOLA

Lerdys Saray Heredia Sánchez[807]
Profesora Ayudante de Derecho Internacional Privado
Universidad Miguel Hernández de Elche

I. PLANTEAMIENTO: APROXIMACIÓN GENERAL A LA PROBLEMÁTICA PLANTEADA

El presente trabajo aborda algunas cuestiones relevantes, desde un punto de vista práctico, sobre la determinación de la competencia judicial internacional en supuestos internacionales de infracción en el tratamiento de datos personales, a partir del análisis del binomio legal que se plantea entre el Reglamento Europeo de Protección de Datos Personales[808] (en adelante, RGPD) y la Ley Orgánica española[809] (en adelante, LOPDP) teniendo en cuenta el juego en la aplicación de ambas normas.

---

[807] Antes de entrar a exponer los puntos más relevantes de este tema, quiero agradecer especialmente al profesor Alfonso ORTEGA GIMÉNEZ por haberme introducido en este fantástico mundo de la protección de los datos personales desde la perspectiva internacional y propiciar mi entrada al grupo de trabajo del Proyecto de Investigación de la Universidad Jaume I en esta materia.

[808] Reglamento General de Protección de Datos, DOUE L 119/1, de 4 de mayo de 2016 y; Corrección de errores DOUE L119 de 4 de mayo de 2016.

[809] Ley Orgánica 3/2018, de 5 de diciembre, de Protección de Datos Personales y Garantía de los Derechos Digitales. BOE núm. 294, de diciembre de 2018.

Sin dudas, estamos ante un tema práctico y de rabiosa actualidad desde la perspectiva del Derecho internacional privado (en adelante, DIPr) ya que frente a la obtención y/o tratamiento ilícito de la información de naturaleza personal -situación que se produce con gran frecuencia en el ámbito de Internet- se deben proporcionar al titular de los datos unos mecanismos legales defensa adecuados y accesibles. [810]

Cierto es que el panorama europeo se ha visto reforzado con la entrada en vigor del RGPD, a partir del planteamiento de un nuevo modelo de protección jurídica que sitúa a la persona en el centro de su actuación y que obliga a los poderes públicos a dispensar tal protección.

Para cumplir con el objetivo del presente análisis, se tratarán las siguientes cuestiones: las vías legales de tutela frente a las infracciones internacionales de datos personales (II); análisis de las reglas de competencia judicial internacional previstas para la interposición de acciones judiciales internacionales (III); y algunas ideas finales a modo de conclusiones (IV).

Sirvámonos de un ejemplo práctico para situar el alcance de estos temas, a partir de las múltiples infracciones de las que *Google* ha sido responsable. Conforme al criterio desarrollado en la Sentencia *Google Spain*, el tratamiento se produce en el marco de las actividades de un establecimiento cuando las actividades del responsable, como la

---

[810] *Vid.* los siguientes estudios sobre tales efectos en Internet: Rallo Lombarte, A. y Martínez Martínez, R. (Coords.), *Derecho y redes sociales*, 2.ª ed., Navarra, Civitas, 2013; Ortega Giménez, A. "Tratamiento ilícito. Reglamento General de Protección de Datos y Derecho internacional privado: cuestiones de competencia judicial internacional y determinación de la ley aplicable, *CEFLegal. Revista práctica de Derecho. Comentarios y casos prácticos*, 2020, N.º 235-236; Id, "Protección internacional de datos personales. Imagen y circulación internacional de datos", *Revista Boliviana de Derecho*, 2013, núm. 15.º; Edward, L. "Privacy, law, code and social networking sites", en Brown, I. (Edit.), *Research Handbook on Governance of the Internet*, Cheltenham, Edward Elgar, 2013, pp. 309-352; Chang, H., "Data protection regulation and cloud computing", en Cheung, A. y Weber, H. (Eds.), *Privacy and Legal Issues in Cloud Computing*, Cheltenham, Edward Elgar, 2015, pp. 26-42. Kuner, C., "The Court of Justice of the EU Judgment en Data Protection and Internet Search Engines: Current Issues and Future Challenges", en Hess, B. y Mariottini, M. (Eds.), *Protecting Privacy in International and Procedural Law and by Data Protection (European and American Developments)*, Baden-Baden, Ashgate-Nomos, 2015, pp. 19-44.

prestación del servicio de motor de búsqueda, o bien una red social, por ejemplo, situado en un tercer Estado "están indisociablemente ligadas" a las de su establecimiento en un Estado miembro. Es más, tal vínculo puede existir aunque el establecimiento en la Unión Europea (en adelante, UE) no participe en el tratamiento de los datos.

Tales consideraciones, que fueron realizadas en relación con la interpretación de la Directiva 95/46/CE del Parlamento Europeo y del Consejo, de 24 de octubre de 1995, relativa a la protección de las personas físicas en lo que respecta al tratamiento de datos personales y a la libre circulación de estos datos, quedaron fijadas por el TJUE en el año 2014, de la siguiente forma: *[... en lo que respecta al tratamiento de datos personales y a la libre circulación de estos datos, debe interpretarse en el sentido de que, por un lado, la actividad de un motor de búsqueda, que consiste en hallar información publicada o puesta en Internet por terceros, indexarla de manera automática, almacenarla temporalmente y, por último, ponerla a disposición de los internautas según un orden de preferencia determinado, debe calificarse de «tratamiento de datos personales», en el sentido de dicho artículo 2, letra b), cuando esa información contiene datos personales, y, por otro, el gestor de un motor de búsqueda debe considerarse «responsable» de dicho tratamiento, en el sentido del mencionado artículo 2, letra d)...].*[811]

Hasta la fecha, y situados en sede española, podemos verificar que la empresa *Google* ha sido sancionada en varias ocasiones por infracción en la protección de datos personales, tanto en procedimientos administrativos como en procedimientos judiciales[812], en supuestos

---

[811]   Sentencia del Tribunal de Justicia (Gran Sala), de 13 de mayo de 2014 (petición de decisión prejudicial planteada por la Audiencia Nacional — España) — *Google Spain*, S.L., *Google Inc.*/Agencia Española de Protección de Datos (AEPD), Mario Costeja González, Asunto C-131/12, DO C 165, de 9.6.2012. (ECLI:EU:C:2014:317).

[812]   *Vid* por todas, STS de 11 de enero de 2019, Sala de lo Contencioso Administrativo donde se abordan las cuestiones más relevantes respecto al "derecho al olvido" que tienen los usuarios en cuanto a la eliminación de sus datos de los motores de búsqueda (STS 19/2019–ECLI:ES:TS:2019:19); y en el año 2016, STS de 5 de abril, dictada por el Pleno de la Sala de lo Civil, por la que el alto tribunal establece que: ""La conducta ilícita es una, y el daño moral causado es también único. Pese a que la ilicitud provenga de la vulneración de varios

donde la conexión es directa y permite justificar que el tratamiento de los datos está ligado a nuestro país.

Pero también encontramos otras resoluciones dictadas por la AE-PD, como ha sido contra la empresa *Yahoo* Iberia, de amplia actividad internacional, la que tras el anuncio de haber sufrido una brecha de seguridad -que expuso los datos de más de 500 mil clientes- fue investigada de oficio por la AEPD sin éxito, a pesar de las vulneraciones verificadas, dando lugar al archivo del expediente sancionador ya que, tal y como se recoge en la resolución administrativa: "[...] *De la información obtenida por esta Agencia en relación a la citada empresa, se informa que Yahoo Iberia, S.L. ha preparado su liquidación voluntaria y no tiene empleados situados en España, por lo que la entidad no realiza ninguna actividad ni, en consecuencia, ningún tratamiento de datos en territorio nacional. Asimismo, se indica que Yahoo! EMEA Limited, constituida en Irlanda, provee los productos y servicios de Yahoo, y es el responsable del tratamiento de dichos productos y servicios en España. En consecuencia y dado que Yahoo EMEA! Limited se halla fuera del ámbito competencial de esta Agencia, procede archivar el presente procedimiento [...]*.[813]

En la misma línea, las sanciones impuestas a *Facebook* por la AE-PD por pedir y tratar datos sin consentimiento de los usuarios y continuar tratando los mismos, incluso cuando el usuario ha cancelado el servicio. [814]

En definitiva, a la vista de estos ejemplos, conviene en tener en cuenta que a efectos de la protección dispensada a los titulares de los

---

derechos, se trata de un concurso ideal con relación a una sola conducta y a un único resultado lesivo que debe ser indemnizado con criterios estimativos. Por lo expuesto, el precepto legal invocado no exige que se fijen indemnizaciones diferentes por cada uno de los derechos vulnerados. Y, en todo caso, proceder de este modo no supondría una indemnización total superior a la fijada por la Audiencia Provincial." (STS 1280/2016–ECLI:ES:TS:2016:1280).

[813]   Expediente N.º: E/06820/2016

[814]   Por ejemplo, Procedimiento N.º PS/00082/2017 (instado de oficio) o el procedimiento sancionador PS/00219/2017, instruido por la Agencia Española de Protección de Datos a las entidades *FACEBOOK INC.* y *WHATSAPP INC.*, vistas las denuncias presentadas por las entidades Organización de Consumidores y Usuarios (OCU) y Asociación de Consumidores y Usuarios en Acción (FACUA) y algunas personas particulares por sí mismas.

datos, y de acuerdo con el RGPD, ésta debe aplicarse a las personas físicas, independientemente de su nacionalidad o de su lugar de residencia; y cuando el tratamiento no se produce en el contexto de las actividades de un establecimiento en la UE la protección se limita a los interesados que se encuentren en el territorio europeo y se requiere, por tanto, una conexión adicional con el territorio de la UE, y ello es de gran relevancia a fin de evitar una injustificada aplicación extraterritorial, así como para asegurar la tutela de los interesados en el contexto global de Internet, como afirma DE MIGUEL ASENSIO.[815]

En este contexto, son muy importantes las previsiones que introdujo la normativa europea ya que tras su entrada en vigor, no resulta necesario determinar la legislación de qué concreto Estado miembro es aplicable con respecto a las materias objeto de regulación en cuestiones intracomunitarias, pero sí que se mantiene la necesidad de precisar el alcance internacional de la legislación europea y en este contexto cobra una renovada importancia la precisión del Estado cuya autoridad de control es competente para conocer del asunto.[816]

Esta relación entre el RGPD y la LOPDP se manifiesta en la supervisión de la aplicación de la normativa europea (tramitación de reclamaciones; práctica de investigaciones; calificación de la infracción; e imposición de sanciones administrativas) que es responsabilidad de las autoridades de control de cada uno de los Estados miembros y no de una autoridad de control de ámbito europeo.

En las situaciones vinculadas con más de un Estado miembro continúa siendo de gran importancia la determinación del Estado o Estados miembros cuyas autoridades de control son competentes, si bien ya no son decisivos a este respecto los criterios sobre el ámbito de aplicación territorial de la legislación sino normas específicas sobre competencia en el ámbito administrativo.[817]

---

[815]   Vid. De Miguel Asensio, P. "Competencia y Derecho Aplicable en el Reglamento General sobre Protección de Datos de la Unión Europea", REDI, Vol. 69/1, enero-junio 2017, Madrid, p. 78.

[816]   Ibidem, p. 77.

[817]   Tal y como se ha expuesto supra en la nota 7 en el caso Yahoo investigado por la AEPD. Tengamos en cuenta que el RGPD confirma los elementos básicos de la interpretación previa de este criterio, como las precisiones en su Considerando N.º 22, en el sentido de que un establecimiento implica el ejercicio de manera

Respecto a la tutela judicial en materia civil, sin embargo, subsisten situaciones complejas en cuanto a las interrelaciones con otras normas de DIPr preexistentes, tal y como veremos más adelante.

II. ¿QUÉ VÍAS LEGALES DE TUTELA SE PREVÉN EN ESTOS CASOS DE TRATAMIENTOS TRANSFRONTERIZOS?

En primer lugar, conviene definir qué se entiende por tratamiento transfronterizo y, para ello, debemos partir de la definición de "tratamiento" realizada por el RGPD en el artículo 4. b), definido como *cualquier operación o conjunto de operaciones realizadas sobre datos personales o conjuntos de datos personales, ya sea por procedimientos automatizados o no, como la recogida, registro, organización, estructuración, conservación, adaptación o modificación, extracción, consulta, utilización, comunicación por transmisión, difusión o cualquier otra forma de habilitación de acceso, cotejo o interconexión, limitación, supresión o destrucción.*[818]

Esta definición debe tener una concepción finalista por la cual el tratamiento se refiere a la utilización de datos personales de una base de datos o fichero, entendido este como un conjunto organizado de datos, con la consecuencia de que prácticamente cualquier actividad con datos personales quedará englobada en el concepto de "tratamiento". El concepto de tratamiento está directamente ligado al de

---

efectiva y real de una actividad a través de modalidades estables sin que sea un factor determinante la forma jurídica que revistan tales modalidades. Algunos aspectos controvertidos de su aplicación, como su proyección a entidades cuyo establecimiento responsable de la prestación del servicio que lleva a cabo el tratamiento se encuentra en un tercer Estado, pierden parte de su trascendencia desde la perspectiva del DIPr, ya que tales situaciones quedarán sometidas a la legislación europea, al quedar comprendidas en su ámbito territorial en virtud del nuevo criterio recogido en el artículo. 3.2, incluso cuando no exista establecimiento en un Estado miembro de la UE.

[818]   Sobre los aspectos más relevantes del RGPD, son muy interesantes las aportaciones realizadas por Dopazo Fraguío, P.: "La protección de datos en el derecho europeo: principales aportaciones doctrinales y marco regulatorio vigente. (Novedades del Reglamento General de Protección de Datos)", *Revista Española de Derecho Europeo, núm.* 68, 2018, pp. 113-148.

dato personal; y ya que la mera recogida de datos considerados personales supone un "tratamiento", este acto supone causa suficiente para la aplicación de la normativa europea sobre protección de datos.[819]

Si nos circunscribimos a lo dispuesto en el RGPD, el tratamiento internacional hace referencia a dos tipos de situaciones:

a) el tratamiento realizado en el contexto de las **actividades de establecimientos en más de un Estado** miembro de un responsable o un encargado del tratamiento en la Unión,

b) el realizado en el contexto de las actividades de un único establecimiento de un responsable o un encargado en la Unión, pero **que afecta o puede afectar sustancialmente a interesados en más de un Estado miembro.**

Los interesados pueden hacer valer sus derechos en materia de protección de datos a través de dos vías: acciones de naturaleza administrativa y acciones judiciales de tutela.

1. *Las acciones administrativas mediante una reclamación ante una autoridad de control*

Con respecto al desempeño de las funciones asignadas a las autoridades de control nacionales –en el caso de nuestros país conforme a la LOPD tienen esta consideración la AEPD y las Agencias autonómicas– que incluye conocer de las reclamaciones de los interesados (así como el ejercicio de sus poderes de investigación, corrección y autorización) donde *el criterio de base es el alcance territorial de la competencia,* de modo que cada autoridad es competente en el territorio de su Estado y con respecto a los tratamientos efectuados por las autoridades públicas, en nuestro caso, por las autoridades públicas españolas.

---

[819] Al respecto es ilustrador el estudio realizado por Ortega Giménez, A. *Transferencias internacionales de datos de carácter personal ilícitas,* Aranzadi Navarra, 2016. Con una perspectiva anterior, véase también Erdozáin López, J. C.: "La protección de los datos de carácter personal en las telecomunicaciones", *Revista Doctrinal Aranzadi Civil-Mercantil,* 2007, núm. 1°, pp. 1845-1889.

Este enfoque conduce –en principio– a la posibilidad de que un responsable quede sometido incluso en relación con una misma actividad a la competencia de diversas autoridades de control, especialmente en la medida en que tenga establecimientos –en el sentido amplio antes reseñado– en más de un Estado miembro o el tratamiento afecte a interesados que se encuentran en varios territorios, como es frecuente en el marco de Internet. En este contexto, el RGPD introduce un modelo de ventanilla única como un régimen específico para la determinación de las autoridades de control competentes en ciertas situaciones vinculadas con dos o más Estados miembros.

El criterio central para delimitar el funcionamiento de la ventanilla única es la categoría de tratamiento transfronterizo, que tal y como se ha señalado antes, hace referencia a dos situaciones: el tratamiento realizado en el contexto de las actividades de establecimientos en más de un Estado miembro de un responsable o un encargado del tratamiento en la Unión, y el realizado en el contexto de las actividades de un único establecimiento de un responsable o un encargado en la Unión, pero que afecta o puede afectar sustancialmente a interesados situados en más de un Estado miembro.[820]

Merece destacarse el hecho de que RGPD no introduce reglas específicas sobre la competencia de las autoridades de control respecto de los responsables y encargados que al no tener al menos un establecimiento en la Unión quedan al margen del mecanismo de ventanilla única, lo que repercutirá especialmente en situaciones en las que se

---

[820] Para ello es necesario como primer paso, la identificación de una autoridad de control principal, que será la del establecimiento principal o del único establecimiento del responsable o del encargado. En este contexto, tendrán la consideración de autoridades de control interesadas el resto de las autoridades a las que afecta el tratamiento, por estar establecido el responsable o encargado en el territorio de su Estado miembro (sin tener allí su establecimiento principal), por ser probable que se vean sustancialmente afectados los interesados que residen en su Estado, o por haberse presentado ante ella una reclamación (tal y como se establece en el artículo 4.22 del RGPD). En cuanto a los tratamientos transfronterizos, opera el régimen especial de competencia previsto a favor de la autoridad de control principal, si bien ésta debe actuar conforme al procedimiento de cooperación con las autoridades de control interesadas (artículo 60 RGPD).

aplique el RGPD cuando el tratamiento afecte a interesados de varios Estados miembros.[821]

Esta vía –ampliamente desarrollada por la LOPDP– permite el ejercicio del derecho de todo interesado a presentar una reclamación ante una autoridad de control si considera que el tratamiento de datos que le conciernen infringe el RGPD, previendo que puede presentarse, en particular en el Estado miembro en el que la persona afectada por dicho tratamiento tenga su residencia habitual, el lugar de trabajo o donde se encuentra el lugar de la supuesta infracción. Esta vía de reclamación, estás sometida a menores costes y esfuerzos para el reclamante que el ejercicio de acciones judiciales, constituye un mecanismo esencial para que los afectados puedan solicitar la protección de sus derechos.[822]

---

[821]　Así, cuando el responsable o encargado tiene establecimientos en más de un Estado miembro es clave la concreción del establecimiento principal. De acuerdo con el artículo 4.16 del RGDP Con respecto al responsable del tratamiento, se considera que el establecimiento principal se halla en el lugar de su administración central en la Unión, salvo que las decisiones sobre los fines y los medios del tratamiento se tomen en otro establecimiento del responsable en la Unión y este último establecimiento tenga el poder de hacer aplicar tales decisiones, en cuyo caso el establecimiento que haya adoptado tales decisiones se considerará establecimiento principal. El Considerando N.º 36 precisa que *"[... tal establecimiento debe determinarse en función de criterios objetivos y debe implicar el ejercicio efectivo y real de actividades de gestión que determinen las principales decisiones en cuanto a los fines y medios del tratamiento a través de modalidades estables, así como que no resulta determinante si el tratamiento se realiza en dicho lugar...]"*. Por otra parte, ha de tenerse en cuenta conforme a dicho Considerando que la presencia y utilización de medios técnicos y tecnologías para el tratamiento de datos personales o las actividades de tratamiento no constituyen, en sí mismas, establecimiento principal y no son, por tanto, criterios determinantes de un establecimiento principal. En lo relativo a los encargados, el establecimiento principal es el lugar de su administración central en la Unión y, a falta del mismo, el lugar en el que se llevan a cabo las principales actividades de tratamiento en la Unión.

[822]　Como puede apreciarse, se trata de un criterio flexible para identificar a la autoridad ante la que el interesado puede presentar su reclamación, con el objetivo de facilitar la protección de sus derechos, que se ve reforzada por el significado atribuido a esa autoridad, en la medida en que será considerada "autoridad de control interesada" a los efectos de los procedimientos de naturaleza administrativa. *Vid* los comentarios a la LOPDP en la siguiente obra: Arenas Ramiro, M. y Ortega Giménez A. (Dirs) y AA.VV, *Protección de datos. Comentarios a la Ley Orgánica de Protección de Datos y Garantía de Derechos Digitales (en relación*

Desde una perspectiva práctica, este mecanismo de protección de los interesados, no sólo garantiza la posibilidad de que presenten la reclamación ante la autoridad de control de su entorno más próximo, o más vinculada con la actividad de que se trate. De ahí que la determinación de la autoridad nacional que posteriormente adopta la decisión tiene singular trascendencia en relación con el derecho a la tutela judicial frente a esa decisión, tal y como señala De Miguel Asensio.[823]

En clave procesal este aspecto es de gran relevancia ya que cuando la decisión desestime o rechace una reclamación, ha de ser la autoridad de control ante la que se haya presentado la que formalmente adopte la decisión, lo que será determinante de la competencia de los tribunales de dicho Estado, pues en la práctica será el elegido por el interesado para presentar su reclamación, esto es, para conocer de las acciones que puedan ejercitarse en sede judicial, que en el caso de España, conforme al artículo 24 de la Ley Orgánica del Poder Judicial *"en el orden contencioso-administrativo será competente, en todo caso, la jurisdicción española cuando la pretensión que se deduzca se refiera a disposiciones de carácter general o a actos de las Administraciones Públicas españolas. Asimismo conocerá de las que se deduzcan en relación con actos de los poderes públicos españoles, de acuerdo con lo que dispongan las leyes"*.[824]

Hechas las precisiones anteriores, a continuación se analizan los aspectos prácticos más relevantes derivados de las acciones judiciales transfronterizas de naturaleza civil.

2. Las acciones correspondientes en vía judicial contra el responsable o el encargado del tratamiento

Los operadores jurídicos somos sabedores de que la interposición de una reclamación ante la autoridad de control, e inclusive del procedimiento contencioso que pueda corresponder en su caso, **no es una vía que permita obtener la reparación del daño** causado, derivado del

---

con el *RGPD)*, Madrid, Sepin 2019. Los artículos 63 a 69 de la LOPD están especialmente dedicados a los procedimientos de naturaleza administrativa.

[823] *Vid.* De Miguel Asensio, ... *Op cit*, p. 91.
[824] Ley Orgánica 6/1985, de 1 de julio, del Poder Judicial, BOE num 157, de 2 de julio de 1985 (texto consolidado).

tratamiento ilícito de los datos personales, de ahí que el ejercicio de acciones judiciales de Derecho privado, resulta necesario para hacer efectivo el derecho a indemnización.[825]

Esta cuestión es clave cuando se trata de obtener el resarcimiento por el daño moral causado al titular de los datos personales objeto de infracción. Sin embargo, debemos señalar que el RGPD no introduce mecanismos de coordinación entre la tutela civil y la supervisión administrativa a estos efectos.

En este ámbito, recordemos que a diferencia de las reclamaciones administrativas ante las autoridades de control, cuyas decisiones son objeto de recursos administrativos y –eventualmente– ante tribunales del orden contencioso-administrativo, el ejercicio de acciones judiciales por los interesados frente a los responsables o encargados que han vulnerado sus derechos como consecuencia de un tratamiento de datos personales, da lugar típicamente a litigios ante los tribunales del orden civil (salvo que el responsable o encargado sea una administración pública).

Desde el punto de vista de las pretensiones formuladas, estas acciones civiles tienen como objetivo –fundamentalmente– obtener una indemnización por los daños causados pero también, pueden estar dirigidas a lograr la imposición al responsable de una limitación o prohibición al tratamiento de los personales objeto de infracción, lo que en la práctica procesal da lugar a las acciones de cesación en el tratamiento de los datos.[826]

---

[825]   Al respecto, ya hace más de 20 años se planteó un análisis muy interesante por Grimalt Servera, P., *La responsabilidad civil en el tratamiento automatizado de datos personales*, Granada, Comares, 1999 y con una perspectiva enfocada a la aplicación del RGPD a este tipo de acciones con un enfoque internacional, *vid* De Miguel Asensio, P., *Op cit*, pp. 92-94; y también Brakan, M.: "Data protection and conflict-of-laws: a challenging relationship", *European Data Protection Law Review*, 2016, núm. 3º, vol. 2, pp. 324-341.

[826]   La acción de cesación se dirige a obtener una sentencia que condene al demandado a cesar en la conducta infractora y a prohibir su reiteración futura. Asimismo, la acción podrá ejercerse para prohibir la realización de una conducta cuando ésta haya finalizado al tiempo de ejercitar la acción, si existen indicios suficientes que hagan temer su reiteración de modo inmediato, pero también es posible su petición en el proceso a través de las medidas cautelares o provisionales, las cuales cuentan con un respaldo en el Derecho procesal civil internacional,

El artículo 82.1 del RGPD es claro al establecer que la indemnización comprende los daños y perjuicios materiales o inmateriales de la persona afectada, por lo tanto, cuando el precepto dice daños y perjuicios, no debemos hacer una interpretación restrictiva del mismo. Así, para que se fije la indemnización pretendida, uno de los elementos más importantes es que el daño producido sea real y efectivo, que sea evaluable económicamente e individualizable, con relación a una persona o grupo de personas, al igual que sucede en el Derecho interno español (ex artículo 32 de la Ley 40/2015, de 1 de octubre, de Régimen Jurídico del Sector Público[827]). Por tanto, el RGPD establece una reparación integral de la persona perjudicada que cubra no sólo los daños físicos y patrimoniales, sino también los daños morales.[828]

Dicha indemnización puede derivar tanto de una responsabilidad contractual como de una responsabilidad extracontractual. De los actos que realiza el responsable del tratamiento de datos no hace una mención específica, aunque en el apartado segundo del artículo observamos que la responsabilidad se puede derivar tanto de una acción como de una omisión, es decir, si el responsable del tratamiento deja de hacer algo que le era de obligado cumplimiento, tal omisión es generadora de responsabilidad. Se trata de una responsabilidad por daños, con fines resarcitorios, que no deriva de un incumplimiento contractual y que, por tanto, no pretende resarcir dicho incumplimiento, sino la lesión de un derecho fundamental.

Otro dato que denota la amplia protección del RGPD es la responsabilidad solidaria que establece el apartado cuarto, al señalar que "cada responsable o encargado será considerado responsable de todos los daños y perjuicios, a fin de garantizar la indemnización efectiva del interesado". En este sentido se ha de apuntar que la responsabilidad solidaria no es absoluta, sino que, si se demuestra que alguno

---

que posibilita su petición ante las autoridades de un Estado distinto de aquel que conoce del procedimiento principal. Desde un punto de vista procesal, *Vid* Virgós Soriano M y Garcimartín Alférez, J., *Derecho procesal civil internacional. Litigación internacional*, Madrid, Civitas, 2007.

[827]   BOE *núm.* 236, de 2 de octubre de 2015.

[828]   El concepto de daños y perjuicios debe interpretarse en un sentido amplio, a la luz de la jurisprudencia del TJUE, de tal modo, que se respeten plenamente los objetivos del RGPD (Considerando 146).

de los encargados del tratamiento de los datos, no ha sido responsable del daño producido podrá repercutir la cantidad a la que hizo frente en concepto de indemnización a los responsables, e incluso si, aún teniendo responsabilidad satisface la indemnización completa, también podrá exigir el abono de la parte que correspondería a cada uno de los responsables (artículo 82.5 del RGPD).

Es el artículo 82, apartado 6, del RGPD el que establece a dónde debe dirigirse el perjudicado para presentar su reclamación de responsabilidad patrimonial remitiéndose a lo dispuesto en el artículo 79.2 del propio RGPD (opción del perjudicado de presentar su reclamación no sólo ante los tribunales de los Estados miembros donde el responsable o encargado tenga su establecimiento, sino, además, permitir que la acción de reclamación se presente ante los tribunales competentes del Estado miembro donde el perjudicado tenga su domicilio).

Se trata, sin duda, de un gran avance en la tutela del derecho fundamental a la protección de datos de carácter personal, que elimina el obstáculo que suponía para la efectividad del derecho a una indemnización el tener que acudir a reclamar la misma ante las autoridades de otro Estado miembro, distinto de aquel donde el perjudicado tuviese su domicilio, porque el responsable o el encargado tenía allí su establecimiento.

Antes de analizar los criterios de atribución de competencia judicial internacional en relación con estos litigios transfronterizos en materia de protección de datos personales, conviene recordar que la jurisprudencia del Tribunal Supremo, tanto en materia Civil como por parte de la Sala de lo Contencioso, se ha reiterado en la existencia de las diferencias entre estas jurisdicciones debido al carácter diverso de las normas aplicables, ya que al contrario de que lo que sucede en el orden civil, donde el pleito se establece entre particulares, en el ámbito contencioso se trata de conocer de impugnaciones frente a resoluciones de la AEPD tras una reclamación administrativa interpuesta por el afectado.

En línea con ello, el concepto de responsable del tratamiento ha sido objeto de interpretaciones *expresamente contradictorias* por parte de ambas Salas del Tribunal supremo a los efectos determinar la responsabilidad —civil o administrativa— derivada de la ilicitud en el tratamiento de datos por la prestación de un mismo servicio.

En este sentido, la Sala de lo Contencioso –en correspondencia con la Sentencia *Google Spain* del TJUE– ha entendido que sólo *Google Inc.*, sociedad con domicilio en Estados Unidos y gestora del motor de búsqueda de Internet, es responsable del tratamiento de datos personales[829]; mientras que la Sala de lo Civil ha considerado también a *Google Spain*, S. L., la filial en España, como responsable del tratamiento por parte del buscador, cuestión extraña a los ojos de los operadores jurídicos ya que la interpretación jurídica no debería variar y el RGPD reafirma esta idea, pues el concepto de responsable del tratamiento es exactamente el mismo, tanto en el artículo 82 –relativo al derecho a indemnización– cuanto en el artículo 17 que regula el derecho de supresión (el denominado derecho al olvido), con independencia de si se ejercitan acciones civiles o se plantee una reclamación administrativa; por lo que es probable que, tras la sanción administrativa, el afectado pretenda obtener una indemnización por la vía civil.[830]

---

[829] *Vid.* los comentarios a la STJUE realizados por Vilasau Solana, M. "El caso Google Spain: la afirmación del buscador como responsable del tratamiento y el reconocimiento del derecho al olvido (análisis de la STJUE de 13 de mayo de 2014)", *Revista de Internet, Derecho y Política*, n.º 18, Junio 2014, pp. 16-32, disponible en http://openaccess.uoc.edu/webapps/o2/bitstream/10609/93657/1/CasoGoogleSpain.pdf, consultado el 26/01/2021. También De Miguel Asensio, P. "La cuestión prejudicial de la Audiencia Nacional sobre Google y la evolución de la legislación sobre protección de datos", 2012, disponible en https://pedro-demiguelasensio.blogspot.com/2012/03/la-cuestion-prejudicial-de-la-audiencia.html, consultado el 26/01/2021.

[830] *Vid.* De Miguel Asensio, P. "La contradictoria doctrina del Tribunal Supremo acerca del responsable del tratamiento de datos por el buscador Google", *Diario La Ley*, núm. 8773, 31 de mayo de 2016, pp. 1-6. El peso que se la atribuido a los elementos de dificultad práctica por la Sala de lo Civil del Tribunal Supremo contrasta con la circunstancia de que el mecanismo de protección establecido en materia civil por la legislación de la UE para proteger a una parte débil, como es el caso del consumidor en las transacciones internacionales, se basa en facilitar que éste pueda demandar ante los tribunales de su propio domicilio a una empresa establecida en el extranjero, incluido si se encuentra situada en un tercer Estado. Además, la idea de que la víctima pueda demandar ante los tribunales de su residencia habitual (o de su centro de vida) a quienes (teniendo su domicilio en el extranjero) infringen sus derechos de la personalidad –lo que también incluye el derecho a la protección de datos personales- ha constituido un elemento clave de la evolución del DIPr de la UE con el objetivo de favorecer a los afectados, tal y como queda constatado en la STJUE de 25

Con estos datos, se hace necesario analizar el escenario legal que, desde la perspectiva del DIPr, permite determinar la competencia judicial internacional de los Tribunales para conocer y resolver los supuestos de infracción de naturaleza transfronteriza. ¿Cuáles son estas reglas?

2.1. Regla especial: lugar donde el encargado del tratamiento tenga un establecimiento

En primer lugar, tenemos la regla especial de competencia en materia civil, prevista en el artículo 79.2 del RGPD, mediante la cual atribuye a los interesados que consideren que sus derechos han sido vulnerados, la posibilidad de demandar al *responsable o al encargado* del tratamiento ante los tribunales de cualquier Estado en el que tengan un establecimiento, y alternativamente prevé que puedan demandar ante los tribunales de su propia residencia habitual, excepto en los supuestos en los que el responsable o el encargado sea una autoridad pública de un Estado miembro que actúe en ejercicio de sus poderes públicos.[831]

Las situaciones a las que es aplicable este foro de competencia judicial internacional están recogidas en el apartado 1 del artículo 79, referido a la tutela judicial de los interesados contra un encargado o responsable del tratamiento, cuando consideren que sus derechos en virtud del RGPD han sido vulnerados como consecuencia de un tratamiento de sus datos. Al tratarse de acciones civiles, se produce una coincidencia con las reglas establecidas por

---

de octubre de 2011, *eDate Advertising y Martínez*, C-509/09 y C-161/10 (ECLI:EU:C:2011:685).

[831] Efectivamente, la entrada en vigor del RGPD supone una armonización y unidad de criterio en cuanto a la aplicación (homogénea y coherente) y la garantía del derecho fundamental a la protección de datos. El RGPD contribuye a la plena realización de un espacio de libertad, seguridad y justicia, haciendo que el tratamiento de los datos personales esté concebido para servir a la humanidad, esto es, al bienestar de las personas físicas. Al respecto *Vid.*, en sentido amplio, López Calvo, J. (Coord.), *El nuevo marco regulatorio derivado del Reglamento Europeo de Protección de Datos*, Bosch, Madrid, 2018.

el Reglamento Bruselas I *bis*, de ahí que estas interacciones revistan gran interés para la doctrina.[832]

La parte final del artículo 79.2 del RGPD excluye que opere el fuero alternativo a favor de la residencia habitual del interesado en aquellos casos en los que el responsable o el encargado sea una autoridad pública de un Estado miembro que actúe en ejercicio de sus poderes públicos; de manera que la caracterización como materia civil y mercantil deviene de un análisis funcional según el cual, si bien determinados litigios entre una autoridad pública y una persona de Derecho privado pueden estar comprendidos dentro del ámbito de aplicación del Reglamento Bruselas I *bis*, la aplicación de éste queda excluida cuando la tutela que se pretende tenga su fundamento en actividades de esa autoridad en el ejercicio del poder público.[833]

Ejemplos de situaciones excluidas son las que derivan de la tutela judicial contra una decisión de una autoridad de control, tal y como se establece en el artículo 78 del RGPD, ya que el ejercicio de los poderes atribuidos a las autoridades de control implica típicamente el desarrollo de actividades en el ejercicio del poder público. También podría ser el caso en los que el perjuicio tiene su origen en tratamientos de titularidad pública, objeto de reclamación en procedimiento de naturaleza contencioso administrativa.

El artículo 79 del RGPD no incorpora ninguna restricción respecto a su aplicación en aquellos casos donde pueda existir una relación contractual entre el afectado y el prestador de los servicios, de lo que resulta de su finalidad protectora de los interesados, no cabe excluir que la regla especial de competencia del artículo 79.2 RGPD pueda operar en relación con el ejercicio de acciones por el interesado frente al responsable (o el encargado) relativas a un contrato entre ambos,

---

[832] Dicho foro se proyecta sobre litigios comprendidos en otra norma del legislador europeo, el Reglamento (UE) n.° 1215/2012 del Parlamento Europeo y del Consejo, de 12 de diciembre de 2012, relativo a la competencia judicial, el reconocimiento y la ejecución de resoluciones judiciales en materia civil y mercantil, DOUE L 351, de 20 de diciembre de 2012 (R Bruselas I *bis*) el cual constituye una normativa clave en el sector de la competencia judicial internacional en el DIPr español al ser materia civil y mercantil, en el sentido de su artículo 1.

[833] Al respecto, *vid*. De Miguel Asensio, *Op cit*, pp. 94-95.

en la medida en que tengan por objeto la vulneración de las normas establecidas en el propio texto europeo.[834]

2.2. Foro del establecimiento

Cuando la CJI se funda en el foro del establecimiento, según el artículo 79.2 del RGPD, ¿qué debemos entender en la práctica? Ha de observarse que es una categoría flexible que puede estar presente en más de un Estado miembro, aunque en muchas situaciones el establecimiento coincidirá con el Estado en el que se localiza el domicilio del demandado, en el sentido del foro general del artículo 4.1 del Reglamento Bruselas I *bis* (clásico en Derecho procesal civil internacional) pero en realidad se trata de dos categorías diferentes, susceptibles de conducir a resultados diversos.

Esto es, el domicilio, a los efectos del Bruselas I *bis*, viene determinado para las personas jurídicas de manera autónoma por el propio Reglamento en su artículo 63, que prevé que se encuentra con carácter alternativo en su sede estatutaria, administración central o centro de actividad principal. Mientras que respecto de las personas físicas el artículo 62 conduce a la aplicación de ley interna del foro, en este caso del Estado español, para determinar si el demandado está domiciliado en dicho estado.

En torno a esta cuestión, el artículo 79.2 del RGPD no utiliza ese concepto de domicilio al atribuir competencia a los tribunales de cualquier Estado miembro en el que tenga un establecimiento, como ha quedado ya reseñado, si no que el RGPD mantiene el concepto amplio y flexible de establecimiento, que se extiende a cualquier actividad real y efectiva, aun mínima, ejercida mediante una instalación estable.[835]

---

[834] Debe tenerse en cuenta que respecto a los tratamientos de datos que afectan a un gran número de interesados, resulta de gran importancia la posibilidad de ejercitar acciones colectivas. En estos caso el artículo 80 del RGPD se dirige a facilitar que una entidad, organización o asociación sin ánimo de lucro pueda representar a los interesados; no incorpora normas de competencia judicial

[835] Sirva como ejemplo la STJE en el asunto *Weltimmo* en la que a esos efectos el Tribunal dispone que debe valorarse «el grado de estabilidad de la instalación como la efectividad del desarrollo de las actividades [...] tomando en consideración la naturaleza específica de las actividades económicas y de las prestaciones

El objetivo de garantizar los derechos de los afectados es lo que justifica el empleo de un concepto flexible de establecimiento como foro de competencia judicial internacional y se corresponde con la circunstancia de que puede servir para atribuir competencia a los tribunales de Estados miembros que no la tendrían con base en el artículo 4 –o alguno otro– del Reglamento Bruselas I *bis*, lo que podría ser de particular utilidad para el ejercicio de acciones colectivas por parte de interesados procedentes de diversos Estados.

2.3. Foro alternativo de la residencia habitual del interesado

Por último, encontramos el foro alternativo de la residencia habitual del interesado para determinar la competencia judicial internacional conforme al artículo 79 del RGPD. En cuanto al empleo del concepto de residencia habitual en las normas de competencia judicial internacional en otros Reglamentos europeos que no contienen una remisión expresa al Derecho de los Estados miembros, el TJUE ha considerado que debe realizarse atendiendo al contexto en el que se insertan las disposiciones y al objetivo pretendido en cada caso.

Ante la ausencia de un concepto específico, conviene señalar que la residencia habitual no viene determinada por la mera presencia de la persona física en el territorio de un Estado, siendo necesaria cierta duración para que de cuenta de una suficiente estabilidad.[836]

---

de servicios en cuestión», lo que facilita la posibilidad de determinar que existe una instalación estable en un Estado distinto al del domicilio social, especialmente para las empresas que se dedican a ofrecer servicios por Internet (párrafo 29). La actividad puede llevarse a cabo a través de Internet, por ejemplo, cuando tiene lugar mediante un sitio web dirigido a ese territorio, aunque resulta preciso además que disponga ahí de una instalación estable (párrafo 32). Sentencia del Tribunal de Justicia (Sala Tercera), de 1 de octubre de 2015, Asunto C-230/14 (ECLI:EU:C:2015:639).

[836]   El concepto de residencia habitual en el DIPr español ha sido ampliamente tratado por la doctrina, es por ello que se destacan algunas de las aportaciones más relevantes: Espinar Vicente, J. M., "El concepto de residencia habitual en Derecho internacional privado español", *Revista de Derecho Privado*, Año 64, Mes 1, 1980, pp. 3-27; Carrascosa Gonzáles, J., "Litigación internacional, responsabilidad parental y foro de la residencia habitual del menor en un Estado miembro", en Cebrián Salvat, A. y Lorente Martínez, I. (Dirs), *Protección de menores y Derecho internacional privado*, Comares, Granada, 2019, pp.3-27;

Cierto es que con frecuencia coincidirán, la residencia habitual del interesado con el centro de intereses de la víctima, que es un criterio atributivo de competencia judicial desarrollado por la jurisprudencia del TJUE para concretar el lugar donde se ha producido el daño a los efectos del artículo 7.2 del Reglamento Bruselas I *bis* en los supuestos de lesión de un derecho de la personalidad de carácter plurilocalizado, por ejemplo, a través de Internet, *pero no son conceptos jurídicos iguales.*

Es muy fácil constatar que una persona tenga por razones profesionales su lugar de residencia en España –por ejemplo– y un vínculo particularmente estrecho con otro Estado europeo por razones profesionales. Bien, en estos casos, cabría la opción de obtener la tutela y, por tanto, una indemnización por el conjunto de todo el daño causado y no sólo del que se puede concretar respecto del Estado de la residencia habitual del afectado.

En la famosa sentencia dictada en el asunto *eDate Advertising,* el TJUE puso de relieve este aspecto, precisamente con base en que estos elementos se localizan generalmente en el mismo lugar, por lo que una persona puede tener su centro de intereses en un Estado miembro en el que no resida habitualmente, cuando un vínculo particularmente estrecho con ese Estado resulte de otros indicios, como el ejercicio de una actividad profesional, sería posible aplicar esta regla.[837]

Pérez Martín, L., "Determinación y trascendencia de la residencia habitual en las crisis familiares internacionales" en Guzmán Zapater, M. y Herrén Ballestertos, M. (Dirs), *Crisis matrimoniales internacionales y sus efectos: derecho español y de la Unión Europea : estudio normativo y jurisprudencial Valencia,* Tirant lo Blanch, 2018, pp. 927-964; Caamiña Domínguez, C., "El Consumidor frente al profesional en entornos digitales. Competencia judicial internacional y ley aplicable", *CDT,* Vol. 12, 2002, 2020, disponible en https://e-revistas.uc3m.es/index.php/CDT/article/view/5606.

[837]   Sentencia del Tribunal de Justicia (Gran Sala) de 25 de octubre de 2011, *eDate Advertising GmbH* y otros contra X y Société MGN LIMITED, Asuntos acumulados C-509/09 y C-161/10 (ECLI:EU:C:2011:685). *En el asunto C-161/10 se ventilaba* ante el Tribunal de Grande Instance de Paris, el actor francés Olivier Martinez y su padre, Robert Martinez, denuncian intromisiones en su vida privada y violaciones del derecho a la propia imagen de Olivier Martinez caracterizadas por la publicación en el sitio de Internet al que puede accederse en la dirección «www.sundaymirror.co.uk» de un texto redactado en lengua inglesa, con fecha de 3 de febrero de 2008 y titulado, según la traducción francesa no

Volviendo a las normas de atribución de competencia judicial internacional establecidas en el RGPD y ante la falta de restricciones en relación con este foro –y teniendo en cuenta el objetivo que la inspira– se puede afirmar que el alcance de la competencia fundada en la residencia habitual del interesado se extiende también al conjunto del daño que el tratamiento por el demandado le haya causado, de modo que no se limita al producido en el Estado de su residencia habitual.

Del análisis del artículo 79 RGPD tampoco se deduce que la aplicación de esta regla de competencia esté condicionada al cumplimiento de requisitos específicos, como la circunstancia de que las actividades del responsable estén dirigidas al Estado miembro de la residencia habitual, pero tal resultado podría alcanzarse en la medida en que se considere que la regla de competencia del artículo 79 se encuentra

---

discutida en la vista, «Kylie Minogue est de nouveau avec Olivier Martinez» [«Kylie Minogue está otra vez con Olivier Martinez»], con detalles sobre su encuentro. Por su parte en el asunto C-509/09 X, que reside en Alemania, fue condenado junto con su hermano en 1993 por un órgano jurisdiccional alemán a cadena perpetua por el asesinato de un conocido actor. En enero de 2008 obtuvo la libertad condicional. La sociedad *eDate Advertising*, radicada en Austria, gestiona un portal de Internet disponible en la dirección www.rainbow.at. Bajo la rúbrica Info-News, la demandada mantuvo accesible hasta el 18 de junio de 2007, para su consulta, una información con fecha de 23 de agosto de 1999. Haciendo mención de los nombres de X y de su hermano, esta página informaba sobre el recurso de amparo interpuesto por ambos ante el Bundesverfassungsgericht (Tribunal Constitucional Federal) en *Karlsruhe* (Alemania) contra la sentencia condenatoria. Además de una breve descripción de los hechos delictivos acaecidos en 1990, se citaba al abogado designado por los condenados, que había declarado que querían probar que varios testigos principales de la acusación habían cometido falso testimonio durante el proceso. X exigió a *eDate Advertising* que dejase de publicar la información mencionada y emitiese una declaración comprometiéndose a no publicarla en el futuro. *eDate Advertising* no contestó al escrito pero retiró de su sitio de Internet la información controvertida el 18 de junio de 2007. Mediante su demanda ante los tribunales alemanes, X interpuso una acción de cesación contra *eDate Advertising* con el fin de que ésta dejara de informar sobre los hechos cometidos mencionando su persona con el nombre completo. Por su parte, ésta negó principalmente la competencia judicial internacional de los órganos jurisdiccionales alemanes. Al haber sido estimada la demanda en las dos instancias inferiores, *eDate Advertising* reiteró ante el *Bundesgerichtshof* su pretensión de desestimación de la demanda.

también limitada por los criterios sobre el ámbito territorial de aplicación de las normas del RGPD, según su artículo 3.[838]

Para finalizar este epígrafe, es necesario señalar –al menos brevemente– que la compatibilidad entre los foros del artículo 79.2 y los del Reglamento Bruselas I *bis*, se deriva del artículo 67 de este último Reglamento, al estipular que no prejuzgará la aplicación de las disposiciones contenidas en instrumentos particulares. Por su parte, el Considerando 147 del RGPD afirma que las normas generales de competencia judicial del Reglamento Bruselas I *bis* "deben entenderse sin perjuicio de la aplicación de las normas específicas del RGPD" y el el Considerando 145 estipula que el demandante deberá tener la opción de ejercitar las acciones en los tribunales de los Estados miembros.

En este sentido, el RGPD pone a disposición de los afectados la posibilidad de que puedan utilizar los foros de competencia del artículo 79.2 en contra del inciso imperativo que recoge ese mismo párrafo. Por tanto, cabe afirmar que los foros recogidos en el RGPD son complementarios a los recogidos por el Reglamento Bruselas I *bis*[839]. Estos foros de competencia judicial internacional serían[840]: a) el principio de autonomía de la voluntad; y, b) los foros concurrentes.

---

[838] Al respecto, *vid*. De Miguel Asensio, P., "Competencia y derecho aplicable"...*op cit*, pp.98-99 y Ortega Giménez, A., "Tratamiento ilícito. Reglamento General de Protección de Datos y Derecho internacional privado", *op cit*.

[839] *Vid*. Albrecht, J. P. y Jotzo, F., *op. cit.*, pp. 127-128. Aunque se ha entendido que los fueros del RGPD plantean conflictos con las competencias exclusivas del Reglamento Bruselas I *bis*. *Cfr*. Brkan, M. "Data Protection and European Private International Law"ᴿ, Julio 2015, *Robert Schuman Centre for Advanced Studies, Research Paper No. RSCAS 2015/40, p. 23.

[840] *Vid.*, en sentido amplio, De Miguel Asensio, P. "Competencia y Derecho aplicable en el Reglamento General sobre Protección de Datos de la Unión Europea», en *Revista Española de Derecho Internacional*, vol. 69/1, enero-junio 2017, Madrid; García Romero, S., "Nuevo marco jurídico europeo en protección de datos: novedades conocidas y otras no tan conocidas", en *Diario La Ley*, N.º 8691, Wolters Kluwer, Madrid, 2016; Orejudo Prieto de los Mozos, P. "La vulneración de los derechos de la personalidad en la jurisprudencia del tribunal de justicia", en *La Ley Unión Europea*, N.º 4, 2013. y Sancho Villa, D. *Negocios internacionales de tratamiento de datos personales*, Navarra, Civitas, 2010; y, en particular, Gonzalo Domenech, J. J. "Algunas cuestiones relevantes de Derecho internacional privado del Reglamento General de Protección de Datos", *Revista Boliviana de Derecho, op. cit.*, pp. 417-426.

Ante la disposición de foros otorgados por diferentes instrumentos normativos, quizás, sería más apropiado regular las reglas de competencia judicial internacional en el Reglamento Bruselas I *bis* en vez de en el propio RGPD para evitar así la complicada compatibilidad de foros disponibles, establecidos tanto por el Reglamento Bruselas I *bis*, como por el RGPD, y los problemas de litispendencia y conexidad del artículo 81 del RGPD para, a su vez, mantener coherencia entre ambos Reglamentos[841].

Es necesario destacar que podemos encontrarnos, además de los supuestos del artículo 79 del RGPD y los propios del Reglamento Bruselas I *bis*, que tal perjuicio se materialice en el marco de una relación contractual, por lo que debemos atenernos a los foros concretos en materia contractual del Reglamento Bruselas I *bis* (competencia especial en materia contractual del artículo 7.1); foros especiales de protección en materia de seguros de los artículos 10-16; foros especiales de protección en materia de contratos celebrados por los consumidores de los artículos 17-19, y foros especiales de protección en materia de contratos individuales de trabajo de los artículos 20-23), y que pueden actuar con una doble función: a) por un lado, con el fin de establecer un foro de protección especial para la parte que ha sufrido el daño y perjuicio, que en casos en los que una parte de una relación contractual es la parte débil como en los contratos de seguro o celebrados por los consumidores; y, b) por el otro, para suplir la ausencia de unos foros especiales para los responsables del tratamiento cuando estos pretendan ejercitar alguna acción contra los afectados.

III. IDEAS FINALES A MODO DE CONCLUSIONES

Para concluir, podemos afirmar que la aplicación el nuevo RGPD adopta un planteamiento unilateral y la existencia de un establecimiento en la UE como primer criterio de aplicación de sus normas. A la vez, introduce importantes avances, las normas sobre el ámbito te-

---

[841]   *Vid.* Brkan, M., "Data protection and European private international law: observing a bull in a China shop", en *International Data Privacy Law*, Vol. 5, N°. 4, 2015, p. 275; y Von Hein, J. "Social Media and the Protection of Privacy",en *European Data Science Conference*, Luxemburgo, 2016, p. 24.

rritorial no resultan ahora determinantes del reparto de competencias entre las autoridades nacionales de control.

Así, mediante el sistema de ventanilla única que introduce el RGPD para facilitar las actividades transfronterizas de los responsables y encargados establecidos en un Estado miembro, adquiere protagonismo la noción de establecimiento principal y la coordinación entre las autoridades nacionales, que puede plantear especiales dificultades, incluso en relación con la normativa aplicable a aspectos no previstos en el RGPD, en situaciones en las que la resolución ha de ser formalmente adoptada por una autoridad distinta de la que hubiera centrado la tramitación de la investigación.

Las reglas de competencia judicial internacional establecidas en el RGPD, suponen un gran avance en la tutela del derecho fundamental a la protección de datos de carácter personal, y a la posibilidad que tiene el afectado de ejercer su derecho a obtener además, una indemnización, también ante los tribunales del Estado donde tenga su residencia habitual y no sólo ante las autoridades del Estado miembro donde el responsable o el encargado del tratamiento tenga su establecimiento, facilitando así el acceso la justicia y la economía procesal en los litigios transfronterizos.

Para ello introduce reglas especiales de competencia judicial internacional en las acciones contra un responsable o encargado, que prevalecen sobre las del Reglamento Bruselas I *bis* y las de la legislación de fuente interna; se prevén dos foros adicionales con carácter alternativo, que permiten a los interesados demandar ante los tribunales de cualquier Estado miembro en el que el responsable o encargado tenga un establecimiento, en el sentido amplio y flexible en el que el término se utiliza por las normas sobre ámbito territorial de aplicación, o ante los tribunales del Estado de la residencia habitual del interesado.

La intervención del DIPr, no obstante, no debe ser una intervención cualquiera sino que debe, tal y como afirma el profesor ORTEGA GIMÉNEZ , buscar la tutela adecuada, equilibrada y eficaz del perjudicado por un tratamiento ilícito de sus datos de carácter personal, sobre todo en un contexto en el que las empresas dedicadas al tratamiento de datos personales pueden deslocalizar interesadamente (*forum shopping*) su establecimiento principal en diferentes Estados miembros.

La conexión que se genera entre el RGPD y el Reglamento Bruselas I *bis* en cuanto a la reglas de competencia judicial internacional abre un gran abanico de cuestiones a estudiar, a los efectos de lograr una adecuada convivencia entre los foros previstos en ambas normas europeas, si bien, es necesario recordar que el carácter especial del segundo prevalece respecto a los foros previstos en el anterior; en definitiva, el RGPD ha transformado el sistema de DIPr para adaptarlo a las disputas globales y multijurisdiccionales que genera la protección de datos en nuestros días.